CARTEL

Paul-Loup Sulitzer est né le 22 juillet 1946. Cela fait plus de quinze ans qu'il occupe, dans la finance et les affaires internationales, une place de premier plan. Sa notoriété a dépassé le cadre de la France pour gagner la Grande-Bretagne et surtout les Etats-Unis. Il est économiste et, dans les affaires internationales, on fait appel à sa qualité d'expert financier. Tous ses romans : Money, Cash! *(prix du Livre de l'été, 1981),* Fortune, Le Roi vert, Popov, Hannah *et* L'Impératrice *(suite de* Hannah), La Femme pressée, Kate, Les Routes de Pékin, Cartel *et* Tantzor *sont des best-sellers internationaux. Ses romans sont traduits dans quarante pays.*

A Missikami, au Canada, la scierie qui faisait vivre la communauté francophone passe aux mains des *maudits Anglais*. Zénaïde est furieuse, elle veut savoir qui a lancé une OPA sur les forêts de son enfance.
A Milwaukee, dans le Wisconsin, un petit épicier meurt d'avoir été repéré alors qu'il effectuait, en série, des dépôts bancaires. Zénaïde est inquiète, elle veut savoir qui manipule, par le chantage et par le meurtre, ces curieux épargnants et leurs banquiers.
Le lien entre les deux affaires, c'est l'argent de la drogue que des milliers de *Fourmis* dans le monde contribuent à collecter, à blanchir, à faire fructifier. Fourmis géantes, expertes en raids et OPA, Fourmis de dépôt, rodées aux petits placements bancaires, Fourmis convoyeuses, habiles à esquiver les contrôles aux frontières, Fourmis combattantes, dressées à tuer : les hommes de main du Cartel obéissent à une seule loi, celle du profit et de la peur.

Entreprendre de recouper les pistes, de démasquer les prête-noms, d'enquêter sur les montages financiers et d'enrayer la monstrueuse mécanique, c'est risquer immanquablement la mort. Pourtant, avec Jonathan Gantry, un financier génial et dilettante qui préfère les mers du Sud à Wall Street, Zénaïde va affronter jusqu'au bout l'armée des *dieux de pierre*. Pour combattre, la Canadienne et le Fou de Bassan ont une jonque, quelques amitiés solides, beaucoup d'astuce. Et leur passion.

PAUL-LOUP SULITZER

Cartel

ROMAN

ÉDITION°1/Stock

3615 PLS
LE SERVICE MINITEL
DE PAUL-LOUP SULITZER

POUR MIEUX PLACER VOTRE ARGENT

*À Jules Sulitzer, mon père,
qui a combattu pour la
démocratie et la liberté.
À Alejandra.*

... Ceux d'entre vous qui sont les victimes asservies de la cocaïne ont permis la création de la plus vaste et de la plus monstrueuse organisation criminelle que l'humanité a jamais connue. Ce qui pourrait paraître une habitude strictement individuelle rejaillit sur l'ordre public mondial.

... L'insatiable demande de drogue aux États-Unis fait peser une menace sans précédent sur la plus vieille démocratie d'Amérique latine, la Colombie, mais représente aussi un péril pour les démocraties du monde entier.

Président Virgilio Barco
Message à la communauté internationale
et allocution prononcée à la réunion annuelle
de l'Association des Éditeurs
de journaux des États-Unis.

... Peu de menaces sont aussi coûteuses pour l'économie américaine et aucune ne cause autant de dommages à nos valeurs nationales et à nos institutions, aucune ne détruit autant de vies.
Alors que la plupart des périls internationaux sont potentiels, les ravages et la violence causés par le trafic de drogue sont là, et endémiques. La drogue constitue un danger majeur pour notre sécurité nationale.

Président George Bush
6 septembre 1989.

... La lutte contre les trafiquants de drogue est un combat majeur de l'humanité.
Président François Mitterrand
24 octobre 1989.

AVERTISSEMENT

Ce livre est un roman.
Les personnages, et leurs aventures,
sont de fiction.
Toute ressemblance
avec des personnes réelles
est bien évidemment pure coïncidence.

James Doret MacArthur. Il allait être le personnage clé de l'histoire de Zénaïde, du Fou de Bassan, de la Fourmi de dix-huit mètres.

Les jours précédents, parmi d'autres voyages, il avait traversé l'Atlantique dans les deux sens, pour la quatrième fois en moins de trois semaines. Ce déplacement-ci le ramenait de Budapest, *via* Zurich, Francfort et Amsterdam. Il était arrivé à Londres juste à temps pour y prendre le Concorde de la British Airways. À Montréal, il avait pu dormir quelques heures. Entre deux réunions. Celles-ci étaient distinctes et programmées de façon que ceux qui participaient à l'une ne pussent rien savoir des rencontres antérieures ni de celles qui allaient suivre. Ensuite, il s'était rendu, par la route, de Montréal à Toronto.

Et, à aucun moment depuis qu'il avait quitté sa résidence de l'île des Caïques, ni pendant son voyage en Europe, ni depuis son arrivée au Canada, les hommes chargés par El Sicario d'assurer sa protection ne l'avaient seulement quitté des yeux. Ils s'étaient relayés au fil des étapes, selon une mécanique si parfaite que lui-même, la plupart du temps, ne s'était pas aperçu des changements.

Il débarqua à Milwaukee, Wisconsin, d'un avion de ligne, le lundi 19 décembre vers 10 heures du matin.

13

Tout lui parut en ordre. Les deux ou trois Fourmis désignées par El Sicario pour assurer sa protection pendant ce bref séjour à Milwaukee le prirent en charge dès sa sortie du sas. Les membres de l'équipe qu'elles relevaient se dispersèrent dans la foule. La voiture avec chauffeur qui l'attendait se révéla conforme à ses souhaits habituels; c'était celle, banale, d'un cadre moyen se rendant à quelque rendez-vous d'affaires. MacArthur ne détestait rien tant qu'attirer l'attention. Du coup, son irritation à l'égard de Laudegger, qui le contraignait à venir sur les bords du lac Michigan, se dissipa un peu.

Sa voiture quitta l'aéroport General Mitchell et, se dirigeant vers le nord-ouest, traversa West Allis en direction de Waukesha. Ce fut pur hasard si, quelques minutes plus tard, sa route croisa celle de la benne à ordures. MacArthur la reconnut immédiatement. Non qu'elle eût une apparence particulière; elle ne portait aucune marque caractéristique, ne se distinguait en rien de ces véhicules puissants, de ces véritables coffres-forts mobiles qui effectuent le ramassage des déchets dans les grandes villes. En fait, MacArthur l'identifia grâce à son escorte, si discrète que fût celle-ci. Le conducteur et les deux voltigeurs à l'arrière étaient certainement armés, et l'éboueuse était précédée par une première voiture, ayant à son bord deux Fourmis de surveillance, et suivie par une grosse fourgonnette aux vitres teintées, presque noires, qui devait transporter cinq, voire six ou sept Fourmis supplémentaires.

MacArthur n'eut pas le moindre doute. Si les règles étaient respectées – et certainement elles devaient l'être –, la benne renfermait cent vingt millions de dollars.

La Chevrolet de MacArthur longea la clôture de l'usine d'incinération, la dépassa, tourna à gauche et s'engagea sur un terre-plein qui desservait un long bâtiment à un étage arborant la raison sociale d'un service de messageries rapides, sans rapport, apparemment, avec l'usine voisine. La neige recommençait à tomber. Un homme en blouson de cuir surgit et fit signe au chauffeur de la Chevrolet d'entrer dans un garage, sur le côté gauche. L'homme s'exécuta et rangea la voiture près d'une Cadillac; il n'avait pas ouvert la bouche depuis l'aéroport. Une porte à abattant se referma.

– Par ici, je vous prie.

MacArthur suivit la direction qu'on lui indiquait, monta un étage, laissa des bureaux sur sa droite, longea un couloir. La porte suivante semblait faite de bois mais elle se révéla doublée d'acier et munie de fortes serrures. De l'autre côté, il y avait une sorte d'antichambre, où MacArthur trouva une secrétaire et deux hommes armés de ce qu'il supposa être (sa connaissance des armes était nulle) des pistolets-mitrailleurs.

– Du café?

– S'il vous plaît, oui.

La secrétaire, qui ne lui avait même pas demandé son nom, l'invita à pénétrer dans un second bureau, au-delà d'une nouvelle porte, double et capitonnée. MacArthur entra. Il nota les stores vénitiens en plastique blanc qui masquaient complètement les deux fenêtres, refusa de prendre place dans l'un des fauteuils de cuir beige, demeura debout, son irritation revenue. Laudegger était au téléphone et s'était contenté de saluer d'un simple mouvement de tête accompagné d'un vague geste de la main. Il était un peu trop élégamment vêtu, selon sa mauvaise habitude. Il portait toujours son fichu diamant bleu au petit doigt de la main gauche et, d'évidence, la Cadillac, en bas dans le garage, était à lui. *Dieu merci, ses cravates, au moins, sont discrètes*, pensa MacArthur.

La secrétaire apporta le café puis ressortit, refermant soigneusement la porte capitonnée derrière elle. La conversation téléphonique se prolongeait. MacArthur avisa la porte sur le côté gauche. Il la déverrouilla.

– Je vous rejoins, dit Laudegger derrière lui.

Un garde s'écarta pour laisser passer MacArthur. Un autre, au bas de l'escalier étroit, s'effaça également et, du canon de son arme, lui indiqua, à dix mètres de là, sous la neige qui désormais tombait dru, une petite porte en fer dans le mur latéral de l'usine d'incinération. Il alla se placer devant l'œilleton. On lui ouvrit. Immédiatement à gauche se trouvait un escalier qu'il se mit à gravir, remarquant les caméras qui suivaient sa progression et les gardes postés à intervalles réguliers. Il déboucha dans une pièce dont un pan entier, à hauteur de taille, était fait d'une longue vitre teintée permettant de voir, en contrebas, le grand entrepôt où les bennes venaient décharger. L'une d'elles entrait, justement, celle qu'il avait dépassée tout à l'heure. Il reconnut les voltigeurs accrochés à l'arrière. Le véhicule traversa le hangar et s'immobilisa au fond. Des panneaux mobiles, commandés électriquement, se déplacèrent et vinrent l'entourer. Le déchargement eut lieu dans les secondes suivantes : douze grands sacs, de cent litres chacun, en plastique gris-bleu.

– Par où puis-je descendre ? demanda MacArthur.

Deux étages plus bas, il se retrouva dans un sous-sol aux murs bétonnés, constitué de cinq pièces en enfilade, où, en plus des inévitables gardes, s'activaient une vingtaine d'hommes, dans un silence presque total. Dans la pièce du fond, on alignait les sacs déchargés de la benne ; on les rangeait avec d'autres sacs identiques, provenant de livraisons précédentes. MacArthur compta quarante-huit sacs en tout.

Plus six autres qu'une équipe était en train de vider et dont le contenu commençait à être trié.

– Dix millions par sac.

Laudegger venait de rejoindre MacArthur ; il sourit.

– Sauf erreur, volontaire ou non, au moment de la

collecte. Mais il y a étonnamment peu d'erreurs. Une pour dix mille, même pas. Désolé de n'avoir pas pu vous rejoindre à Montréal et de vous avoir fait venir jusqu'ici. Vous connaissiez Milwaukee?

MacArthur dit non. Laudegger se mit à exposer les raisons qui l'avaient contraint à renoncer à se rendre au Canada. MacArthur écoutait d'une oreille distraite et regardait l'énorme masse de billets verts. Ceux-ci, presque tous des coupures de cent dollars, unité classique, étaient groupés en liasses de cent mille dollars. Sitôt que l'équipe chargée du premier tri de chaque sac en avait terminé, une deuxième équipe de six hommes prenait le relais dans la pièce suivante et effectuait un décompte identique. Les liasses étaient ensuite remises sur le tapis roulant. MacArthur suivit le convoyeur d'acier. Trois pièces plus loin, le tapis roulant s'enfonçait dans le mur de béton par un tube d'environ trente centimètres de diamètre.

– Et ça va où?

– Ça aboutit dans le deuxième sous-sol, sous les bâtiments des messageries. Vous voulez voir?

MacArthur acquiesça. Ils repartirent, Laudegger et lui. Laudegger portait des chaussures en lézard, autre détail qui agaça vaguement MacArthur. Mais il ne s'y attarda pas, occupé qu'il était à chercher dans son exceptionnelle mémoire les chiffres du centre de Milwaukee.

– J'ai compté cinquante-quatre sacs, dit-il.

– Cinq cent quarante millions de dollars.

– Nous sommes loin du compte.

– Il manque les recettes de Chicago, Detroit et Toronto. Et, surtout, j'ai décidé de faire deux collectes par mois au lieu d'une. Je préfère répartir les risques.

– Vous avez une idée du montant total?

– La deuxième collecte aura lieu dans dix jours. Le temps d'écouler ce qui vient d'arriver et ce qui arrivera encore demain. Nous avons eu quelques petits problèmes à Chicago, mais ils sont réglés. Je viens de vous l'expliquer mais vous n'avez pas paru m'écouter.

Je n'arriverai jamais à me faire à cet homme, pensa MacArthur. Laudegger et lui retraversèrent le bureau aux fauteuils de cuir beige et gagnèrent, un peu plus loin, une sorte de galerie qui, comme celle de l'usine, comportait une vitre teintée.

— Le montant total, dit MacArthur.

— Avec la collecte prévue dans dix jours, un milliard huit cent cinquante, et peut-être deux milliards. Ce serait la première fois que Milwaukee atteindrait les deux milliards. Il ne vient qu'au quatrième rang de nos six centres, pour le rendement.

Nouvelle poussée d'irritation chez MacArthur. Qui se le reprocha. Tout comme il se reprochait, depuis bientôt deux ans, l'antipathie qu'il éprouvait pour Laudegger.

— Je sais, dit-il simplement.

En réalité, il était certain de pouvoir, infiniment mieux que son compagnon, indiquer de mémoire les recettes, à cent dollars près, des six centres de collecte d'Amérique du Nord (New York, puis la Californie, puis la Floride...) durant les vingt-quatre derniers mois. Il était aussi capable d'extraire de son cerveau les chiffres concernant l'Europe, l'Amérique centrale et l'Amérique latine, et l'Asie. Et cette comptabilité n'était pourtant qu'un aspect très accessoire de son propre travail.

Laudegger lui montra la salle où le convoyeur d'acier déversait son flot de liasses. La première phase de la répartition se faisait là : à gauche, l'argent qui serait confié aux Fourmis voyageuses, à droite celui qui allait être remis aux Fourmis de dépôt.

— Les sommes destinées à celles-ci sont évidemment comptabilisées sur ordinateur. À l'étage au-dessus. Le même ordinateur a une liste des banques et des dépôts qui y ont déjà été effectués. On a aussi, bien sûr, les noms et les signes particuliers des Fourmis qui s'en sont occupé, les dates et les montants de leurs versements.

Par ailleurs, j'ai mis en œuvre les programmes dont nous étions convenus il y a six ou sept mois, à Corpus Christi. Depuis déjà trois mois, nous entrons également les noms, âges, qualifications et traits spécifiques des employés de banque auxquels nos Fourmis ont eu ou auront affaire. C'est un travail énorme.

MacArthur ne releva pas la dernière remarque. Il était en train de calculer de tête le montant global des recettes dégagées par les six centres d'Amérique du Nord pour les douze derniers mois. Il y ajouta, avec une marge d'erreur qu'il évalua à moins de un pour cent, l'argent collecté au Mexique et dans toutes les Caraïbes, Vene- zuela compris.

Cent cinquante-trois milliards deux cent vingt millions six cent soixante-quinze mille dollars.

Plus l'Europe, l'Asie et les maigres recettes dégagées par l'Afrique et l'Océanie.

Laudegger continuait à parler. Il évoquait à présent le fonctionnement extraordinairement complexe des trans- ports de fonds opérés par ces hommes qu'il appelait les Fourmis voyageuses.

– Il va falloir que nous parlions de tout ça, mais nous serions mieux dans le bureau. Je nous ai commandé à déjeuner. Vous aimez la cuisine allemande?

MacArthur haussa les épaules. Il était prêt à manger n'importe quoi pourvu que ce ne fût pas dans un lieu public. À deux reprises, lors de ses précédentes réunions au sommet avec Laudegger, il avait été obligé de rappe- ler cette exigence. Il continua d'avancer, jusqu'à l'extré- mité de la galerie. Par d'étroites meurtrières vitrées, il découvrait, à l'étage inférieur, une succession de petites salles. Des Fourmis de dépôt y recevaient leur charge- ment d'argent. Chacun de ces hommes (beaucoup de Latino-Américains parmi eux, ce qui agaça encore MacArthur, car il désapprouvait l'utilisation d'un nom- bre trop élevé d'immigrés de fraîche date pour les dépôts bancaires), chacun d'eux se voyait remettre cinq liasses différentes, plus, naturellement, le nom et l'adresse de l'établissement financier ou bancaire où effectuer les versements. Chaque liasse était d'un montant avoisinant les dix mille dollars, mais toujours inférieur, dans des proportions déterminées par ordinateur, pour éviter la répétition de versements identiques – à partir de dix mille dollars, quiconque approvisionne un compte bancaire, aux États-Unis, est tenu de décliner son identité et d'indiquer son numéro d'assurance sociale.

– Les Fourmis de dépôt commencent à peine à travailler. Seules les plus sûres d'entre elles viennent directement ici. La grande majorité s'approvisionne auprès des centres des différentes villes. Toujours le compartimentement.

– Combien de Fourmis, en tout ?

– Pour les dépôts uniquement, et dans le secteur qui comprend onze États américains plus le Centre-Canada, deux mille cent cinquante. Tous ces hommes sont mariés et ont des enfants ; c'est le critère primordial de leur sélection. Ça les rend plus faciles à contrôler. Chacun d'eux effectue cinq dépôts par jour, plus rarement six ou sept. Disons que la moyenne est de vingt-six dépôts par semaine. Soit deux cent cinquante-huit mille sept cents dollars, multipliés par deux mille cent cinquante...

– Cinq cent cinquante-six millions deux cent cinq mille, dit machinalement MacArthur, qui avait fait le calcul sans même y penser. Chacune de vos Fourmis dépose trente-cinq mille cinq cent trente-cinq dollars et soixante et onze cents virgule quatre par jour.

– Multipliés par deux mille cent cinquante et pour dix jours ouvrables...

Cette fois, MacArthur se tut. Il suivait du regard l'une des Fourmis, en contrebas, un petit homme à qui il manquait l'index de la main gauche – seul trait qui le rendît remarquable. Aussi, ce fut Laudegger qui énonça le chiffre, après avoir tapoté sur sa calculatrice.

– Sept cent soixante-quatre millions dix-sept mille huit cent cinquante.

À l'étage inférieur, le petit homme basané, moustachu, trapu, d'environ quarante ans, enfoui dans un sac de toile les cinq liasses et la liste des cinq banques dans lesquelles il devait effectuer ses dépôts. Il sortit.

– Est-ce que certaines de vos Fourmis de dépôt ont déjà essayé de garder l'argent pour elles ?

– Deux s'y sont aventurées, au cours des quatorze derniers mois, répondit Laudegger en riant. Les hommes d'El Sicario les ont retrouvées, elles et leurs familles.

– Combien le Sicaire a-t-il de... disons de contrôleurs ?

W

prochaine rencontre. Je n'en ai pas la moindre idée. Vous savez combien il est indépendant. Nous avons près de neuf cent millions de dollars, en bas, en ce moment même, puisque nous commençons à peine la répartition. Vous voulez descendre voir ?

– Les détails ne m'intéressent pas, dit MacArthur.

Il s'appelle Paul (Pablo) Morales. En 1962, après avoir quitté Santiago de Cuba et gagné les États-Unis *via* la République Dominicaine, il n'a pas voulu s'installer en Floride. Une première poussée vers le nord, en compagnie de son frère Raúl, l'amène à Detroit, où ils finissent par trouver du travail, d'abord dans les cuisines d'un restaurant prétendument mexicain, puis dans une usine de pièces détachées pour automobiles. C'est là que, par accident, il perd l'index gauche. Six ans plus tard, après avoir enfin obtenu la nationalité américaine, Raúl et lui réussissent à ouvrir un petit garage à South Bend, dans le Nord de l'Indiana. Leur affaire marche plus ou moins durant une dizaine d'années. Puis Raúl meurt, abattu par erreur par des policiers. On est en 1982. Pablo se retrouve avec la charge de sa propre famille, composée de quatre enfants, mais aussi celle de sa belle-sœur et de ses cinq neveux et nièces. Il vend le garage et achète une épicerie à Kenosha, à peu près à mi-chemin entre Chicago et Milwaukee, sur les bords du Michigan. Après que son épicerie a été attaquée à neuf reprises par des rôdeurs nocturnes, un homme vient le voir, qui parle espagnol et lui demande s'il aimerait gagner plus d'argent. « *Nous vous observons depuis très longtemps* », dit l'homme. « *Vous êtes un citoyen respectable et respecté. Vous êtes marié, vous élevez une dizaine d'enfants. Vous êtes surtout quelqu'un en qui on peut avoir raisonnablement confiance.* » En à peu près un quart de siècle de présence sur le sol américain, Paul Morales n'a jamais eu affaire à la police – sauf quand les policiers sont venus lui expliquer qu'ils avaient abattu son frère par erreur et à l'occasion des neuf attaques à main armée pour lesquelles il a systématiquement porté plainte, sans le moindre résultat. Il dit non à son visiteur. Qui revient, et lui donne des assurances : jamais on ne lui confiera quoi que ce soit qui, même s'il est arrêté et fouillé, puisse le compromettre ; d'ailleurs, il peut commencer à travailler à ses moments perdus, une course par ci, par là ; cinquante dollars à chaque course. À lui de voir. Tout ce qu'il doit faire, c'est recevoir un peu moins de dix mille dollars, aller les déposer sur un compte spécialement ouvert à son nom dans une banque qu'on lui désignera, puis signer un document demandant à la banque de virer l'intégralité de la somme – moins cinquante dollars qu'il pourra retirer et garder – sur un fond d'investissement qui, lui aussi, lui sera désigné. Il ne pose pas de questions. Le visiteur n'a pas la tête de quelqu'un à qui l'on pose des questions. Morales effectue une vingtaine de « courses », durant tout un trimestre, puis prend sa décision : déjà, à raison de dix à douze dépôts par semaine, il gagne deux fois ce que lui rapporte son épicerie. Il met sagement son magasin en gérance, ne serait-ce que pour avoir un moyen d'expliquer au fisc d'où lui vient son argent.

Ce jour-là, où le ciel va lui tomber sur la tête, il travaille comme Fourmi de dépôt depuis quatorze mois. Jamais l'idée ne lui est venue de garder pour lui tout ou partie de ces énormes sommes qui lui passent entre les mains. Plus exactement, si cette idée l'a fugitivement effleuré, il l'a aussitôt rejetée. Il n'a pas le moindre doute sur ce qui arriverait à sa femme, à ses enfants – il en a six, maintenant –, et même à ses neveux et nièces s'il cédait à une tentation aussi folle. Et puis des bruits courent, dont il a choisi de ne pas vérifier le bien-fondé.

Il ne sait pas vraiment qu'il est une Fourmi de dépôt. Le mot fourmi, pourtant, a été prononcé par l'homme qui est venu deux ans plus tôt dans son épicerie. L'homme a dit exactement : « *As-tu jamais observé des fourmis, Pablo? Tu connais la marabunta? En Amérique du Sud, les fourmis se mettent parfois en marche, par millions. La marabunta engloutit tout sur son passage. Rien ne peut l'arrêter. Pense à la marabunta et aux fourmis, Pablo, quand tu travailleras pour nous. Depuis des millénaires qu'elles existent, aucune n'a jamais abandonné ou négligé son travail de soldat, de nourrice, de constructeur, de pourvoyeur. Inspire-toi d'elles et tout ira bien.* »

Ce matin-là, dans un petit bureau très haut de plafond, au mur percé d'une espèce de meurtrière munie d'une vitre noire, il reçut cinq enveloppes de papier kraft (un peu moins de dix mille dollars dans chaque enveloppe, mais il avait l'habitude) et cinq adresses de banques à Milwaukee. Il connaissait bien la ville, tout comme il connaissait les établissements bancaires à six cents kilomètres à la ronde. Il lut la liste à plusieurs reprises, l'apprit par cœur et la brûla, sous l'œil approbateur de celui qu'il appelait le caissier, lequel sembla, comme toujours, très satisfait d'une telle prudence. Quant aux deux fonds d'investissement sur lesquels il allait faire virer les sommes déposées, ils lui étaient depuis longtemps familiers. Il en avait utilisé une trentaine, mais certains revenaient plus souvent que d'autres. Il salua le caissier et le garde armé, referma son sac et sortit. Les banques où il devait se rendre n'étaient pas éloignées les unes des autres. À une exception près, il n'avait mis les pieds dans aucune d'entre elles, et, encore, l'exception concernait un établissement où il avait, un an auparavant, effectué son dépôt à l'heure de la fermeture, lorsque les employés ont tendance à être distraits.

Il monta dans sa voiture et en bloqua les portières. Une autre voiture démarra derrière la sienne, mais il ne s'en préoccupa guère; ce n'était pas la première fois, ni sans doute la dernière, qu'on le suivait pour s'assurer qu'il n'allait pas faire l'imbécile. Or, il se sentait la conscience parfaitement tranquille. Il en aurait terminé avant trois heures de l'après-midi. Deux cent cinquante dollars gagnés vraiment sans se fatiguer.

Trois heures plus tard, il fut repéré par Zénaïde Gagnon.

Zénaïde Gagnon n'est pas américaine mais canadienne – francophone, quoique parfaitement bilingue. Elle ne vient pas du Québec mais de l'Ontario, où elle est née voilà vingt-cinq ans, dans l'un des rares gros bourgs où l'usage de la langue française s'est maintenu, à Kapuskasing. Néanmoins, c'est à cent cinquante kilomètres au sud qu'elle a passé son enfance et son adolescence, dans un endroit que presque aucune carte n'indique, Missikami, où son grand-père l'a recueillie à la mort de ses parents, alors qu'elle avait à peine quatre ans. Elle est allée à l'école à Missikami, avant de poursuivre ses études secondaires à Montréal. Avec cette détermination que les années vont renforcer, elle a jugé qu'elle devait subvenir à ses propres besoins dès l'âge de dix-huit ans. Elle a donc pris un emploi et elle est entrée dans une banque montréalaise, comme secrétaire, tout en entreprenant des études supérieures. Deux ans plus tard, elle reçoit sa première promotion, en même temps qu'une affectation à Toronto – elle s'y inscrit à l'université, section du droit des affaires. Le temps de terminer sa licence, elle s'est mariée. Avec un avocat américain de quatre ans son aîné, Larry Elliott, qui, par une espèce de miracle qu'elle ne s'expliquera jamais tout à fait, est parvenu à la convaincre qu'elle a besoin d'un homme à demeure dans sa vie. Des raisons purement professionnelles ont amené Elliott pour quelques jours au Canada. Bardé de son MBA, brillamment obtenu à la *business school* d'Harvard, il n'est encore que l'une des nouvelles recrues d'un cabinet d'avocats d'affaires de New York. Il a invité Zénaïde à dîner, puis à déjeuner, deux jours plus tard, et, au troisième jour de leurs relations, il s'est déclaré amoureux fou. Il doit l'être, car, durant les cinq mois suivants, il vient presque chaque semaine la voir de New York.

Elle n'est pas complètement novice, en matière d'hommes. Elle a déjà eu deux ou trois aventures – assez anecdotiques, à vrai dire. Surtout, depuis ses quinze ans, elle a pu éprouver la constance de l'effet qu'elle produit sur les individus de sexe mâle. Il n'y en a pas un sur cinquante qui, la voyant, ne projette illico de *la sauter*, comme elle dit elle-même. Non qu'elle soit d'une beauté foudroyante. Cela tient à autre chose; à la façon dont elle soulève ou repose un récepteur de téléphone, tend un papier, marche, se lève, s'assoit. Cela tient aussi à sa voix, à sa façon très tranquille de soutenir les regards. Elle ne le fait pas exprès, c'est ainsi. Et, en plus, ça l'énerve : elle préférerait que l'on s'intéressât davantage à ce qu'elle a dans la tête et moins à ses seins, à ses hanches ou à sa chute de reins.

La première année de mariage va assez bien, va d'autant mieux qu'elle a refusé de quitter Toronto. Larry et elle ne se voient que le samedi et le dimanche – et pendant les vacances. Elle finit cependant par céder à son insistance. Surtout parce que la banque où elle travaille a donné à quelqu'un d'autre le poste de fondée de pouvoir qu'elle estimait lui être dû. Elle démissionne et part pour New York. Elle tient six mois dans son rôle de femme au foyer. Larry s'oppose à ce qu'elle reprenne un emploi. Lui-même est en pleine ascension et compte prendre rang rapidement parmi les tout premiers analystes financiers de Wall Street. Il travaille douze heures par jour, certes, mais ses revenus commencent à se rapprocher de la barre du million de dollars annuel qu'il s'est fixée comme objectif. Zénaïde passe outre ses objections et trouve un poste à la banque d'affaires Katz, Lerner & Co. Sans aucun doute, elle est consciente des risques qu'elle fait ainsi courir à son mariage ; l'homme qui l'a fait entrer chez Katz, Lerner & Co. est un certain Marty Kahn, l'un des plus jeunes et des plus brillants spécialistes de l'arbitrage-risque ; autant dire un rival professionnel de Larry. Elle l'a connu lors d'un dîner à *La Côte basque*, restaurant fréquenté par les *golden boys*. À tort ou à raison (il n'a pas tort), Larry croit deviner, derrière la bienveillance de Kahn, une pure et simple envie de coucher avec sa femme. Cinq mois d'enfer. Pendant lesquels, tout de même, Zénaïde apprend pas mal de choses en matière de finance. Elle ne couche pas avec Marty, bien que l'idée lui en soit venue (Marty est très amusant). Elle demande le divorce et l'obtient d'autant plus aisément qu'elle ne réclame rien. Elle quitte New York, qu'elle ne supporte pas, et émigre au Wisconsin. À la fois parce que c'est près de Sault-Sainte-Marie – et donc de l'Ontario et de Missikami, où vit encore son grand-père – et parce que les frères Kessel lui ont offert un poste de fondée de pouvoir. Les frères Kessel sont propriétaires de leur banque; elle est dans la famille depuis cent ans et plus. C'est un établissement de petite taille – une vingtaine d'employés à peine. Bien sûr, il y a l'inconvénient que les Kessel – surtout le cadet, Harvey – aimeraient assez la sauter. Comme les autres. Mais ils ont cinquante ans passés et elle court plus vite qu'eux. Le jour où elle va repérer la première Fourmi de dépôt, elle travaille chez les Kessel depuis huit mois. Et elle a deux soucis. D'abord la lettre qu'elle a reçue le matin même de son grand-père. Et puis les CTR et les CMIR, à propos desquels, durant les semaines précédentes, elle a relevé de troublantes irrégularités.

Elle relut la lettre, « *La pire catastrophe qui pouvait nous arriver s'est produite, écrivait Évariste Gagnon. La scierie a été vendue et tu sais combien elle comptait ici. Tous ceux d'entre nous qui y travaillaient viennent de recevoir leur préavis de licenciement. Nous allons devoir quitter notre lac et nos maisons. Il y a plus terrible encore : ce sont les Guili-Guili qui ont acheté; nous ignorons comment. Tu sais ce que cela veut dire pour nous tous... »*

Elle savait. Et s'étonna elle-même de la rage froide qui la tenait. C'était ridicule, mais... Elle replia la lettre et la déposa dans un tiroir de son bureau. Comme tous les jours, elle était arrivée la première à la banque, plus d'une demi-heure avant le reste du personnel. Les Kessel, quant à eux, ne se montraient presque jamais avant dix heures, dans le meilleur des cas. Elle parvint à repousser dans un coin de sa mémoire la lettre venue de Missikami; elle ne voyait rien qu'elle pût faire, pour l'instant, à propos des Guili-Guili (leur vrai nom était MacGuildy). Elle se rendrait sur place, mais il lui faudrait attendre la fin de la semaine pour prendre la route de l'Ontario. Elle rouvrit donc ses dossiers sur les CTR (*currency transaction reports*), contenant la réglementation selon laquelle une banque est tenue de faire remplir un formulaire mentionnant l'identité et le numéro d'assurance sociale à tout client effectuant un dépôt de plus de dix mille dollars. Les CMIR (*currency or monetary instrument reports*) prescrivaient l'établissement d'un formulaire identique pour tous les transferts de fonds supérieurs à cinq mille dollars.

Zénaïde ne possédait pas à proprement parler de preuves mais elle avait toutes les raisons de penser qu'au cours des cinq derniers mois les frères Kessel, Harvey surtout, avaient, soit négligé, soit délibérément omis, de faire remplir l'un ou l'autre des deux formulaires. En une dizaine d'occasions, et pour des sommes qui, dans deux cas au moins, dépassaient plusieurs millions de dollars. Autre chose l'intriguait : dans quinze ou vingt cas, et peut-être bien davantage – tout cela était à vérifier –, Harvey et George Kessel avaient certes rempli ou fait remplir le CTR approprié mais, au lieu d'adresser l'original au Département fédéral du Commerce, ainsi qu'il était d'usage, ils avaient envoyé des photocopies. Et des photocopies faites sur un vieil appareil dont chacun, à la banque, savait qu'il produisait des documents à peu près illisibles. Certes, il était peu probable que l'administration fédérale, submergée par des centaines de millions d'envois de ce type, prît la peine de réclamer quoi que ce fût. Mais, justement, là était sans doute la raison du choix de la vieille photocopieuse.

À neuf heures, les employés arrivèrent. Suzy Alcott en retard de quelques minutes, comme d'habitude, et, comme d'habitude, avançant comme excuse une histoire à dormir debout. George Kessel apparut peu avant dix heures, mais il était accompagné de l'un de ses plus vieux clients personnels et il s'enferma aussitôt dans son bureau avec lui, en demandant qu'on ne les dérangeât pas. Trente-trois minutes plus tard, comme prévu depuis plusieurs jours, un véhicule de transport de fonds emporta quatre millions six cent cinquante-trois mille dollars, pour une opération de routine. Le va-et-vient des clients battait alors son plein, généralement pour de petits retraits, comme tous les lundis. Zénaïde n'accorda que peu d'attention au petit homme basané, coiffé d'une casquette de cuir à oreillettes, qui, tout le temps qu'il demeura devant le guichet 3, garda obstinément la main gauche dans la poche. Tout au plus enregistra-t-elle machinalement son nom. Morales était un patronyme courant parmi les Hispano-Américains mais il se trouvait être celui de la femme de ménage qu'elle avait eue pendant son séjour à New York, à l'époque où elle jouait les maîtresses de maison pour Larry Elliott.

Harvey Kessel ne vint pas. Il téléphona vers onze heures quinze, annonçant qu'il souffrait d'un petit refroidissement, attrapé la veille; il ne passerait que dans l'après-midi; Zénaïde acceptait-elle de faire un saut à sa place à la banque Milwaukee Central, à trois heures de l'après-midi? (Les deux banques étaient parties prenantes dans le financement conjoint d'un projet immobilier à Marquette, sur les bords du lac Supérieur.) Elle accepta. Harvey Kessel avait déjà prévenu Jimmy Baumann, de la Central. *Il sera enchanté de vous rencontrer, évidemment.*

Elle quitta son bureau à trois heures moins dix. Il neigeait assez fort depuis le début de la matinée. Elle chaussa ses caoutchoucs et partit à pied, s'abritant sous un parapluie. La Central ne se trouvait que deux blocs plus loin. Elle arriva un peu en avance à son rendez-vous et dut attendre, mêlée aux clients ordinaires.

Elle le repéra trente secondes plus tard. L'homme – Morales – avait bizarrement troqué sa casquette de cuir contre un bonnet de laine. Sa main gauche demeurait toujours cachée dans la poche de son pardessus. Il effectua un dépôt d'un peu moins de dix mille dollars et, ainsi qu'il l'avait fait à la banque Kessel, demanda que la totalité de la somme, sauf cinquante dollars, qu'il retirait sur-le-champ en liquide, fût investie dans un fonds de placement collectif.

– Je reviens. Dites à monsieur Baumann que je n'en ai que pour quelques minutes.

Elle était sortie derrière Morales, sur une impulsion, et n'eut pas à aller loin : l'homme monta dans une voiture et démarra. Elle eut le temps de relever le numéro du véhicule. Parmi tous les hommes qui l'avaient invitée au moins trois fois à dîner depuis son arrivée à Milwaukee, il y avait notamment un mignon petit blond qui était l'assistant du procureur général du Wisconsin. Elle ne doutait pas une seconde qu'il se ferait une joie de lui trouver le nom du propriétaire de la voiture. En revanche, elle était bien moins sûre d'être animée d'une curiosité suffisante pour pousser très loin son enquête.

Ce qui arriva, simplement, c'est que, tentant d'y voir plus clair dans ces affaires de CTR et de CMIR, elle se résolut à reprendre le listing d'ordinateur de tous les dépôts effectués aux guichets de la banque Kessel au cours des trois derniers mois. Son intention première était de relever tous les versements d'un montant supérieur à cent mille dollars et, ensuite, de vérifier pour chacun d'eux, s'ils avaient fait l'objet d'un CTR en règle.

La répétition de montants identiques éveilla son attention, bien que ce ne fût pas du tout ce qu'elle cherchait. Mais, pour pointer les dépôts de cent mille dollars et plus, il lui fallait d'abord écarter tous les versements inférieurs. Sur quatre-vingt-dix jours, pour la période du 15 septembre au 15 décembre, elle dénombra – et sa curiosité, maintenant, était aux aguets – deux cent quatre-vingt-onze dépôts de sommes variant entre neuf mille huit cent soixante-quinze et neuf mille neuf cent quatre-vingt-onze dollars.

Il était près de onze heures du soir et elle était évidemment seule dans la banque, avec le gardien de nuit qui, d'ailleurs, avait l'habitude de la voir rester après la fermeture – mais jamais aussi tard. Elle prit trois décisions : elle attendrait un peu pour en parler aux frères Kessel; elle allait décidément dîner avec le blondinet des services du *district attorney*; et elle pousserait plus avant ses recherches.

L'idée que tout cet argent pouvait provenir de la drogue lui était venue. Et persistait.

Elle se remit à pianoter sur son clavier d'ordinateur dès le lendemain après-midi – le mardi, donc –, aussitôt après le départ des derniers employés. Harvey Kessel n'avait toujours pas reparu; son refroidissement prenait des allures de bronchite.

Elle remonta six mois, puis douze mois en arrière. Mille sept cents dépôts en douze mois. Exactement mille sept cent vingt-quatre. Pour un montant total de dix-sept millions cent cinquante-trois mille huit cents dollars. Auxquels il fallait ajouter, si ses soupçons se confirmaient, vingt, trente, cinquante millions ou plus déposés au cours de la même période, qui n'avaient fait l'objet d'aucun CTR ou qui avaient entraîné l'établissement d'un CTR illisible. Entre quarante et peut-être cent millions de dollars. *Tabernacle!* comme disait grand-père Gagnon quand il sacrait.

Il semblait très possible, sinon probable, qu'une autre banque au moins à Milwaukee, la Milwaukee Central, ait également été utilisée.

Le lendemain, mercredi, elle dîna avec l'assistant du procureur et réussit, au prix d'une résistance acharnée, à l'empêcher d'entrer dans son lit. Elle obtint le renseignement demandé : la voiture appartenait à un homme qui se nommait Paul Morales et qui était propriétaire d'une épicerie à Kenosha.

Elle se rendit à Kenosha dans la soirée du jeudi.

Les deux adolescents qui tenaient les caisses du petit supermarché de la Soixante-Troisième Rue, à Kenosha, pas très loin de Columbus Park, étaient les deux fils aînés de Paul Morales. Ils dirent que leur père n'était pas là et que, sans doute, elle pourrait le trouver chez lui, Wilson Road. Elle s'y rendit et découvrit une maison fort plaisante, devant laquelle la neige avait été soigneusement déblayée. Le garage était ouvert et abritait deux voitures, dont celle dont elle avait relevé le numéro.

– Un accident de voiture? Je n'ai été impliqué dans aucun accident.

Morales parut surpris mais nullement inquiet. Elle nota l'absence d'index à la main gauche et comprit pourquoi, chaque fois qu'elle l'avait vu devant un guichet de banque, il avait gardé cette main-là dans sa poche. La maison était pleine d'enfants entre six et quinze ans. Morales s'arracha à la retransmission télévisée d'un match de basket-ball que concurrençait sauvagement une cassette de Stevie Wonder, hurlant dans la pièce voisine.

– Vous êtes vraiment dans les assurances automobiles?

Ils avaient gagné le garage. Elle dit qui elle était vraiment, avertit Morales que, non seulement elle avait découvert toute l'affaire des versements de moins de dix mille dollars sur certains fonds d'investissement (l'ordinateur lui avait livré dix-sept noms), mais encore, qu'elle avait pris ses précautions : si quoi que ce fût lui arrivait, les dossiers qu'elle avait constitués iraient droit à la police fédérale.

Il la regarda, ahuri.

– Je vous ai menacée?

Ensuite, il nia. Certes, il avait effectué deux dépôts dans deux banques différentes. Mais il avait suivi en cela les conseils d'un de ses amis.

– Moins on est repéré par le service des impôts et mieux ça vaut.

D'accord; il reconnaissait qu'il avait, grâce à quelques petits accords avec ses fournisseurs, gagné avec son supermarché un peu plus que les sommes déclarées au fisc. Elle pouvait le dénoncer, si c'était ce qu'elle voulait.

– Vous avez vu tous les enfants que j'ai à nourrir?

Les deux fonds d'investissement aux comptes desquels il avait fait virer l'argent? Le même ami les lui avait conseillés. Rien d'illégal là-dedans.

De nouveau, il la considéra avec le plus grand – ou le mieux joué – des étonnements.

– La drogue? Qu'est-ce que j'ai à faire avec la drogue, moi? Si l'un de mes fils ou de mes neveux y touchait, je le massacrerais.

Paul Morales regarda partir la jeune femme. *Sacré brin de fille!* Il n'était nullement inquiet, certain d'avoir répondu mot pour mot et avec le ton qu'il fallait ce qu'on lui avait dit de répondre en pareil cas. Il avait joué d'un peu de malchance; c'était tout. À la banque Kessel, il était tombé sur une employée qui avait habité Kenosha et avait été cliente de son épicerie. Forcément, elle l'avait reconnu, et elle l'avait appelé par son nom quand il s'était présenté au guichet. Et alors? On le lui avait expliqué: c'était parfaitement légal de déposer de l'argent dans deux banques différentes, et sans donner son identité dès lors qu'on versait moins de dix mille dollars. Il avait été repéré par cette fille (*Dio mío, quel morceau!*) au moment de son passage à la Milwaukee Central. D'accord; mais qui pourrait prouver qu'il était passé dans des centaines d'autres banques?

Il ne vit décidément pas pourquoi il s'inquièterait. C'était, par tempérament, un homme placide. Il revint à la maison et annonça à sa femme qu'il allait faire un tour au magasin et qu'il y ferait la fermeture. Il partit en voiture. Bien entendu, il n'appela pas de chez lui, ni de l'épicerie, mais d'une cabine sur sa route, dans la Soixantième Rue. Il composa le numéro de téléphone qui lui avait été indiqué en cas d'urgence et qu'il avait enregistré dans sa mémoire. À son interlocuteur inconnu, il raconta tout, dans le détail, insistant sur le fait qu'il avait opposé aux questions la meilleure attitude possible. L'homme, au bout du fil, se montra rassurant : il s'était en effet parfaitement conduit, tout irait bien.

– Merci d'avoir appelé, Paul. Bon travail.

Il remonta dans sa voiture bien chauffée. Il arriva à l'épicerie peu avant huit heures, renvoya chez lui l'aîné de ses neveux, qui était le gérant officiel du magasin, et garda pour l'aider un autre de ses neveux et ses deux fils. Il leur avait interdit de porter une arme. Au cours des quatorze derniers mois, ils avaient à nouveau été attaqués deux fois – onze agressions en tout depuis l'ouverture du magasin. Mais le principe de Paul Morales était de ne jamais tenter de se défendre, en cas d'agression. Tu tires et les autres tirent aussi; et ça finit toujours par un carnage. Mieux vaut remettre l'argent qui est dans la caisse et rester calme.

Toujours rester calme, c'est ce qu'il faut faire. Il était resté très calme face à la fille. Plus il y pensait, plus il estimait s'en être bien sorti.

Quel morceau!

Pas une seconde, il ne se douta qu'il venait, par son coup de téléphone, de déclencher le branle-bas de combat chez les Fourmis de garde.

À Milwaukee, Zénaïde avait eu la chance de trouver un appartement en bordure de Mitchell Park, avec une vue imprenable sur les coupoles des serres. À son retour de Kenosha, elle arriva chez elle vers dix heures trente du soir, après avoir fait halte à la banque pour s'assurer qu'elle avait bien tout rangé dans la pièce des ordinateurs. Une angoisse diffuse lui était venue, sur l'autoroute enneigée, comme elle longeait le lac Michigan. La sonnerie de son téléphone retentit alors qu'elle sortait de l'ascenseur qui l'amenait du garage souterrain de l'immeuble. Elle ouvrit la porte et décrocha à temps.

Silence sur la ligne.

Sur le moment, elle ne s'inquiéta pas. Ce pouvait fort bien être son grand-père appelant de l'Ontario, de Missikami. Grand-père n'aimait pas lui téléphoner à son bureau, à la banque, et préférait le faire le soir. Toute cette neige avait peut-être perturbé les liaisons téléphoniques; c'était déjà arrivé.

La deuxième sonnerie retentit tandis qu'elle était sous la douche.

Le même silence. Mais il y avait pourtant quelqu'un en ligne; elle percevait sa respiration.

– Si c'est une blague, elle est idiote, dit Zénaïde avant de raccrocher.

Elle retourna vers la salle de bain, attenante à sa chambre, et découvrit au passage la porte palière grande ouverte. Elle l'avait pourtant refermée au verrou en arrivant. Elle avança de deux pas avec l'intention de la refermer de nouveau. S'immobilisa : la serrure avait été démontée et ôtée ainsi que les verrous. Sans doute pendant qu'elle se trouvait sous la douche, où elle s'était attardée.

Tu te calmes. Si on voulait te tuer, ce serait déjà fait.

Elle était nue. Elle revint dans la chambre, y décrocha le récepteur près du lit. La ligne sonna occupé. Elle raccrocha. La seconde suivante, sonnerie.

Et le silence sur la ligne.

Ils veulent te faire peur, c'est tout.

Et ils y arrivent.

Elle décrocha encore une fois. Occupé. Un souffle d'air glacé l'enveloppa soudain, et elle comprit : ce ne pouvait pas être l'effet de la porte palière demeurée ouverte – elle l'aurait senti plus tôt. Non, quelqu'un venait d'ouvrir les portes-fenêtres de la salle de séjour donnant sur Mitchell Park. Elle s'habilla rapidement, tout en surveillant le vestibule, sur lequel elle avait une vue directe.

Sonnerie du téléphone.

– J'ai cherché à vous joindre toute la soirée, dit la voix d'Harvey Kessel. L'idée est de mon frère George mais je l'approuve entièrement : pourquoi ne prendriez-vous pas quelques jours de vacances ? Noël est dans trois jours et nous sommes jeudi. Depuis votre arrivée, vous avez travaillé avec acharnement. Prenez donc une semaine. Allons ! C'est dit (la voix du cadet des Kessel était pleine de jovialité) : prenez même jusqu'au 2 janvier. Vous avez bien mérité un peu de repos. Bonnes fêtes ! Et que je ne vous voie pas demain matin à la banque !

Elle demeura quelques secondes le récepteur à la main puis le reposa.

Tu as compris, Zénaïde ?

Elle enfila sa parka doublée de renard et chaussa ses demi-bottes fourrées. Elle sortit de la chambre. Une porte-fenêtre était effectivement ouverte dans la salle de séjour, mais celle-ci était déserte. Elle s'avança jusqu'à deux mètres du balcon avec l'inexplicable certitude que quelqu'un se trouvait-là, caché.

Elle sortit et fut tentée un moment d'aller frapper à la porte de ses voisins immédiats, un couple de retraités qu'elle connaissait peu. Au lieu de cela, elle prit directement l'ascenseur pour le garage souterrain. Trois minutes plus tard, elle roulait dans les rues figées par le froid. Elle se rendit à la banque Kessel. La première de ses trois clés tourna sans difficulté. Pas la deuxième. Quant à la troisième, elle ne put même pas l'introduire dans la serrure.

Ils ont même pensé à changer les serrures, devinant que tu viendrais tout droit ici.

Et les seules preuves qu'elle détenait, pour autant que l'on pût parler de preuves, se trouvaient là, dans l'ordinateur de la banque. Elle appuya sur la sonnette, l'entendit retentir à l'intérieur, mais personne ne vint. Le veilleur de nuit, Dubber, était, soit empêché de répondre, soit – plus probablement – absent, mis en congé lui aussi. Avec cette ténacité qu'elle manifestait en toutes choses, elle essaya d'appeler d'une cabine publique. Pas de réponse. Alors elle hésita. L'idée d'obéir docilement à Harvey Kessel la faisait enrager. Elle pouvait peut-être faire appel au blondinet des services du procureur...

Non.

Elle remonta dans sa voiture et reprit la route de Kenosha.

L'officier de police battait la semelle. Il fixa Zénaïde avec, dans les yeux, l'expression qu'elle provoquait chez quarante-neuf hommes sur cinquante. Il demanda :

– Vous les connaissiez ?

– Vaguement, répondit-elle. Je suis entrée deux ou trois fois dans leur épicerie pour y acheter quelque chose. On les a tués tous les trois ?

– Tous les quatre. Une vraie boucherie. Morales avait avec lui ses deux fils et l'un de ses jeunes neveux. Ils ont été identifiés. Il semble que les tueurs soient entrés par l'arrière. Vous habitez dans le coin ?

– Chez mes parents, dit Zénaïde. Qui les a tués ?

– On a vidé la caisse et pris l'argent qu'ils avaient sur eux. Mariée ?

– Et mère de seize enfants. Pourquoi cette position des corps ?

Tous les quatre étaient allongés dans une allée du supermarché, chaque cadavre couché sur le ventre, les bras étendus en avant, à la file, touchant les talons du suivant. On eût dit une figure d'acrobatie, mais exécutée à plat sur le sol. Le lieutenant de police dit qu'il ne pouvait donner, pour l'instant, aucune explication à cette étrange disposition. Elle demanda encore :

– Et ces choses qui bougent ?

– Des fourmis rouges, dit le policier. Je me demande d'où elles sortent. Surtout d'une taille pareille. L'un de mes hommes a été mordu.

Eh oui ! Il trouvait ça bizarre, des fourmis rouges dans

le glacial hiver du Wisconsin. Peut-être s'étaient-elles échappées d'un paquet de riz ou de n'importe quoi.

– Et ce sera le sang qui les aura attirées.

– Bonne continuation, dit Zénaïde une seconde avant que le lieutenant de police ne se décidât à l'inviter à dîner.

Elle remonta dans sa voiture et prit la route de Missikami.

Laudegger était à New York, dans son duplex de Park Avenue, acheté cinq millions de dollars quelque temps auparavant et qui en valait aujourd'hui le triple. Il achevait de dîner en compagnie de sa femme Mandy et de six amis. Il racontait une histoire fort drôle de promoteur immobilier au Texas. L'un des domestiques portoricains vint lui chuchoter à l'oreille qu'on le demandait à nouveau au téléphone. Il prit le temps de terminer son récit, pria ses invités de l'excuser, et passa dans son bureau, sans même refermer derrière lui la porte capitonnée de buffle asiatique – un cuir presque noir.

– Nous avons la signature de quatre d'entre eux, dit la voix un peu étouffée de Milán. Ça suffit ou vous en voulez d'autres?

– Ça suffira pour l'instant. Aux conditions habituelles?

Il voulait parler des fourmis rouges, qui permettaient de faire passer un message des plus clairs à toutes les Fourmis travaillant comme feu Pablo Morales. L'idée était de Laudegger lui-même, et elle l'enchantait, d'autant plus que MacArthur l'avait trouvée parfaitement imbécile et dangereuse.

– Aux conditions habituelles, dit Milán, qui était le responsable des Fourmis de garde pour tout le territoire nord-américain et qui, à ce titre, était placé sous les ordres directs d'El Sicario.

Certains jours, il arrivait à Laudegger de penser qu'il

avait un peu peur de Milán. Quand à El Sicario, mieux valait ne pas en parler! Laudegger n'avait pratiquement aucun contrôle sur l'organisation des deux hommes; sa seule consolation était que MacArthur n'en avait pas davantage.

– Et l'autre actionnaire? La femme?

– Les ordres sont de ne pas la contacter si elle n'intervient pas. Mais nous pouvons la toucher à tout moment. Il semble qu'elle soit en route pour aller passer les fêtes en famille. Bonne nuit.

– Bonne nuit, dit Laudegger avant de raccrocher.

Il réfléchit. Ainsi donc, il avait été décidé (contre le souhait qu'il avait formulé) de ne pas exécuter l'employée de banque canadienne. Dommage. C'était une erreur à son avis. Sitôt l'alerte déclenchée par le coup de téléphone de Morales, un ordinateur avait craché la fiche de Zénaïde-Françoise Gagnon, d'entre celles de plusieurs dizaines de milliers d'employés d'établissements financiers ou bancaires. Seul détail notable, en dehors du fait qu'elle était canadienne francophone d'origine : elle avait été mariée à Larry Elliott. Laudegger y avait vu une raison suffisante de l'éliminer immédiatement. On camouflerait, bien sûr, l'opération en accident. Mais on n'avait pas voulu suivre son avis. Tant pis! Après tout, Milán venait de dire : « *Nous ne la contacterons* (tuerons) *pas si elle n'intervient pas.* » Tout espoir n'était donc pas perdu d'être débarrassé de cette fouineuse.

Au moment où il apparaît dans l'histoire de Zénaïde Gagnon et du Fou de Bassan, Laudegger a trente-huit ans. Il est né aux États-Unis mais, si son prénom usuel est William (ou Bill), son second prénom est Carlos. Sa mère est colombienne. Il a hérité d'elle des cheveux noirs et une incroyable facilité à bronzer, au moindre rayon de soleil. De son père il a les yeux bleus. Il est bel homme. C'est sa famille maternelle qui a payé ses études à Wharton. Il ne l'oublie jamais, par attachement sincère mais aussi par prudence. Il sait trop ce qui se passerait s'il venait à *les* décevoir, *là-bas*, en Colombie, *eux* dont dépend toute son existence, les frères de sa mère, ses oncles. Il n'a pas prononcé publiquement leur nom depuis des lunes et aucune de ses relations américaines, professionnelles ou amicales, ne sait qu'il est de leur famille. Le secret est total sur ce point. C'est d'*eux* qu'il a reçu les cinq millions de dollars avec lesquels il a débuté. En dix ans, il *leur* a démontré qu'*on* n'avait pas investi en vain, que tout ce qu'*ils* avaient financé – études, réseau d'amitiés brillantes, fonds de départ – avait servi à quelque chose. Il a décuplé le capital initial qui lui a été confié. Il y a maintenant plus de trois ans qu'il est à la tête des Fourmis pourvoyeuses et qu'il gère – avec l'aide irritante de MacArthur, c'est le seul point noir – un revenu annuel de cent cinquante milliards de dollars, soit, en comptant le reliquat des années antérieures à sa nomination, un peu plus de six cents milliards de dollars à injecter dans l'économie mondiale, à investir discrètement, en vue du plus haut rendement possible.

À blanchir, pour tout dire.

Laudegger regagna la salle à manger, sourit à Mandy. Il l'avait épousée onze ans plus tôt, avait eu d'elle deux enfants, ne l'avait trompée que trois fois. *Là-bas*, ils n'aimaient pas les aventures extraconjugales. Et moins encore les divorces.

Il y avait ça et MacArthur. Aucune situation n'est parfaite.

– Ton petit déjeuner est prêt, dit Letty. À moins que tu ne préfères te baigner d'abord.

MacArthur gardait les yeux fermés, sous l'empire de

ce sentiment proche de la panique qui vous prend au réveil, pendant ou après un voyage, quand on se sent la mémoire vide et qu'on ne situe plus l'endroit où l'on se trouve. Les souvenirs revinrent. Il identifia la voix de sa femme, le parfum des draps, le délicat ronronnement du climatiseur, les bruits familiers de la maison. Il était chez lui, dans son île, après onze jours d'absence. Il ouvrit les yeux, se mit sur le dos et sourit à Letty.

– Le bain d'abord.

Letty se pencha et l'embrassa sur l'abdomen.

– Tes filles sont arrivées avant-hier. Tu le savais?

– J'ai vu que les portes de leurs chambres étaient fermées.

Il était dans les habitudes de Letty, quand l'un des membres de la maisonnée se trouvait absent, de laisser ouverte la porte de sa chambre. Les MacArthur faisaient chambre à part; sûrement pas en raison d'une fêlure dans leur mariage, mais pour la raison peu avouable que James ronflait comme un sonneur; ça n'empêchait pas leur union d'être heureuse. Letty ne posait jamais de questions sur le motif des voyages de son mari, ni même sur leur destination. Ils s'étaient connus à l'université, étudiants tous les deux. Ils s'étaient mariés à vingt ans et, les cinq années suivantes, ils avaient vécu pour l'essentiel de ses revenus à elle, qui était la fille d'un marchand de meubles de San Francisco. Ils avaient le même âge, quarante-quatre ans. Leurs trois filles avaient six, quatre et trois ans. Il était prévu qu'elles iraient faire leurs études à San Juan de Puerto Rico, le moment venu, voire à La Nouvelle-Orléans, plus tard.

MacArthur se leva, passa un maillot de bain. Letty riait : il avait une érection des plus nettes.

– Après ton bain, dit-elle. Si tu es encore capable de quelque chose.

Il traversa la véranda et descendit cinq longues marches pour gagner leur petite plage privée. À cent mètres de la côte, à l'amarre près du Bec du Corsaire, l'hydravion qui l'avait ramené, sur le coup de deux heures du matin, se balançait doucement. MacArthur entra dans l'eau en faisant ses mines ordinaires. Même quand la température de la mer était de vingt-huit ou trente degrés, même par plein soleil, trois à quatre minutes lui étaient toujours nécessaires pour s'immerger complètement – il était particulièrement sensible au froid au niveau des hanches et des épaules. Enfin, il se mit à nager. Il nageait mal, un crawl qui avait fait hurler de rire ses condisciples au collège.

Il pensa à Laudegger. S'il n'était pas intervenu, cet abruti aurait fait exécuter la Canadienne. Au risque de provoquer une intervention de Larry Elliott. Un instant, MacArthur se demanda si son amitié pour le jeune Elliott n'avait pas été la raison principale, sinon unique, qui l'avait fait s'opposer à l'élimination de... comment s'appelait-elle, déjà? Zénaïde Gageon ou Gaignon. Il décida que non. D'ailleurs, Milán, qu'il avait eu au téléphone depuis New York, s'était rangé à son avis.

Une dizaine de minutes plus tard, il retrouva le sable si blanc de la plage.

Le message lui sauta aux yeux sitôt qu'il réintégra sa chambre.

– C'est arrivé pendant que tu nageais, dit Letty.

Leur île, dans l'archipel des Turks et Caïques, dans le Sud des Bahamas, n'était pas équipée du téléphone, et le texte avait été transmis par radiotéléphone. Letty l'avait noté, de sa petite écriture régulière. Il était bref : « *Article 15 du contrat Tanner à revoir. Amitiés. Tab.* »

Tab Morrow était l'un des assistants de MacArthur à son bureau de Kingston, à la Jamaïque. Le nom de Tanner n'avait aucune signification; il n'y avait aucun contrat et, par conséquent, aucun article à revoir. Ce message était en fait une convocation. On voulait le voir dans quinze jours, *là-bas*, en Colombie. MacArthur n'en éprouva qu'un léger désagrément; ses voyages en Colombie étaient devenus routine depuis le temps.

Il ôta son maillot et passa sous la douche.

– Hé hé!, dit Letty. Encore vert, hein?

C'était l'histoire préférée de Zénaïde, et elle ne manquait jamais de la raconter quand quelqu'un semblait surpris que, francophone d'origine, elle maîtrisât si bien l'anglais : une petite souris éprouve le besoin d'aller prendre l'air; elle se tapit donc à l'entrée de son trou de souris et tend l'oreille, attentive à tous les bruits, et plus particulièrement à toute espèce de miaulement, pour le cas où ce crétin de chat serait dans les parages; au bout d'un moment, enfin, elle entend distinctement un aboiement; pas de problème, se dit-elle, si le chien est là, le chat est forcément ailleurs; elle sort donc de son trou de souris mais elle est immédiatement happée par des griffes : « *Tu vois l'intérêt qu'il y a à être bilingue?* », dit le chat.

Elle arrivait à Missikami. La neige mais aussi l'impression d'être suivie l'avaient, la nuit précédente, décidée à faire une halte. Elle s'était arrêtée dans un motel, avait vu passer et disparaître la grosse fourgonnette aux vitres teintées qui, depuis son départ de Kenosha, l'avait un peu inquiétée par sa façon de régler son allure sur la sienne. En fin de compte, elle avait dormi plus longtemps que prévu et n'avait pas repris la route avant neuf heures. Dans l'intervalle, le temps s'était remis au beau; du soleil, un ciel très clair, un vent glacial, une neige étincelante. Elle avait quitté le Wisconsin, traversé le Nord du Michigan, retrouvé, à Saint Ignace, l'autoroute de Detroit, et atteint Sault-Sainte-Marie où elle était enfin entrée au Canada.

Elle arrivait à Missikami et, comme à chacun de ses retours, une puissante émotion la submergea. Ce n'était pas le plus bel endroit de la terre mais c'était le sien; ses ancêtres du côté paternel y étaient arrivés en 1668 et n'en étaient plus jamais repartis. L'un d'eux, en 1672, avait été de l'expédition de Jolliet et du père Marquette qui, par le Wisconsin, avait atteint le Mississippi. Ce Gagnon-là avait traversé tout le continent jusqu'au golfe du Mexique puis s'en était revenu, chargé de peaux de bêtes et d'histoires pour les veillées.

Elle ralentit et stoppa. La route sur sa gauche allait au nord, vers Chapleau et Foleyet. La vallée était devant elle, enchâssée entre ses « montagnes » de deux cents mètres d'altitude à peine et baignée par un lac. Le lac Gagnon, dont les eaux (c'était un postulat qu'il valait mieux admettre sous peine de se faire casser la tête) étaient les plus claires et les plus poissonneuses de toutes les Amériques. Le lac s'étendait sur une douzaine de kilomètres. De là où elle était, Zénaïde n'en apercevait que l'extrémité nord-est; en revanche, elle distingua les cabanes, dont pas une, pas même la scierie et ses annexes, n'avait un toit en tôle – on avait toujours pris grand soin de ces choses, à Missikami.

Un énorme camion-remorque montait vers elle, arrivant justement de la scierie. Elle se gara sur le bas-côté, de manière à lui laisser le passage. Elle serra son brake à bras, autrement dit le frein à main, et regarda défiler les monstrueuses billes de bois légèrement équarries avec le sentiment qu'elle avait toujours éprouvé depuis son enfance, celui d'un saccage, d'une mort.

– Je t'ai manqué, tu ne peux pas savoir.

Il avait surgi dans sa camionnette, dissimulé par le camion-remorque jusqu'à la dernière seconde. Son « *je t'ai manqué* », traduit directement de l'anglais comme beaucoup de mots ou d'expressions du parler joual, signifiait exactement le contraire : c'était Zénaïde qui lui avait beaucoup manqué.

– Je m'en doute, dit Zénaïde.

Son entraînement à la course à pied, nécessaire pour esquiver les étreintes mâles non sollicitées, avait en grande partie pour origine cet ours de plus de deux mètres, en chemise à carreaux rouges et bleus qui se prénommait François-Xavier.

– Salut, Laviolette, dit-elle.

Les Gagnon s'établissent donc sur les bords du lac Missikami au printemps de 1668. À Montréal, fondée vingt-six ans plus tôt, ils se sont un peu disputés avec l'intendant Jean Talon, représentant du roi de France. Ils ont déjà très mauvais caractère, en ce temps-là. Ils sont chasseurs de fourrures et n'embêtent personne, sous réserve qu'on ne leur cherche pas noise. L'expansion territoriale de la Nouvelle-France, qui s'étend alors sur toute la vallée du Mississippi et jusqu'aux montagnes Rocheuses, est pain béni pour ces coureurs des bois. Mais l'histoire leur joue un sale tour : les *maudits Anglais* remportent, en 1759, une victoire qui change tout. L'année suivante, les MacGuildy arrivent – *ces chiens!* Ils prétendent accaparer Missikami, son lac, ses trois rivières, ses forêts, ses droits de pêche et de chasse. On s'étripe pas mal; les MacGuildy sont refoulés dans la vallée voisine. N'empêche qu'ils maintiennent leurs prétentions comme au premier jour. Cela fait aujourd'hui dans les deux cent vingt et quelques années que cela dure. En 1944, sur les plages normandes du débarquement, un Gagnon et un MacGuildy, caporaux l'un et l'autre dans l'armée canadienne, se sont querellés et ils ont été cassés ensemble; on leur a conseillé de se chercher d'autres adversaires (les circonstances s'y prêtaient). Ils se sont fait tuer le même jour, deux semaines plus tard, et le très riche livre d'heures des Gagnon a enregistré avec jubilation le fait que le caporal Gagnon avait survécu de dix-sept minutes au caporal MacGuildy. (Ce quart d'heure valait mieux qu'une Victoria Cross – dont on se foutait, de toute façon, puisque c'était une décoration anglaise.)

À l'arrivée de Zénaïde, deux jours avant Noël, la situation est la même qu'en 1760 : qu'un seul MacGuildy revendique le droit de pêcher un seul poisson dans le lac ou de chasser un seul lièvre dans les forêts de Missikami, il sera abattu sur place. Poser ne serait-ce qu'un orteil sur le territoire des Gagnon est un attentat. Cette rivalité séculaire est devenue plus âpre encore du fait de l'évolution de l'Ontario. Comme Kapuskasing ou d'autres minibourgs, Missikami s'est transformée en un îlot francophone battu de toutes parts par la marée des *maudits Anglais*. Les Gagnon et leurs alliés, les Laviolette (immigrants de fraîche date, ils ne sont arrivés qu'en 1740) et les Ducharme (carrément des nouveaux venus : un Ducharme a épousé une Gagnon en 1827), tous ont fait front. On ne parle que le français à Missikami. À l'église, à l'école (six élèves), à la station d'essence et de carburant pour bateaux, à la scierie, qui fait vivre tout le monde et qui est la propriétaire réelle de la quasi-totalité des terrains. Un gangster poursuivi par toutes les polices et garant délibérément sa voiture en stationnement interdit aurait plus de chances de devenir citoyen suisse qu'un anglophone de s'établir à Missikami.

A fortiori s'il est apparenté, même à la dixième génération, aux MacGuildy.

Telle était, en tout cas, la situation avant le 15 décembre, date à laquelle on avait appris la nouvelle de la vente de la scierie et de sa fermeture, qui impliquait un licenciement collectif. En soi, c'était déjà un drame auprès duquel le Grand Dérangement acadien faisait figure de pâquerette, mais, en plus, la scierie, et donc presque toute la vallée, avait été acquise par les Mac-Guildy.

Il restait bien çà et là, épars, des lopins de terre appartenant en propre aux Gagnon, aux Laviolette et aux Decharme, mais l'avocat des MacGuildy, qui s'était déplacé pour annoncer la nouvelle (les MacGuildy, n'avaient pas osé venir eux-mêmes), avait clairement exprimé les intentions de ses clients : pour aller d'un lopin à l'autre, les Gagnon-Laviolette-Decharme avaient intérêt à s'entraîner au saut en longueur.

Il y avait de quoi devenir fou et écrapoutir tout l'Ontario.

– Je sais, dit Zénaïde. J'en ai moi-même pas mal la baboune.

Elle avala une autre crêpe au sirop d'érable. Ils étaient une quinzaine autour d'elle, hommes et femmes, dans la vaste salle de séjour de grand-père Gagnon, où trônait un portrait de Jacques Cartier.

– Rien ne vous oblige à partir.

Elle était certaine du contraire. L'un des Decharme était journaliste à Montréal. Comme tous les membres de la petite communauté (Missikami n'était habitée à temps plein que par une cinquantaine de personnes), il avait appris la nouvelle de la catastrophe au début de la semaine. Il avait aussitôt entrepris une enquête, dont les résultats avaient de quoi accabler : les MacGuildy, père et fils, préparaient leur coup depuis des mois.

– Avant même d'être sûrs de pouvoir acheter, ils ont pris des contacts avec le groupe Atkinson.

– Connais pas.

– C'est une boîte spécialisée dans l'aménagement des zones touristiques. Ils ont des chantiers un peu partout, depuis Vancouver jusque dans les Caraïbes.

– Ils vont transformer Missikami en Disneyland, c'est ça ?

– Peut-être pas à ce point. Mais il est question de deux hôtels, de restaurants. Ce genre de choses. Et il y a pire : une usine. Pas à proximité du futur centre de loisirs, bien entendu, mais de l'autre côté de la vallée, au fond de laquelle ils vont percer une route.

– Quelle sorte d'usine ?

– Dégueulasse, dit Alex Decharme, le journaliste.

Il avait une cinquantaine d'années. Zénaïde se souvenait de lui depuis toujours – une odeur de pipe et un grand diable au rire éclatant qui lui avait appris à nager. Alex avait couvert la guerre du Viêt-nam; il était allé au Liban, en Iran, et dans d'innombrables pays d'Afrique, d'Asie et d'Amérique du Sud. Elle l'avait vu pour la dernière fois à Montréal, où il avait pris une sorte de retraite, sous la forme d'une promotion. Elle avait souvent dîné, et même parfois passé un week-end, avec Alex, sa femme, Claude, et leurs enfants, au temps de ses études. Elle croisa son regard, et l'expression qu'elle lut dans ses yeux l'éclaira soudain.

– Ne me dites pas que vous comptez sur moi pour faire quelque chose?

– Tu es dans la finance. Si quelqu'un peut faire quelque chose, c'est toi.

Elle les considéra tous, ahurie. Grand-père Gagnon, seul, lui tournait le dos, occupé à faire sauter des crêpes.

– Grand-père?

Il se retourna à demi et lui sourit :

– Une autre crêpe?

Dans la soirée, la température atteignit moins vingt. Les Laviolette les invitèrent à dîner, grand-père et elle. François-Xavier lui fit du pied sous la table et réussit même à introduire la pointe de sa chaussette entre ses cuisses. Et tous parlèrent, parlèrent, ressassant leurs malheurs à n'en plus finir.

– Ça va, ton travail, Zénaïde?

Ils étaient tous les deux revenus chez grand-père, de son nom Jean Gagnon, qui, une fois dans sa vie, était allé en Europe – c'était à Dieppe, en France, en août 1942, avec la deuxième division canadienne, et il n'était resté que soixante-douze minutes sur le sol français, où il avait tout de même laissé son pied gauche, emporté par un éclat de bombe. Quarante-cinq ans plus tard, il continuait à penser que le Vieux Pays valait le coup d'œil et estimait en connaître l'essentiel. Fort de cette unique expérience, il était redevenu instituteur et avait fait cinq enfants, dont le père de Zénaïde, à Laurette Lehideux.

– Ça va, dit Zénaïde, bien décidée à ne pas souffler mot à quiconque de ses aventures à Milwaukee (ils avaient été un certain nombre, à Missikami, à critiquer son mariage avec Larry Elliott et, plus encore, son divorce).

Ils demeurèrent quelques minutes à contempler le feu dans la cheminée tout en buvant du chocolat chaud en silence. La maison de bois craquait autour d'eux, comme elle l'avait toujours fait. Elle était vivante. Il avait fallu à Zénaïde des mois et des années avant de comprendre ce qui, à Montréal, à Toronto et à New York, lui manquait quand, par hasard, elle se réveillait la nuit : ces bruits familiers, justement, qui avaient accompagné son enfance et son adolescence; les maisons des villes ne vivaient pas.

– Grand-père, je ne vois pas du tout ce que je pourrais faire.

– Je ne te demande rien.

– Tu es bien le seul.

– Ils sont tristes.

– Ça ne change rien que ce soient les MacGuildy qui aient acheté plutôt que d'autres.

– Rien, dit grand-père.

– Ça me donne envie de hurler et de tuer quelqu'un; c'est tout, dit Zénaïde. Il n'est d'ailleurs pas impossible que je t'emprunte l'un de tes fusils et que, demain matin, j'aille trouer la peau à trois ou quatre Guili-Guili. Mais, à part ça, je prends la chose avec philosophie.

Grand-père allait et venait, clopinant sur sa prothèse et se choisissant un livre parmi les sept douzaines de volumes qu'elle lui avait déjà offertes. Elle avait commandé la dernière deux mois plus tôt. Tout autre cadeau eût été inutile; à chaque Noël, elle augmentait le nombre

49

de livres d'une douzaine. Si grand-père vivait jusqu'à cent ans, il lui faudrait louer un camion.

— D'après Alex, dit-elle encore, la société qui possédait la scierie appartenait elle-même à une autre société, elle-même filiale d'une troisième.

— Je ne comprends rien du tout à la finance, petite.

— Même Alex n'a pas réussi à découvrir qui dirigeait cette troisième société. Je peux bien sûr remonter la filière ; ça ne me prendra jamais que cinq ou six mois pour trouver qui a pris la décision de vendre. Et ensuite, soit je coucherai avec lui pour le convaincre de tout annuler, soit nous lui ferons un procès, qui durera cinq ans et nous coûtera deux millions de dollars en honoraires.

Le choix de grand-père finit par se porter sur les *Mémoires d'Hadrien*, de Marguerite Yourcenar, qui, au moins, n'était pas traduit de l'anglais.

— C'est bien ?

— Moi, j'ai aimé, dit Zénaïde. Qu'est-ce que tu vas faire, si tu dois partir d'ici ?

Il répondit qu'il ne voyait vraiment pas pourquoi elle s'en inquiétait. Il se trouverait bien un endroit où loger. Pourvu qu'il pût y emporter quelques livres – d'ailleurs, les bibliothèques publiques n'étaient pas faites pour les chiens. Il sourit et Zénaïde se sentit sur le point de pleurer. Elle se demanda si elle n'eût pas préféré, à tout prendre, qu'il s'apitoyât sur lui-même. Bon ; il ne l'avait jamais fait. Même pas, surtout pas, quand ses parents à elle étaient morts dans un accident d'avion, vingt et un ans plus tôt.

— Je crois que je vais aller me coucher et lire un peu, dit grand-père. Il y a quelque chose qui te ferait plaisir, demain matin au déjeuner ?

— Je reprendrais bien de tes crêpes.

— Essaie de dormir tard, pour une fois. Tu es maigri-chonne.

Elle se leva, l'embrassa, pleura un petit coup sur sa

poitrine. Si grande qu'elle pût être – un mètre quatre-vingt-trois –, grand-père la dépassait d'une bonne demi-tête. Seul François-Xavier, avec ses deux mètres trois ou quatre, était encore plus grand que lui.

Il alla se coucher. Elle reprit place dans l'un des fauteuils à bascule. Grand-père à l'hospice... Cette seule perspective la mettait dans une fureur noire. Sans parler de ce qu'il allait advenir de Missikami. Passé les premiers moments de rage, elle pressentit qu'elle était sur le point de prendre une décision. Sans trop savoir encore laquelle. Depuis son plus jeune âge, elle avait toujours fait preuve d'une détermination vraiment rare quand il s'agissait de faire ce qu'elle jugeait devoir faire ou ce qu'elle souhaitait faire. À vingt-cinq ans, elle commençait à se connaître assez bien – des lueurs de-çi de-là. Elle plaisantait à peine en parlant d'aller mitrailler quelques Guili-Guili; elle en aurait été capable, si seulement ç'avait eu la moindre chance de servir à quelque chose. Ce n'était pas le cas. Tant pis. *Trouve autre chose.* Elle posa les pieds sur les chenets et il lui revint en mémoire ce que disait toujours l'héroïne d'un roman français : « *À un problème, il y a toujours des tas de solutions. Et, quand il n'y a pas de solution, c'est qu'il n'y a pas de problème.* »

Complètement idiot. Elle alla se coucher à son tour. La lumière était éteinte dans la chambre de grand-père; peut-être dormait-il déjà. Elle se déshabilla et se glissa sous la grosse courtepointe en patchwork qui pesait bien dix kilos. Elle claquait des dents. À son habitude, elle avait arrêté le chauffage, et, par la fenêtre, disjointe (elle l'avait toujours été, mais Zénaïde s'était opposée à ce que grand-père la calfeutrât), un air glacé s'infiltrait, apportant l'odeur de vase du lac pourtant gelé. Elle dormait profondément et rêvait qu'elle faisait l'amour avec la moitié des membres d'un conseil d'administration, en vue d'obtenir l'annulation de certaine vente, lorsqu'elle sentit une main large comme un jambon glisser le long de son ventre (le bras de l'homme était déjà entre ses seins). Elle n'ouvrit même pas les yeux.

– Tu prends tes chenolles sous le bras et tu vas jouer ailleurs, Laviolette, dit-elle.

– Ce n'est vraiment pas juste, dit la voix de François-Xavier. Avec tous les maudits Anglais, tu veux bien, mais pas avec moi.

– Question de goût. Je fais seulement ça quand ça me chante.

– On se connaît depuis l'enfance et ça fait presque quinze ans que j'en rêve. J'y pense tous les jours.

La voix du géant était plaintive. Elle faillit rigoler. Il alluma. Il eut alors la confirmation de ses soupçons : le grand couteau à ours que Zénaïde avait tiré de sous l'oreiller était posé contre ses chenolles – ses attributs virils pour tout dire, –, qui étaient à proportion de sa taille et dans les meilleures dispositions du monde.

– Qu'est-ce qu'on parie que j'en fais des rondelles ? dit Zénaïde.

Il était tout nu. Il s'assit, avec une expression d'abattement. Zénaïde n'avait pas le chiffre exact en tête, mais ce devait être la soixante-cinquième ou la soixante-dixième fois que Laviolette essayait. Pendant un temps, la communauté avait même engagé des paris sur ses chances de parvenir à ses fins. Au fil des ans, l'intérêt soulevé par ce sweepstake avait fini par retomber. Pendant quelques secondes, Zénaïde fut presque tentée. Il était bel homme – rien à dire – ; pas un once de graisse et cent vingt-cinq kilos de muscles ; et elle n'avait pas eu d'amant depuis des lunes, depuis sa séparation d'avec Larry, en dépit des tentatives de nombreux mâles de Milwaukee. Elle fut tentée, par affection sincère pour ce grand escogriffe. Mais non ; le souvenir de la situation où ils étaient tous, sur le point d'être chassés de chez eux, dissipa ces velléités et réduisit encore les chances de Laviolette ; coucher avec lui maintenant, après tant d'années de refus, cela aurait eu l'air d'une commémoration. Non.

— Rhabille-toi, tu vas prendre froid, crétin.

— Est-ce que je peux au moins me mettre dans ton lit ?

— Ça n'avancera en rien tes affaires.

— Oh, je sais bien, dit-il avec infiniment d'amertume. Je te connais. Mais ce sera mieux que rien.

Il se dressa. Elle souleva la courtepointe et il se glissa contre elle. Il y eut un moment de silence.

— Je voulais te parler aussi, dit Laviolette. Nous sommes tous certains que tu vas trouver quelque chose.

— Et bien, vous vous mettez tous le doigt dans l'œil jusqu'à la clavicule.

— Tu trouveras. Même Alex en est sûr.

Et voilà, pensa Zénaïde, tout à la fois irritée et remplie d'un certain orgueil. *Me voici transformée en saint Sauveur. Ça ne m'étonnerait pas que grand-père aussi attende de moi que j'arrange tout, même s'il se garde bien de le dire.*

— Vous n'auriez pas parié, par hasard ?

— Tu es à cinq contre un, pour l'instant, dit Laviolette. Remarque qu'hier encore tu étais à quinze. Ton arrivée a bouleversé la cote.

Il se passa alors ceci d'étrange qu'elle parla et, ensuite seulement, se rendit compte de ce qu'elle avait dit.

— On partira tous les trois, dit-elle. Toi, Alex et moi. On ira à Montréal ou à Toronto ou au diable Vauvert, là où se trouve l'enfant de salaud responsable de la vente. Même s'il est en Australie. Et on le fera changer d'avis. Ne me demande pas comment on le fera je n'en ai pas la moindre idée.

Elle songea que, s'il s'agissait d'un homme, elle pourrait peut-être recourir à sa stratégie ordinaire. Dans le cas contraire, les chances de réussir seraient inexistantes.

— Le plus tôt étant le mieux.

– Je suis partant, dit Laviolette, enthousiaste.

Et ce fut à cette seconde-là qu'elle comprit qu'elle venait de prendre sa décision. Elle en fut stupéfaite. Bien sûr, elle n'imaginait pas qu'il y eût un rapport quelconque entre ce qui lui était arrivé à Milwaukee et la situation à Missikami. Pour l'heure, les deux choses lui apparaissaient tout à fait distinctes, et il en serait ainsi quelque temps encore.

– Alex acceptera aussi, dit François-Xavier.

Elle n'écoutait pas. Non seulement elle ne se doutait pas que les deux affaires pussent être liées, mais encore elle voyait dans la mission pour laquelle elle venait de se porter volontaire le moyen de prendre une revanche personnelle sur son échec de Milwaukee.

– Je suis vraiment content, Zénaïde.

– Eh bien, tant mieux.

Elle avait un peu peur, tout à coup, de la responsabilité qu'elle se mettait sur les épaules.

– N'empêche, dit Laviolette, que j'ai les chenolles en flammes.

– Ton problème, dit Zénaïde. Je t'avais prévenu.

– J'ai lu un livre autrefois, dit Alex Decharme, qui s'intitulait *La souris qui rugissait*. C'est l'histoire d'un petit pays imaginaire d'Europe qui, ayant du mal à équilibrer son budget national, imagine de déclarer la guerre aux États-Unis d'Amérique. L'idée du Conseil des ministres est de livrer la bataille la moins sanglante possible puis, une fois la guerre perdue, d'obtenir, comme l'Allemagne, une sorte de plan Marshall pour remettre les finances publiques à flot.

– Et alors?

Ils marchaient dans la forêt, s'enfonçant dans un bon mètre de neige. Zénaïde adorait cette promenade, elle l'avait faite des centaines de fois depuis sa plus tendre enfance. Elle luttait contre le sentiment très triste que cette fois-ci pouvait fort bien être la dernière.

– Alors, le gouvernement envoie sa déclaration de guerre à Washington, mais personne, au Département d'État, n'ayant la moindre idée de l'endroit où se situe cet État minuscule, le fonctionnaire chargé du dossier conclut à une blague et flanque le document à la corbeille, c'est-à-dire qu'il l'archive. Et les onze ou douze soldats de l'armée offensive arrivent sur le yacht princier et débarquent en Amérique le jour d'un exercice d'alerte nucléaire. Si bien qu'ils mettent la pâtée aux États-Unis d'Amérique et qu'ils sont bien embêtés.

– Et nous sommes la souris qui rugissait?

– Ça m'en a tout l'air. Zénaïde, tu sais que je n'ai pas réussi à savoir qui contrôle la société numéro deux, qui, elle-même, contrôle la société numéro un, autrement dit la société propriétaire de la scierie. Tout ce que je sais, c'est que la société numéro deux, à elle seule, a un chiffre d'affaires annuel de trois cent quatre-vingts millions de dollars.

– Et, donc, la société numéro trois serait encore plus importante?

– Voilà. Sans parler d'une éventuelle société numéro quatre. Et d'une société numéro cinq, qui coifferait les quatre précédentes.

– Quand on en sera à la General Motors, on arrête.

– Ces gens-là, quels qu'ils soient, disposent sûrement de centaines d'avocats. Je peux te poser une question, Zénaïde?

Il va me parler de Laviolette.

– C'est à propos de François-Xavier, dit Alex. Tu tiens absolument à l'emmener dans notre expédition? C'est l'un des trois meilleurs joueurs de hockey sur glace du Canada, d'accord...

– Il est au repos depuis sa blessure de septembre dernier. Il n'a même pas encore repris l'entraînement.

Elle gagnait du temps et s'en rendait compte. Elle hésita quelques secondes encore puis se décida. Raconta toute l'histoire de Milwaukee.

Silence.

– En somme, dit Alex en écartant pour elle une branche basse de mélèze, tu l'emmènes comme garde du corps.

– C'est ça.

– Il y aurait un rapport entre la vente de la scierie et les activités de tes amis Kessel à Milwaukee ?

– Grands dieux, non! dit Zénaïde. Il ne manquerait plus que ça.

Ils débouchèrent dans la clairière où, quinze ans plus tôt, au printemps, Laviolette avait construit pour elle une merveilleuse cabane dans laquelle, elle s'en souvenait avec attendrissement, ils avaient joué à comparer leurs anatomies respectives. Pour la première fois, elle avait vu de près à quoi ressemblait un garçon. C'était alors que ledit Laviolette avait commencé à envisager de faire pan-pan avec elle. Projet dont sait qu'il n'avait jamais abouti.

Pauvre Laviolette!

– J'ai encore une question indiscrète, Zénaïde.

Elle devina laquelle.

– Nous avons couché côte à côte, François-Xavier et moi, la nuit dernière, mais il ne s'est rien passé, dit-elle.

Elle aurait dû se douter que, dans une communauté aussi minuscule, la visite de Laviolette n'avait pu passer inaperçue.

– Parole d'homme? demanda Alex.

– Parole d'homme. Vous aviez parié combien, cette fois?

– Cent dollars.

– Que je céderais ou le contraire?

– Le contraire.

– Vous avez gagné cent dollars.

– Deux cent cinquante. La cote était de deux et demi contre un. Presque tous étaient persuadés que, ce coup-ci, il allait y arriver. Y arriver enfin, je veux dire.

– Eh non !

Ils étaient au bord du lac, à deux kilomètres environ du bourg. La scierie était un peu plus loin sur la gauche, près de la cascade pétrifiée par le gel.

– Remarque bien que je préfère, dit Alex. Puisque nous partons en guerre, tous les trois, j'aime autant qu'il n'y ait pas de problèmes sexuels dans notre corps d'armée. Tu as déjà entendu une souris rugir ?

– Je ne sais pas pourquoi, dit pensivement Zénaïde, mais je nous vois plutôt comme des fourmis.

Elle cueillit de la neige et façonna une grosse boule qu'elle fit rouler sur la surface gelée du lac.

– Roooaaah ! fit-elle.

Dans un rugissement de fourmi féroce.

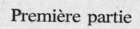

Première partie

1

Laudegger avait ses bureaux au début de Broadway. Trois ans plus tôt, il avait été sur le point d'acheter en payant comptant. MacArthur l'avait dissuadé de le faire, avec son exaspérante obsession de la sécurité et sa manie de se mêler de tout. Pour finir, l'acquisition avait été faite à crédit (plus coûteux, mais ce n'était évidemment pas le problème). Laudegger s'était vengé en achetant trois étages, alors que deux eussent été suffisants.

Il y arriva quelques minutes avant cinq heures du matin. Cette ponctualité exemplaire était l'un des très rares points communs qu'il avait avec MacArthur, cela et aussi une phénoménale puissance de travail. À des milliers de kilomètres par-delà l'Atlantique, la bourse de Londres était déjà ouverte. Laudegger entra dans la salle des téléscripteurs et des ordinateurs et passa plus d'une heure à étudier les cotations. Rien à signaler. Les trois opérations qu'il avait lancées au cours des dernières semaines – toutes les trois légales et contrôlables par n'importe qui – donnaient les meilleurs résultats. Il regagna son bureau – lambris et cuir de buffle, comme toujours – et se plongea dans ses dossiers. Les coups de téléphone commencèrent vers sept heures trente. Il était tout à fait capable de soutenir une conversation téléphonique d'une haute technicité (voire d'écouter les sempiternelles jérémiades de Mandy) et de suivre en même temps des yeux le défilé des chiffres sur les six écrans de contrôle qui s'alignaient devant lui. Preuve de l'excellence de son organisation intellectuelle, il lui était même arrivé, simultanément aux activités précédentes, de rédiger à la main des notes sur un troisième sujet ou le brouillon d'une lettre qu'il donnait ensuite à dactylographier.

Et cela, même MacArthur ne pouvait pas le faire. *Il y a quand même des domaines où je surpasse ce fils de pute.*

Le coup de téléphone de Milán arriva vers huit heures vingt. Bien entendu, Milán ne dit pas qu'il était Milán. Il dit d'ailleurs très peu de chose : leur rendez-vous était nécessaire et urgent, Milán suggérait qu'il eût lieu entre midi et une heure, le jour même; il laissait à Laudegger le choix de l'endroit.

– Je déjeune chez *Adrien*, dit Laudegger. J'y serai à midi quinze.

Il raccrocha et prit coup sur coup trois autres appels en attente. À neuf heures, il tint son habituelle conférence du lundi avec cinq de ses assistants – chacun d'eux menait en son nom une affaire. Quarante-cinq minutes plus tard, il reçut Sol Abromowicz, qui s'occupait de tous les investissements immobiliers (ceux du moins dont il avait connaissance, le compartimentement exigé par MacArthur étant tel que lui-même ignorait plus de quatre-vingts pour cent des transactions en cours).

Dans l'intervalle, Wall Street avait ouvert et commencé à cracher ses cotations sur quatre écrans supplémentaires.

Deux rendez-vous successifs entre onze heures et onze heures quarante. Une minute après la fin du deuxième rendez-vous, Laudegger était dans sa Cadillac, dont le chauffeur (autre risque gratuit, toujours selon MacArthur, mais *qu'il aille au diable !*) était un Colombien pur sang, de Medellín, et se nommait Eduardo (Eddy) Ferrer. À midi quatorze, la voiture stoppa chez *Adrien*, dans la Quarante-Cinquième Rue Est. Le directeur du restaurant, qui en était aussi le chef, un Français de Castelnaudary, ne soupçonnait pas, lorsqu'il voyait Laudegger, que ce client assidu était, par le jeu d'un assez joli montage bancaire, son patron. Laudegger avait rendez-vous pour déjeuner avec un autre de ses adjoints, officiellement propriétaire d'une petite compagnie aérienne dans le Wyoming et responsable, en réalité, du transport des Fourmis voyageuses. L'homme s'appelait Carter Buckmaster et son embauche, cinq ans plus tôt, à l'époque héroïque des toutes premières Fourmis, avait été recommandée par El Sicario en personne (mais Buckmaster n'en savait rien et pensait toujours avoir été choisi pour ses mérites, d'ailleurs réels). C'était un ancien du Viêt-nam, qui s'était distingué dans les bombardements de Hanoï, et il avait en outre un remarquable sens de l'organisation.

À midi dix-huit, téléphone.

– Excusez-moi, dit Laudegger.

Il quitta la table. L'un des avantages de chez *Adrien* était que les clients disposaient de petits salons parfaitement insonorisés pour y recevoir leurs appels. Laudegger pénétra dans l'un d'eux et s'assit face à Milán.

Milán avait, ou paraissait avoir, quarante-cinq ans; il était assez petit, trapu, quasi ventripotent; ses mains étaient minuscules, presque féminines, et terminées par des ongles taillés en pointe qui avaient l'air de véritables griffes. On ne voyait pas son regard, caché derrière des lunettes noires. La lèvre inférieure était recouverte par la lèvre supérieure, charnue et rouge, et le résultat était une sorte de lippe inversée, étrange, inquiétante. Milán, se disait Laudegger, ressemblait à un oiseau de proie. Son véritable nom n'était sans doute pas Milán. En fait, la seule chose certaine, c'est qu'il était le chef des Fourmis combattantes pour tout le continent nord-américain et, à ce titre, relevait exclusivement d'El Sicario – et, bien entendu, d'*eux, là-bas*. Laudegger avait entendu dire que Milán était capable de crever, avec ses ongles, les yeux à un homme ou à une femme, et qu'il l'avait déjà fait.

– Deux choses, dit Milán de sa voix étouffée qui donnait toujours à Laudegger un sentiment de malaise. La première concerne le centre de collecte de Los Angeles. Il y a sept semaines, votre homme sur place a engagé comme aide-comptable un certain Alberto Múñoz, sans attendre le feu vert de mes services. Il se trouve que le beau-frère de Múñoz est dans la police; il travaille comme détective à la brigade financière. Mes services ont déjà fait le nécessaire; Múñoz et son beau-frère, ainsi que leurs femmes, ont été victimes d'un accident de voiture dans lequel tous ont trouvé la mort. La question n'est pas là. La question, c'est l'indiscipline et la légèreté de votre représentant en Californie.

– Pete Arredondo est un élément de premier ordre, dit Laudegger, agacé.

– Qu'il commette encore ce genre d'erreur et vous devrez lui trouver un remplaçant.

La petite pièce où se trouvaient les deux hommes n'était meublée que de deux fauteuils et d'une table étroite, sur laquelle étaient posés le récepteur téléphonique et un cendrier. Milán tapotait du bout des doigts la surface de la table; ses ongles durs produisaient un bruit régulier, crispant. La certitude que Milán le faisait exprès, et surtout ses critiques contre Pete Arredondo, que Laudegger avait choisi lui-même et en qui il avait confiance, tout cela provoqua chez lui un mouvement de colère. Il se maîtrisa. Deux ans auparavant, un affrontement presque identique l'avait opposé à Milán. Fort de ses liens familiaux, il avait réclamé l'arbitrage de ses oncles. Le verdict avait été des plus nets : Milán avait absolue autorité pour tout ce qui concernait la sécurité, la surveillance, la garde, les sanctions. Milán ne se mêlait pas de finance. Que lui, Laudegger, s'abstînt de s'occuper de ce qui ne le regardait pas.

– Je répèterai à Pete qu'il ne doit jamais engager ou utiliser qui que ce soit sans votre accord.

– Ou celui de mon agent. En aucun cas. Même s'il a besoin d'un chauffeur pour sa femme ou d'un jardinier.

– D'accord.

– La remarque vaut pour vous, dit Milán avec un certain sadisme.

– J'en prends bonne note, dit Laudegger, que la fureur étouffait.

L'épaisse lèvre rouge sang de Milán s'allongea vers le menton, rendant la lippe plus hideuse encore.

– Deuxième point : la Canadienne. Comme je vous l'ai dit au téléphone, nous l'avons mise sous surveillance vingt-quatre heures sur vingt-quatre.

– J'étais partisan de son élimination, dit Laudegger.

– On ne m'a pas donné d'ordres dans ce sens. Jusqu'à plus ample informé, nous nous contenterons d'avoir l'œil sur elle. Après avoir quitté Milwaukee et constaté qu'elle n'avait plus accès à l'ordinateur de la banque Kessel, elle a pris les dix jours de vacances qu'Harvey Kessel lui avait accordés sur ma demande. Elle a regagné le Canada. Un petit village appelé Missikami. Hier, dimanche, elle en est repartie. Pas seule. Elle était accompagnée de deux hommes. Nous avons pu identifier l'un d'entre eux assez aisément ; c'est un célèbre joueur de hockey. Quant au deuxième, il semble que ce soit le rédacteur en chef d'un journal de Montréal. Des vérifications sont en cours.

– Et alors ?

Laudegger voyait mal en quoi les déplacements de cette petite pisseuse pouvaient l'intéresser. Dès lors qu'elle ne revenait pas à Milwaukee, où, de toute façon, les dispositions avaient déjà été prises par sa propre équipe pour que la Gagnon n'eût plus accès à aucune information à la banque Kessel.

– Elle est en ce moment même à Montréal, dit Milán.

Elle a déjà rencontré deux banquiers et un avocat d'affaires. Elle mène une enquête.

— Sur quoi? Je doute qu'elle trouve quoi que ce soit à Montréal à propos de Milwaukee. Qu'est-ce qu'elle cherche?

— Je comptais justement sur vous pour me le dire, répondit Milán. Aucune relation possible entre Montréal et Milwaukee?

— Aucune.

En dépit des lunettes noires, Laudegger sentit sur lui le regard de Milán. Nouvelle poussée d'adrénaline.

— Je sais de quoi je parle, Milán. J'ignore ce qu'elle fait à Montréal, mais ça ne peut pas avoir un rapport avec Milwaukee. Sortez-vous cette idée de la tête.

D'ailleurs, à Milwaukee, l'habituelle opération coupe-circuit avait déjà commencé. Depuis près d'une semaine, la banque Kessel n'était plus utilisée par les Fourmis; elle figurait désormais sur la liste rouge, toutes connexions interrompues.

— Et effacées, dit Milán avec indifférence. Un malheureux accident s'est produit hier, jour de Noël, dans les deux pièces contenant les archives de la banque. Le gardien de nuit, qui avait un peu trop fêté la Nativité a voulu fumer un cigare. Un incendie s'est déclaré. Tout est détruit. Le gardien de nuit a succombé à ses brûlures.

— Raison de plus. Nom de Dieu! Pourquoi ne pas éliminer cette fille puisqu'elle vous inquiète tant?

— Parce qu'il est possible que la Gagnon ait découvert un cheminement auquel personne n'avait pensé.

— Ça ne tient pas debout, dit Laudegger. Vous commencez vraiment à m'emmerder, Milán.

Aucune réaction chez Milán, qui poursuivit comme s'il n'avait pas entendu. Il n'avait pas vu lui-même la Gagnon, mais ses Fourmis la lui décrivaient comme une femme particulièrement déterminée. Il préférait donc, pour l'instant, la laisser faire. Pour voir où elle allait. Si elle tenait véritablement une piste, il serait intéressant de la connaître. On obtiendrait ainsi la preuve qu'une faiblesse existait, dans l'organisation générale, que ni Laudegger ni même lui, Milán, n'avaient su déceler. Et on effectuerait la réparation nécessaire.

– Il sera toujours temps de la tuer à ce moment-là, dit Milán. Nous ne la lâchons plus une seconde.

Laudegger réfléchissait. Une faiblesse quelque part? Impossible. Il dit toutefois :

– Faites-moi tenir au courant de chacun de ses mouvements.

Milán acquiesça. L'horripilant tapotement cessa enfin. Il partit.

James Doret MacArthur a donc quarante-quatre ans. Son deuxième prénom est le nom de famille de sa mère, d'origine française, origine au demeurant assez lointaine. Un Doret a fait partie de l'expédition des marchands, commandée par Laclède, qui ont créé Saint-Louis du Missouri en 1764. Et longtemps, MacArthur s'est gentiment amusé de l'orgueil que sa mère tirait d'une lointaine parenté avec un certain Joseph-Louis Crocketagne, ou Croquetagne, négociant en vins venu s'établir en Amérique au XVIIIe siècle, dont le descendant le plus illustre fut le fameux Davy Crockett, mort à El Álamo.

Il est né en Oklahoma, dans une bourgade appelée Maud, située au sud-est d'Oklahoma City. À l'époque, son père y est géologue; il ne va pas tarder à se lancer comme prospecteur et à se ruiner complètement. Les premières années du jeune James Doret que, bien sûr, on appelle Jimmy, ne présentent aucun intérêt particulier. Même pour lui. Maud est un trou – trois églises en briques, deux drugstores, un magasin de matériel électrique, deux immeubles de bureaux de trois étages et, dans les rivières avoisinantes, la pollution du sel déversé par les pétroliers du riche gisement de Seminole, sel qui tue jusqu'aux arbres. Études primaires et secondaires sur place. James est bon élève, sans plus; son double travail de livreur de journaux et de commis de drugstore l'occupe trop. Il a vraiment besoin de l'argent qu'il gagne – certains jours il n'y a tout simplement rien à manger à la maison. Sa première année au collège d'Amarillo, où son père vient de s'établir, est plus dure encore. Pas facile de poursuivre des études de géologie et, dans le même temps, de travailler cinquante heures par semaine sur les chantiers pétroliers! Il n'a pas encore conscience, il s'en faut, de cette supériorité intellectuelle qui lui permet d'avaler en une heure des cours que les autres mettent une semaine à assimiler. Et encore n'éprouve-t-il aucun intérêt pour la géologie qu'on l'a forcé à choisir.

Son père met un terme à une existence cahotique et zigzaguante en se pendant, après avoir constaté, malgré son optimisme naturel, qu'il n'a pas la moindre chance de rembourser les trente mille dollars qu'il a su convaincre un banquier de lui prêter. Cette mort est un détonateur. James et sa mère partent pour la Californie. Il a dix-neuf ans. À San Francisco, il trouve un emploi de garçon de bureau et s'inscrit à l'école de droit. L'année suivante, il rencontre et épouse Letty Amaglia. Qui croit en lui – elle est la seule; lui-même se juge à l'aune de son père, s'attribue une faiblesse de caractère identique, et s'estime également incapable de se frayer un chemin vers le succès. C'est Letty qui le tient à bout de bras et surtout le finance, au prix de discussions féroces avec Tony Amaglia, son père. Il arrête ses études sitôt décrochée sa licence alors que Letty veut le pousser jusqu'au doctorat. Les six années qui suivent, il vivote. Il est entré dans un cabinet d'avocats où sa timidité et ce qu'il croit être l'orgueil des faibles l'empêchent de se faire une place. D'ailleurs, le cabinet qui l'emploie est spécialisé dans le droit criminel, pour lequel il n'est pas fait; mais cela, il l'ignore, et il conclut qu'il n'est décidément doué pour rien. À peine lui reconnaît-on des qualités dans la préparation des dossiers, mais quand il s'agit de plaider, il ne vaut pas grand-chose; et il est le premier à le savoir. À nouveau, Letty intervient, avec cette foi farouche qu'elle a en lui. Toujours aux frais du magasin de meubles Amaglia. Elle le convainc de reprendre ses études de droit des affaires. Elle est certaine que là est sa voie. Il a vingt-huit ans, presque vingt-neuf. Letty et lui ont perdu leur premier enfant. Ils vont perdre aussi le deuxième et longtemps, ils penseront qu'il leur est impossible de donner la vie.

La Business School éveille quelque chose chez James. Une fièvre sourde, troublante, inexplicable. C'est comme de tomber par hasard, au détour d'un chemin, sur un endroit paradisiaque dont on a inconsciemment rêvé. Cette puissance intellectuelle qu'il avait en lui trouve soudain son emploi. Il passe brillamment son MBA, en concurrence avec des étudiants de cinq ou six ans plus jeunes que lui. Il décline la proposition que lui fait une firme new-yorkaise (ils sont à New York, maintenant; Letty a abandonné ses propres études pour mieux se consacrer à celles de son mari; elle travaille dans un grand magasin comme vendeuse pour qu'ils puissent s'en sortir financièrement). L'université Columbia offre un James un poste de professeur. Cette nomination leur paraît à tous deux une chance incroyable. Il enseignera pendant sept ans et, parmi ses élèves, il aura notamment Larry Elliott.

Et le Fou de Bassan, auquel, pour l'heure, il est bien loin de penser.

L'affaire qui va bouleverser son destin intervient à l'époque ou Letty fait sa seconde fausse couche. À trois ou quatre reprises déjà, plus par curiosité que par appât du gain, il lui est arrivé de conseiller des amis ou des relations pour des placements financiers. Il s'est aperçu avec surprise (son manque habituel de confiance en lui) que ses conseils valaient de l'or. L'homme qui vient un jour le voir se nomme Franck Mora. Il se présente comme l'ancien propriétaire d'une entreprise de camionnage, entreprise qu'il a vendue pour deux millions de dollars; les actes qu'il montre en témoignent. « *D'après Ernie Saltzman, qui n'est certes pas un imbécile, vous seriez une espèce de génie en matière de placement d'argent* », dit Mora. Qui s'explique : il souhaiterait que MacArthur fît fructifier l'un de ses deux millions de dollars. Étant entendu que lui, Mora, suivra chaque opération de bout en bout, et dans le détail. Ce sera pour lui une façon d'apprendre la haute finance. Et il est prêt à payer cinquante mille dollars, immédiatement.

Après trois jours, MacArthur accepte. Pas pour les cinquante mille dollars, bien qu'il ne gagne pas autant en une année d'enseignement à Columbia, mais parce que le jeu l'intéresse. Comme l'ont fasciné les opérations qu'il a faites précédemment. Et, cette fois, la somme est importante.

Il ne dit rien à Letty. En somme, il ne s'agit que d'un hobby et de l'occasion de se prouver à lui-même que cet enseignement qu'il dispense à ses étudiants peut avoir des applications pratiques.

Cinq mois plus tard, Mora revient. Il dit que, pour lui, la démonstration est on ne peut plus concluante. MacArthur accepterait-il maintenant de gérer dix millions de dollars?

En échange de vingt pour cent des bénéfices qu'il fera faire à ses investisseurs?

Et en réglant un petit problème : ces dix millions de dollars se trouvent sur un compte numéroté dans une banque des Bahamas. Il ne serait bon pour personne que le département du Trésor mît son nez dans l'affaire. « *Il y a certainement des moyens de faire fructifier sur le marché financier américain de l'argent dont la provenance n'est pas très claire. En tout cas, je suis sûr –*

nous sommes sûrs, mes associés et moi – que vous connaissez ces moyens. »

MacArthur les connaît. À vrai dire, il se sent même capable d'en inventer d'autres, inédits. Le problème est ailleurs. MacArthur n'est pas naïf, ou pas assez. Il ne doute presque plus, désormais, de la provenance réelle de tous ces millions, même s'il hésite encore : argent des casinos, argent de quelque trafic illicite, argent de la drogue ?

Il refuse. Mora sourit, remercie courtoisement, dit son regret, s'en va et disparaît. MacArthur regrette aussi. Il s'en veut presque. Sa gestion du million de dollars (il est parvenu à quadrupler le capital de départ en six mois) lui a procuré un plaisir, une jouissance incroyables auprès desquels les soixante-quinze mille dollars qu'il a fini par percevoir sont vraiment peu de chose. Mais il a dit non, toujours sans en parler à Letty, et c'est bien la première fois en quatorze ans de mariage qu'il lui cache quelque chose. Il range son regret dans l'armoire aux souvenirs. D'autant que Letty, après cette seconde grossesse dramatique, craque, à la stupeur de MacArthur, si accoutumé de s'appuyer sur elle, à qui il estime d'ailleurs tout devoir. Les médecins prescrivent à Letty une cure de sommeil. Autre première dans la vie de MacArthur : il se retrouve seul.

Et elle surgit un soir de pluie, alors qu'il regagne en voiture l'appartement si tristement désert de Washington Heights. Il la touche, ou croit la toucher, la heurter, de son pare-choc. Il est une heure trente du matin; MacArthur ce soir-là, pour retarder justement le moment de rentrer chez lui et de s'y retrouver seul, a accepté l'invitation à dîner d'un ami, qui continue toujours de le surprendre. Le coup est léger, imperceptible. MacArthur, affolé (il conduit mal et le sait), se jette hors de sa voiture et se penche. Elle est aussi blonde que Letty est brune; elle est inconsciente. Il appelle la police; on vient; une ambulance emporte l'accidentée vers l'hôpital le plus proche. Le médecin, aux urgences, le rassure : elle n'a rien, hors un petit hématome à la cuisse. Et les examens ne vont pas tarder à révéler que sa perte de connaissance n'est que passagère; sa nuque aura porté contre l'asphalte, au moment de la chute; rien d'autre. Il passe une partie de la nuit dans la chambre de l'inconnue et revient la voir le lendemain matin, qui est un samedi. Elle lui sourit; elle est ravissante. Il est troublé. Elle lui explique que tout est de sa faute à elle, qui traversait sans prendre garde. Elle dit davantage sur elle-même : elle est apprentie comédienne et rêve d'écrire pour la télévision. La veille, c'est vrai, elle était cafardeuse – pas au point d'en mourir, quand même. Une liaison qui a mal fini; c'est son amant qui est parti; on a beau dire, ça fait mal. Elle sort de l'hôpital et MacArthur la reconduit chez elle. Dans une chambre sinistre à la frontière du Bronx. Bon, il lui trouve mieux. L'un des neveux de Letty a loué un petit studio à Washington Heights et il n'est pas là, il voyage en Europe. Angela – c'est son nom – peut s'y installer quelque temps. En attendant. Il l'aide. L'invite à dîner.

Ils font l'amour le lendemain matin. Et c'est une nouvelle première dans la vie de MacArthur. Il n'avait jamais trompé Letty jusqu'à ce jour : « *J'en ai envie* », dit Angela, « *et ça ne prête pas à conséquence. Surtout pour toi. Ne fais pas cette tête* ». Elle rit et dit que, dès lundi, elle trouvera autre chose pour se loger, il n'est pas dans ses intentions de rester à sa charge. Elle prend un bain, il sort pour quelques courses. À son retour, elle est morte, étranglée avec la ceinture de la robe de chambre de MacArthur. Moins d'une minute plus tard, le téléphone sonne. Franck Mora est en ligne, qui avait déjà appelé deux fois durant la semaine précédente. « *Ne touchez à rien, j'arrive* »; dit Mora. Et tout se joue pendant ces quelques minutes qui s'écoulent entre le moment où il raccroche le récepteur et le contemple, chaque seconde tenté d'alerter la police, et celui où Mora arrive.

Ensuite, c'est trop tard. Des hommes appelés par Mora emportent le cadavre dans un vieux buffet, toute trace est effacée. « *Vous n'entendrez plus jamais parler d'elle. Ni vous ni personne* », dit Mora. « *Que vous l'ayez tuée ou non n'a plus d'importance. C'est comme si elle n'avait jamais existé.* »

Letty lui revient deux semaines plus tard. MacArthur lui annonce qu'il a décidé d'abandonner l'enseignement. Il va ouvrir son propre cabinet de conseiller en investissements. Il a trente-quatre ans.

Il travaille donc depuis dix ans pour les Fourmis. Sauf, peut-être, les premières heures ou les deux premiers jours, il n'a jamais douté que Mora avait tout manigancé : la rencontre avec Angela, les conditions de cette rencontre, la nuit qui a suivi, le meurtre de la jeune femme, très froidement exécuté (Angela, si c'était bien son nom, a dû ouvrir elle-même la porte à ses meurtriers, puisqu'elle travaillait pour eux).

Bon. Il y a quelques semaines difficiles à passer. Une Letty dans son état normal remarquerait certainement quelque chose. Mais elle sort de clinique et n'est pas elle-même au mieux de sa forme.

Et puis, tout vient en même temps; une métamorphose totale. L'argent d'abord. Dès la première année, il a passé le cap des cinq millions de dollars de revenu annuel – dont quatre versés aux Bahamas, nets d'impôts et hors de tout contrôle. D'autres clients lui sont arrivés. Il en a accepté certains, en a refusé d'autres – pour ces derniers, Mora opposait son veto, manière de dire que ceux que MacArthur pouvait prendre étaient des « associés ».

L'épisode Angela a fini par s'estomper et devenir comme un cauchemar qu'il aurait fait. Le souvenir lui en revient parfois. En deux ou trois occasions, il est même allé jusqu'à se demander si, dans la machination ourdie contre lui, le Fou de Bassan n'avait pas été partie prenante. Il a fini par écarter définitivement cette hypothèse. Certes, le Fou de Bassan est fou, ou semble l'être. Mais pas à ce point. Non, décidément. Et puis, imaginer une collusion quelconque entre le Fou de Bassan et les Fourmis est trop absurde.

Durant les dix ans qui s'écoulent ensuite, les sommes qu'on lui confie pour qu'il les blanchisse, et surtout les investisse avec un bénéfice maximum, augmentent considérablement. Ses revenus connaissent la même progression. Il gère désormais cent soixante milliards de dollars et gagne cent millions par an. Les sommes ne comptent plus, à ce niveau. Elles sont abstraites et dépourvues de toute signification. Des pions. Et le fantastique accroissement de sa fortune personnelle lui est tout autant indifférent. Qui a besoin de trois, quatre, cinq cents millions de dollars, ou davantage? MacArthur n'a jamais pris la peine de compter son propre avoir, lui qui pourrait presque indiquer, de mémoire, à cent dollars près, le montant des capitaux qu'il manipule pour les autres. Seul ce jeu l'intéresse, le passionne, le fascine. Plus que jamais. Il a trouvé sa voie.

Que cette manne monstrueuse provienne de la drogue, de la cocaïne plus exactement (et plus récemment du *crack*), est un détail insignifiant, désormais relégué au fin fond de sa mémoire. Quel argent est réellement pur?

— Du café? demanda Letty.
— Oui, s'il te plaît.
— Il reste du jambon.
— Plus faim.

Ils se sourirent. Vingt minutes plus tôt, ils avaient une nouvelle fois fait l'amour. Et avec quelle fougue! Pour la quatrième fois en trois jours. Un rythme de jeunes. Après vingt-quatre ans de mariage, ce n'était pas si mal.

Il ne pouvait imaginer qu'une autre femme pût lui donner autant de plaisir que la sienne.

Letty ne sait rien. Ni des Fourmis, ni de tous ces milliards de dollars. À ses yeux, son mari est un très brillant avocat d'affaires, dont on s'arrache les services à prix d'or. Voilà quatre ans, ils ont acheté – enfin, loué avec un bail emphythéotique de quatre-vingt-dix-neuf ans – cette île dans l'archipel des Turks et des Caïques, rien de tel que les anciennes possessions britanniques pour faire d'excellents paradis bancaires et fiscaux. *Rule Britannia* – toute la grandeur de l'empire britannique tenait à cette intelligence et à cette souplesse de l'État, à l'opposé de la médiocrité mesquine de tant d'autres pays. MacArthur a acquis, du même coup, un hélicoptère, un hydravion et, naturellement, deux bateaux. Letty s'est un peu inquiétée de tant de dépenses, bien qu'il ait effectué tous ses achats en les assortissant d'un crédit bancaire officiel, avec sa prudence habituelle. « *Nous sommes si riches que ça, Jimmy?* » Il l'a rassurée, lui a montré ses déclarations au fisc. Parce qu'il paie des impôts, réclame même toutes les exonérations possibles, avec une hargne qui fait ses propres délices – sauf qu'il ne déclare que ses revenus officiels, provenant des interventions légales sur le territoire des États-Unis et ailleurs, cinq millions de dollars par an, à peu près (les quatre-vingt-quinze autres lui sont versés ailleurs, un peu partout, dans une bonne douzaine de places financières discrètes). On fait beaucoup de choses avec cinq millions de dollars par an. Surtout depuis que Reagan a abaissé les barèmes d'imposition. Il est en règle, une armée d'agents du Trésor ne trouverait rien, passerait-elle cent ans à le contrôler. (Il n'en dirait pas autant de Laudegger qui n'a sûrement pas pu s'empêcher de commettre quelques erreurs!)

Cent soixante milliards de dollars à blanchir chaque

année. Et recommencer l'année suivante. Avec un total encore accru, puisque, d'année en année, les recettes augmentent. Un temps, il a cru à un plafond, un chiffre qu'il serait impossible de dépasser. Parce que, tout de même, on ne peut pas, sans problèmes, injecter indéfiniment de l'argent blanchi dans l'économie mondiale. Ce plafond existe; la chose est sûre. MacArthur est même certain de s'en approcher dangereusement. Mais une idée lui est venue – encore une – et celle-là réglerait tout, y compris la situation où *ils* sont, *là-bas*, prisonniers dans leur propre pays.

Idée géniale et grandiose. Elle serait le couronnement de sa carrière et elle aurait pour conséquence de les mettre à l'abri, Letty, leurs filles et lui, pour toujours. Il connaît la règle d'or des Fourmis : ne jamais employer quelqu'un sur qui on n'ait pas un moyen de pression – une famille, une femme, des enfants, des parents, des frères et des sœurs sur qui exercer de terrifiantes représailles, à la moindre erreur ou pour cette seule raison qu'on aura attiré l'attention. Ainsi de ce... comment s'appelait-il déjà? Morales? Minuscule Fourmi de Milwaukee, coupable, seulement, d'avoir été repéré dans son travail. Une Fourmi de deux millimètres, semblable à des centaines d'autres, sur lesquelles veillent des Fourmis plus grosses, d'un centimètre ou deux, à leur tour épiées par des Fourmis de cinquante centimètres, lesquelles sont dirigées par plus grand encore. Et ainsi de suite.

Jusqu'à Laudegger.

Laudegger étant, disons, une Fourmi de six mètres.

Moi, je suis hors gabarit.

Ils étaient assis sur la véranda, Letty et lui.

Leurs trois filles jouaient dans le sable, sous la surveillance d'une gouvernante galloise; elles étaient nues, bronzées, adorables.

Je suis heureux.

— Quand repars-tu, Jimmy?

— Jeudi. Ç'a été un merveilleux Noël, chérie.

— Mmmm, fit-elle, l'œil rieur et un rien coquin.

De grands oiseaux de mer passaient dans le ciel bleu. Letty demanda :

— Tu as des nouvelles du Fou de Bassan?

— Il y a une éternité que je ne l'ai vu, dit MacArthur.

— Je l'aime bien, dit Letty.

— Moi aussi, dit MacArthur. Quel drôle d'oiseau.

Laviolette signait des autographes, entouré de jeunes admiratrices et admirateurs, qui l'avaient reconnu comme il sortait du restaurant en compagnie de Zénaïde et d'Alex Decharme.

Il finit par rejoindre ses deux compagnons.

— Je suis une star.

— Tu es une star, admit Zénaïde en riant.

À la fin de la saison précédente, il s'était classé parmi les trois joueurs de hockey les plus aimés du public, et il était généralement tenu pour supérieur à un Jean Beliveau, un Gil Perreault ou un Guy Lapointe, qu'il surpassait sans aucun doute par son extraordinaire puissance – ou plutôt sa brutalité quand il s'agissait de faire le grand vide autour de la rondelle. Il collectionnait les minutes de prison et avait été suspendu à maintes reprises. En dépit de ses cent vingt kilos et malgré tout son harnachement, lancé à pleine vitesse sur la patinoire, il atteignait quarante-deux kilomètres à l'heure. On pouvait dès lors comprendre pourquoi, à l'occasion d'un match au sommet entre Montréal et les New Yorks Islanders, il avait expédié, dans une de ses montées en attaque, trois adversaires à l'hôpital. Au repos un certain temps, pour apprendre, sans doute, à se calmer, il avait fait des essais avec plusieurs équipes de football américain, dont les Redskins, de Washington et les Patriots, de Nouvelle-

Angleterre. Il avait produit une grosse impression, d'autant que sa formidable musculature ne devait rien aux stéroïdes anabolisants – il avait toujours été ainsi (quatre-vingt-trois kilos à douze ans, mais il était encore un peu fluet, à l'époque). Il avait foncé dans le tas de ces maudits Anglais américains jusqu'au moment où ses propres vertèbres avaient un peu cédé, à la grande fureur des dirigeants montréalais. Il espérait faire sa rentrée dans quelques semaines.

– Je pourrais rejouer demain. Ces docteurs sont des ânes. J'ai juste sept ou huit kilos à perdre. Ça me manque, l'action.

– Très bien, dit Zénaïde.

Qui, à nouveau, tandis qu'ils marchaient tous les trois dans Montréal, éprouva la sensation qu'ils étaient suivis. Pour la troisième fois en moins de vingt-quatre heures. Ç'avait d'abord été la veille, jour de Noël, comme ils quittaient Missikami, cette fourgonnette immatriculée dans le Wisconsin, si bizarrement arrêtée dans la neige, sur le bord de la route. Les vitres teintées du véhicule étaient trop sombres pour qu'il fût possible de rien distinguer à l'intérieur. Ils avaient surveillé leurs rétroviseurs, Alex et elle, mais sans résultat probant, bien qu'il y eût eu peu de circulation. Ils étaient arrivés à Montréal dans la nuit. Alex Decharme et sa famille habitaient, montée de l'Anse, une jolie maison d'où l'on découvrait, tout à la fois, le lac des Deux-Montagnes et le lac Saint-Louis.

– Tu rêves, Zénaïde. Pourquoi te suivrait-on? Tu ne t'occupes plus de cette histoire de Milwaukee. Tu as bien vu qu'il n'y avait personne derrière nous.

– Sauf s'ils savaient où nous allions.

Et, dans ce cas, en effet, il n'aurait pas été utile de les suivre. Mais elle-même n'avait pas été convaincue par son propre raisonnement. Alex avait raison. Pour croire qu'on l'avait mise sous surveillance à cause de ce qui était arrivé dans une petite banque américaine, il fallait

supposer l'existence d'une très vaste organisation internationale, disposant d'une armée. Cela n'avait pas de
sens. Le lundi 26 décembre au matin, ils repartirent de la
montée de l'Anse dans deux voitures, Alex dans la
première, Laviolette et elle dans une autre. Alex devait
passer à son journal pour y annoncer qu'il prenait des
vacances jusqu'au 2 janvier. Zénaïde se rendit à la
première banque, celle qui réglait d'ordinaire les
ouvriers de la scierie de Missikami. Elle y pénétra dès
l'ouverture et posa ses questions. Les résultats furent
décevants. Elle n'apprit rien que la première enquête
d'Alex Decharme n'eût déjà révélé : la société que les
gens de Missikami avaient toujours cru propriétaire de la
scierie n'était que la filiale d'une deuxième société,
nettement plus importante, regroupant un certain nombre d'entreprises, toutes plus ou moins concernées par
les produits forestiers, papeteries comprises. Et cette
dernière société était cotée en bourse. Sur le deuxième
marché certes, mais c'était assez pour rendre déjà plus
difficile l'identification des propriétaires réels, à savoir
les actionnaires majoritaires. Le deuxième établissement
auquel elle rendit visite se trouvait être une agence de la
banque où elle avait fait ses débuts comme secrétaire,
sept ans plus tôt, avant de partir pour Toronto, d'y
rencontrer Larry Elliott et de l'épouser. On lui conseilla
d'aller voir un certain avocat d'affaires, qui devait savoir
pas mal de choses et pourrait sans doute satisfaire en
partie sa curiosité. Elle ressortit, et ce fut à ce moment
qu'elle aperçut à nouveau la fourgonnette. En réalité,
rien ne prouvait que ce fût la même. La marque était
identique, la couleur semblable (vert très sombre) et les
vitres pareillement teintées. Seule différait la plaque
minéralogique, qui établissait que le véhicule était imma-
triculé au Québec. Mais – *c'est Alex qui a raison, je
fantasme* – la fourgonnette à l'arrêt avait pourtant
quelque chose de menaçant. Zénaïde fut sur le point de
demander à Laviolette d'aller frapper à la portière, à

seule fin de savoir s'il se trouvait quelqu'un à l'intérieur, et qui. Mais Alex Decharme les rejoignit au même moment. Il avait pu se dégager et ne reprendrait son travail que le lundi 2 janvier. Tout comme Zénaïde, en somme. Mais elle n'était plus très sûre d'avoir l'envie, ni d'ailleurs la possibilité, de rentrer à Milwaukee, après ces vacances surprises, et de reprendre sa place chez les frères Kessel, comme si de rien n'était.

L'avocat d'affaires s'appelait Donald Lafeuille. Lui aussi reconnut Laviolette. Il dit être l'un de ses fans les plus fervents. On parla hockey pendant quelques minutes tandis que le juriste promenait son regard le long des courbes de Zénaïde et en oubliait de terminer ses phrases. Il donna les informations recherchées – en donna même un peu plus qu'il ne l'eût sans doute souhaité.

– J'ai toujours su que tu produisais sur les hommes un effet vraiment particulier, remarqua Alex Decharme quand ils eurent tous les trois retrouvé la rue. Nous autres, de Missikami, nous sommes en quelque sorte immunisés, depuis le temps. À la seule exception de François-Xavier, évidemment. Je me souviendrai toujours de cette partie de golf que j'ai gagnée contre les deux Américains. Ils me surclassaient tellement qu'ils ne voulaient même pas parier leurs cinq mille dollars; ça leur semblait un vol pur et simple. Je ne les avais pas prévenus que tu porterais mes cannes. En maillot de bain... Qu'est-ce qu'on fait ? On va jusqu'à New York ?

Zénaïde réfléchissait. Telle que Lafeuille l'avait présentée, l'affaire prenait une ampleur inattendue.

– On va à New York ou on abandonne tout, dit-elle enfin.

Et, bien sûr, elle n'allait pas abandonner.

– C'est quoi, une OPA ? demanda Laviolette.

OPA : *offre publique d'achat*. C'est un mécanisme simple par lequel un individu ou un groupe d'individus, c'est-à-dire une société, procède ou tente de procéder à l'achat d'une autre société. Achat total ou partiel, débouchant dans tous les cas sur une prise de contrôle. Étant entendu que l'on peut contrôler une société si l'on en est l'actionnaire principal, et pas nécessairement majoritaire.

Une OPA est dite amicale quand les dirigeants de la société visée sont favorables, pour toutes sortes de raisons possibles, à une telle acquisition.

Elle est dite hostile, voire sauvage, quand ces mêmes dirigeants préféreraient crever plutôt que de perdre le contrôle de leur affaire.

Dans le principe, le ou les auteurs de l'OPA (toujours obligatoirement lancée sur une entreprise cotée en bourse) offrent publiquement aux actionnaires de la société visée de leur racheter les actions qu'ils détiennent, à un prix évidemment supérieur à celui du marché. Le paiement se faisant presque toujours en espèces. Sauf dans le cas d'un échange : tant d'actions de telle société contre celles que vous avez en portefeuille, monsieur – mais il s'agit alors d'une *offre publique d'échange*. Les deux types d'offres peuvent être utilisés simultanément. Le cas est cependant rare.

Lancer une OPA sur une société donnée implique que l'on devra obligatoirement acheter toutes les actions mises sur le marché pendant la durée, fixée au préalable, de l'OPA.

On peut lancer une OPA contre n'importe quelle entreprise, dès lors qu'elle est cotée en bourse et, donc, a émis des actions. Peu importe la taille de cette entreprise. Plus gros seront son chiffre d'affaires et sa valeur boursière, plus importants devront être les capitaux mobilisés pour l'attaque.

– Tu as compris, Laviolette ?
– Je crois.
Entre le 17 mai 1792 où, à Wall Street, a été créé le

New York Stock Exchange, et l'année 1981, l'histoire a retenu onze cas seulement d'OPA portant sur des entreprises d'une valeur supérieure à un milliard de dollars.

– Depuis cette même année 1981, il y en a eu plus de cent.

– Toutes supérieures à un milliard de dollars?

– Oui. Sans compter les OPA d'un montant inférieur. Au cours de la seule année 1986, il y a eu cent quatre-vingt-dix-sept OPA, pour un montant total de plus de soixante-cinq milliards de dollars.

– Pourquoi cette augmentation démente? demanda Alex.

Parce que, à partir de 1982, le Dow Jones, c'est-à-dire l'indice des fluctuations du marché de Wall Street, corrigé en tenant compte de la hausse des prix, est inférieur à celui enregistré près de dix ans plus tôt. En gros, les entreprises américaines valent moins cher. Elles sont en solde. D'ailleurs, les financiers européens et japonais ne s'y trompent pas, qui ne vont pas tarder à faire leurs courses en Amérique. Surtout après la baisse du dollar.

Et viennent les raiders. Ceux qui exécutent des raids. Des OPA hostiles, toujours. Des *offres non sollicitées*, selon leur terminologie personnelle. Leurs objectifs avoués : contraindre les dirigeants de l'entreprise attaquée à une restructuration générale, qui aura en principe pour effet de revaloriser les actions de la « cible ». Autrement dit, ce sont (presque) de purs philanthropes n'ayant d'autre souci que le bien-être et l'enrichissement des petits actionnaires, auxquels personne n'accorde en général la moindre attention.

Simple question de point de vue. Le pirate, c'est toujours l'autre. Nous, on est des corsaires, ne pas confondre. Il y a de mauvais esprits pour penser qu'un raider ne peut être motivé que par deux types d'objectifs.

Soit il a acquis une quantité suffisante d'actions de

l'entreprise visée pour constituer, aux yeux de sa direction, une source d'ennuis non négligeable, et il monnaie alors son retrait en se faisant payer au prix fort les actions qu'il a raflées sur le marché. C'est ce que certains n'hésitent pas à appeler du chantage – du chantage au billet vert, du *greenmail*.

Soit il parvient réellement à prendre le contrôle de l'entreprise, et, dans ce cas, il la met à la casse. En d'autres termes, il se hâte d'en revendre les composantes, une par une. Et s'il a choisi sa cible avec assez de soin, si elle possède des actifs suffisants – que la valeur boursière traduisait mal, pour n'importe quelle raison –, il réalise de juteux bénéfices.

Sans évidemment se soucier des répercussions que de telles opérations peuvent avoir.

– Zénaïde, nous serions les victimes lointaines d'un raid ?

À nouveau, question d'Alex Decharme.

– D'une OPA sûrement. Tu as entendu Lafeuille comme moi. L'OBA a été la victime d'une OPA sauvage et a été emportée.

– L'OBA ?

– Obawita General Wood. C'est la société numéro quatre. Qui contrôlait la trois, laquelle possédait la deux, qui elle-même était actionnaire largement majoritaire de la première, propriétaire de la scierie et de la plus grande partie des terrains et des forêts de Missikami. Avant de céder à l'attaque, l'OBA réalisait un chiffre d'affaires annuel d'un milliard trois cent quarante-cinq millions de dollars, grâce à une double concentration, horizontale et verticale, d'entreprises allant de l'exploitation forestière aux papeteries et produits dérivés. Ainsi, outre un domaine forestier d'un million et demi d'hectares au Canada, possédait-elle l'une des plus grandes marques nord-américaines de cahiers d'écolier, deux fabriques de cartes à jouer, une chaîne de charpenterie industrielle, et ainsi de suite.

La scierie de Missikami et ses biens propres avaient été vendus aux MacGuildy pour quatre cent soixante-quinze mille dollars.

— Nous aurions pu l'acheter nous-mêmes, Alex. Sauf que nous ne l'avons pas fait. Et nous ne l'avons pas fait parce que nous ignorions que l'affaire était à vendre. Les MacGuildy l'ont appris, eux.

Une quinzaine d'années plus tôt, les Decharme et les Laviolette avaient tenté d'acquérir la scierie. À l'époque, la société de Québec qui était seule propriétaire avait décliné l'offre, affirmant qu'elle n'envisageait pas de vendre. Le responsable de cette affirmation péremptoire s'appelait Lacos, Joseph-Henri Lacos. Il était le descendant direct de la branche aînée des Gagnon. Un cousin, en quelque sorte, bien qu'assez lointain. Il s'était engagé, si un jour il cherchait un acheteur, à reprendre contact avec ceux de Missikami. Il était mort en 1971, après avoir pas mal développé l'entreprise, devenue société anonyme et cotée à Montréal.

— C'est en partie de ma faute, Zénaïde. Toi, tu étais trop jeune, en ce temps-là. J'aurais dû m'en occuper et essayer quelque chose. Il est vrai que je me baladais au Viêt-nam.

— N'en parlons plus, dit-elle.

Ils arrivaient à New York. Leur avion amorça sa descente. On était toujours le lundi 26 décembre, vers six heures du soir. Zénaïde doutait de pouvoir joindre Marty Kahn à son bureau chez Katz, Lerner & Co., mais elle pourrait probablement trouver son numéro personnel. En cas d'échec, elle aurait toujours la ressource de faire appel à Larry.

— On parle de moi dans *Sports Illustrated*, dit Laviolette. Ils disent que je vais signer pour les Patriots. Je me demande où ils ont été chercher ça. Il y a même une photo de moi.

Ils se trouvaient tous trois dans l'aérogare et attendaient leurs bagages. Du moins la valise de Zénaïde, qui était la seule à avoir emporté quelques vêtements de rechange. Ils comptaient passer une seule nuit à New York et rentrer au Canada dès le lendemain.

— Et il y a deux types qui nous surveillent, poursuivit Laviolette sur le même ton tranquille. Ne vous retournez pas mais ils sont à côté de la porte marquée *no exit*.

Alex se retourna tout de même et ne vit rien.

— Tu rêves aussi, François-Xavier.

— Mais oui. Sauf qu'ils avaient des photos et les ont regardées à notre arrivée. C'est nous qu'ils attendaient... Quand on y pense : moi, abandonner le hockey pour leur football américain ? Ils sont malades !

— Ils sont descendus à l'hôtel *Devon*, dans la Quarantième rue est, dit la voix. Les deux hommes qui l'accompagnent sont toujours les mêmes : le journaliste et le joueur de hockey. Elle a donné neuf coups de téléphone. Elle cherchait à joindre quelqu'un appelé Marty Kahn, qui travaille pour une boîte du nom de Katz, Lerner & Co.

— Je connais, dit Laudegger.

— Elle n'a pas réussi. Marty Kahn est quelque part sur son bateau au large de Key West. Vous voulez qu'on vous le localise plus exactement ?

— Non. Qui d'autre ?

— Laurence Elliott.

Son ex-mari, pensa Laudegger.

— Elle l'a eu ?

— Elliott lui a dit d'aller se faire foutre, dit la voix, sans la moindre trace d'humour. Elle a ensuite appelé... vous voulez noter les noms ?

— Je m'en souviendrai.

— Elle a appelé une certaine Nancy Bellman. Puis Curt Miller, Anderson Collingwood, Bert Sussman. Elle a également demandé à parler à Robert Sassia et à Robert Montero, mais ils étaient tous les deux sortis.

Des six personnes que venait de citer l'homme de Milán, Laudegger en connaissait au moins deux très bien. Bert Sussman et Robert Sassia étaient ses propres assistants.

Merde! À quoi joue cette connasse?

Il sourit à Mandy, assise près de lui à l'arrière de la Cadillac.

— Je n'en ai plus pour longtemps, lui dit-il.

Elle ne haussa même pas les épaules; elle tourna seulement la tête, en direction de la rue, avec, sur son visage lisse, cette expression d'indifférence totale à ses faits et gestes qu'elle affichait sitôt qu'ils étaient seuls ensemble, sans personne pour constater l'inharmonie de leur mariage.

Il demanda :

— De quoi ont-ils parlé?

— Elle a mentionné le nom par trois fois. Avec Miller, Sussman et la femme Bellman. Quelque chose comme Obawita.

La surprise cloua Laudegger sur sa banquette. L'homme de Milán continuait à parler, racontant où le trio avait dîné, avant de rentrer se coucher au *Devon*.

— Merci, dit Laudegger.

Il mit plusieurs secondes à raccrocher. Qu'est-ce que cette folle fabriquait, à mener une enquête sur l'Obawita General Wood? Et, nom de Dieu! où était le rapport avec l'incident de Milwaukee?

C'est peut-être Milán qui a raison : elle aura découvert une faille quelque part.

Mais où?

Il adressa un nouveau sourire à sa femme :

— Nous avons passé une agréable soirée, non?

— Je me suis emmerdée, comme d'habitude, dit Mandy.

L'Obawita General Wood! Merde de merde! Où est le rapport?

On tirait doucement MacArthur par le bras. Il ouvrit les yeux et, dans l'obscurité de la chambre, reconnut la silhouette de Miguel, l'un des huit domestiques de la maison de l'île, et leur chef, en sa qualité de maître d'hôtel. Faisant en sorte de ne pas éveiller Letty, James sortit de la chambre.

– On vous demande.

Il gagna son bureau à l'autre extrémité de la maison et décrocha le récepteur du radiotéléphone.

– Désolé de vous tirer du lit, dit Laudegger. Mais il se passe quelque chose de bizarre.

Ça doit même l'être pas mal pour qu'il s'humilie au point de m'appeler en catastrophe.

– De là où je vous appelle, on peut parler. Vous vous souvenez de la fille au bord du lac?

La Canadienne, traduisit *in petto* MacArthur.

– Évidemment, dit-il.

– Elle est à New York, en train de se renseigner sur l'OPA de l'Obawita.

– Ah? dit MacArthur.

Mais il était réellement étonné et, pendant quelques secondes, ne sut que dire. Il consulta l'une des pendulettes qui, face à lui, indiquaient l'heure des différentes places du monde où il avait à faire. Minuit trente-cinq aux Turks et Caïques, et donc à New York, puisque il n'y avait pas de décalage horaire entre les deux. Ce vide dans sa tête était peut-être dû au fait qu'il venait d'être arraché au sommeil. Mais il n'y croyait guère. D'ordinaire, il était bien plus vif que cela, de jour ou de nuit. Non, il ne comprenait pas, tout simplement. Comment diable était-il possible d'établir une relation entre l'affaire de l'OBA et une petite employée de banque canadienne qui, à la suite d'un pur hasard, en principe, avait repéré l'une des Fourmis de dépôt ?

Une fois n'étant pas coutume, il partageait l'opinion de Laudegger : la coïncidence était trop improbable. C'était inquiétant. Pas dramatique (la Canadienne n'était pas si importante) mais inquiétant, comme tout ce qui est inexplicable.

Laudegger poursuivait :

– L'idée m'est venue qu'elle avait peut-être trouvé un autre moyen d'entrer dans nos affaires.

En clair, traduisit encore MacArthur pour lui-même, *le très cher Laudegger estime possible que, enragée par son échec à Milwaukee, la Canadienne ait cherché et trouvé un autre angle d'attaque.*

Le plus étonnant est que je suis de son avis.

MacArthur prit la première des résolutions de cette nuit-là, résolution qui allait, par la suite, se révéler décisive.

– Donnez-moi une heure et rappelez-moi.

Il reposa le récepteur, coupant court aux protestations de Laudegger. Par l'une des fenêtres de son bureau, il découvrait une mer argentée par la lune. L'hydravion était à l'amarre. La première idée vint à MacArthur. Pourquoi ne pas vérifier ? Il sortit de son bureau.

– Je voudrais du café, Miguel.

Il longea le long couloir sur l'arrière de la maison, passa une porte, traversa le petit jardin, pénétra dans le bâtiment réservé à ses quatre assistants sur l'île. Deux de ceux-ci étaient à leur poste, devant les écrans, en train de transmettre les cotations des bourses de Singapour, Hong-kong et Tokyo. MacArthur s'assit dans le fauteuil qui lui était réservé et regarda défiler les chiffres. Miguel apporta le café, se retira.

– Doug, dit MacArthur, laissez tomber Hong-kong pour le moment. J'ai besoin de vous. Je voudrais le listing concernant l'OBA – Obawita General Wood. La liste complète de tous ses actifs à la date du 31 juillet dernier. Vous pouvez m'avoir ça dans combien de temps?

– Une vingtaine de minutes, répondit Doug Reeves.

– J'attends.

Il but son café à petites gorgées. Qui a dit que je n'étais pas bien réveillé? Il se sentait au contraire en excellente forme. Ces quelques jours à flemmarder avec Letty et les filles lui avaient fait le plus grand bien.

La preuve : cette deuxième idée qu'il venait d'avoir. Incomparablement supérieure à la première, celle qui lui faisait effectuer des recherches sur l'OBA et que, tôt ou tard, Laudegger finirait par avoir aussi, s'il ne l'avait déjà. Cette seconde idée ouvrait des perspectives assez extraordinaires.

Et fort amusantes, en plus.

Il regagna son bureau. Il était installé dans son fauteuil, ses pieds nus posés sur le plateau de la table, quand Reeves lui apporta le listing. MacArthur n'eut pas à chercher loin; la société s'appelait tout bêtement la Compagnie du bois de Missikami. En français. Une petite chose minuscule. Rien d'étonnant à ce que ni Laudegger ni lui-même n'y eussent pensé.

Et la Canadienne était de Missikami. Née à Kapuskasing.

– Trouvez-moi une carte du Canada, Doug. De l'Ontario autant que possible.

Il se pencha sur l'atlas que Reeves venait de lui apporter. À vue de nez, Kapuskasing se trouvait à environ deux cents miles de Missikami. *Voici donc le rapport entre l'histoire de Milwaukee et l'OBA. Et il est tout bête. La Compagnie du bois de Kissimachin aura été vendue au moment de la restructuration de l'OBA et ma petite Canadienne aura été affectée par cette vente. Qui probablement doit bouleverser la vie de sa famille. Et elle est furieuse. D'autant plus qu'elle arrivait de Milwaukee, où elle venait de se faire moucher.*

MacArthur fut dès lors convaincu du bien-fondé de sa théorie.

Il était convaincu d'autre chose encore : même dans l'éventualité des pires catastrophes, la belle Zénaïde (MacArthur ignorait si elle était belle; les seules indications qu'il avait sur elle ne portaient que sur sa détermination mais il se plaisait à l'imaginer ravissante) ne pouvait pas inquiéter les Fourmis en allant fouiner dans l'affaire de l'OBA.

Mais, justement, c'était cela même qui rendait carrément grandiose sa deuxième idée.

Grandiose était vraiment le mot.

Durant les vingt-cinq minutes suivantes, il pesa le pour et le contre.

Le pour était évident.

Le contre, c'était deux risques.

D'abord celui qu'*ils* viennent à découvrir sa machination, *là-bas*. La seule idée des conséquences suffisait à glacer le sang. Il n'avait malheureusement aucun mal à se représenter le Sicaire débarquant dans l'île (ou ailleurs, car, quelque cachette qu'il imaginât pour Letty et les filles, le Sicaire les retrouverait à tout coup, et ses représailles seraient terrifiantes.)

Mais tu ne crois pas à ce risque. Et puis tu as une défense en place. Presque en place. C'est-à-dire qu'elle le sera dans quelques jours. Quand tu seras allé les voir et que tu tu leur auras révélé ton plan d'ensemble. Dès lors, tu deviendras invulnérable.

Non, tu peux y aller.

Le deuxième risque était négligeable : que Laudegger fasse exécuter la Canadienne. Plus quelques membres de sa famille, pour faire bonne mesure. *Et alors? Je ne la connais même pas.* Un tel carnage n'aurait d'autre conséquence que de faire tomber à l'eau sa deuxième idée. Rien de plus.

D'accord, j'y vais.

Laudegger reprit contact cinquante-huit minutes après

son premier appel. Avec deux minutes d'avance, donc. Ce qui trahissait son agitation.

– J'ai réfléchi, dit MacArthur. L'affaire est en effet plus sérieuse qu'on ne pouvait le penser au premier abord.

– J'ai trouvé la relation, dit Laudegger.

Tiens, il est moins idiot que prévu, pensa MacArthur. *J'ai un peu trop tendance à le sous-estimer. Tout comme moi, il a eu l'idée de vérifier dans les anciens actifs de l'OBA.*

– Moi aussi, Bill. Et je n'aime pas ça. Pas du tout.

Quelques secondes de silence sur la ligne. Immédiatement interprétées par MacArthur : Laudegger était surpris de voir ses propres appréhensions partagées à ce point. En sorte que James D. reprit aussitôt la parole. Il dit avoir pensé à deux solutions. La première (il s'exprimait naturellement à mots couverts, ne prononçant, à son habitude, aucun nom), la première consistait tout simplement à faire exécuter la Canadienne et tous les témoins éventuels. Milán ferait sûrement ça très bien, comme toujours, sous réserve qu'il en reçût l'ordre, ce qui n'était évidemment pas le cas, la consigne générale donnée, depuis plus d'un an, aux Fourmis combattantes étant au contraire de ne sévir qu'avec prudence, en évitant de s'attaquer aux personnes dont la mort pouvait entraîner une enquête policière serrée et, par suite, la montée en ligne de la presse. C'était une chose d'éliminer un Morales, petit épicier immigré sans importance, c'en était une autre de s'en prendre à une femme dont l'ex-mari était une des célébrités de Wall Street. Bien sûr, Laudegger pouvait réclamer qu'une décision fût prise en haut lieu, *là-bas*. Mais, à supposer qu'il obtienne la condamnation à mort de la Canadienne, c'était à lui – *à nous, Bill, à vous et à moi* – que des reproches seraient adressés si les choses tournaient mal. Quant à lui, MacArthur, sa religion était faite : il était partisan d'éviter une élimination physique. Par nature et par calcul, il était opposé aux solutions violentes. L'assassinat de l'ex-femme de Larry Elliott provoquerait d'énormes vagues, et, dès lors, les Fourmis n'auraient plus affaire à une simple petite employée de banque un peu trop curieuse mais à Elliott, qui s'appuierait sans doute sur la police fédérale, le département du Trésor, la Securities and Exchange Commission, et Dieu sait encore.

– C'est ce que vous voulez, Bill? Je vous préviens : si vous devez prendre cette décision, vous la prendrez seul. En endossant toutes les responsabilités futures.

– Maintenant...

Maintenant, il y avait une deuxième solution.

– Qui n'est pas encore très claire dans mon esprit, mais je suis convaincu que vous saurez aussi bien que moi, sinon mieux, dégager l'idée de base.

Qui, en gros, était la suivante : lancer la Canadienne sur une fausse piste. Après tout, il ne fallait rien exagérer, ce n'était qu'une petite bonne femme qui finirait bien par renoncer. Il suffisait de la décourager habilement...

– Une fausse piste?

Une certaine intonation dans la voix de Laudegger éclaira MacArthur. *Il est en train de comprendre où je veux en venir.*

– Bill, tout le montage de l'OPA sur l'OBA me semble se prêter parfaitement à une diversion qui nous fera gagner du temps. À vous de voir. C'est davantage de votre ressort que du mien. Je vous dis seulement ce que je ferais à votre place. Il y a des dispositions à prendre.

Comme, par exemple, contacter un à un tous ceux qui, à des degrés divers, ont été mêlés à l'OPA sur l'OBA. Les contacter et leur faire la leçon.

Mais MacArthur s'abstint de ces dernières remarques. Laudegger était très capable de parvenir aux mêmes conclusions. Insister eût attisé une méfiance qui devait déjà être considérable.

La communication prit fin. MacArthur laissa son café, qui était froid maintenant, et il alla se verser un fond de verre de scotch. Il continuait à se sentir amusé. Il se porta un toast à lui-même. Dans l'ensemble, il inclinait à croire que le piège qu'il venait de mettre en place allait fonctionner.

En raison, essentiellement, de la haine que, depuis des années, William Carlos Laudegger vouait au Fou de Bassan.

2

Le mardi 27 décembre au soir, seulement, Zénaïde parvint à rencontrer Larry Elliott. Qui la considéra d'abord de haut en bas, en silence. Zénaïde ne bougea pas, lui non plus. Il dit enfin :

– Je croyais pourtant avoir été assez clair, hier soir, au téléphone.

Elle allongea ses jambes qui commençaient à s'engourdir – elle était assise à même la moquette, dos appuyé contre la porte en chêne clair du duplex de Larry, Park Avenue. Elle mangea son deuxième hot-dog.

– J'ai soif, dit-elle.

– Il y a un bar à un bloc d'ici. Tu tournes deux fois à droite.

– Je me souviens. C'est toujours Timmy Clegg?

– Toujours. Je voudrais entrer chez moi, Zi.

– Je n'ai jamais aimé que tu m'appelles Zi.

– Je sais.

– Mon prénom est Zénaïde. La première syllabe est Zé. Pas Zi. Je n'aime pas non plus qu'on m'appelle Zé.

Il s'adossa à la porte de l'ascenseur qui venait de le déposer au cinquième étage. Il avait vingt-neuf ou trente ans, elle ne se souvenait plus exactement, et il était toujours aussi beau. Pour un blond. Elle se demanda une fois de plus comment elle avait pu tomber amoureuse d'un blond, au point de l'épouser surtout.

– J'ai vraiment besoin de toi, Larry.

– Fiche le camp.

– Je n'ai pas couché avec Marty Kahn. Je n'ai couché avec personne d'autre que toi pendant que nous étions mariés.

– Très bien.

Elle connaissait ce ton buté, boudeur, qui, en général, suivait les crises de colère. Une fois, il avait essayé de la frapper. Essayé seulement. Il n'était pas allé plus loin que l'esquisse d'une énorme claque. Elle lui avait cassé un vase porte-lampe sur la tête, à titre préventif. Et il avait fait la gueule pendant dix jours.

– Il y a quelques mois, dit-elle, on a lancé une OPA contre une société appelée Obawita General Wood. Je l'ignorais encore hier, mais elle était le véritable propriétaire de notre vallée de Missikami.

– Je m'en fous éperdument, Zi.

– Passons sur les détails. Tout le village, toute ma famille, va devoir quitter l'endroit où nous vivons depuis trois cents ans et plus. S'il existe un moyen d'empêcher cela, je le trouverai.

– Franchement, dit-il, l'idée de tous tes cons de Canadiens jetés dans la neige m'enchante positivement.

En d'autres circonstances, Zénaïde aurait ri. La seule fois, au temps de leur bref mariage, où elle était parvenue à traîner Larry jusqu'à Missikami, il avait fini dans un bac de mélasse. Et il n'avait pas goûté la plaisanterie.

– J'ai besoin de savoir qui a monté cette OPA. Qui en est réellement l'instigateur.

– Lis les journaux.

– Je les ai lus. Et j'ai consulté tous les dossiers possibles. J'ai des noms mais ils ne signifient pas grand-chose. Et je n'ai pu joindre aucun des types impliqués. Soit ils sont absents de New York, soit ils refusent de me recevoir. Tu en connais sûrement plusieurs. Tu connais tout le monde, à Wall Street. Tu me ferais gagner du temps.

Il contemplait le plafond du large couloir lambrissé qu'éclairaient des appliques murales en verre de Venise. Elle avait toujours détesté ces appliques. Il demanda :

– Tu restes avec moi cette nuit ?

Elle avait prévu qu'il poserait la question.

– C'est un marché, Larry ?

Il tarda à répondre. Un gamin, pensa-t-elle. Un gamin qui gagne un million de dollars par an et qui est considéré comme l'un des meilleurs cerveaux de Wall Street. Ils vont bientôt les prendre au berceau.

– Ça pourrait l'être.

Elle roula en boule le petit papier qui avait contenu les deux hot-dogs, le lança en visant le cendrier sur pied placé à l'entrée de l'ascenseur. Elle faillit réussir son panier à trois points. Elle se leva et s'en alla.

Laviolette l'attendait dehors. Elle lui avait interdit de monter.

– Il y a trois types dans une voiture qui ne me semblent pas très catholiques, Zénaïde. Dans la Lincoln bleue, là-bas.

Sur le moment, elle se contenta d'acquiescer distraitement, puis s'immobilisa et revint sur ses pas.

– Je veux juste téléphoner à monsieur Elliot, expliqua-t-elle au portier de l'immeuble.

– Oui ?

– C'est encore moi, Larry. Je suis descendue à l'hôtel *Devon*, dans la Quarantième Rue Est. Je n'ai pas le numéro. Tu le trouveras.

Il raccrocha sans un mot. Elle sourit à Pete, le gardien, et, ressortant, alla directement à la Lincoln bleue, dont elle ouvrit la portière côté conducteur. Trois hommes se trouvaient à l'intérieur. Un seul d'entre eux tourna la tête vers elle; les deux autres paraissant absorbés dans la contemplation du pare-brise.

– Je m'appelle Zénaïde Gagnon. Je ne sais pas pour qui vous travaillez. Mais dites-lui que je n'ai strictement plus rien à foutre de l'histoire de Milwaukee. J'ai quitté le terrain. Je suis assez claire?

Pas de réponse. Elle claqua la portière et, à grands pas, alla rejoindre Laviolette, qui attaquait son neuvième hot-dog.

Dans les premiers temps d'une offre publique d'achat, on n'est pas tenu de se faire connaître. On commence par acheter toutes les actions qui sont à vendre. Le plus discrètement possible. En passant par un ou plusieurs agents de change. Autant d'agents de change que l'on veut (et que l'on est en mesure de rétribuer).

Vient un moment où l'on a amassé cinq pour cent des actions de la cible. Cinq pour cent exactement. Pas 4,9 ou 5,1. Selon la législation en vigueur aux États-Unis d'Amérique, on dispose alors d'un délai de dix jours ouvrables – appelé le *sprint* – pour continuer à acquérir un maximum des actions convoitées. Mais, sitôt atteint le cap des cinq pour cent, il est obligatoire de se faire connaître. On dit : je suis monsieur Untel, ou bien nous sommes messieurs Untel et Untel, et je suis ou nous sommes désormais propriétaire(s) de cinq pour cent des actions de la société X.

Le délai de dix jours échu, il faut impérativement présenter un document officiel, dûment rempli, destiné à la *Securities and Exchange Commission* et dénommé 13 (d). Le 13 (d) identifie l'auteur ou, plus généralement, les auteurs, de l'offre publique d'achat. Il précise qui ils sont, combien d'actions ils envisagent d'acquérir et, surtout, dans quel laps de temps et à quel prix.

Le 13 (d) doit également décrire, aussi précisément que possible le financement de l'OPA. Il doit comporter l'indication des fonds propres investis (ces capitaux pouvant évidemment faire à tout moment l'objet d'un contrôle fiscal ou d'une enquête portant sur leur origine), des crédits bancaires accordés et des autres moyens de financement.

Le 13 (d) concernant l'offre publique d'achat sur l'Obawita General Wood mentionne une dizaine de banques qui, ensemble, ont accordé à peu près quatre cent soixante millions de dollars de prêts.

Il a fallu engager mille cent quarante-deux millions de dollars pour réussir la prise de contrôle de l'OBA. Pour cent quatre-vingt-quinze millions, l'argent provenait de fonds propres, c'est-à-dire de capitaux apportés par les hommes et par les sociétés qui ont lancé et mené à bien l'OPA. Le solde (quatre cent quatre-vingt-sept millions) a été fourni en grande partie par des obligations et par l'intervention de six fonds d'investisseurs quasi institutionnels, des gérants de fonds de retraite privés.

Des arbitragistes sont intervenus également. De ceux qu'on appelle des arbitragistes-risque. Les *arbs*. Il s'agit d'indépendants, de financiers opérant pour leur compte, en professionnels du risque. Ils sont aux raiders meneurs d'OPA sauvages ce que le rémora est au requin. Constamment à l'affût du marché, entretenant un important réseau d'informateurs, ils parviennent souvent à précéder les annonces d'OPA, et, selon ce qu'ils savent des individus et des sociétés qui vont s'affronter, selon leur évaluation des chances de l'attaquant ou du défenseur, ils s'empressent de prendre des positions dans la cible, en fonction de leurs disponibilités personnelles, souvent considérables, de manière à pouvoir revendre au meilleur moment. Lorsque ce furieux combat entre le raider et la cible aura fait monter les cours à leur maximum.

Zénaïde connaissait le nom de l'un des arbitragistes-risque intervenus dans l'affaire de l'OBA. Elle avait obtenu le renseignement presque par hasard, lors de la première visite qu'elle avait faite chez Katz, Lerner &

Co., dans l'espoir de pouvoir contacter Marty Kahn – qui était injoignable, tout occupé à pêcher en Floride, probablement en compagnie de deux ou trois créatures de rêve.

– Je suis tombée sur Clay Walters. C'est l'un des assistants de Marty. Marty l'a engagé quelques jours avant que je donne ma démission pour aller travailler à Milwaukee; je le connais à peine. Il ne savait rien de l'attaque sur l'OBA; il ne l'a pas suivie. Mais, juste au moment où j'allais partir, il s'est souvenu d'un dîner auquel il avait assisté, il y a deux mois. Un certain Neal Solomons y fêtait les gains – plusieurs millions de dollars – qu'il avait réalisés dans le cadre d'une OPA sur une société ayant quelque chose à voir avec le Canada. Clay a réussi à joindre Solomons au téléphone, et l'autre a confirmé qu'il s'agissait bien de l'OBA.

– Tu vas voir Solomons? demanda Alex Decharme.

– Nous avions rendez-vous demain matin. Zénaïde montra le feuillet sur lequel la standardiste de l'hôtel *Devon* avait noté le message téléphonique. Mais il a appelé il y a une heure, pour annuler ce rendez-vous. Il part en voyage, paraît-il.

– Tu penses qu'il veut t'éviter?

Elle haussa les épaules. Elle ne savait pas. Après tout, c'était la dernière semaine de l'année, coincée entre les fêtes de Noël et celles du Nouvel An. Il n'était pas si surprenant que les pontes de Wall Street prissent des vacances.

– Qui plus est, Solomons est un arb. Les arbs sont souvent des types bizarres.

Ni Alex ni Laviolette ne savaient ce que c'était qu'un arb. Elle le leur expliqua. Il était plus de minuit et ils tenaient tous les trois conférence dans sa chambre à elle.

– Je me trompe ou l'un de ces arbs serait parfaitement placé pour nous apprendre les dessous de toute l'OPA?

100

Alex ne se trompait pas. Le problème était seulement qu'il fallait identifier les autres arbs impliqués dans l'opération.

– Tous ne sont pas aussi exubérants que Solomons. Beaucoup ramassent leur bénéfice et passent à l'affaire suivante, sans publicité. Ils n'ont pas toujours envie d'expliquer comment ils ont obtenu leurs informations.

Elle reprit la copie manuscrite, succincte, du 13 (d) concernant l'OBA. Alex l'avait eue par les voies normales, un 13 (d) n'étant pas confidentiel. Surtout pour un journaliste qui effectue un reportage. Des neuf banques ayant apporté leur concours financier par le truchement de prêts, une seule se trouvait à New York. Les huit autres étaient disséminées dans l'ensemble du pays. Deux en Californie, une dans le Michigan, et ainsi de suite. Aucune dans la Sun Belt – les États du Sud, de la Floride à l'Arizona. Ce détail intrigua vaguement Zénaïde. Elle ne s'y arrêta pourtant pas. Plus tard, seulement, elle trouverait l'explication. Alex avait rendu visite à la banque new-yorkaise. Il y avait fait chou blanc. Un fondé de pouvoir avait consenti à le recevoir, après une attente interminable, mais il avait refusé de parler de ses clients présents, passés ou à venir. Reportage ou pas.

– Alex, vous avez eu l'impression que cet homme était, comment dire? mal à l'aise?

– Il était chaleureux comme un banquier qui n'a aucun espoir de gagner de l'argent sur votre dos. Je l'ai trouvé normal. Tu crois que quelqu'un est en train de nous mettre des bâtons dans les roues?

Là non plus, elle ne savait pas. Pas encore. Toutes les difficultés rencontrées par ce qu'Alex appelait le « *corps d'armée de Missikami* » pouvaient avoir diverses causes : la période des fêtes, la traditionnelle méfiance des gens d'argent, et, encore, la complexité même du montage de l'OPA sur l'Obawita.

– C'est courant, cette complexité?

– Personne ne réunit plus d'un milliard de dollars sans quelques petites difficultés.

– Et cette utilisation de près de dix banques situées aux quatre coins des États-Unis ?

– Il n'y a pas de règle.

Même si cette dispersion était en effet assez peu ordinaire. Mais, sur le moment, elle vit mal quelle conclusion en tirer.

Elle examina la mezzanine. Dans la plupart des montages d'OPA, le financement comprend trois couches. Comme un sandwich. La couche supérieure est constituée par les fonds propres. Celle du dessous par les crédits bancaires. Au milieu, à la place du jambon, se trouve la « mezzanine ». Dans le cas présent, la mezzanine était garnie – c'était classique depuis quelques années – d'obligations, dites parfois improprement *à haut risque*, d'investissements faits par des gérants de fonds de retraite privés (six en tout), et de capitaux émanant de fonds de placement. Zénaïde étudia ces derniers. Elle n'en connaissait aucun.

– Une drôle d'idée m'est venue, Alex. Je t'ai parlé de ce Morales, à Milwaukee. Les deux fois où je l'ai vu déposer de l'argent – et toujours moins de dix mille dollars –, il a demandé à la banque un virement sur des fonds communs de placement. Ç'aurait été intéressant de retrouver les noms de ces fonds dans cette liste.

– Et ils n'y sont pas ?

– Non.

– La coïncidence aurait été énorme.

– Sans doute.

Alex avait commencé à établir une liste des adresses de tous les investisseurs qui étaient parties prenantes dans la mezzanine. La dispersion, là encore, était caractérisée : deux des fonds de retraite privés seulement avaient leur siège à New York. Les quatre autres se trouvaient dans des États aussi éloignés que le Washington, la Louisiane, la Caroline du Sud et le Dakota du Sud.

– Je peux essayer d'aller, dès demain, poser des questions aux deux établissements de New York.

– Ça ne servira à rien. Ces gérants placent, à eux tous, plus de trente milliards de dollars sur les marchés financiers. Les deux qui nous intéressent à New York ont investi un peu plus de quatre-vingts millions. Bagatelle ! Ils ne vous répondront pas, sinon par des généralités du genre : « *Nous avons mis là un peu de nos sous parce que nous avons pensé qu'il était bon de les y mettre.* »

Restait à étudier la couche supérieure du sandwich : les capitaux jetés dans la bataille par les opérateurs de l'OPA et ces opérateurs eux-mêmes. Quatre sociétés et trois noms. L'homme qui, le premier, avait annoncé qu'il détenait cinq pour cent des actions de l'Obawita se nommait Randolph M. Harkin III. C'était un Californien de San Diego. Il valait, disait-on, cent vingt millions de dollars, provenant pour l'essentiel du travail accompli par Randolph M. Harkin I et II, son grand-père et son père. La plupart du temps, il vivait à bord de son somptueux bateau de croisière. Alex avait retrouvé, dans divers journaux, des photos du bonhomme vautré sur le pont arrière de son yacht, quelque part dans la mer de Cortés. Il avait trente-deux ans. Ce n'était pas un raider. Du moins pas un raider aussi notoire que T. Boone Pickens, Ronald Perelman, Carl Icahn, Irwin Jacobs, Jeffrey Steiner, Saul Steinberg, Nelson Peltz, Bass ou Jimmy Goldsmith. Il avait pourtant effectué un raid deux ans plus tôt. Sur un conglomérat spécialisé surtout dans les produits pharmaceutiques (la spécialité première de la dynastie Harkin). Raid manqué. Les défenses de la cible s'étaient révélées trop puissantes. Et l'attaque elle-même, d'après le *Wall Street Journal*, n'avait pas été des mieux conduite. Certains spécialistes avaient plus ou moins émis l'hypothèse que l'attaquant était atteint de crétinisme. Sans doute s'était-il mieux entouré dans son OPA contre l'Obawita (peut-être aussi, l'ancienne direction de l'Obawita avait-elle été moins ardente à se défendre). En tout cas, Harkin avait réussi cette fois. Sans trop d'histoires. On n'avait pas assisté à l'une de ces batailles acharnées, où les adversaires déploient une égale férocité. Les dirigeants de l'OBA avaient quasiment laissé faire.

– Et ça, c'est normal, Zénaïde?

– Que les dirigeants d'une cible se défendent mal? Pourquoi pas? Il n'est pas donné à tout le monde d'être à la fois intelligent, tenace, prêt à contrer toute attaque, disposé à payer le prix d'une défense, déterminé à se saborder plutôt que de se rendre. Une grande majorité des dirigeants de grandes entreprises jouissent en fait d'une sinécure. Ils ont des traitements royaux, bénéficient de privilèges exorbitants – l'avion de la compagnie, avec hôtesses, pour aller pêcher en Norvège ou chasser en Pologne ou en Espagne –, et se soucient comme d'une guigne des petits actionnaires. Les « élections » aux conseils d'administration se font le plus souvent par cooptation. Autrement dit, ils se choisissent entre eux. Entre copains bien décidés à garder le gâteau, dans la discrétion. À la longue, ils s'amollissent. Quantité d'entre eux ne sont même pas actionnaires de leur propre entreprise – ou alors, dans des proportions ridicules –, d'où leur peu d'intérêt pour les petits porteurs, et plus généralement pour la valeur boursière de leur société. Une attaque bien menée, qui en plus les prend par surprise, les fait céder. D'ailleurs, ils ont des parachutes.

– Des parachutes?

– Des dispositions votées par le conseil d'administration – c'est-à-dire par eux-mêmes – prévoyant qu'en cas d'éviction, pour quelque raison que ce soit, ils toucheront des indemnités qui peuvent atteindre des millions de dollars.

– C'était le cas des dirigeants de l'Obawita ?

Elle n'avait pas encore eu le temps de se pencher sur la question mais comptait bien le faire. Les deux autres co-auteurs du raid sur l'OBA répondaient aux noms de Morris Fielding et Albert Campanella. Sur Fielding, Alex n'avait à peu près rien trouvé, sinon que c'était un Texan de Dallas qui, par exception, n'était pas dans le pétrole. Campanella était un peu mieux connu. Par le jeu d'acquisitions, d'offres publiques d'échange et, dans un cas, de raid (extrêmement brutal), il s'était constitué, au cours des dernières années, un assez joli petit empire dans le bois et ses dérivés, empire qui s'étendait du Canada au Mexique.

– Il a une réputation de dur à cuire et même carrément de salaud intégral. J'ai réussi à l'avoir au téléphone. Juste pour l'entendre m'expliquer ce qu'il pensait des journalistes. Son vocabulaire est très riche.

– Et Fielding était absent...

– Une espèce de bonne hispano-mexicaine m'a appris que « *el señor Fielding se fué a Italia. No sé cuando volvera.* » Zénaïde, notre recherche est partie pour nous prendre des jours et des jours, sinon des semaines ou des mois.

– Vous pouvez toujours rentrer, Alex. Toi aussi, Laviolette.

Elle ne crut pas une seconde qu'ils allaient la laisser seule. Alex Decharme se contenta de sourire, François-Xavier Laviolette fit celui qui n'entendait pas. Il était couché sur le lit de Zénaïde avec l'air de vouloir y passer la nuit. Elle était fatiguée. Elle renonça à son dernier examen, celui des quatre sociétés qui avaient pris part au financement de l'OPA en tant qu'opératrices. Leurs raisons sociales étaient obscures. *Nous ne nous en tirerons pas sans l'aide de quelqu'un. Marty Kahn, par exemple.*

Ou cet abruti de Larry.

Qui finirait bien par appeler. Elle n'en doutait pas.

Sitôt qu'il aurait fini de bouder. Ce qui pouvait prendre entre quelques heures et deux semaines. La question posée un peu plus tôt par Alex lui revint à l'esprit, tandis qu'il l'aidait à tirer du lit les cent vingt-cinq kilos de Laviolette, pour les déposer dans le couloir de l'hôtel. Est-ce que quelqu'un faisait délibérément obstacle à leurs recherches? À tout prendre, je préférerais pouvoir répondre oui, pensa-t-elle.

Ça signifierait au moins qu'il y a quelque part quelque chose à cacher dans toute cette affaire. Et nous aurions donc une chance.

– Donne-moi un p'tit bec, au moins, dit Laviolette, allongé de tout son long – et c'était impressionnant! – dans le couloir.

Elle l'embrassa sur le front et sauta en arrière juste à temps, avant qu'il la retînt.

Bob Sassia était donc l'un des assistants de Laudegger. L'un des meilleurs. Il était d'origine maltaise et fort myope. D'énormes lunettes démodées à monture d'écaille lui mangeaient le visage. Il parlait peu, allait à l'essentiel pour les questions de travail et, sur sa famille et sa vie privée, restait d'un mutisme absolu. Il avait été de la première équipe MacArthur, au temps où celui-ci résidait encore à New York et vivait pour l'essentiel des revenus de son propre cabinet. Laudegger l'avait en quelque sorte reçu en héritage. Et s'en méfiait. Pas professionnellement. Ce formidable travailleur, d'une méticulosité presque maniaque, doté de connaissances encyclopédiques, était apparemment sans faille. Mais Laudegger pensait, certains jours, que Sassia n'avait jamais cessé de travailler pour MacArthur. Que, peut-être, il renseignait. À d'autres moments, il en venait à croire que le taciturne petit Bob n'était ni plus ni moins qu'un agent d'El Sicario, chargé de surveiller, successivement, et MacArthur et lui Laudegger.

– Tout est en place, dit Bob Sassia. J'ai d'abord contacté, ou fait contacter, tous ceux qui ont été mêlés à l'affaire Obawita. Pour certains, je leur ai fait quitter New York. La saison s'y prête. Pour les autres, ils savent ce qu'ils doivent répondre à la fille. Et s'ils doivent lui répondre. J'ai fait un choix de ceux qui répondront et de ceux qui refuseront tout contact, avec le journaliste ou avec elle, en sorte qu'elle n'ait pas la certitude qu'on cherche à l'éviter. Elle aura des doutes, c'est inévitable, mais pas de preuve.

Une chose avait rassuré Laudegger, à propos de Sassia. Un élément de son dossier : sept ans plus tôt, avant d'être recruté par MacArthur, il avait assassiné une femme, en l'étranglant. Du moins, la mort de la femme avait-elle eu lieu dans des circonstances telles que Sassia n'aurait pas manqué d'être convaincu de meurtre sans l'intervention de ceux qu'on n'appelait pas encore les Fourmis combattantes, et qui avaient fait disparaître le cadavre. Dans cette opération, propice au chantage, Laudegger reconnaissait la technique de Sebastián Mura (mort en 1984, d'un cancer, et que Milán avait remplacé). Il n'aurait pas été étonné d'apprendre que d'autres, et beaucoup d'autres, avaient été pareillement manipulés. Le plus drôle était que la femme « étranglée » ne l'était pas réellement. En général, elle s'appelait Angela, quand elle jouait ce rôle.

– Vous avez pensé aux banques, Bob?

Même pas l'ombre d'un reproche dans les grands yeux de myope de Sassia. Comme s'il avait pu commettre un oubli de cette importance!

– Le journaliste s'est présenté à la banque de Water Street en racontant qu'il faisait un reportage. Il n'a évidemment rien obtenu. Lui ou elle ou encore leur joueur de hockey peuvent bien rendre visite aux huit autres banques, partout les dispositions nécessaires ont été prises.

Sassia précisa que son équipe et lui avaient établi la

liste des soixante-treize personnes susceptibles d'être contactées par la Canadienne et, délibérément ou non, de lui fournir des informations sur la prise de contrôle de l'OPA.

– Le seul vrai danger pourrait venir de Marty Kahn. C'est une chance qu'il ait décidé d'aller à la pêche.

– Il rentre quand à New York ?

– Le 3 janvier. S'il n'a pas d'empêchement.

– Il pourrait en avoir un, sérieux ou pas, si cela devenait indispensable, dit Laudegger allumant son cigare.

Sassia baissa la tête et frotta l'une contre l'autre les paumes de ses mains.

– Nous aurons réglé l'affaire d'ici là, Bill.

Laudegger le scruta. L'espèce de gêne qui transparaissait chez Sassia chaque fois qu'il était question d'actions violentes lui sembla une nouvelle preuve que l'homme ne pouvait pas être autre chose que ce qu'il paraissait : un remarquable agent d'exécution – mais certainement pas l'espion de MacArthur ou d'El Sicario.

– En somme, dit-il, il ne reste plus que vous, Bob. Elle vous a appelé le soir même de son arrivée à New York, non ?

La gêne de Sassia s'accentua, au point d'en devenir presque comique. Sassia expliqua, rappela qu'il n'avait rencontré Zénaïde Gagnon qu'en trois occasions seulement, au temps où elle était chez Katz, Lerner & Co. avec Lipton, dans le cadre de l'affaire Stievens. Il avait certes ramené la jeune femme chez elle, mais à aucun moment il ne s'était trouvé seul avec elle. Bert Sussman était également dans la voiture.

– Je plaisantais, Bob, dit Laudegger. Comment est-elle ? Jolie ?

– Oui.

Sassia ne parut plus très loin de se mettre à rougir. Laudegger n'insista pas. Mettre Bob Sassia en boîte était trop facile. Il revint à plus sérieux.

– Et quand lui ferons-nous découvrir la vérité sur l'Obawita et le raid sauvage dont celle-ci a été victime ?

Demain. Jeudi 29, donc.

– C'est Bert qui s'est occupé de cette partie, dit Sassia. Il s'est arrangé pour qu'elle reçoive l'information dans la soirée.

Mais il y avait évidemment un détail de la mécanique si minutieusement mise en place que Bert Sussman lui-même ne pouvait contrôler : le laps de temps qui s'écoulerait entre le moment où le top serait donné et celui où Larry Elliott téléphonerait à son ex-femme.

– D'après Bert, Elliott est toujours amoureux d'elle et n'a pas digéré qu'elle ait obtenu le divorce. Pour l'instant, il boude.

– C'est moi.

Elle faillit répondre : « *Qui ça, moi?* » mais s'en abstint. Inutile d'envenimer les choses. Elle consulta sa montre : deux heures et quelques du matin. Cela faisait une heure, au plus, qu'elle dormait.

– Où es-tu, Larry ?

– Dans ma voiture et devant ta saloperie d'hôtel. Je peux monter ?

– Compte jusqu'à cent en fermant les yeux, le front contre le tronc de l'arbre, et monte.

Elle fila sous la douche, resta sous l'eau trois à quatre secondes et eut encore le temps d'enfiler un pantalon en velours côtelé et un chandail à col roulé en grosse laine tricoté tout exprès pour elle par Madeleine Laviolette, qui la voyait encore plus grande qu'elle ne l'était (elle s'en servait d'ordinaire pour son footing).

– C'est ouvert.

Il entra mais demeura près du seuil.

– Tu dors tout habillée maintenant ?

– Tu as vraiment compté jusqu'à cent ? Ça m'étonnerait bien. Et je te signale que Laviolette dort dans la chambre à côté. J'éternue et il passe à travers le mur. C'est un code convenu entre lui et moi.

Elle le regardait et le trouva attendrissant. *Ce doit être ça : je l'ai trouvé attendrissant, il y a des siècles, à Toronto, quand il m'a invitée à dîner pour la cinquième fois et que j'ai enfin accepté.*

– Si tu t'asseyais ? Il y a une chaise au nord-nord-ouest de l'endroit où tu te trouves.

– Tu aurais pu dormir à la maison. Au besoin, j'en serais parti, dit-il.

Ça, c'est gentil, pensa-t-elle. De le dire, en tous cas. Parce que, une fois qu'elle aurait réintégré le domicile, et plus particulièrement le lit conjugal, tu parles qu'il aurait cédé la place !

Elle commençait à avoir très chaud, avec son pantalon et son tricot, sous les couvertures qu'elle tenait à deux mains, remontées à hauteur de ses seins. Elle continuait à regarder Larry Elliott et continuait à le trouver attendrissant. Et beau. Il avait toujours été beau. Le type blond, yeux bleus, jolies dents, grand sourire, larges épaules. Pas extraordinairement musclé, rien d'une bête. Mais bien. Il arriva à Zénaïde quelque chose qui la surprit beaucoup : elle retrouva l'odeur spécifique du corps de Larry Elliott. Avec une précision troublante. Puis des images de ce corps lui revinrent. *Tu ne vas tout de même pas te remettre à être amoureuse de lui ?*

– Viens t'asseoir ici, crétin.

Elle tapota la courtepointe. Il s'exécuta sans mot dire. *Qu'est-ce que les hommes ont l'air bête, dans ces cas-là !* Elle faillit partir d'un fou rire. *Non, Dieu merci ! Il ne s'agit pas d'un retour de flamme amoureuse. Tu n'as pas eu d'homme depuis pas mal de temps, c'est tout.*

– Je t'écoute, dit-elle.

Elle précisa sa pensée : on ne débarque pas chez quelqu'un en le réveillant à deux heures quinze du matin si l'on n'a rien à lui dire. D'autant plus qu'à leur dernière rencontre, sur le palier devant l'ascenseur, elle lui avait posé une question. Ou bien était-il venu dans l'unique intention de la sauter?

– Pas du tout, dit Larry. Pas du tout.

Et il y avait tant de maladresse dans son mensonge qu'une nouvelle fois elle fut au bord du fou rire. Comment Larry, si brillant lorsqu'il s'agissait de finance, de chiffres, de calculs, pouvait-il être aussi bête pour tout le reste? *Douze ans d'âge mental!*

Il se mit enfin à parler.

– Je regrette de t'avoir dit que je serais enchanté de voir expulser les gens de ton village.

– Tu as dit : « *tes cons de Canadiens* ».

– D'accord. Je le regrette.

– J'accepte tes excuses, Elliott.

– Tu veux toujours savoir qui a monté l'affaire contre la Bobamachin?

– L'Obawita. Oui. Toujours. Plus que jamais. Tu sais que je suis assez entêtée.

– Le mot est faible. Entêtée? Bonté divine! On devrait inventer un mot spécial pour toi.

Il commence à reprendre du poil de la bête, pas de doute, se dit Zénaïde. (Façon de parler puisque Larry est à peu près imberbe.) *Mais il m'a trouvé quelque chose sur l'OPA.* Elle se sentit envahie par ce qui ressemblait assez à un sentiment de triomphe. Larry allait venir à son aide, exactement comme elle avait prévu – et espéré – qu'il le ferait.

– Zénaïde, quand tu es venue me voir, je ne savais pratiquement rien de ton Obachita. L'OPA s'est déroulée au cours de l'été et de l'automne derniers. Je n'étais moi-même pas à New York; je n'ai pas suivi l'affaire. Je peux enlever mon pardessus? Il fait sacrément chaud, dans ta chambre. Je me demande comment tu peux garder ton chandail.

Je me le demande aussi. Et encore, il n'a pas vu le pantalon de velours côtelé!

— Enlève, dit-elle.

— J'ai essayé de me renseigner. J'ai appelé une bonne dizaine de types qui, normalement, auraient dû être au courant des détails.

Il en profita pour ôter son veston du même coup. *Tu vas voir qu'il va finir tout nu, le monstre!*

— La moitié d'entre eux, au moins, n'étaient pas à New York. Ce qui est un peu bizarre. Pas très, mais un peu. C'est vraiment la première fois que je vois tant de gens de Wall street partir pendant les fêtes.

— Ce doit être une espèce d'épidémie, dit Zénaïde. Et l'autre moitié?

— Là aussi, ç'a été un peu bizarre. Je connais ce boulot, Zénaïde. Même si je ne connais que ça, à t'en croire. Tous ont plus ou moins esquivé mes questions.

— Consigne de silence; c'est ça?

— On dirait. Sauf que ça ne tient pas debout. Je ne vois pas qui serait assez puissant pour classer top secret une simple OPA. Ton Obacrata ne travaille quand même pas pour la Défense nationale. Imaginer un homme, ou un groupe d'hommes, capable d'empêcher de parler des types aussi différents que Wachtell Saunders, Jo Carpenter, Ben Croci ou Sol Epstein est complètement idiot. Même le président des États-Unis n'y arriverait pas. J'ai aussi essayé de joindre Marty Kahn. Avec qui tu n'as pas couché.

— Avec qui je n'ai pas couché, quoi qu'en pensent certains. Tu as trouvé quelque chose, oui ou non?

Il desserra sa cravate.

Cette espèce de grande saucisse blonde est en train de te faire le coup du « donne-moi un gros bisou ou je ne te prête pas mes crayons de couleur », Zénaïde. Il ne sait pas si tu es décidée ou non. Toi, si. Tu le sais. Ça n'aura pas de conséquence. Après tout, aucune loi n'interdit de faire l'amour avec son ex-mari. C'est comme de payer un arriéré d'impôts, si tu vois ce que je veux dire.

– J'ai trouvé quelque chose, dit Larry. Et je ne te demande rien en échange. Excuse-moi pour l'autre jour. Pas de marché, cette fois.

Ça ne lui coûte rien de le dire mais c'est bien qu'il l'ait dit. Encore quinze ou vingt ans et il sera tout à fait adulte. Qu'est-ce que je vais bien pouvoir faire de ce foutu pantalon?

– J'ai soif, dit-elle, reprenant sa réplique de leur dernière rencontre. Ça t'ennuierait d'aller me chercher de l'eau fraîche dans la salle de bains? Il y a un petit réfrigérateur.

Elle fut rapide comme l'éclair, profita de ce qu'il avait le dos tourné et fourrageait dans le réfrigérateur pour ôter le pantalon, puis le flanquer sous le lit. Quand il revint, elle avait repris sa position première de vierge surprise au lit et accrochée à ses couvertures.

– Cela s'est passé hier soir, dit Larry. J'étais invité à une soirée chez les Sidey. Tu les connais.

– Paul et Marianne? Oui. Et alors?

– Comme d'habitude. Beaucoup de monde. Vers minuit, j'allais filer quand un type qui s'en allait aussi a accroché ma Porsche avec sa Jaguar. Rien de grave, juste une petite éraflure. Tu connais Lou Mantee?

Non. Ou alors de nom, qu'elle avait dû entendre ou lire quelque part.

– Mantee est un arb, dit Larry. Pas l'un des plus connus. Mais j'ai eu affaire à lui il y a deux ans. Il avait réussi à ramasser plus de quatre pour cent de la Continental Marks, en raflant un bon paquet de millions à la sortie. C'est un type peu banal. Il ne travaille même pas à New York; il opère depuis la Californie. Il est de la promotion 68 de Harvard. Il a quand même fait le Viêt-nam d'où il est rentré couvert de médailles; je ne me battrais pas contre lui, physiquement ou autrement.

Zénaïde commençait à s'impatienter. Larry était d'habitude plus rapide quand il parlait affaires. *Mais il n'a pas que les affaires en tête, en ce moment; et tu le sais.*

— Bref, il s'est courtoisement excusé et m'a offert de régler directement les frais de réparation de la Porsche. On est allés prendre un verre. À tout hasard, je lui ai parlé de ton Obatita. Il n'a pas bronché; l'air de celui qui n'est au courant de rien. C'est seulement au moment de nous quitter qu'il est revenu sur le sujet. Il m'a dit que quelqu'un lui avait demandé d'être discret si par hasard on l'interrogeait sur cette Obacati.

— Qui?

— Un avocat avec qui il a travaillé deux ou trois fois. Un Californien de L. A., Nat Liedenski.

— Connais pas.

— Moi non plus. Mais j'ai demandé à Lou depuis quand il était du genre à se laisser intimider par n'importe qui. Il a ri et précisé que Liedenski avait seulement parlé d'un petit service.

Il lui tendit le verre d'eau, qu'elle but — elle avait réellement un peu soif.

— Zénaïde, Lou Mantee est juste venu passer les fêtes à New York, où il a encore sa mère. Il a accepté de te voir demain à midi et demi. Le rendez-vous est au bar de l'hôtel *Méridien*. Tu le reconnaîtras : il est à peu près de ta taille, avec quarante kilos de plus que toi. Un faux air de Burt Reynolds.

— Et c'est tout?

Elle était déçue.

— D'ici là, il va se renseigner sur les raisons qui ont poussé Liedenski à lui recommander la discrétion. Parce que, pour l'OPA sur l'Obatata, il sait à peu près tout. Il a gagné trois millions et demi de dollars dans l'affaire.

D'abord un sentiment de triomphe, puis, immédiatement après, de la méfiance.

– Et pourquoi ce Mantee se montre-t-il si bavard, alors que tous les autres se taisent?

– Parce que c'était donnant-donnant. Je l'ai mis sur un coup. Je ne suis pas n'importe qui, Zénaïde.

– Pour le moment, tu es surtout quelqu'un qui essaie de m'enlever mon col-roulé.

– Tu transpires.

Ils considérèrent tous les deux les seins nus de Zénaïde. C'était vrai qu'elle transpirait un peu.

– Entendons-nous bien, Laurence Webster Elliott, dit-elle. On se fait un câlin, mais juste pour le plaisir.

– D'accord.

– Ça ne voudra pas dire qu'on renoue.

– Je comprends.

– Je n'en suis pas si sûre. Et je veux l'être. Après, ce sera fini. F, i, n, i! Sors ta tête de là, je n'ai pas encore donné le signal du départ. Nous ne renouerons pas. La prochaine fois que tu me verras, tu garderas tes distances; au moins dix mètres. C'est clair?

– Tout à fait.

– Trouve-toi une autre femme dès demain.

– Promis. Oh! nom de Dieu, Zi! Je n'en peux plus!

– Ne m'appelle pas Zi, tu vas m'énerver. Bon, on y va. Mais une fois; c'est tout.

– Une fois?

Il la regarda, ahuri.

Elle éclata de rire.

– Je voulais dire une nuit, espèce de pomme!

Laudegger arriva à son bureau, le vendredi 30, peu avant cinq heures et demie du matin, n'ayant dormi que trois heures. Il avait passé tout le début de la nuit à se disputer avec Mandy. Une dispute d'une extrême violence, comme il leur arrivait d'en avoir de plus en plus souvent. Au moins, cette année, le Nouvel An tombait un dimanche, ce qui lui éviterait d'avoir à passer deux jours fériés en tête à tête avec Mandy.

Une vingtaine de membres de son équipe de l'étage numéro deux était déjà au travail. Le département des opérations boursières se trouvait un étage plus bas. Il ne s'y montra pas, se contentant d'un coup d'œil aux écrans de contrôle et à leur incessant défilé de chiffres.

— Il est allé la voir à son hôtel cette nuit, peu après deux heures. Ils ont passé la nuit ensemble.

Bert Sussman venait d'entrer, silencieux, à son habitude. Quoiqu'à peine âgé d'une trentaine d'années, il était déjà bien chauve. Il avait un regard bleu, acéré – il était très intelligent. Peut-être trop, au goût de Laudegger. Tout comme Bob Sassia, il venait de l'ancienne équipe de MacArthur. Rien à dire sur la qualité de son travail, et moins encore sur sa très remarquable capacité à imaginer, à conduire et à conclure les opérations les plus compliquées. Un spécialiste du camouflage et des menées souterraines, doté d'un machiavélisme curieusement allègre. Bert répétait souvent qu'il regrettait de n'avoir pas entrepris une carrière de chanteur d'opérette, voire de crooner.

— Je parle d'Elliott, bien entendu.

— J'avais compris, dit sèchement Laudegger, attaquant les œufs au bacon qu'une secrétaire venait de lui apporter (les locaux comportaient une cuisine, parfaitement équipée; il y avait même un barbecue).

— Je peux avoir des œufs, moi aussi, Bill?

Ce qu'il y avait d'exaspérant, chez Sussman, c'était, outre l'impression qu'il donnait de pouvoir manipuler n'importe qui, son inaltérable bonne humeur.

— Demande à Nelly. Elle est là pour ça.

Sussman s'assit, allongeant les jambes.

— Le rendez-vous de la fille avec Lou Mantee est pour ce matin. Midi et demi. Ce n'est évidemment qu'à ce moment-là que nous serons sûrs que le piège a fonctionné. Mais, à mon avis, c'est dans la poche.

– On verra.

– L'autre soir, elle est allée tout droit sur les hommes de Milán et les a pratiquement engueulés, leur disant en gros de cesser de la suivre. Le moins qu'on puisse dire, c'est qu'elle a du caractère. Et elle vaut le coup d'œil. Pas d'une beauté à vous tirer les larmes, mais... Quelque chose dans son allure. On la regarde et on arrête de penser. Impressionnant. C'est carrément de l'hypnotisme.

Il m'énerve et il le fait certainement exprès, pensait Laudegger, à qui ses œufs frits donnaient envie de vomir. Dans les heures qui avaient suivi la conversation au cours de laquelle MacArthur avait suggéré une opération de diversion. Laudegger avait, comme toujours, conçu quelques soupçons. Il avait eu le sentiment d'être manœuvré. Deux éléments, en fin de compte, l'avaient amené à suivre le conseil reçu.

En premier lieu, le fait que, si elle était bien conduite, l'affaire pouvait lui procurer l'occasion de régler son compte au Fou de Bassan. Depuis le temps qu'il attendait de le retrouver, celui-là! Le compromettre dans l'incident de la Canadienne lui ferait peut-être obtenir enfin le feu vert de Milán, voire l'accord direct de *là-bas*. Trois ans plus tôt, on lui avait carrément répondu qu'il n'était pas question d'engager les Fourmis combattantes dans une vengeance personnelle. Il n'avait pourtant pas révélé à Milán le nom de l'homme sur qui il souhaitait voir exercer des représailles. Aujourd'hui, il s'en félicitait. Personne ne connaissait l'existence d'un contentieux entre le Fou de Bassan et lui. Même pas MacArthur. *Encore heureux*, pensa Laudegger, *sans quoi, j'en viendrais à me demander si ledit MacArthur n'a pas intégré ma haine pour ce fils de pute dans ses calculs!*

Le deuxième élément qui l'avait décidé à adopter la stratégie de la diversion de préférence à l'élimination pure et simple de la Canadienne (élimination qu'il aurait encore fallu faire accepter à Milán, *quelle merde!*), c'était l'avis unanime de ses conseillers habituels. Bert Sussman, Bob Sassia, Lehman Stroud, Arnie Tolliver et Raymond Peretti, en effet, avaient été d'accord : à défaut de tout régler, la solution consistant à diriger la fille sur le Fou de Bassan permettait de gagner du temps, de reprendre en détail tout le montage de l'OPA sur l'Obawita, et de s'assurer que rien ne clochait. Ensuite, on aviserait.

Sussman, Sassia, Stroud, Tolliver et Peretti. Laudegger était sûr des deux derniers, qu'il avait recrutés lui-même (après que Milán avait rendu un verdict favorable). Mais les trois autres... Stroud, passait encore. Il n'avait travaillé pour MacArthur qu'une petite semaine, il n'avait pas dû être trop contaminé. Restaient Sassia et Sussman. Doutes. Et qu'ils fussent tous les deux bons au point d'être à peu près irremplaçables n'arrangeait rien. Se priver d'eux constituerait une erreur professionnelle, qu'on lui reprocherait tôt ou tard. À moins qu'il pût fournir des preuves. *Et encore*, pensa Laudegger, *si je parviens à établir que l'un ou l'autre renseigne MacArthur*, là-bas, *ils me diront : « Et après? Puisque MacArthur travaille pour nous. »*

Je sens pourtant que l'un d'entre eux tient MacArthur au courant de mes faits et gestes...

Mais lequel? Un temps, il avait penché pour Sassia. Ce matin-là, c'était Sussman qu'il suspectait.

Laudegger avait certes pris des mesures. En fractionnant les opérations et en ne confiant à chacun des membres de son état-major qu'une parcelle de responsabilité. Aucun d'eux ne connaissait le plan d'ensemble. Dans l'affaire de la Canadienne comme dans les autres affaires.

Bert Sussman avalait ses quatre œufs brouillés et ses six tranches de jambon, le tout largement nappé de sauce tomate. Et cet animal trouvait encore le moyen de chantonner *Tea for Two*.

Mandy aussi chantonne, à certains moments. En général, pour me faire savoir qu'elle se fout complètement des reproches que je viens de lui faire.

J'en ai vraiment marre de Mandy.

Si je pensais une seconde qu'il puisse accepter, je demanderais à Milán de m'organiser un bon petit accident. Sérieux. Définitif.

Pas de vengeance personnelle, les Fourmis combattantes ne sont pas faites pour ça.

Et merde!

Laudegger cessa de fixer Sussman, qui l'horripilait. Il reporta son regard sur les écrans. Un écart de deux points sur les Universal. Il décrocha et appela l'étage inférieur, passa un ordre, pour douze millions de dollars, représentant les cinq pour cent de dépôt d'une transaction dont le montant total serait de deux cent quarante millions. A répartir, bien entendu, entre dix ou quinze opérateurs officiels différents. Pas question d'agir pour une seule et même couverture, même dans le cas d'une banque des Caïmans.

– À ta place, dit Bert Sussman, j'irais jeter un coup d'œil, dans le bar de l'hôtel *Méridien*, sur le coup de midi et demi. Cette Canadienne vaut le déplacement.

Laudegger ne prit pas la peine de répondre. Il avait une trentaine d'affaires en cours, chacune exigeant une attention constante. Malgré Mandy, malgré MacArthur, malgré *eux*, *là-bas* (et aussi, d'une certaine manière, à cause d'*eux*), il se considérait comme l'un des deux ou trois meilleurs financiers de tous les États-Unis. Sinon le meilleur.

Le plus surprenant était qu'il n'avait pas tort.

L'hydravion s'envola de la mer turquoise et l'île, bientôt, ne fut plus qu'un petit point tout en bas. MacArthur se pencha sur sa droite. L'archipel, au sud de la Grande Caïque, s'égrena, puis disparut lui aussi.

Peu après, il vit défiler la surface de la Grande Inagua, la plus méridionale des îles Bahamas, avec, au centre, son lac nettement discernable. L'hydravion continua de voler plein ouest. Le contact radio fut établi.

– Ils n'attendent que vous, monsieur, dit le pilote.

– Dites-leur que j'ai faim, Jake.

L'amerrissage s'effectua sans problème. Le bateau mesurait une soixantaine de mètres de long et battait pavillon libérien. Normalement, il naviguait à très petite vitesse à la limite des eaux territoriales cubaines. Prêt à s'y réfugier au moindre danger – à l'approche d'un bâtiment de guerre de l'US Navy, par exemple. Le cas s'était déjà produit deux fois. La seconde fois, le yacht – baptisé *The Sea Wolf* en hommage à Jack London – avait dû se réfugier dans une anse de la côte de Cuba. Une vedette de la police maritime avait fait mine de s'intéresser aux intrus mais un ordre venu de la Havane avait rapidement écarté ces policiers trop curieux, ignorant apparemment les consignes du *líder máximo* lui-même.

MacArthur monta à bord. Son assistant sur le *Sea Wolf* était Andy Follet l'un de ses anciens élèves, qui avait été sa première recrue quand il avait abandonné l'enseignement pour se consacrer à la clientèle privée.

– Côtes de veau à déjeuner, dit Follet.

– Excellent.

Les côtes de veau aux salsifis étaient l'un des plats préférés de MacArthur, qui n'avait jamais osé révéler à Letty qu'il détestait son gâteau de macaronis et ses tartes à la rhubarbe. Ils descendirent dans le carré du deuxième pont, où s'alignaient les inévitables écrans complétés par les non moins inévitables téléscripteurs, dont celui de Reuter. Mais l'installation, réellement extraordinaire, du bateau se trouvait un pont plus bas – et trente spécialistes y travaillaient, formant des équipes qui se relayaient toutes les trois heures.

– Du nouveau ?

– La routine. Bill a fait un joli coup sur Universal à Londres, ce matin.

MacArthur était déjà au courant. Ses contrôles dans l'île lui avaient immédiatement rendu compte de l'opération. Oui, il convint que Laudegger avait, sinon du génie, du moins un sens aigu des marchés financiers. Et des réflexes étonnants. D'accord.

– Andy, vous voulez que nous fondions un club des fans de Bill Laudegger, c'est ça? Si nous passions à table? J'ai pris mon petit déjeuner très tôt, ce matin.

Le premier appel radiotéléphonique parvint à MacArthur juste avant qu'il s'attaque aux hors-d'œuvre (des rillettes commandées spécialement dans le Sud-Ouest de la France).

Bert Sussman en ligne. Laudegger avait foncé droit dans le piège; tout allait bien. Sussman, en accord avec Laudegger et en fait sur ses ordres, avait imaginé toute une mécanique selon laquelle la Canadienne apprendrait la « vérité » grâce à Lou Mantee. En ce moment même, la Canadienne et Mantee étaient en train de déjeuner ensemble au restaurant de l'hôtel *Méridien*.

– Merci, Bert, dit MacArthur. Je suis sûr qu'ils y mangeront très bien.

Deuxième coup de téléphone, qui l'importuna davantage – il n'avait pas terminé sa deuxième côte de veau. Cette fois, c'était Arnie Tolliver, un autre des assistants de Laudegger, qui venait au rapport.

Et il y eut un troisième appel, au moment du dessert.

– Merci, Bob, dit MacArthur à Robert Sassia. Vos renseignements sont précieux.

À peu de chose près, ses trois espions lui avaient rapporté les mêmes faits. Leurs informations se complétaient, en raison du dispositif de cloisonnement mis au point par Laudegger. Évidemment, chacun des trois ignorait le rôle des deux autres. MacArthur adorait ce genre de situation.

Mais pour l'instant il avait des soucis plus importants. Il consulta sa montre : midi quarante-trois. La grande réunion était pour treize heures. Le *Sea Wolf* était l'un des deux bureaux flottants de MacArthur. L'autre, le *Graziella*, un yacht de plus gros tonnage encore, transportait, en plus de l'équipage soixante membres de son personnel, et devait croiser en ce moment même au large du Belize, l'ancien Honduras britannique. Les hommes qui se trouvaient sur le *Sea Wolf* ignoraient l'existence du *Graziella* et *vice versa*. Sur l'un et l'autre bâtiments, on faisait le même travail, aux mêmes heures, dans les mêmes conditions de secret total. Le *Sea Wolf*, tout comme le *Graziella*, réunissait tout ce que l'électronique et les techniques de communication offraient de mieux. Il était en relation avec le monde entier et pouvait recevoir jusqu'à deux cents communications simultanées et toucher autant de correspondants. Il avait coûté plus de deux cents millions de dollars.

Au cours des quelques jours passés en compagnie de Letty et de leurs filles, MacArthur avait consacré six à huit heures par jour à son travail. Ç'avaient tout de même été des vacances. Il avait du retard dans son programme et il allait s'employer, durant les six jours qui lui restaient avant son départ pour la Colombie, à tout remettre en ordre. D'abord, son occupation ordinaire : la monstrueuse gestion de l'argent à blanchir, de l'argent déjà blanchi, de l'argent rapporté par l'argent blanchi (plus de cinquante milliards de dollars, investis dans sept cents places financières et entreprises diverses.)

Travail de routine que tout cela. Quoique ce fût fort amusant.

Mais il allait aussi compléter son dossier pour le Plan d'ensemble. Ce qu'il appelait tout bonnement le Plan d'ensemble. Celui qui allait, selon sa propre expression, le rendre à jamais invulnérable et serait le couronnement de sa carrière. La semaine prochaine, devant *eux*, il en ferait la présentation. Pas très certain qu'*ils* soient capables d'en saisir l'ampleur grandiose et les retentissements phénoménaux. Mais il pensait pouvoir les convaincre.

– Je peux avoir mon dessert, Andy? Ensuite, une douche et nous descendons nous mettre au travail.

Il s'accorda trente secondes encore pour penser à Zénaïde Gagnon et à Laudegger. D'accord, ce n'était qu'un théâtre d'opérations tout à fait secondaire. Mais c'était amusant aussi.

Et ce le serait plus encore si tout allait bien. Si le duel qu'il escomptait avait lieu, entre Bill Carlos Laudegger et le Fou de Bassan.

Il entra dans le grand hall de l'hôtel *Méridien* à midi quarante-trois. Elle le reconnut immédiatement : il ressemblait assez, en effet, à l'acteur Burt Reynolds. La moustache un peu moins narquoise. Et le regard noir plus lourd.

– Madame Elliott?

– Gagnon. Nous avons divorcé.

Il dit qu'il était tout à fait désolé de son retard, qu'il imputa à la circulation de New York plus dense que celle de Los Angeles.

– Encore mille fois pardon. Voulez-vous que nous allions déjeuner tout de suite? J'ai retenu une table.

Beaucoup de tranquille assurance dans le ton, une grande économie de gestes, une souple puissance dans les mouvements. Le genre d'homme à gravir deux par deux les escaliers menant au restaurant sans pour autant avoir l'air de courir.

– J'en ai même réservé deux différentes pour le cas où vous fumeriez.

– Je ne fume pas, dit Zénaïde.

– Mantee. Non-fumeurs, dit-il au maître d'hôtel posté à l'entrée.

On les dirigea vers leur table.

– Personnellement, dit-il, je boirais bien quelque chose, en apéritif. Voulez-vous m'accompagner ? Un peu de champagne ?

Elle accepta le champagne-cassis, remarqua les mains de Mantee, des mains musclées aux ongles soignés et courts. Des mains très calmes aussi, qui bougeaient à peine, seulement quand c'était absolument nécessaire. Elle attaqua aussitôt :

– Vous avez fait exprès d'érafler la Porsche de Larry ?

Pas un frémissement dans le visage hâlé, pas une lueur dans les yeux noirs, et les mains demeurèrent inertes. Il rit.

– Je détesterais à ce point les voitures allemandes ? Non. Non, c'était un accident. Je m'étais rendu à cette soirée avec une jeune femme, je l'y ai laissée, à la suite d'une petite dispute, et, en manœuvrant au moment de partir, j'ai oublié de regarder derrière moi. Ce genre de choses m'arrive très rarement, c'est vrai. D'autres questions soupçonneuses ?

... tant que tu y es, pensa Zénaïde.

– Votre Jaguar. Vous êtes venu de Los Angeles avec ?

Il rit encore. Il avait loué la voiture pour la durée de son séjour à New York. Il préférait les Jaguar à toutes les Rolls, les Cadillac ou les Bentley. Voulait-elle l'adresse de l'agence de location ? Elle pourrait y vérifier qu'il procédait ainsi à chacune de ses visites. Maintenant...

– Maintenant, auriez-vous des raisons de croire que je ne suis pas celui que je prétends être ? Vous semblez me soupçonner de quelque chose.

Tu ne t'en tireras pas, Zénaïde. Ou bien il est très fort à ce jeu, ou bien il dit simplement la vérité.

Elle sourit à son tour et porta à ses lèvres la flûte de kir royal. Oui, il pouvait l'appeler Zénaïde, plutôt que madame Gagnon. D'accord, elle l'appellerait Lou. Et elle avait faim, oui. De la viande rouge, saignante, pour elle.

Elle avait peu dormi, vraiment très peu, la nuit précédente. Les câlins de Larry proprement homériques, l'avaient épuisée, et elle se sentait vaguement dolente.

– Merci de me parler de l'Obawita, à présent, dit-elle.

Il se lança. Dans le même temps qu'il vidait une première, puis une deuxième flûte de champagne, terminait son entrée et attendait sa côte de bœuf. Il n'était pas tombé par hasard sur l'Obawita General Wood. Il la surveillait depuis des mois. Comme beaucoup d'autres cibles potentielles. Savait-elle ce que c'était, une OPA hostile, et plus particulièrement un raid ? Oui ? Eh bien, tant mieux ; cela leur ferait gagner du temps à tous deux. En 1975, quand il était rentré d'Asie et avait dû se trouver un emploi, il avait d'abord envisagé de travailler pour un cabinet d'avocats, puisqu'il avait quelques diplômes. Mais il lui eût fallu quitter la Californie. Et surtout se soumettre à des patrons. Il avait choisi l'indépendance. Après des premiers temps pénibles, il s'était peu à peu familiarisé avec les marchés.

– Ce n'est pas si difficile. Quelqu'un dont je vous parlerai prétend, et a d'ailleurs démontré, que le premier crétin venu peut, en deux ou trois semaines, en comprendre tous les mécanismes et en tirer bénéfice. Je suis assez de son avis.

Il s'était finalement déterminé à devenir arbitragiste-risque. Il avait naturellement le goût du risque. De l'aventure. Du jeu haut de gamme. Il avait assez rapidement réussi un coup. La chance des débutants. Les années suivantes avaient été moins heureuses. Jusqu'à ce qu'il se fût décidé à prendre le taureau par les cornes. Jusqu'à ce que l'idée lui fût venu de précéder les raiders dans leurs stratégies.

– Je n'ai rien contre les raiders, Zénaïde. Même s'il est aujourd'hui de bon ton de les accabler. Ce sont des prédateurs, d'accord. Mais, au moins, ont-ils la franchise d'avancer à visage découvert. Et puis, ils existent, prennent des risques. Nous sommes du même sang, eux et moi, comme disait Mowgli. La finance est et a toujours été une guerre. Ils ne l'ont pas inventée. Pas plus que moi et des milliers d'autres n'avons inventé la guerre du Viêt-nam. Vous n'êtes pas d'accord.

– Nous en parlerons une autre fois.

Très bien. Afin d'avoir, si possible, un tour d'avance sur les raiders, il avait dressé une liste des cibles éventuelles. Savait-elle comment on définit une cible? Là encore, on se sert de règles simples. Logiques. Il avait donc dressé cette liste. Uniquement des entreprises dont le chiffre d'affaires dépassait le milliard de dollars. Il fallait bien un critère à sa sélection. L'Obawita était ainsi apparue. Il l'avait surveillée, attentif au moindre mouvement anormal de ses actions. Il avait commencé à acheter en octobre de l'année précédente. Au moment de la première OPA.

– La première?

– Il y a eu deux OPA sur l'Obawita. Vous l'ignoriez? Il est vrai que cette première tentative a rapidement tourné court.

– *Greenmail*?

– Même pas. Le raider se trouvait engagé sur un autre front et n'a pas insisté.

– Mais il est revenu à la charge.

– Voilà. Mais sous une autre apparence que la première fois. L'homme n'est pas banal.

– Avant d'aller plus loin, dit Zénaïde, je voudrais savoir pourquoi vous, vous uniquement, acceptez de me parler aussi librement.

Il rit. Il était californien. Ce que pouvaient penser ou faire les New-Yorkais l'indifférait. Il n'aimait pas qu'on lui dictât sa conduite. La meilleure façon de le pousser dans une direction était encore de la lui interdire.

– Cet avocat de Los Angeles vous a demandé le silence.

– Nat Liedenski? Je l'ai employé en trois occasions. Il

est bon, très bon. C'est un chien en affaires. Impitoyable, froid, efficace. Pas tout à fait du niveau de Marty Kahn ou de son éternel adversaire, Linden Kusak, mais presque.

– Est-ce que Marty Khan et Kusak sont intervenus dans l'affaire de l'Obawita?

– Non. Ni l'un ni l'autre, à ma connaissance. Ce sont des stars. À un million de dollars la consultation, soit dit en passant. Même pour moi, ils sont un peu chers. Mais, quand l'un d'eux conduit une attaque, vous pouvez parier que l'autre mènera la défense. Je connais plusieurs cas où ils ont été payés pour ne pas intervenir, pour surtout ne rien faire.

– Quelqu'un les a payés pour ne pas intervenir?

– Dans le cas de l'OBA? Je l'ignore. J'en serais surpris. Ce n'était pas un combat très féroce. Les dirigeants de l'OBA ont craqué tout de suite. Ils ont pris leurs indemnités et ont fichu le camp. Assez décevants, comme bonshommes.

– Est-ce que Marty Kahn sait ce que vous êtes en train de me dire?

– C'est possible. Pas certain, mais possible. Ce que Marty et Linden ne savent pas en matière d'OPA tiendrait sur une pièce d'un cent. Vous connaissez Marty?

– J'ai un peu travaillé avec lui, dans le temps. Revenons à ce Liedenski.

– Je suis carrément soumis à un interrogatoire, hein? Nat m'a appelé voici trois mois et m'a demandé d'éviter de faire des déclarations sur l'OBA. Surtout aux journalistes. Il me demandait cela comme un service.

– Vous a-t-il dit pourquoi?

– Il n'avait pas besoin de me le dire; je le savais. Encore un peu de vin?

– Merci, non. Vous distillez vos informations au compte-goutte...

– C'est que je me délecte de chaque seconde passée en votre compagnie. Je m'en voudrai toute ma vie de ces treize minutes de retard. Comment Elliott s'est-il débrouillé pour vous laisser partir ? Moi, j'aurais mis le feu à New York.

– Quelle raison avait Liedenski de vous demander ce service ?

– La même que celle qui vous a conduite ici aujourd'hui. Le fait que les nouveaux propriétaires et dirigeants de l'Obawita sont en train de saccager les forêts canadiennes et de bouleverser un certain mode de vie. Ce n'est pas la sentimentalité qui les étouffe.

– Comprends pas.

– Vous connaissez un certain Jonathan Gantry ?

– Non, répondit-elle, après avoir réfléchi. Le nom pourtant lui était familier.

– C'est une sorte de célébrité dans le petit monde de la finance, et surtout parmi les raiders, qui devraient d'ailleurs lui élever une statue. Il est vrai qu'il s'en foutrait. Excusez-moi pour « *s'en foutrait* ».

– Il en faut nettement plus pour me choquer, dit Zénaïde. Et en quoi cet Elmer Gantry est-il si exceptionnel qu'il mérite l'hommage des générations à venir ?

– Jonathan, pas Elmer. C'est lui qui a inventé les *junk bonds*.

Elle en resta muette. Il demanda :

– Vous savez ce que sont les *junk bonds* ?

– Évidemment. Mais on m'a appris que ce type d'obligations avait été sinon découvert du moins utilisé pour la première fois par quelqu'un d'autre.

– L'idée de départ était de Gantry. Il a pris son bénéfice, fort coquet dit-on, et s'est empressé d'aller jouer ailleurs. Je vous ai dit qu'il n'était pas banal. Et il n'a pas déposé de brevet.

Mantee se mit de nouveau à rire. Il avait pris trois parts de gâteau castelnaudary et les engloutissait sans hâte, les accompagnant de gorgées de cognac.

– Je crois lire dans vos yeux une certaine suspicion, dit-il. Je n'invente rien car je suis certain que vous allez vérifier tout ce que je vous dis. Personne ne m'a obligé à venir ici.

– C'est ce Gantry qui a lancé l'OPA sur l'Obawita ?

– Il les a lancées toutes les deux. Et il a réussi la deuxième.

– Mais pourquoi s'en ca...

Mais elle s'interrompit. Elle voulait dire « *s'en cacher* ». Car un souvenir venait de lui revenir. Un reportage qu'elle avait lu. Sur un homme à bord d'une grosse jonque, quelque part en Asie. Un homme que le journaliste présentait comme l'un des grands apôtres de l'écologie mondiale, ardent défenseur des rhinocéros, des pandas, des panthères, des éléphants, tous animaux auxquels il consacrait sa vie et une substantielle partie de sa considérable fortune. Carrément le Christ écolo revenu sur terre, en quelque sorte.

Gantry.

L'ignoble fils de pute !

– Je vois très bien qui est monsieur Jonathan Gantry, maintenant, dit-elle.

– Vous comprenez pourquoi il a préféré ne pas trop apparaître, dans votre affaire de l'Obawita ?

– Oui. Si vous ne me racontez pas d'histoires.

– Puisque vous allez vérifier.

– Je vais le faire.

– Jamais je n'en ai douté. L'autre soir, Larry m'a prévenu que vous étiez, pour le moins, entêtée. Il pense même que l'on devrait inventer un mot spécial, uniquement pour vous définir.

Elle fixait Mantee, encore incertaine. Peu à peu, la colère l'envahit, comme le jour où elle avait appris que les MacGuildy avaient mis la main sur Missikami. Mais la haine qui l'étouffait maintenant était encore plus violente.

Calme-toi. Il va falloir vérifier chaque mot de ce que t'a raconté ce type.

– Vous m'avez parlé de quelqu'un qui prétend que la

finance peut s'apprendre en deux ou trois semaines. C'était Gantry?

— C'est lui. Mais sa théorie farfelue ne l'a pas empêché de gagner deux cents millions de dollars en deux ou trois ans. Sans compter ce qu'il gagne encore, entre deux croisières passées à étudier les petits poissons. Un drôle de phénomène. Vous savez comment on le surnomme?

Non, elle ne le savait pas. Et elle s'en foutait.

— Le Fou de Bassan, dit Lou Mantee. *Gantry the Gannet.* Le Fou de Bassan, joli nom de guerre, pour un raider, n'est-ce pas? Je vous en prie, Zénaïde, l'addition est pour moi. C'est la moindre des choses. Je ne suppose pas qu'une invitation à dîner... Non? Je m'en doutais, à vrai dire.

Elle était déjà partie, de son grand pas, et se sentait de force à tout culbuter sur son passage.

Arrête de me dire de me calmer, Zénaïde! Tu m'énerves.

— Comme je l'avais prévu, c'est dans la poche, dit Bert Sussman, qui était entré dans le bureau de Laudegger en chantonnant le grand air de *Rosemary.* Je me trouvais moi-même au Méridien, je l'ai vue ressortir, après son déjeuner avec Mantee. Elle est encore plus sexy lorsqu'elle est en colère. Je me suis demandé un moment si ça ne vaudrait pas la peine de piéger sa salle de bain et sa chambre à l'hôtel *Devon.* Pour voir à quoi elle ressemble, nue. Ce doit être féérique.

— Tu n'as rien de mieux à faire?

— L'équipe de Bob est au travail sur l'Obawita. À mon avis, ils ne trouveront rien. Tu n'as pas commis d'erreur, Bill. Personne n'en a commis. Mais on ne sait jamais, bien sûr. L'idée est quand même à retenir, quand on y pense.

— Quelle idée?

– La photographier à poil. Je ne parle pas seulement de nous rincer l'œil. Ça pourrait servir.

– Demande à MacArthur, dit sobrement Laudegger. La prochaine fois que tu l'appelleras pour lui faire ton rapport.

Il n'avait évidemment pas la moindre preuve que Sussman travaillait réellement pour MacArthur.

– Je l'appelle toutes les deux heures, pourquoi pas? répondit Sussman sans se démonter le moins du monde et avec son exaspérante gaieté ordinaire. Et, même si nous devons un de ces jours décider de la faire éliminer – ce qui ne serait pas pour me surprendre –, ça nous fera des souvenirs.

– Fous-moi le camp, Bert. Tu as du travail.

Sussman dirigeait à lui seul plus de deux cents personnes, dont une douzaine seulement à New York. Le reste était réparti à travers les États-Unis et dans le monde. Il ne s'occupait pas des Fourmis de dépôt, responsabilité confiée plus particulièrement à Tolliver. Sa tâche consistait surtout à surveiller les investissements. Au besoin à en imaginer. Quoique cela fût plutôt du domaine de MacArthur. Bert avait notamment la haute main sur tous les hommes de paille – les Fourmis blanches, selon la terminologie adoptée. Tous ceux qui, volontairement ou non servaient de prête-noms. Soit mille huit cent soixante hommes et femmes de toutes nationalités. Dans les derniers mois, quatre d'entre eux seulement avaient dû être éliminés par précaution, pourcentage somme toute remarquable et qui confirmait la qualité du recrutement effectué par Bert et ses adjoints spécialisés.

– Nous avons un petit problème à Hong-Kong, Bill. Rien de très grave mais je crois qu'il faudrait y envoyer quelqu'un.

Sussman expliqua de quelle sorte de problème il était question. Une Fourmi blanche...

– Plutôt jaune, en fait, dit Bert en riant.

– ... une Fourmi blanche, donnait des signes d'essouf-

flement. Jusque-là, pourtant, elle avait été très conscien-
cieuse et disciplinée.

– Pas question que tu y ailles toi-même, Bert. Envoie
Carletti ou Buchanan. Bert?

Sussman sourit, ayant deviné les mots qui allaient
suivre.

– Juré, Bill. Pas de passage à Singapour ou Kuala
Lumpur. Dommage. La Gagnon en maillot de bain, pour
les fêtes du Nouvel An, ça vaudrait largement une prime
de déplacement. Elle et ses deux copains prennent
l'avion ce soir, je te l'ai dit?

– Je m'en fous.

Sussman acquiesça, repartit en chantonnant. En
appuyant la proposition dite *de diversion*, qui consistait
à expédier, tel un missile, la Zénaïde Gagnon droit sur le
Fou de Bassan afin de gagner le temps nécessaire à un
examen de toute l'OPA sur l'Obawita, Sussman avait
strictement obéi à la consigne donnée par MacArthur,
lors d'un rapide entretien à distance (MacArthur se
trouvait encore dans son île, à ce moment-là). Sussman
avait obéi, mais sans comprendre. Il avait depuis longtemps renoncé à comprendre les stratégies de MacArthur. Deux choses cependant l'avaient un peu étonné, à
propos de ce projet de diversion.

L'unanimité de tous les conseillers de Laudegger.

Et l'accord finalement donné par Laudegger lui-
même, Laudegger qui, d'ordinaire, était partisan de
solutions infiniment plus radicales. Il deviendrait donc
plus nuancé? On change à tout âge, mais quand même!
*Je me demande bien ce qui lui a pris, d'épargner cette
fille qu'il n'a seulement jamais vue. Il ne faut pas
chercher l'explication du côté du Fou de Bassan, puisque, autant que je sache, Laudegger ne le connaît pas
non plus.*

*Il change. Laudegger change et voilà tout. Il a tou-
jours été à peu près génial, en matière d'argent. Mais,
jusqu'ici, il manquait un peu de finesse, dans ses*

conclusions. « Tuez-le » *ou* « tuez-la » *était son maître mot.*

— *Je vais envoyer Carletti, Bill.*

— D'accord.

— Pourquoi le Fou de Bassan ?

— Ce sont, paraît-il, de grands oiseaux migrateurs, qui font chaque année l'allée et retour entre l'hémisphère nord et les tropiques. Gantry s'est rendu une première fois en Asie alors qu'il n'avait encore que seize ans. Il s'était débrouillé pour embarquer sur un cargo. Depuis, il y est retourné chaque année. Notamment au moment des grandes vacances universitaires d'été. Là encore, il se débrouillait pour payer son voyage. Il n'avait d'autre argent que celui qu'il gagnait en travaillant à droite et à gauche. Il a lui-même payé toutes ses études.

— Quelle sorte d'études ?

— Biologie. Biologie sous-marine. Botanique. Et autres. Ce type a quatre doctorats.

Alex Decharme, en quelques heures, sitôt qu'il avait appris le nom de Gantry, avait conduit une enquête aussi approfondie que possible. Il consulta ses notes.

— Mais rien dans le domaine de la finance. Ni en droit. Ni en mathématiques.

— À quoi servirait des études à un type qui apprend la finance en trois semaines ? dit Zénaïde en allongeant les jambes autant que le permettait la disposition des sièges en classe économique. Sa famille ?

— Il a un père qui vit, en Espagne, de sa retraite d'ingénieur. Sa mère vit toujours là où notre héros est né, dans le Maine, près de Bangor. Gantry lui a acheté une maison et lui envoie tout l'argent qu'elle veut. Il en ferait autant pour son père, mais celui-ci ne veut rien savoir. Papa pense que son fils est un escroc.

— Comment avez-vous appris tout ça ?

— De la bouche du confrère qui a fait le reportage sur Jonathan Gantry.

– L'opinion dudit confrère sur Gantry?

– Mitigée. D'après lui, c'est un fou complet. Mais Gantry l'a jeté à la mer dès que l'interview ait passé du sujet de l'écologie à celui de l'argent. Zénaïde, il n'y a pas de doute que c'est bien Gantry qui a acheté l'Obawita?

– Il a couvert ses traces pour la deuxième OPA, mais il était incontestablement de la première – qu'il a interrompue sans raison connue. Je n'en sais pas plus et ça me suffit.

Le 747 venait de décoller de Kennedy Airport et virait droit vers l'ouest, à destination de Los Angeles, Hawaii, Hong-Kong, où ils devraient changer d'avion et emprunter la Cathay Pacific jusqu'à Kuala Lumpur.

Aux dernières nouvelles, la jonque du Fou de Bassan se trouvait sur les côtes malaises, quelque part dans le détroit de Malacca.

– Les Fourmis rugissantes viennent d'entrer en guerre.

– Roaaaarrr, dit Zénaïde.

Huit ans auparavant, après l'épisode Angela, James Doret MacArthur quitte donc l'enseignement et s'établit à son compte. Avec, pour premiers clients, exclusivement les hommes que Mora lui envoie. Les sommes qui lui sont confiées augmentent dans des proportions vertigineuses. Il comprend, bien entendu; il a déjà compris depuis longtemps que le premier million confié par Mora n'était qu'une mise de départ servant à tester ses capacités. C'est maintenant par centaines de millions de dollars qu'il brasse l'argent.

Dix mois plus tard, il interprète comme un signe du destin le fait que Letty donne naissance à leur premier enfant vivant. Une fille. Rebecca. Becky. Cette paternité et les succès de gestion qui lui prouvent à lui-même sa compétence donnent à MacArthur assez d'assurance pour qu'il puisse mettre les choses au point avec Mora et ses associés. Bien sûr, il les gardera comme clients, comme clients privilégiés bénéficiant d'une priorité sur tous les autres; et il sera à leur disposition en toute circonstance, jour et nuit, sept jours par semaine et trente jours par mois. Mais il prendra d'autres clients. Ce n'est certes pas qu'il veuille gagner davantage. Ses revenus lui suffisent (à l'époque il déclare déjà au fisc, sans rien dissimuler, un million trois cent mille dollars par an). Il veut s'assurer une couverture. Rien d'autre.

« *Je suis un homme prudent.* » Un quelconque service fédéral pourrait s'étonner qu'il assure l'entretien de tout son cabinet (huit personnes, déjà) grâce à quatre clients seulement. Il est plus catégorique encore : il n'aura de cesse d'avoir recruté des clients ordinaires, sans histoire, honorables pour tout dire (*si ça existe* – il commence à devenir sarcastique), qui lui trouveront des revenus à peu près équivalents à ceux qui lui viennent de Mora et des autres. Équivalents voire supérieurs. Mora veut le payer davantage ? Qu'à cela ne tienne. Tout ce qu'il touchera au-dessus d'un million et demi de dollars devra être versé sur un compte dans une banque des Bahamas. Ou des Caïmans. Ou de Curaçao, dans les ex-Antilles néerlandaises. Ou d'ailleurs. Dans tout endroit qu'il *leur* indiquera. Et dont il aura pris soin de vérifier la discrétion. À prendre ou à laisser. Il lit quelque chose dans les yeux noirs de Mora et sourit : « *Vous ne me tuerez pas, Mora. Et vous ne tuerez pas davantage ma femme ou ma fille. Ils vous demanderaient pourquoi*, là-bas. *Je suis le meilleur élément que vous avez jamais recruté. Et vous le savez.* »

À l'époque, MacArthur n'est jamais allé *là-bas*. En Colombie. Ni au Panamá. Par méfiance, il a toujours évité cette région du monde. Mais il a deviné la nature des liens, quasi féodaux, existant entre Mora et *eux. Eux* dont, pour l'instant, il ignore le nom. Ses patrons, en somme. Les rois, les empereurs de la cocaïne.

Et Mora lui apprend, une semaine après qu'il a formulé ses exigences, qu'il devra faire le voyage. *On* veut le voir, lui parler, le connaître : « *Une seule erreur, Mac, et vous n'aurez plus besoin de rentrer pour retrouver votre famille, qui va rester ici à vous attendre, et sur laquelle je vais veiller tout particulièrement.* » Avertissement des plus clairs. Mais inutile. Superflu. MacArthur pose les conditions de son déplacement : il ne veut pas entendre parler d'un vol direct en direction de Bogotá. Il accepte México. Puis, de México, en voiture jusqu'à un petit terrain discret où l'attend un avion privé. Escale sur le terrain d'atterrissage d'une plantation de bananiers, au Belize, et changement d'appareil. Un homme monte à bord, qui fera le reste du voyage avec MacArthur. Pas de présentations, pas de noms échangés. L'homme est de taille moyenne, musclé, félin. Il porte des lunettes noires, on voit très mal ses yeux. Le visage est dur, effet accentué par le hâle. Un visage de pierre brunie, sur lequel on ne lit rien. Les mouvements sont lents, mesurés; pourtant, le sentiment général que donne cet homme est celui d'une force terrifiante, très contrôlée, mais qui pourrait se déchaîner en un délire de cruauté. Tout le temps que l'on survole le banc des Mosquitos, puis le golfe de Darien, l'homme se contente de poser des questions d'un ton nonchalant. À l'évidence, il sait parfaitement qui est MacArthur et qui est Mora. De MacArthur, il connaît jusqu'à la marque et à la couleur de sa première voiture, jusqu'à son numéro de téléphone lorsqu'il habitait encore San Francisco. De Mora, il parle avec la condescendance d'un supérieur évoquant un subordonné de peu d'importance.

C'est El Sicario, le Sicaire. Dont MacArthur, longtemps, ne saura jamais rien, même pas son nom réel. Un sicaire est, selon les souvenirs de MacArthur, un tueur terroriste prônant la violence de préférence à tout autre mode d'action. L'historien latin Marius Josèphe avait donné le nom de sicaires zélotes aux plus acharnés des partisans juifs luttant contre l'occupation romaine. MacArthur ignore toujours si El Sicario est un Latino-Américain ou un *Gringo*. Plus tard, mettant bout à bout des bribes de renseignements, il en viendra à des conclusions plus précises; il saura que le Sicaire a combattu au Viêt-nam.

Il n'en est pas encore là. L'avion ne survole plus la mer, à présent, mais des rivières et des forêts. Peut-être cette ville aperçue sur la gauche était-elle Carthagène ou Baranquilla. La nuit tombe sur la Colombie. « *Nous arrivons* », vient de dire El Sicario. Atterrissage de nuit. Les grands contreforts des Andes s'étendent à droite, sous la lune. Une piste dont les projecteurs ne s'allument qu'au tout dernier instant. La surprise d'une moiteur, d'une touffeur qui fait presque chanceler MacArthur, puis l'air conditionné d'une limousine. Un fleuve, au loin – c'est le Magdalena, mais il ne le sait pas encore. Une hacienda. Des corrals où des chevaux somnolent. Des gardes, enfin, des hommes armés de ce que MacArthur croit être des M 16. On lui demande s'il veut se reposer un peu, se rafraîchir. Trois quarts d'heure plus tard, il est en présence de six hommes. Dont celui qui a voyagé avec lui depuis le Belize. Les autres ont entre trente et quarante-cinq ans, à l'exception d'un seul, dans la soixantaine, si adipeux qu'on l'a surnommé *Fat Man*. MacArthur les juge au premier examen : des brutes arrogantes, imbues de leur toute-puissance, des sauvages doués d'une intelligence primaire, cette intelligence des fauves qui ne doutent de rien et vont leur route sans aucune espèce de remords, parce qu'ils sont dépourvus de conscience. MacArthur est partagé entre deux sentiments : une peur réelle, et de la haine. Ensuite, viennent le mépris, puis – il s'en étonne lui-même – une vraie jouissance. Il acquiert la conviction qu'il sera somme toute assez simple de manipuler les cinq du cartel. Ce sera comme de détenir une arme terrible qui, certes, à tout moment, pourra le tuer lui-même (et Letty et Becky) s'il commet la moindre erreur. Bon, il n'en commettra pas, c'est tout. S'il réussit ce parcours sans faute, jusqu'où n'ira-t-il pas ! Il ne s'interroge même plus sur cette ambition sans limite qui lui est venue depuis qu'il s'est mis à son compte, ambition dans laquelle l'appétit d'argent entre pour presque rien. Il servira scrupuleusement ces hommes, qui, maintenant, l'interrogent dans un anglais hésitant (l'espagnol de MacArthur, à cette époque, est encore rudimentaire). Mais, ce faisant, il se servira d'eux. Jusqu'au jour où il découvrira

138

le moyen, de se rendre totalement indispensable. Et invulnérable. Certes, il n'a pas encore trouvé ce moyen. Quelques années seront sans doute nécessaires pour le découvrir et le mettre au point. Mais il y arrivera.

Il répond aux questions qui lui sont posées. À un moment, il surprend, sinon le regard – toujours invisible derrière les lunettes noires –, du moins l'expression, du passager inconnu. Il a l'intuition fulgurante que cet homme partage son propre mépris pour les membres du cartel et se sert d'eux tout comme il compte lui-même s'en servir.

Une complicité bizarre naît, ce jour-là, entre El Sicario et MacArthur. Qui restera toujours implicite. Ils font preuve de la même prudence paranoïaque. C'est d'ailleurs un autre point de convergence, une raison de plus de s'entendre. Sans un mot.

L'interrogatoire s'achève. On vient de dire à MacArthur qu'on n'a pas apprécié ses exigences ni sa façon de disposer de lui-même. Croirait-il par hasard qu'il est libre ? Il n'est qu'un petit avocat yankee de rien du tout qu'on peut écraser du pied comme une merde. Il veut être écrasé, c'est ça ? Il veut voir crever sa femme et sa fille ? Il suffit d'un geste. Qu'il prenne garde à lui, à sa pute de femme et à sa pute de fille. On ne se contentera pas de les tuer, on leur donnera du plaisir avant.

MacArthur ne bronche pas, très fier de pouvoir dissimuler le tremblement de ses doigts autour du verre, bien qu'il soit intérieurement en proie à la panique. Mais ça passe. On lui dit que ça va pour cette fois, qu'il ne s'avise surtout pas de recommencer. Ça va pour cette fois, on l'autorise à s'organiser comme il l'a demandé, il pourra prendre des clients ordinaires, se fabriquer une façade de respectabilité. La petite merde qu'il est restera sous surveillance, plus que jamais. C'est clair, petite merde ?

Et le moment est venu. MacArthur se lance. Avec prudence, ô combien, en s'humiliant jusqu'à en avoir envie de vomir. Il parle. Il croit pendant une seconde déceler, sur les lèvres d'El Sicario, qui se tient en retrait, à la limite de l'ombre et du halo de lumière passant par la porte de la véranda, une esquisse de sourire. Il a espéré ce sourire, signe de leur complicité. Il explique combien la méthode actuelle du blanchiment de l'argent peut être améliorée. De la drogue elle-même, il ne sait rien et ne veut rien savoir. On l'a engagé pour qu'il s'occupe d'injecter les capitaux dégagés par un certain commerce dans les circuits financiers officiels. Eh bien, il a des suggestions à faire.

Il parle dans un silence total. Il sait qu'il est en train de jouer sa vie, celle de Letty et de leur fille.

Il a des idées sur cette organisation nouvelle que l'on pourrait mettre en place. Quelque chose de plus centralisé, de plus fonctionnel, de moins dispersé. Un passage de l'artisanat à l'industrie, comme pour le marché de la cocaïne, un marché en pleine explosion avec ses vingt millions de consommateurs. Lui ou un autre assumerait la conception et la direction d'ensemble. Il faut et il est possible de mettre sur pied un système presque parfait. MacArthur donne des exemples, des détails. Ce silence mortel qui accompagne ses paroles d'une certaine manière l'encourage. Ainsi qu'il se doit, quand on a affaire à plusieurs interlocuteurs simultanés, il en a choisi un, dont la personnalité lui semble la plus forte. C'est à celui-là qu'il s'adresse plus particulièrement, tentant de percer le secret du regard noir et du visage impénétrable aux traits métissés. Il veille cependant à ne pas froisser la susceptibilité des quatre autres. Il décrit l'organisation dont il a eu l'idée, durant les derniers mois, et grâce à laquelle il serait possible de blanchir, non pas quelques centaines de millions de dollars, mais des milliards et des milliards, presque indéfiniment. Il souligne les avantages, sur le plan de la sécurité, de la connaissance quotidienne des chiffres, du contrôle permanent. Des bénéfices en argent « propre » qui en seront formidablement accrus. De la puissance mondiale que cet argent permettra d'acquérir.

Puissance mondiale. Il répète les mots. Il développe le concept (c'est peut-être à cette minute-là que naît en lui l'embryon de l'idée du Plan d'ensemble, qu'il ne mettra au point que six ans plus tard).

Silence. Il s'est tu. Tintement de la glace dans les verres, aboiements d'un chien dans la nuit. Et puis il croit entendre le rugissement d'un lion. Il saura plus tard qu'il n'a pas rêvé, qu'il s'agissait bien d'un lion, que l'hacienda possède une réserve d'animaux sauvages.

– Sicario, emmène-le.

Ordre donné en espagnol. El Sicario emmène MacArthur, le conduit jusqu'à une chambre.

– Vous attendez ici.

Un bref instant, les deux hommes sont face à face, puis le Sicaire se détourne et s'en va. Les heures passent. Un domestique a apporté son dîner à MacArthur, qui est exactement dans la disposition d'esprit de celui qui, ayant plaidé pour sa vie devant un tribunal de morts vivants, attend à présent le verdict.

Verdict favorable. *On* accepte son projet. Tout l'argent nécessaire sera débloqué. Il a carte blanche. Seule modification apportée à ce qu'il a proposé : il devra travailler de concert avec quelqu'un qui lui sera désigné, qu'il prendra comme associé, dans son cabinet de New York. À qui il ne cachera rien. Aucune décision importante ne devant être prise sans leur accord, à *eux*. À lui d'établir des moyens de communication sûrs, sûrs selon ses critères. Puisqu'il est si obsédé par la sécurité. Il a un an pour faire ses preuves. Dans douze mois, une décision définitive sera prise. Soit le Cartel lui conservera sa confiance (vraiment très relative), soit...

Écrasé comme la petite merde qu'il est; oui, il sait.

N'empêche que, repartant vers les États-Unis, il comprend qu'il vient de remporter une victoire totale. Il se met au travail. L'homme qui lui a été désigné s'appelle

Victor Alameda. Il est bon, connaît les mécanismes financiers, mais n'a pas la dimension suffisante – surtout mesuré à l'aune d'un MacArthur. Nouvelle rencontre de MacArthur avec le Sicaire. C'est l'époque où MacArthur entreprend de créer ses bases mobiles. Il a déjà en tête de les installer sur des bateaux, à l'abri de tout contrôle. Il a appris les liens étroits qui unissent le Cartel et le gouvernement cubain, avide de devises du fait du blocus décrété par Washington et de l'avarice soviétique. Il envisage déjà d'utiliser la protection du *lider máximo*. Il sait que Cuba sert de relais au trafic de la drogue. Les bateaux partis de Cartagène la déposent à Cienfuegos, sur la côte ouest, tandis que des avions décollent de Varadero, transportant des contingents de cocaïne à destination de l'île d'Andros, aux Bahamas, et de la pointe sud de la Floride. « *Je vais devoir voyager de plus en plus* », explique MacArthur au Sicaire. « *Je serai plus souvent dans mes bases mobiles que dans mon bureau de New York. Pour mes clients ordinaires, mon équipe officielle saura s'en occuper. Pour ce qui concerne les Fourmis, c'est autre chose. Je ne critique pas Victor, mais il ne fait pas le poids. Et vous le savez.* » El Sicario transmet mais d'ores et déjà approuve. Il révèle que des dispositions ont déjà été adoptées. *On* va remplacer Alameda. Par quelqu'un en qui *On* a confiance – enfin, presque – et que l'on prépare depuis longtemps à de telles fonctions. Qui plus est, Bill Laudegger a cet avantage de porter un patronyme et un prénom qui n'attirent pas l'attention, aux États-Unis. Et, un jour, Laudegger débarque en effet. Il est plus qu'intelligent; il est exceptionnellement doué pour la gestion de l'argent. MacArthur en convient. Laudegger le vaut presque, dans bien des domaines. À certains égards il le surpasse même. On ne saurait trouver mieux. N'était sa propension à tout régler par la violence. Cela ne vient pas d'un goût particulier pour le sang. Mais il fonctionne comme un ordinateur, pour lequel tout est binaire : blanc ou noir, zéro ou un. *Personne n'est parfait,* se contente de conclure MacArthur en ces premiers temps de collaboration.

Fourmis de dépôt, Fourmis voyageuses, Fourmis de contrôle, Fourmis de garde, Fourmis de calcul, Fourmis combattantes (les brigades dirigées par El Sicario)... c'est MacArthur qui a inventé le terme. Il lui est venu spontanément tandis qu'il s'adressait aux hommes du Cartel, *là-bas.* Pourquoi Fourmis? Il a essayé de reconstituer son association d'idées : il s'est rappelé un film plutôt médiocre, avec Charlton Heston et une fort jolie rousse, dans lequel il était question de la marabunta. Cette marée subite de fourmis, en Amazonie, qui se déplacent par milliards, et dévastent tout sur leur passage, sans qu'on puisse les arrêter.

Marabunta, la comparaison a plu. Les Fourmis sont nées.

Les fenêtres des trois chambres, au vingt-quatrième étage de l'hôtel Hilton de Kuala Lumpur, donnaient sur un hippodrome au-delà duquel s'étendaient des collines bleues. Où peut-être couraient des tigres. Si les tigres courent. Zénaïde n'était pas fixée sur ce point. Elle n'avait jamais vu de tigres qu'au cinéma et à la télévision. Pareil pour la Malaisie, que, l'avant-veille encore, si on l'avait interrogée, elle eût sans doute située quelque part au sud de la péninsule indienne. Eh bien, non. Il s'en fallait de deux ou trois milliers de kilomètres, d'après les cartes dans l'avion.

Tabernacle! Je suis en Malaisie!

Elle faillit sauter du lit, mais se souvint à temps qu'elle était nue. Et elle attendit que le garçon d'étage qui lui avait apporté son café fût sorti. Ç'avait été un long voyage, depuis New York. Elle but son café, ouvrit la grande baie vitrée, sortit sur le balcon, immédiatement assaillie par la chaleur. Ce n'était pas le matin; au soleil, il était bien cinq ou six heures de l'après-midi. Ou plus. Mais de quel jour? On frappait à sa porte. Elle alla ouvrir à Alex Decharme.

– Bonne année, dit Alex. Et merci pour le cadeau.

– Quel cadeau?

– Tu es toute nue.

– Excuse-moi.

– Il n'y a vraiment pas de quoi.

Elle alla enfiler un peignoir.

– On est quel jour?

– Le premier janvier. Ne me fais plus ce coup-là, s'il te plaît. À mon âge, ça peut me tuer.

– Nous avons combien d'heures de décalage?

– Douze heures. Il était neuf heures du matin ici, quand nous avons décollé de Kennedy, vendredi soir. Il est près de cinq heures, la nuit va tomber.

On frappa encore et, cette fois, c'était Laviolette, en costume de bain à fleurs.

– Bonne année, Zénaïde.

Elle n'y coupa pas d'une embrassade qui la culbuta sur le lit.

Sans Alex qui nous regardait, je passais à la casserole, engourdie comme je le suis. Curieux comme ce climat... Bon, passons.

– Ça suffit, Laviolette. Tu m'as suffisamment souhaité la bonne année. Et, en plus, tu sens le chlore.

Il dit qu'il s'était baigné dans la piscine. Mais oui, il était levé depuis un temps fou. Alex aussi. Ils avaient très bien dormi dans l'avion, eux. Elle prit sa douche et quand elle revint ils étaient tous les deux attablés devant un déjeuner pour six, dont quatre parts étaient destinées à Laviolette. Elle avait faim et, sur le moment, ne prêta aucune attention au journal disposé de telle sorte que l'article et la photo fussent bien visibles. Son regard s'arrêta enfin sur le titre. Elle demanda :

– Où avez-vous trouvé ça, Alex?

– En lisant mon journal ce matin, tout simplement. Je n'ai pas eu à chercher.

Elle reposa son ananas et examina la photographie.

– Lequel est-ce? Ils se ressemblent tous.

– Le troisième à partir de la droite.

– La photo est mauvaise. Même sa mère ne le reconnaîtrait pas. Et qu'est-ce qu'il a sur la tête?

– Une espèce de foulard.

Le titre annonçait que le Fou de Bassan venait de verser un demi-million de dollars au fonds de protection de la nature, en Malaisie. « *Le célèbre Fou de Bassan* » étaient les mots exacts.

– Ça se coule comment, une jonque?

– Je me suis renseigné, dit Alex. La photo et l'interview ont été faites avant-hier à Malacca. Mais la jonque a repris la mer depuis. Pour autant qu'on le sache, en direction du nord. Elle remonterait la côte malaise jusqu'à l'île de Penang. Peut-être au-delà. Gantry a vaguement parlé de Phuket, qui est en Thaïlande. C'est aussi une île. Mais, bien entendu, le Fou de Bassan peut aller n'importe où entre l'Inde et l'Australie. Il disparaît parfois des semaines entières et ressurgit là où on l'attendait le moins.

Zénaïde continuait à fixer le cliché. On y voyait une douzaine de personnages, dont trois femmes (aucune Occidentale). Les hommes se différenciaient très peu les uns des autres. Tous étaient vêtus de sarongs. Torses nus, basanés, noirs de cheveux, ils se tenaient par le bras, formant un joyeux groupe de marins. Ou de pirates, avec leurs fronts ceints de foulards. *Je vais t'apprendre à jouer les pirates, espèce d'ordure nauséabonde.* Elle n'était plus du tout engourdie par la chaleur ni par le décalage horaire.

Qu'il soit un raider, passe encore. Mais qu'en même temps il se prétende un ardent défenseur de la nature! En vendant Missikami aux MacGuildy, qui allaient y installer une usine d'amiante ou une autre saloperie du même genre!

— On y va comment, à Penang?

Ils se trouvaient confrontés à un problème d'argent. Certes, Alex avait emporté ses cartes de crédit. Et Zénaïde aussi. Mais Alex avait sa maison de Montréal à payer, et Zénaïde, s'il lui restait cinq mille dollars sur son compte, c'était le bout du monde – et en plus, elle était probablement déjà au chômage.

— Moi, j'ai des sous, dit Laviolette. Ils m'ont réduit mon salaire, puisque je me suis blessé en jouant au football et pas au hockey, mais ils continuent tout de même à me verser dans les vingt mille par mois. Et il me reste bien trois ou quatre cent mille. Il suffit que je téléphone à Bernard.

Bernard était son homme d'affaire, à Montréal. Mais un dimanche Premier de l'An, il aurait du mal à le joindre. Alex et Zénaïde considérèrent le géant, ahuris. Jamais ils ne s'étaient douté qu'il pût avoir autant d'argent.

— Je suis une star, dit Laviolette.

On était le lundi 2 janvier au matin. Ils faisaient route vers Penang. Zénaïde – et Alex tendait à être de son avis – estimait que la filature dont elle avait été l'objet depuis son départ de Milwaukee et jusqu'à New York (filature si peu discrète qu'elle devait surtout constituer une manœuvre d'intimidation) avait cessé. Ils n'avaient remarqué personne à Honolulu. Rien à signaler non plus à Kuala Lumpur, où Alex avait pourtant patrouillé sur l'ensemble du front. Laviolette aussi avait l'œil. Depuis leur enfance, Zénaïde l'avait toujours vu comme un gros ours. Un gros ours amoureux. Quoique, en fait, il n'eût jamais prétendu être amoureux. Mais ce monstre avait un flair incroyable. À Hong-Kong, tandis qu'ils atten-

146

daient l'avion pour la Malaisie, il avait poursuivi, attrapé, soulevé de terre et plaqué contre un mur, sans qu'il eût pu réagir, un homme dont personne, à part lui, n'avait remarqué l'allure louche. Des policiers chinois avaient découvert que l'homme portait une arme de fort calibre, mais il n'avait pas mission, semblait-il, de les surveiller. « *Tu aurais dû te faire chasseur d'espions, Laviolette* », avait dit Zénaïde. « *Je préfère courir après ma rondelle* », avait-il répliqué, placide.

Apparemment, on ne les suivait plus. Ce n'était pas si surprenant. Les responsables de l'affaire de Milwaukee et de la mort du petit épicier de Kenosha n'avaient évidemment rien à voir avec le Fou de Bassan. Avec une quelconque OPA. Avec l'Obawita General Wood.

Sur ce point-là, au moins, ils pouvaient être tranquilles.

– En ce moment même, dit Milán, ils sont en route vers Penang. C'est une île et un État en Malaisie.

– Je sais très bien où est Penang, dit Laudegger d'un ton sec.

Ils y étaient allés en vacances, Mandy et lui. Au temps où passer plus de sept minutes seul avec Mandy n'était pas encore insoutenable.

– Et alors?

– Alors, rien, dit Milán avec son flegme ordinaire. Si ce n'est qu'au large de Penang, sur une jonque remarquablement équipée, en liaison avec les principaux marchés financiers du monde, il y a un certain Jonathan Gantry, surnommé le Fou de Bassan.

Laudegger se tut. Il se tut parce qu'il jugea bon, tactiquement, de se taire pendant quelques secondes. Il compta jusqu'à six. Jugea qu'il avait suffisamment simulé la surprise et le temps de la réflexion.

– Où voulez-vous en venir, Milán? Me faire croire que

cette tordue qui nous a emmerdés à Milwaukee a partie liée avec Gantry ?

– Ce n'est pas impossible.

La voix de Milán n'exprimait strictement rien. Les deux hommes promenaient leurs chiens. Laudegger s'efforçait de retenir les deux bobtails de Mandy, deux infâmes cabots avec des poils plein la gueule qu'il avait fallu faire venir par avion spécial d'un élevage ultrasélectif, quelque part en Écosse. Normal, puisqu'il s'agissait de chiens spéciaux – d'après Mandy. Ça avait coûté dans les trente mille dollars. *Et me voilà, moi qui gère des sommes supérieures au budget de la plupart des pays d'Europe, à promener ces saloperies de clebs au clair de Lune ! Putain de merde !* Dix minutes plus tôt, au téléphone – et avec un rien de sarcasme dans la voix, peut-être –, Milán avait demandé sans plus se nommer que d'habitude : « *Ce n'est pas l'heure de sortir vos chiens ? Moi, je vais justement promener le mien.* » Il était dix heures du soir à New York, dimanche 1er janvier. Et donc dix heures en Malaisie, mais au matin du 2.

– Pas impossible, mais à vérifier, reprit Milán après un silence.

Laudegger pesa ses mots :

– Si c'était le cas, il faudrait envisager d'éliminer, non plus seulement la fille, mais Gantry lui-même.

– Ce serait une éventualité à étudier, dit Milán.

Ne va pas plus loin. Ton piège a fonctionné. Que veux-tu de plus ? En temps normal, tu n'aurais jamais réussi à convaincre Milán et El Sicario de te débarrasser de Gantry. Mais tu touches au but. Plus un mot.

– Et vous m'avez obligé à sortir de chez moi sous la neige uniquement pour me parler de cette connasse ?

– Non. Il y a eu un incident. L'une des Fourmis voyageuses manque à l'appel. On en est sans nouvelles depuis maintenant quatre heures. L'avion a décollé peu après la tombée de la nuit, comme d'habitude, de la piste, dans les Ozarks. Il aurait dû établir son premier contact avec Andros à neuf heures quinze. Il n'en a rien fait.

– L'atterrissage à Andros était prévu pour quelle heure?

– Neuf heures cinquante-huit. Il y a dix-neuf minutes.

– Combien à bord?

– Deux cent cinquante millions. Destinés à une banque de Nassau.

Mais Milán attendait un peu avant de conclure que la Fourmi voyageuse était partie avec le magot.

– Dès le déclenchement de l'alerte, j'ai téléphoné à mes hommes du Missouri. Tout est normal, là-bas. La femme et les enfants du pilote n'ont pas bougé. Pareil pour le convoyeur.

Non, il fallait plutôt imaginer un accident. Les conditions météo étaient limite au moment du départ des Ozarks. Il était possible que l'appareil eût eu des ennuis sérieux. Laudegger fouilla dans sa mémoire; il avait en tête des milliers de noms et de chiffres, mais pas les détails de tels transports, par lesquels on sortait d'Amérique, chaque mois, des milliards de dollars. Les moyens étaient appropriés et sûrs : avions de lignes régulières avec, parfois, la complicité de membres du personnel des compagnies et surtout, avions de tourisme. Un vaste réseau de Fourmis voyageuses, composé de pilotes recrutés parmi les mercenaires, des aventuriers de tous bords, des anciens du Viêt-nam, mais faisant partie d'une organisation totalement distincte de celle du blanchiment de l'argent. Il y avait même une tour de contrôle en pleine jungle, capable de suivre plusieurs centaines d'avions en vol. La surveillance aux frontières s'exerçait principalement à l'entrée des États-Unis ou du Canada, beaucoup moins à la sortie.

Cet argent allait gonfler près de six mille comptes numérotés, un peu partout dans le monde. Lui, Laudegger, était évidemment responsable de ce secteur de l'activité des Fourmis, à la façon dont un chef d'État est responsable de tel département, de tel ministère de son gouvernement. Mais rien de plus. Les Fourmis voyageuses étaient placées sous le contrôle direct d'un homme appelé Harrison Ladd.

– Il est déjà sur place ou ne va tarder à l'être, dit Milán. Comme c'est l'usage, une piste de dégagement est prévue pour les liaisons au départ du Middle West. On est en train de vérifier si l'avion ne l'a pas utilisée. Elle se trouve dans le Sud de l'Arkansas, à la frontière de la Louisiane.

– N'y a-t-il pas une procédure qui prévoit une espèce de signal au cas où l'une des pistes de dégagement est utilisée ?

Justement, si. Et le signal n'avait pas fonctionné. Bien sûr, il se pouvait qu'il y eût eu connivence entre la Fourmi voyageuse et l'équipe au sol. Mais Milán n'y croyait guère.

– Plus probablement, l'avion s'est-il écrasé quelque part. Ladd a déjà lancé ses patrouilles. Le terrain est difficile.

Puisqu'il n'était évidemment pas question de faire appel aux polices locales et aux recherches officielles, Ladd allait devoir conduire ces recherches par ses propres moyens, d'ailleurs considérables – Milán estimait qu'il pourrait disposer de deux cents hommes et de six hélicoptères –, le danger étant évidemment, dans le cas où l'appareil se serait écrasé, que des chasseurs ou des agriculteurs, découvrent les premiers l'épave aux deux cent cinquante millions. C'était déjà arrivé, une fois, en 1986. Une Fourmi voyageuse partie de l'Utah et en route vers les Caïmans avait également disparu. Les pisteurs de Ladd étaient arrivés trop tard sur les lieux de l'accident, dans le désert de Mojave. Encore avait-on eu de la chance : les campeurs qui avaient fouillé les débris de l'avion avaient choisi de se taire et s'apprêtaient en toute simplicité à se partager quatre cent cinquante millions. On avait pu les réduire au silence. Les trois hommes, les trois femmes et leurs deux voitures avaient été enterrés dans la même fosse que les Fourmis victimes de l'accident.

– Dans le cas présent, soit nous allons apprendre l'accident par la télévision ou les journaux, soit ce sera le silence. Et les chances de Ladd augmenteront.

– Tenez-moi au courant.

– Évidemment.

Le chien que Milán promenait était d'une race indéterminée. Laudegger ne se demanda même pas d'où il sortait. Après tout, il ne s'agissait que de camouflage. Les deux hommes déambulaient dans Park Avenue sous la neige – deux propriétaires de chiens faisant faire le pipi du soir à leurs toutous chéris et échangeant des propos anodins. La perte probable de deux cent cinquante millions de dollars (sauf si Harrison Ladd parvenait à les récupérer, ce qui pouvait prendre une bonne semaine) ne plongeait pas Laudegger dans l'affliction. Le pourcentage de perte était fixé à cinq pour cent. On était loin du compte. Il n'y avait donc pas de raison de s'alarmer. Même si, *là-bas*, on devait faire la gueule. Laudegger savait que ses oncles avaient contracté, entre eux, une assurance, une sorte de « petit Lloyd » à *eux*, qui répartirait les pertes entre les membres de l'organisation. Et le transport par avion demeurait, malgré tout, le plus sûr, même si, par le passé, une anecdote avait fait la une des journaux : Un avion qui assurait un *drop* (une livraison) de cocaïne dans une des sept cents îles des Bahamas et qui avait repris à son bord, en échange, une mallette contenant un million de dollars, avait été pris en chasse par la douane américaine. Il avait été contraint de larguer, en plein vol, les billets – seule preuve de la transaction – au-dessus d'une plage de Paradise Island. Les baigneurs ahuris, avaient vu une pluie de coupures de cent dollars tomber du ciel. une bagarre incroyable s'était ensuivie et l'affaire avait fait grand bruit. Le pilote avait nié et on avait dû le relâcher, faute de preuves. En dépit de tout cela, l'acheminement par bateaux restait plus aléatoire. À trois reprises, déjà, des gardes-côtes avaient saisi la cargaison de Fourmis voyageuses dans le golfe du Mexique – ce qui restait de la cargaison, car, obéissant aux ordres, les Fourmis avaient pu chaque fois brûler ou jeter par-dessus bord le chargement de billets de cent dollars. Six cents millions envolés en fumée ou expédiés par le fond dans des caisses spécialement plombées. Et rien n'avait pu convaincre les hommes arrêtés de parler. Ils étaient tous mariés et pères de famille, conformément aux règles.

Avec ce système, l'administration américaine avait été incapable de mesurer l'ampleur du trafic de cocaïne entre la Colombie et les États Unis. La DEA (*Drug Enforcement Administration*), organisme chargé de l'application de la législation antidrogue, était constamment en dessous de la réalité, et les saisies effectuées ne représentaient qu'une infime partie de cet immense flux de drogue qui envahissait le pays. Les frontières, et surtout la frontière mexicaine, étaient de véritables passoires.

Les bobtails pataugeaient dans la gadoue avec volupté.

– Et, pendant que j'y pense, tenez-moi au courant aussi pour la Malaisie.

Laudegger mit dans sa voix juste ce qu'il fallait d'indifférence un peu agacée.

– Évidemment, répéta Milán.

Ils se saluèrent en souriant, comme deux voisins qui se quittent après avoir parlé du temps, des femmes et des chiens. Laudegger rentra chez lui. Il mena les deux bêtes au deuxième niveau du *penthouse* et les flanqua dehors, dans le jardin aménagé autour de la piscine, sur le toit de l'immeuble. Puisque ces abrutis aimaient tant la neige... Il redescendit d'un étage et gagna son bureau. Un seul des voyants rouges clignotait, sur ses six répondeurs correspondant à six lignes différentes. Il prit le message. De Londres, Armbruster leur souhaitait la bonne année, à lui et à sa famille, et le remerciait pour les chocolats. En termes clairs : Armbruster avait bien reçu les trente millions de livres sterling. Très bien.

Mandy dormait dans sa chambre. Ils avaient fait l'amour une heure avant, et, une fois de plus, il avait été stupéfait du désir qu'il continuait d'éprouver pour elle. Il s'allongea sur son propre lit, réveil fixé à quatre heures quinze. D'ordinaire, il s'endormait très vite, sans aucun adjuvant – l'usage de toute espèce de drogue lui répugnait. Cette fois, cependant, le sommeil tarda un peu. Quelques minutes. Il pensait au Fou de Bassan. Contre qui, enfin, Milán allait sûrement lancer ses Fourmis combattantes. Sitôt que la collusion entre la Canadienne et lui serait établie. Et ce n'était plus qu'une question d'heures. Une simple rencontre entre eux serait pour Milán une preuve suffisante.

Trois ans et demi plus tôt. Laudegger a déjà rencontré MacArthur en maintes circonstances mais il n'a pas encore pris officiellement le relais de Victor Alameda. *On* lui a pourtant annoncé sa prochaine nomination. Qui sera le grand événement de son existence. Il ne doute pas de son aptitude à assumer les fonctions qu'*ils* vont lui confier. Tout son parcours passé, quand il l'examine d'un œil froid, lui en fournit l'assurance. Il a des dons naturels, c'est l'évidence, mais il les a développés. Tout au long de ses études il a déployé cet acharnement qui, en principe, est la ressource des laborieux dépourvus de dispositions. Il a accumulé les diplômes, il en a mesuré l'insignifiance et s'est gardé de les tenir pour une preuve de ses capacités. Il a fait tout au monde pour acquérir de l'expérience; il s'est fait humble dans son activité d'apprendre, visant toujours la perfection. Il savait que ses liens de parenté avec *eux*, le fait que sa mère fût *leur sœur*, était un atout capital. Combien d'autres s'en seraient satisfaits. Pas lui, qui brûle de prouver qu'il vaut par lui-même. Il a pratiquement sacrifié sa jeunesse. Jusqu'à son mariage avec Mandy qui a été programmé : on lui avait demandé d'épouser une Américaine bon teint, riche, appartenant à une famille qui pût faciliter son ascension. Il a procédé avec sa glaciale efficacité habituelle au choix de sa future épouse. Ç'a été Mandy élue entre quatre autres qui faisaient pareillement l'affaire. Mandy, dont il a constaté, presque avec émerveillement, qu'elle ne lui était pas indifférente, du moins physiquement. Le hasard faisait bien les choses.

Trois ans et demi plus tôt il est donc dans cette période d'expectative. Près d'atteindre enfin, après tant d'efforts et de sacrifices, le but qu'il poursuit depuis tant d'années. Il sait être patient et éviter toute fébrilité. Mais, quand même! Durant ces semaines et ces mois qui précèdent sa nomination, il vit dans l'angoisse. Pas d'erreur; ce n'est vraiment pas le moment d'en commettre. Peut-être ont-*ils* encore quelques doutes à son sujet. Peut-être la surveillance dont il se sait l'objet a-t-elle redoublé. Une fois qu'il aura pris son poste, à côté de MacArthur, il pourra se détendre un peu. Mais, jusque-là, il est vulnérable. En observation, si l'on veut. Du moins, est-ce ainsi qu'il juge sa situation.

Il traite d'ores et déjà de nombreuses affaires. Rien à voir avec celles qu'il aura par la suite à gérer, mais cela joue tout de même sur des dizaines et des dizaines de millions de dollars.

Entre tous les projets qu'il a alors en train, il en est un qui touche à l'immobilier. Il s'agit de terrains en Californie, dans la région de San Diego. Des parcelles constructibles. Vingt-huit en tout. Avec autant de propriétaires différents ou peu s'en faut. Il négocie, par avocats interposés, discrètement bien sûr, l'achat de ces parcelles en vue d'un vaste projet d'urbanisation. Superficie moyenne des parcelles : un acre. Soit un peu plus de quatre mille mètres carrés. Prix moyen : un million de dollars l'acre. À force de négociations acharnées, de pressions sur les uns et les autres (pressions confinant à la menace), il est parvenu à faire baisser les prix de départ. Il pense pouvoir atteindre huit cent cinquante mille. Et, par suite, fournir une autre preuve de ses qualités d'investisseur avisé.

Détail qui aura son importance : un vaste terrain jouxte les parcelles et les complète. Mais ce terrain ne vaut rien, bien que le prix exigé soit de dix millions. C'est tout au plus un déversoir naturel, qui mettra la future zone d'urbanisation à l'abri des constructions anarchiques et des voisins déplaisants. Dix millions, c'est hors de prix. Ces hectares rongés par le sel marin que les lois locales de défense du site rendent inconstructibles ne valent sûrement pas dix millions. Laudegger – il s'est rendu sur place et s'est entouré de tous les avis d'experts – a refusé d'acheter. Ce terrain mort restera mort.

En revanche, l'urbanisation projetée s'annonce sous les meilleurs auspices. Tous les calculs le démontrent : les aménagements terminés, et la revente faite, on pourra obtenir du quatre cent pour cent, voire davantage.

Il est à New York, rentrant juste de ses vacances avec Mandy, quand il apprend la nouvelle. Quelqu'un lui a livré, à San Diego, une sorte de guerre-éclair. Toutes les parcelles ont été vendues. À un million deux cent mille l'acre. Trois cent cinquante mille dollars au-dessus du prix que proposait Laudegger. Et le terrain mort aussi a été acquis. Pour les dix millions exigés. L'opération a été conclue, en un temps record – même pas deux semaines –, par un véritable commando. Des vendeurs qui étaient sur le point de signer avec les avocats de Laudegger ont changé d'avis dans la nuit, fascinés par ces liasses d'argent que l'on a entassées devant eux. Il y a pire : l'un des atouts du projet de Laudegger était l'exploitation du gaz naturel provenant d'une colline voisine ; toute l'urbanisation en eût profité et cette exploitation, opérée sur une large échelle, eût permis d'autres bénéfices, encore plus juteux. L'acheteur inconnu a acquis les droits d'exploitation du gaz et les a aussitôt revendus à la municipalité. Il a investi l'argent produit par cette vente dans des équipements collectifs – écoles, piscines, terrains de sport et autres. Quant au terrain mort, l'adepte de la *Blitzkrieg* a imaginé un moyen de l'utiliser : il va y implanter des salines (le sel qui y sera récolté est vendu par avance à des compagnies japonaises), salines qui présentent cet avantage d'être acceptées par les groupements écologistes dès lors qu'elles ne dénaturent pas le paysage. Outre les salines, il crée un centre de thalassothérapie qui ne tardera pas à devenir célèbre, et hautement rentable. Les trois cent cinquante mille dollars payés en plus pour chaque acre seront ainsi rapidement amortis.

Laudegger est tétanisé par la fureur. Fureur contre lui-même pour avoir manqué d'imagination et de décision. Fureur contre l'acheteur qui lui a administré la preuve que, contrairement à ce qu'il croyait, il est encore à la merci de plus audacieux que lui.

C'est le premier échec qu'il enregistre depuis qu'*ils* lui ont fait confiance en lui fournissant des capitaux. Avant, il n'avait jamais commis la moindre erreur. Il en tirait infiniment d'orgueil. Il eût admis de recevoir des leçons dans d'autres domaines, mais pas dans celui-là. Pas dans sa partie.

Et puis l'affaire ne pouvait pas plus mal tomber que dans cette espèce de période d'observation. Il passe par les pires affres. Bien sûr, il a opéré à San Diego avec tant de discrétion que deux de ses avocats seulement savaient pour qui ils travaillaient en réalité. Et il n'avait parlé du projet à personne, attendant d'avoir réussi avant de chanter victoire. N'importe. S'*ils* viennent à apprendre que l'on s'est joué de lui, tout peut être remis en question.

Il n'en sera rien. Son unique échec demeurera secret. Il poussera même la prudence jusqu'à échafauder une machination contre les seuls témoins – les deux avocats californiens qui connaissent son nom – et parviendra à les faire éliminer.

Sa fureur a tourné à la haine pure et simple, inextinguible, contre l'acheteur inconnu – Jonathan Gantry, le Fou de Bassan. *Ce fils de pute n'a même pas quitté sa foutue jonque, pendant qu'il menait sa* Blitzkrieg *en Californie! Monsieur naviguait nonchalamment quelque part du côté de Bali ou dans le détroit de Torès!*

Dossier en attente. Laudegger a attendu, pesant le pour et le contre. Pour finalement conclure qu'il pouvait exercer sa vengeance. Ni El Sicario ni Milán ni MacArthur n'ont appris le piteux échec que lui a infligé Gantry.

MacArthur ne connaît d'ailleurs pas le Fou de Bassan. De cela, Laudegger est convaincu. Depuis longtemps, une liste des anciens élèves de MacArthur a été dressée. Aucun Gantry parmi eux. Et pour cause : Gantry s'est toujours vanté de son ignorance théorique en ce qui concerne les choses de l'argent.

Avec un peu de chance, dans quelques jours, Milán lui aura réglé son compte – leur aura réglé leur compte, à lui et à la Canadienne. Milán ne traîne jamais en pareil cas. Et son efficacité n'est plus à démontrer.

Ils étaient à Penang et, depuis deux heures, ils savaient que le Fou de Bassan n'allait pas y faire escale. Des pêcheurs avaient vu la jonque. On leur avait acheté du poisson. Elle semblait faire route sur Phuket, en Thaïlande.

– Où il risque de ne pas s'arrêter non plus.

Alex commençait à renâcler. Il avait quitté Montréal

pour New York, où il pensait ne rester qu'un jour ou deux, avant de retrouver sa famille et son travail. Or, cela faisait maintenant plus d'une semaine qu'ils étaient partis. Sans compter le voyage de retour qui, *via* Bangkok et l'Europe, leur ferait carrément faire le tour du monde. Il ne retrouverait pas ses pantoufles avant mercredi au mieux.

– Tu m'écoutes, Zénaïde?

Elle acquiesça et, lâchant le rebord de la piscine, se laissa couler dans l'eau bleue, qui devait bien faire dans les trente degrés. Une vraie soupe. S'arc-boutant contre l'échelle, elle se propulsa jusqu'au fond du bassin, où elle s'assit. La natation n'avait jamais été son fort, et moins encore la plongée sous-marine. Ce n'est pas dans le lac de Missikami qu'elle aurait pu s'exercer. La seule vraie mer dans laquelle elle s'était baignée c'était la mer Caraïbe, pendant les cinq jours de sa lune de miel avec Larry, passée à la Martinique. Et là-bas, il y avait des vagues de vingt-cinq mètres au moins. Zénaïde était sportive, pourtant. Elle avait pratiqué le basket-ball; la crosse et l'athlétisme (huit cents mètres en deux minutes, onze secondes); elle avait adoré le football et le football américain. Mais elle n'avait jamais aimé nager. *Tu es à deux mètres soixante-dix sous l'eau et tu crèves de frousse, Gagnon. Et il ne s'agit que d'une piscine.*

Elle remonta comme un missile lancé d'un sous-marin, à demi asphyxiée.

– Moi, je vais à Phuket, Alex. Et j'irai en Australie s'il le faut. Je poursuivrai ce type sur les sept mers. Même si ça doit me prendre dix ans.

Sur quoi Laviolette parut, dans un adorable ensemble de toile. Il fixa avec stupeur le maillot deux-pièces de Zénaïde (c'était vrai qu'elle l'avait pris un peu juste, surtout pour le soutien-gorge), puis annonça que ça y était : il avait trouvé un bateau à louer. Un gros machin-truc avec une voile et aussi un moteur. Trois hommes d'équipage dont un cuisinier, plus un capitaine qui se prénommait Charlie et était de San Francisco. *Tabernacle! Zénaïde, tu serais toute nue que ce serait moins pire! Tu ne vas quand même pas rester avec ce maillot minuscule!*

– Ouaip, dit-elle.

Cela faisait partie de son arsenal de guerre à elle.

Ils arrivèrent à Phuket, la ville, dans l'île du même nom, et n'y trouvèrent pas la jonque qu'ils cherchaient.

– Je vais rentrer, Zénaïde.

Pour Alex, ça suffisait. En plus des obligations familiales et professionnelles qui le rappelaient au Canada, il n'aimait pas l'idée de vivre aux crochets de Laviolette. Et puis, il n'éprouvait pas devant ces paysages, le même émerveillement que ses deux jeunes compagnons. Il connaissait déjà la Thaïlande. Il y était venu souvent, dans les années 60, 70. À Bangkok, il avait des amis, des Français du Cambodge, de Cochinchine ou du Laos. Au passage, il leur demanderait éventuellement de l'aider. Il était désolé.

Il partit le matin du mercredi 4, par l'avion de Bangkok. Zénaïde tint à l'accompagner jusqu'au petit aéroport, à l'extrémité nord de l'île, non loin du pont qui relie celle-ci au continent.

– Madame Gannon?

Elle regardait décoller l'Airbus de la Thaï Airways. Un homme qu'elle estima être un Thaï se tenait près d'elle.

– Gagnon.

Il acquiesça :

– Gannon, oui.

Dans l'anglais approximatif généralement pratiqué dans ces régions, l'homme lui demanda si elle cherchait quelqu'un appelé Ganty.

Gantry.

– Ganty, oui.

Y avait-il une réponse?

– Et ta sœur, dit d'abord Zénaïde.

Puis elle acquiesça. Cent bahts.

– Pas assez

– Cent cinquante.

Ils tombèrent d'accord sur mille deux cent cinquante. L'homme dit qu'il savait où était la jonque de « Ganty ». Il prononça un nom parfaitement incompréhensible et eut l'air très content de lui. A la demande de Zénaïde, il répéta. Ce ne fut pas plus clair.

– Vous pouvez me l'écrire?

Il s'exécuta, après l'avoir ramenée à l'intérieur de la salle d'arrivée, où l'air était étouffant. Il traça, sur un morceau de papier, quelque chose qui ressemblait à une rangée de nouilles froides.

– C'est malin.

Elle prit le morceau de papier et alla le porter au premier venu. Pouvait-on lui dire ce qui était écrit? On pouvait. Et cela voulait dire quoi? C'était le nom d'une île. Nom qui fut à nouveau écrit, mais cette fois, à l'occidentale.

– Vous êtes sûr que c'est une île?

Elle n'eut de cesse d'avoir vu une carte, sur laquelle on lui désigna l'île en question. *Ko* voulait dire île lui expliqua-t-on avec l'air de penser qu'elle était complètement demeurée. L'île s'appelait Ko Lanta et elle se trouvait au sud-est de Phuket, à environ quatre-vingts kilomètres. Elle paya les mille deux cent cinquante bahts, sans avoir la moindre idée de ce que cela pouvait représenter en dollars. Elle demanda dans quelle partie de Ko Lanta se trouvait Gantry. Au Sud, dans une crique. « *Comment le savez-vous?* » Pour toute réponse elle n'obtint qu'un grand rire et, plus elle insista, plus l'autre abruti rigola. D'autres abrutis s'en mêlèrent, cela tourna au fou rire général. Elle remonta dans l'autobus et regagna la ville.

– Qu'est-ce que tu fiches ici, Laviolette?

– Je t'attendais.

– Nous nous serions retrouvés au bateau, de toute façon.

– Il n'y a plus de bateau, Charlie est parti, dit-il, avec la placidité qui le caractérisait quand il n'était pas en proie à son obsession sexuelle.

– Comment ça? Parti? Tu avais loué son bateau, oui ou non? Tu l'avais payé!

Charlie avait rendu l'argent et expliqué qu'en fait le bateau ne lui appartenait pas et que son vrai propriétaire le réclamait d'urgence.

– On va trouver un autre bateau, dit-il. Pas de quoi s'en faire. C'est une île, ici. Il y a forcément des tas de bateaux.

Ils parcoururent l'île, plage après plage, dans une Mini Moke de location. Pas de bateau. Ou alors demain. Pas de bateau pour aller à Ko Lanta – trop loin. Pas de bateau parce que moteur tout cassé. Pas de bateau parce que belle-mère moi beaucoup malade, revenir après sa mort s'il vous plaît.

– Laviolette, tu as la même impression que moi?

– Quelqu'un fait de l'obstruction. Et, en plus, ils se paient notre tête.

Pas de bateau parce que...

– Si, c'est moyen.

L'homme embarquait des casiers de bambou à bord d'une sorte de longue pirogue étroite, qui devait aussi marcher à la voile mais qui était munie d'un petit moteur, curieusement emmanché au bout d'un axe de trois mètres.

– Ça veut dire?

– Y en a bateau. Partir maintenant.

Du diable si je vais monter dans ce truc, pensa Zénaïde. *Pas question. Je veux un vrai bateau.* Elle faillit tomber à la renverse quand la pirogue démarra en trombe.

— Laviolette, fait quelque chose!

— On voulait un bateau, on en a un. Tu n'es jamais contente.

C'était lui en personne qui l'avait soulevée de terre et assise sur une espèce de banc de nage. Elle s'accrocha du mieux qu'elle put, réellement terrifiée. Déjà, l'embarcation laissait sur sa gauche la pointe abritant le Centre de Recherche de Biologie marine. En n'importe quelle autre circonstance, Zénaïde eût certainement fait le rapprochement. Elle se contenta de fixer l'avant de la pirogue, qui fendait comme une lame une mer bleu turquoise. La nuit vint, mais elle était assez claire, et la course n'en fut pas ralentie. D'étranges îlots se détachaient parfois. Ou alors c'étaient de petites îles, avec d'admirables plages de sable blanc sous la lune. Et maintenant on longeait de plaisantes murailles rouge sang qui, selon la carte que Zénaïde avait consultée, n'auraient pas dû se trouver là. De hautes calanques se dessinaient, impressionnantes, désertes.

— Nous n'allons pas à Ko Lanta, Laviolette. Ce type nous raconte des craques.

— Tu es trop nerveuse. C'est agréable, comme balade. Moi, j'aime.

Et puis ça ne tenait pas debout, dit-elle encore. Ko Lanta se trouvait à soixante-dix ou quatre-vingts kilomètres de Phuket. Personne ne lui ferait croire qu'une distance pareille se parcourait le temps d'une course en taxi. Sans parler de la tête de leur pilote.

— Non, mais, tu as vu sa tête, Laviolette? Une physionomie de faux témoin. De pirate. Il nous emmène dans un piège.

— Il pèse quarante kilos, Zénaïde. Je pourrais le déchiqueter entre le pouce et l'index, pourquoi t'en faire?

La nuit devenait plus noire, et l'eau plus lisse mais sombre aussi. L'énervement de Zénaïde augmentait de minute en minute. Et l'extrême placidité de Laviolette n'arrangeait rien. La pirogue ralentit soudain, un grand silence se fit, tandis que l'on entrait dans un chenal si étroit qu'en écartant les bras on eût presque pu toucher les flancs des deux falaises rocheuses. L'embarcation glissait à présent sur son erre avec un petit chuintement.

– Eh bien, dis donc!

De bizarres reflets rouges, bleus, verts et jaunes marbraient le visage de Laviolette. Celui-ci ouvrait de grands yeux. Zénaïde pivota sur son banc de nage et ce qu'elle vit lui coupa le souffle. On était dans une crique de grandes dimensions, en forme de cirque, bordée de rochers de près de cent mètres de haut. Et, partout sur ces rochers, des feux de Bengale multicolores avaient été allumés répandant dans l'air immobile de la nuit des fumées rouges, bleues, vertes et jaunes. La mer elle-même était illuminée. Des projecteurs puissants révélaient les fonds coralliens et le foisonnement chatoyant de toutes sortes de créatures marines. Quant à la jonque, qui semblait immense, elle occupait le centre du cirque. Un instant, elle se découpa en ombre chinoise. Son dessin biscornu lui donnait la silhouette d'une araignée. Puis elle s'illumina elle aussi, de toutes les petites lampes également multicolores disposées sur ses plats-bords, sur ses vergues , sur la dunette arrière, et sur la teugue du gaillard d'avant. Les lumières se mirent à clignoter, telles l'enseigne d'un restaurant chinois, dessinant cette phrase : « *Bienvenue, Zénaïde* ». Et la musique se fit entendre, sortant de multiples haut-parleurs, jouant *Alouette, gentille alouette...*

– C'est pas gentil, tout ça? dit Laviolette. Tu vois bien qu'il n'y avait pas de raison de s'en faire.

La pirogue vint se ranger contre une large échelle de coupée. Un marin s'avança, puis un *butler* en queue-de-pie blanche, puis le Fou de Bassan lui-même, avec son sarong et son bandeau vert autour du front.

– J'ai cru comprendre, dit-il, que vous me cherchiez partout.

Il lui tendait de l'argent. Elle considéra les billets avec la plus grande méfiance.

– Qu'est-ce que c'est?

– Vos douze cent cinquante bahts. Pour une banquière, je vous trouve bien de la légèreté, dans vos pourboires. Il y a là près de quarante-cinq dollars.

– L'homme de l'aéroport travaille pour vous?

– Disons que nous travaillons ensemble. Il est chargé de recherche au centre de biologie de Phuket. Il a fait ses études à Berkeley et parle l'anglais mieux que moi. Il a bien rigolé.

– Et le soi-disant pêcheur qui nous a amené ici?

– C'est un vrai pêcheur. Nous sommes copains depuis douze ans.

– Et Charlie, qui nous a laissé tomber?

– Il vous a embarqué à Penang sur ma demande et s'est retiré de la scène quand je l'en ai prié. Il est parti à regret. Il aimait beaucoup vous regarder prendre le soleil sur son pont.

– C'est vous qui avez ordonné à tous ces hommes de nous refuser un bateau? Tous sauf un?

– J'en ai peur. Voulez-vous boire quelque chose? J'ai un assez bon champagne.

Elle le regardait. Un court instant, pendant qu'elle embarquait sur la jonque, elle l'avait cru plus petit qu'elle. Il ne l'était pas. Ce qui trompait, c'était la largeur presque excessive de ses épaules et de son torse. Il avait le ventre plat, avec des abdominaux très dessinés. Elle jugea qu'il devait peser dans les quatre-vingt-dix kilos. Ses cheveux étaient châtain sombre, ses yeux d'un bleu presque noir. Il était uniformément hâlé. *Je te parie*, pensa-t-elle, *qu'il est bronzé de partout*. Mais, dans la seconde suivante, elle se traita d'idiote d'avoir des idées pareilles. *Ça ne va pas la tête, Gagnon?* Il portait les cheveux sur les épaules, et sa barbe taillée courte dégageait ses joues. Il avait tout du pirate. Il n'y manquait même pas le grand sourire carnassier révélant des dents très blanches.

– Et pourquoi ce pêcheur-là et pas un autre? N'importe qui aurait pu nous transporter jusqu'ici.

– Je voulais mesurer votre ténacité. Vous n'auriez pas mis la main sur Hong, personne d'autre ne vous aurait embarqués, vous et Laviolette. Vous avez sollicité vingt-neuf propriétaires de bateau. C'est de la ténacité ou je ne m'y connais pas.

Ils étaient tous les deux debout sur la poupe, dans ce qui constituait comme un salon en terrasse, derrière la dunette. Un canapé-banquette épousant le bastingage, s'arrondissait autour d'une table basse en teck noir. De superbes fauteuils-paons en rotin complétaient l'ensemble. Un dais de toile blanc et vert, rayée, ménageait une certaine intimité. Trop, au goût de Zénaïde. Les feux sur les rochers avaient cessé de brûler, les projecteurs sous-marins avaient été éteints, la nuit s'était refermée sur la jonque.

Elle faillit demander à l'homme comment il connaissait leurs noms, à Laviolette et à elle. Mais ils les avaient inscrits sur leurs fiches à l'hôtel de Kuala Lumpur. Et ils s'étaient présentés à Charlie, le faux jeton qui était pourtant si sympathique.

– Comment avez-vous appris que je vous cherchais?

Ce troisième homme qui avait pris l'avion de Bangkok ce matin, Alex Decharme, avait posé beaucoup de questions. Dont quelques-unes à des hommes que lui, Gantry, connaissait bien. Et ces hommes l'avaient prévenu.

– Alors, je me suis renseigné, dit-il. J8Asdispose de quelques moyens sur ce bateau. Voulez-vous que je vous indique le nombre de buts marqués par votre ami François-Xavier Laviolette, au cours de la saison dernière, pour son équipe de hockey de Montréal?

Elle s'assit. À contrecœur, irritée, un peu déconcertée aussi. Mais elle avait parcouru dans les vingt mille kilomètres pour arriver jusqu'à cet homme. Et sa colère pouvait attendre encore un peu avant d'exploser.

– Et sur moi, que savez-vous ?

– Pas mal de choses, dit-il de sa voix nonchalante. Vos date et lieu de naissance, le nom de vos parents, celui de votre grand-père, qui vous a élevée. Je sais aussi où vous avez fait vos études, où vous avez travaillé et combien vous étiez payée. Je suis également au courant de votre record du huit cents mètres, de votre mariage avec Larry Elliott – et de votre divorce. Je n'ignore pas votre passage chez Katz, dans le service de Marty Kahn, et votre présent statut de fondée de pouvoir à la banque Kessel, à Milwaukee, quoique vous soyez pour le moment en vacances – des vacances qui pourraient d'ailleurs se prolonger. À part ça, rien d'autre. Sauf peut-être ceci.

Il prit une enveloppe sur la table de teck et en sortit des photos. Elles la représentaient successivement dans le restaurant pseudo-italien du Hilton de Kuala Lumpur, et près de la piscine, dans cet hôtel de Penang où ils avaient déjeuné, Alex et elle, pendant que Laviolette trouvait le bateau de Charlie. Le photographe espion avait même réussi à fixer le moment où l'agrafe du soutien-gorge avait sauté.

– Je dois convenir, dit Gantry particulièrement imperturbable, que ces photos ont beaucoup fait pour me convaincre qu'il fallait absolument que vous me trouvassiez.

Il s'assit à son tour, allongea ses jambes nues et déploya les orteils en éventail. Depuis un bon moment déjà, la jonque et ses haut-parleurs avait cessé de diffuser *L'Alouette*. C'était maintenant de la musique douce.

– Je peux vous appeler Zénaïde ?

– Non.

– Bien, madame Gagnon. Nous allons nous habiller pour dîner, bien sûr, mais rien ne presse. Ne vous inquiétez pas pour votre valise, elle est arrivée à bord avant vous. Et, d'ailleurs, nous avons ici de quoi habiller des dames pour le soir, quoique je me demande si nous trouverons quelque chose à votre taille. Vous êtes sûre de ne rien vouloir boire.

– Certaine.

Elle avait très soif, en fait. La traversée en pirogue lui avait desséché la gorge.

Le Fou de Bassan sourit, donna un ordre. Il le donna dans une langue inconnue, sans élever la voix, à un domestique invisible. Des rires arrivaient, d'au-delà de la dunette. Ce crétin de Laviolette avait l'air de s'amuser beaucoup, en compagnie des trois jolies femmes que Zénaïde avait aperçues en montant à bord.

– Maintenant, si vous me disiez pourquoi vous êtes ici? dit Gantry.

Un domestique portant un dolman blanc sur son sarong, apporta à boire. Des litres de jus de fruits et du Dom Pérignon rosé.

Il l'avait écoutée sans l'interrompre à aucun moment. Au début, elle avait été gênée par son regard, qui ne la quittait pas. Non que ce regard fût désagréable ou s'attardât un peu trop sur elle pour la déshabiller à distance. Quoique il y avait un peu de cela aussi. Mais, surtout, elle remarquait dans les yeux du Fou de Bassan, une intensité embarrassante. Dans ces instants-là, au contraire, elle avait le sentiment qu'il ne la voyait plus comme une femme, qu'il ne l'aurait pas considérée d'un autre œil si elle avait été un secrétaire moustachu, ou un banquier.

Elle se tut. Il reprit du champagne, lui en offrit encore, qu'elle refusa à nouveau. À la limonade au citron vert assaisonnée d'une pincée de poivre, toutefois, elle n'avait pas pu résister. Délicieux.

Silence.

– Je me souviens très bien de l'Obawita, dit-il enfin. J'ai en effet lancé la première OPA.

– Pourquoi?

– Techniquement, c'était une excellente cible. Et j'avais d'autres raisons.

– Lesquelles?

– J'aime les forêts. L'Obawita General Wood en avait un petit million d'hectares dans ses actifs. Et je pensais que ses dirigeants de l'époque étaient d'une rare stupidité. La preuve en est dans ce qui s'est passé.

– La première OPA?

– Oui, mais pas la deuxième. Je n'y suis pour rien.

– Vraiment?

– Que vous me croyiez ou non est pour le moment sans importance. J'ai lancé la première OPA puis je l'ai arrêtée.

– Pourquoi?

– Raisons personnelles.

– *Greenmail*, autrement dit, suggéra-t-elle. Ça vous a rapporté combien, de vous retirer?

– Une dizaine de millions plus mes frais. Mais ce n'était pas la raison.

– Lou Mantee affirme que vous êtes revenu à la charge, avec des prête-noms. Il dit que, si vous avez stoppé votre première attaque, c'était justement parce que vous avez craint de trop vous montrer. Et vous l'avez ensuite reprise plus discrètement.

– Je ne connais pas ce Lou Mantee. Comment explique-t-il ma soudaine passion pour la discrétion? J'ai toujours opéré à visage découvert.

– Quand on voit ce que les nouveaux dirigeants de l'Obawita font et surtout s'apprêtent à faire, on comprend pourquoi quelqu'un se prétendant écologiste, jouant les amoureux de la nature, des plantes, des arbres et des animaux au point de s'en servir pour sa publicité, pourquoi cet homme préfère acquérir une part majoritaire de l'Obawita sans apparaître. Ça nuirait à son image.

– Théorie des plus intéressantes.

Flambée de colère chez Zénaïde.

– Je suis capable de casser la gueule à bien des hommes, dit-elle.

– J'adorerais un corps à corps.

– Je ne désespère pas de convaincre Laviolette de s'y livrer à ma place.

– Lui y arriverait probablement. Vous devriez prendre une douche, ça vous détendrait.

– Et vous êtes volontaire pour me frotter le dos, c'est ça?

– Quelle curieuse idée!

Le ton de Gantry était toujours aussi indolent.

– Allez vous faire foutre! dit Zénaïde.

– Ce sera le mot de la fin. Si nous allions dîner?

Ils dînèrent sur le pont, les domestiques, hommes et femmes, dessinant les figures d'un ballet souriant autour de la table de douze couverts. Certains des assistants de Gantry étaient restés à leurs postes dans le carré des ordinateurs, mais les trois jeunes femmes, en revanche, assistaient au dîner. L'une était la secrétaire de Gantry, l'autre était ingénieur informaticienne, et la troisième se révéla une spécialiste des transmissions. Qu'elles fussent toutes les trois jolies venait en prime. Le dîner fut très gai. On n'y parla pas affaires. Il régnait dans l'équipe du Fou de Bassan une atmosphère de camaraderie. On aurait dit une bande de copains faisant une croisière. La moyenne d'âge était de vingt-sept ans – Gantry lui-même en avait vingt-neuf. On s'était habillé pour dîner. Zénaïde avait trouvé dans sa cabine huit robes longues, accompagnées d'un mot l'assurant qu'elles n'avaient jamais été portées. Son premier mouvement avait été de les flanquer à la mer. Puis, elle en avait choisi une parmi les quatre qui étaient à sa taille – à cela près que le décolleté lui descendait quasiment jusqu'aux genoux.

Vers la fin du dîner, on vint chercher Gantry. Il s'excusa et descendit. Au moment du café, il n'était toujours pas revenu. Laviolette en était à démontrer sur l'un des convives, qu'il pressait contre le mât central, comment on écrapoutit méchamment un hockeyeur ennemi le long d'une balustrade.

Zénaïde partit se coucher. Sa cabine était relativement petite mais équipée à merveille. Il s'y trouvait même une salle de bains, lambrissée de teck et de bois de santal. Elle reprit une douche, coupa la climatisation, qu'elle n'aimait guère, préférant ouvrir les espèces de sabords servant de fenêtres. La jonque bougeait peu. A part les conversations sur le pont, Laviolette racontant encore ses histoires, on n'entendait rien. La mer était calme, comme figée. Les parois de la crique, très proches, se dessinaient à peine dans la pénombre. Odeur de la mer et du santal. Elle se coucha, un peu moite, dans cet air humide et immobile. Elle lut quelques pages d'un recueil de nouvelles de Paul Bowles trouvé parmi d'autres livres. Elle avait éteint et dormait presque quand elle eut le sentiment d'une présence. Elle pensa à Laviolette.

Mais la silhouette n'était pas suffisamment haute.

— Je ne vous vois pas, dans l'obscurité, dit-il. Croyez bien que je le regrette.

Elle tira le drap sur elle et alluma la lampe de chevet. Il avait troqué sa tenue de soirée pour un sarong. Elle nota qu'il en avait changé; celui-ci était à dominante bleu-noir. Existait-il des sarongs de soirée? *Ne fais pas l'imbécile, Gagnon.*

Assez curieusement, il se tenait à peu de chose près dans la position adoptée par Larry quand il était venu la voir en pleine nuit à l'hôtel *Devon*. Il était cependant nettement plus détendu. Plus sûr de lui aussi. *Attention! Ce type n'est pas Larry. Ni aucun des hommes que tu as connus jusqu'à présent – ce qui ne fait quand même pas trois cent cinquante, tu n'es pas Lucrèce Borgia.*

— Et alors? dit-elle.

— Ne cherchez pas, il est quatre heures du matin. Et

donc quatre heures de l'après-midi, à une demi-heure près, sur la côte est des États-Unis.

– Merci d'être venu m'annoncer la nouvelle. Vous pouvez disposer. Je crois que je vais dormir encore un peu.

– Je sais qui est Lou Mantee, à présent. Je ne sais pas tout de lui, il s'en faut, mais l'image se précise.

Il bougea. À l'évidence, malgré la puissance de son torse et de ses bras, et celle des cuisses qui se dessinaient sous le sarong soyeux, il était d'une étonnante souplesse. Il avança de trois ou quatre pas dans la cabine et se trouva près d'elle. Sa main – il avait de longues mains fines, aux très longs doigts –, sa main droite apparut, tenant un cigare à demi fumé.

– La fumée vous dérange ?

– Oui.

– Dommage.

Il tira sur son cigare, très tranquille.

– La fille avec laquelle Mantee s'est rendu à cette soirée s'appelle Texie Morgan, de son vrai nom Mary-Jo Schmiller. C'est une call-girl de haut vol. Personne ne se dispute avec une call-girl, elles ne sont pas là pour ça. Surtout Texie, qui est l'une des gloires de sa profession. Et, d'après Texie, Mantee a obtenu une invitation à cette soirée en se recommandant d'un certain Wood, qui n'a jamais entendu parler de lui. Et Mantee est arrivé à New York dans l'après-midi même, quatre heures seulement avant de percuter la Porsche de votre ex-mari avec sa Jaguar. Et il est reparti de New York immédiatement après le déjeuner qu'il a eu avec vous au *Méridien*. Je peux ?

Il venait de prendre entre le pouce et l'index de sa main gauche le drap qui recouvrait Zénaïde.

– Si ça vous chante, dit-elle.

Il ne retira pas le drap.

– Quant à notre amie Texie, elle n'a appris qu'à la dernière minute qu'elle devait accompagner un certain

Mantee à cette réception chez les Sidey. Elle avait un autre rendez-vous, mais, contre dix mille dollars, elle a accepté d'y renoncer. Tout ce qu'elle avait à faire, c'était d'arriver avec Mantee, de rester quelque temps avec lui, puis de ne plus s'en occuper.

– Je suppose que vous êtes un client assidu de la belle Texie ?

– Même pas. Je l'essaierai peut-être, à mon prochain voyage à New York. Mais on m'a trouvé quelqu'un qui connaissait quelqu'un qui la connaissait.

Il commença à retirer le drap. Très lentement. Par imperceptibles saccades. Un sein pointa.

– Vous avez peut-être inventé tout cela, dit-elle.

– Dans quel but ?

– Vous débarrasser de moi.

Mais elle fixait le Fou de Bassan, qui découvrait l'autre sein.

– Je n'ai lancé qu'une OPA. La première.

– Que vous avez paraît-il arrêtée pour des raisons personnelles. Quelles raisons personnelles ?

– Je serais étonné que cela vous regarde.

Il remonta un peu le drap, faisant en sorte d'accrocher la pointe du sein gauche.

– Je serais étonnée que cette réponse me satisfasse.

– J'ai également reçu des informations sur Randolph M. Harkin III, Morris Fielding et Albert Campanella.

Elle reconnut les noms des trois hommes ayant officiellement lancé et conduit l'OPA victorieuse contre l'Obawita.

– Harkin ne saurait même pas s'acheter tout seul un hamburger sans oignons, dit Gantry. Fielding a des qualités, mais moins qu'il ne le pense. Il y a quatre ans, il a eu de gros ennuis lors d'un raid qu'il a mené de façon catastrophique, ennuis accrus par un différend avec les services fiscaux. Et puis il y a eu une assez sale affaire avec une mineure, dont il s'est tiré par miracle. Quelques jours avant le déclenchement du raid sur l'Obawita, il n'aurait sans doute pas pu réunir plus de deux ou trois millions de dollars; et, encore, à condition de vendre sa maison et ses voitures.

– Où aurait-il trouvé l'argent?

Le drap avait recommencé à glisser, tiré par petits coups secs, ce qui produisait un effet troublant. Elle était désormais nue jusqu'à la taille. *Jusqu'où vas-tu le laisser aller? Non, précise ta pensée : jusqu'où veux-tu qu'il aille?*

– Bonne question, merci de me l'avoir posée, dit-il. Nous n'avons pas encore la réponse. Mais nous finirons par l'avoir.

Le drap s'arrêta sur la trace laissée par le maillot. Dieu merci, elle n'avait pas trop rougi sous l'effet du soleil. Trois tubes de crème y étaient passés, à Kuala Lumpur, à Penang, sur le bateau de Charlie.

– Campanella, maintenant, dit Gantry, dont la main droite tenait toujours le cigare, tandis que la gauche faisait doucement bouger le drap. Monsieur Albert Campanella est d'un autre calibre. Plus intelligent que Harkin, moins marqué et surtout infiniment plus discret que Fielding. On ne m'a rien trouvé sur lui, c'est tout dire. On se pose des questions à son sujet, en ce moment même. On cherche. Et on trouvera, là aussi.

– On?

– Mes vieilles tantes dans le Maine. Elles ont un côté *Arsenic et vieilles dentelles*, mais leur curiosité est inlassable.

Il jeta son cigare. Elle s'aperçut qu'un nouveau mouvement du drap venait de dénuder un centimètre de peau blanche. Sa toison commença à apparaître sous la démarcation du bronzage.

– Reste que Harkin, Fielding et Campanella sont des hommes de paille. Opérant pour quelqu'un.

– Vous, d'après Mantee.

– On s'occupe de Mantee. On m'enverra bientôt sur lui un dossier fort complet.

– De combien de personnes vos vieilles tantes peuvent-elles s'occuper en même temps?

– Des quantités. Nous avons vérifié tous vos renseignements sur les banquiers qui ont pris part à l'opération, sur tous les avocats qui sont intervenus, sur ces fonds d'investissement et de retraite qui composaient la mezzanine.

Le drap ne bougeait plus. La toison n'était qu'à moitié découverte.

– Je continue, madame Gagnon?

– Je m'en fiche complètement, dit-elle.

– Je parlais de mes explications, bien entendu.

– J'avais compris.

Tu dis n'importe quoi, Gagnon.

– Et le jardinier de mes vieilles tantes, qui a autrefois été garçon de bureau dans une banque, est en train d'étudier de près le montage de cette OPA que je n'ai pas lancée. S'il y a quoi que ce soit de bizarre, il me le dira. Si vous nous faites le plaisir et l'honneur de rester quelque temps avec nous, nous devrions avoir quelques réponses dans les heures ou les jours qui viennent. Oui ou non?

– Non.

– Je ne parlais pas de votre séjour parmi nous, bien entendu. Ni de mes explications.

– J'avais compris.

– Vraiment non?

– Oui.

Il acheva d'enlever le drap, cette fois d'un seul mouvement. Il regardait. Dix, vingt secondes au moins. Il se détourna et partit vers la porte.

– Le petit déjeuner est à n'importe quelle heure et n'importe où. Tout le bateau est à vous, allez où vous voulez. Si vous avez besoin de quoi que ce soit, demandez-le. Un hélicoptère est à votre disposition, pour des courses éventuelles. Bonne nuit.

– Bonne nuit.

La porte se referma sur lui. *Juste une question, Zénaïde, juste une : pourquoi lui as-tu dit non?*

Elle descendit l'échelle de coupée recouverte d'un tapis de grosse corde. Elle tenait sa tasse de café à la main. Il était neuf heures. Elle contempla l'eau, immobile et transparente. Elle s'assit, immergeant ses jambes jusqu'à mi-mollet.

– Bien dormi?

L'un des assistants de Gantry l'interpellait, accoudé à la balustrade. Elle rechercha son nom : Pat Quelque-chose. Il avait l'air d'avoir vingt ans, avec ses joues roses et ses jolis yeux bleus.

– Je peux me baigner?

– Nous le faisons tous.

– Pas de requins?

Rien de plus de quatre mètres, dit-il en riant. Zénaïde suivit son regard et découvrit un homme en sarong, perché trente mètres plus haut, armé d'un fusil à lunettes.

– Pas tellement pour les requins. Il n'y a guère que des requineaux inoffensifs. Ces hommes sont là seulement par précaution. Et, surtout, Gannie n'a trouvé que ce moyen de les faire travailler.

Ces hommes? Le regard de Zénaïde suivit les crêtes et vit trois autres gardes. Et *Gantry the Gannet* était, pour toute l'équipe, Gannie. Elle déposa sa tasse et se laissa glisser dans l'eau, crevant de frousse mais bien décidée à ne pas montrer sa peur. Elle pensait avoir pied, mais non. Elle dut nager. Sur vingt mètres. Elle sentit du sable sous ses mains, puis sous ses pieds. Le fond de la mer avait remonté sans prévenir, elle n'avait de l'eau que jusqu'aux genoux. Pourtant, elle avait le sentiment d'avoir traversé d'une traite le lac Ontario, d'est en ouest, en suivant la pointillé de la frontière américano-canadienne. Tu parles d'une héroïne. Elle se tourna vers Pat Machin, toujours accoudé à son bastingage.

– Où est monsieur Gantry?

Il dormait. Il avait travaillé très tard, la nuit précédente. J'en sais quelque chose, pensa Zénaïde, qui, de nouveau, éprouva le goût amer du regret. Elle marcha sur le sable, atteignit une assez large anfractuosité dans la paroi rocheuse. De l'eau s'y engouffrait allant à la mer. Elle jeta un regard derrière elle. Pat Machintruc lui faisait signe de poursuivre. Elle s'engagea dans ce qui se révéla être une longue faille, pataugeant dans une eau plus fraîche, une sorte de ruisseau. Une cinquantaine de mètres plus loin, la faille s'élargit d'un coup tandis que le ruisseau se faisait cascade. Elle escalada un rocher, puis un autre, retrouva avec jouissance les sensations des escalades et des marches en montagne. Elle déboucha finalement hors d'haleine, sur un petit plateau qui arrosait une autre cascade. L'eau tombait de soixante mètres et s'accumulait dans une vasque à peu près ovale, dont le fond de pierre rappelait une piscine. Il y avait des arbres. L'endroit était désert. Elle se trempa une première fois, bien plus rassurée qu'elle ne l'avait été dans la mer vingt minutes plus tôt, puis s'allongea sur un rocher plat, ôtant son soutien-gorge, qui la gênait. Elle avait faim mais pas au point de se relever et de regagner la jonque.

Il ne ment pas, ce n'est pas possible qu'il mente. Et tu le crois non pas parce que tu as envie de... Bon, passons. Tu le crois parce que c'est logique.

En dernière analyse, au fond, elle n'était pas si convaincue que ce fût si logique que cela. Gantry faisait faire une enquête. Du moins il disait qu'il faisait faire une enquête.

Non. Tu le crois, un point c'est tout.

Elle se retrempa et s'allongea à nouveau sur le ventre, ce coup-ci se débarrassant de sa culotte. Elle s'assoupit un peu. Mais elle l'entendit venir. Elle eut le temps de se plonger dans l'eau.

– Vous grimpez comme un cabri. Les filles n'ont jamais réussi à venir jusqu'ici. Il est vrai que je ne leur en ai guère laissé le temps.

Gantry tenait un panier assez lourd recouvert d'une serviette de table à carreaux verts et blancs. Il enroula la corde dont il avait dû se servir dans l'escalade, pour le hisser. Il le déposa, non sur le rocher où elle avait laissé son maillot, mais un peu plus loin. Il s'assit. À peine l'avait-il regardée. Il portait encore un sarong. Elle nota que son visage semblait un peu creusé.

– Pat aurait dû vous prévenir. Cette dalle où vous vous êtes installée n'est pas le meilleur endroit.

– Je ne savais pas qu'il fallait réserver ses places, dit Zénaïde.

– Regardez.

Il venait de ramasser une sorte de longue badine en bambou qui paraissait se trouver là par hasard. Se relevant, il marcha jusqu'à la dalle et, à moins de deux mètres de l'endroit où elle avait somnolé, fourragea dans un creux, s'écarta. Dix secondes plus tard, un serpent puis un autre pointèrent la tête en sifflant.

– Cobras, dit Gantry. Ils doivent être quatorze ou quinze, à vivre là. Depuis cinq ans que nous venons ici, nous avons conclu un pacte de non-agression. Nous les laissons tranquilles et ils nous fichent la paix.

– Pat aurait dû me prévenir, en effet.

– Vous n'avez pas très peur des serpents, n'est-ce pas?

– Non. Non, pas vraiment.

– Vous ne risquiez à peu près rien, de toute façon. Regardez encore.

Il ramassa cette fois une pierre ronde grosse comme une noix, alla la placer à quelques mètres de là, s'écarta à nouveau, fit signe de la main. Le coup de feu éclata et le bruit sourd de la détonation retentit sur les parois des falaises. La pierre avait explosé. Zénaïde chercha le tireur mais ne vit rien. *Et je me vautrais toute nue sous l'œil de trente-six gardes. Bravo, Gagnon! Quelle cruche!* pensa-t-elle. Son regard revint à Gantry. Qui s'était accroupi, à la façon des Asiatiques, les pieds bien à plat, les avant-bras posés sur les genoux, les mains pendant mollement. Il ne souriait pas, pensif, l'esprit déjà ailleurs. Elle jugea qu'il n'avait sans doute pas dormi de toute la nuit. Et s'étonna du très curieux sentiment de tendresse qu'elle éprouvait d'un coup.

– Vous n'avez pas peur de grand-chose, madame Gagnon. Je me trompe?

– Zénaïde.

– Sauf de la mer, dit-il. On m'a assuré que vous nagiez comme une enclume.

– Ce n'est pas la mer, ici.

Il a quelque chose d'important à te dire. Ses vieilles tantes du Maine lui auront appris quelque chose.

– Zénaïde, l'idée vous est venue qu'il pouvait y avoir un rapport entre ce qui vous est arrivé à Milwaukee et l'OPA sur l'Obawita?

Elle cessa de nageoter et se rapprocha du bord.

– Il y en a un?

– On vous a suivis jusqu'en Malaisie, Decharme, Laviolette et vous. Des hommes, des Chinois, qui ont embarqué à Hong-kong. Et qui, sans doute, prenaient le relais d'une autre équipe venue comme vous de New York. Et, à Phuket même, quelqu'un était derrière vous, tandis que quelqu'un d'autre décidait de s'attacher à Alex Decharme.

– Il va bien?

– Il est rentré à Montréal sans encombre. Mais il est sous surveillance.

– Il le sait?

– Non. Gantry hocha la tête, toujours sans regarder Zénaïde, avec la même expression pensive dans ses prunelles.

– Oui aux deux questions suivantes, ajouta-t-il.

Elle s'apprêtait en effet à lui demander, un : s'il était vraiment sûr de ces informations, et deux : s'il pensait qu'Alex courait un danger.

Il lisait dans les pensées ou quoi ?

– Je ne lis pas dans les pensées, dit Gantry d'un ton très tranquille. Mais, à votre place, moi aussi, je me serais posé ces deux questions. Bien entendu, je peux me tromper. Il est possible, par exemple, que l'un de vous trois ait des ennemis personnels. À votre connaissance, il y a quelque chose dans la vie de Decharme qui expliquerait qu'on le fasse suivre ?

– Non.

– Il fait de la politique ? Il travaille ou a travaillé pour des services secrets ?

– C'est ridicule.

Nouveau hochement de tête. À part cela, le Fou de Bassan gardait une immobilité dont peu d'hommes devaient être capables dans une position apparemment si peu confortable.

– J'écarte simplement d'autres explications. Je connais de nom Larry Elliott, votre ex-mari. Je ne l'ai jamais rencontré mais je sais qu'il est remarquable dans son domaine.

– Larry n'a certainement pas engagé une cohorte de détectives pour savoir où je vais et ce que j'y fais. C'est encore plus grotesque que votre idée d'un Alex espion traqué par le KGB ou la CIA.

– Autre explication à écarter, donc. Et, à propos, êtes-vous libre ?

J'ai l'impression d'être un taxi.

– Oui, dit-elle.

– Je le suis également, dit calmement Gantry.

Il tourna enfin la tête et leurs regards se croisèrent, pour la première fois depuis qu'il était arrivé. *Oh ! mon Dieu, Zénaïde ! C'est en train de t'arriver. Et ce n'est en rien comparable à ce que tu avais éprouvé pour Larry.*

— Reste Laviolette. Mais je doute que son équipe de hockey le fasse suivre à seule fin de l'empêcher de signer un contrat avec un club de badminton malais. Il a passé la nuit avec mon informaticienne, soit dit en passant. Cette pauvre Lee en était tout hébétée, ce matin. Ce qui ne m'arrange pas trop. Nous n'en avons peut-être pas l'air mais mon équipe et moi sommes en loge. Cet endroit est l'un de nos ateliers de travail. Il favorise la concentration de chacun. À commencer par moi. Nous avons en cours une opération un peu délicate. Qui n'a évidemment rien à voir avec... votre affaire.

— Désolée de mon intrusion.

— Ne le soyez pas, dit-il sans sourire et la fixant toujours. Je suis très profondément heureux que vous vous trouviez ici. Quelle que soit la raison de votre venue. D'ailleurs, j'ai pris des dispositions. Les gens que j'avais mis au repos vont nous rejoindre. Je vais constituer deux équipes. De la même façon que j'ai fait monter en ligne d'autres de mes vieilles tantes. Est-il dans vos habitudes de vous mettre nue à tout propos ?

— Non. J'aurais dû penser à vos gardes. Ce n'est pas du tout dans mes habitudes.

— Je préfère.

Ils se regardaient toujours dans les yeux. Et il y avait de la gravité dans ceux du Fou de Bassan. Qui, enfin, se leva. De son bras dressé, index pointé vers le ciel, il décrivit deux petits cercles lents.

— Je demande à mes gardes de se retirer. Pour les cobras, nous nous en arrangerons. Inquiète ?

— Non.

Il sourit.

— Je ne parlais pas des cobras.

— Moi non plus.

— Le panier contient de quoi faire un pique-nique. J'ai

pas mal travaillé, ces dernières semaines. Je m'accorde deux heures de vacances.

Monsieur préfère. Monsieur souhaiterait être le seul à se rincer l'œil sur mon anatomie. Gagnon, n'importe quel autre homme te dirait ça dans le meilleur des cas tu éclaterais de rire.

Ça t'est arrivé, et il n'y a pas grand-chose à dire.

Elle avait pied, maintenant, ses orteils touchaient la courbe du bassin naturel, de ses doigts elle maintenait son équilibre. Gantry à trois mètres d'elle. Gantry qui défit son sarong et se tint nu un instant. Avant de plonger. Il disparut sous l'eau, y nagea par quatre mètres de fond, filant très vite, mais interminablement, deux, trois minutes.

Il ressortit enfin, juste derrière elle. Elle se sentit effleurée, ne bougea pas. L'eau autour d'eux redevint lisse.

– Il m'arrive quelque chose que je n'avais pas prévu, dit-il.

– Je le crois volontiers.

– C'est bizarre que l'on reconnaisse ce genre de chose alors même qu'on ne l'a jamais éprouvée jusque-là. Avec cette intensité du moins.

– Très bizarre.

Elle haletait doucement et n'y pouvait rien. N'avait pas envie d'ailleurs, d'y pouvoir quoi que ce fût.

– Vous êtes venue à moi avec toutes vos armes. Dans le seul but de me faire rejoindre votre camp.

– Ça reste mon but.

– Il est atteint.

Elle le savait. Sauf qu'elle n'avait vraiment pas Missikami en tête, pour l'instant. Elle se laissa aller de quelques centimètres en arrière, contre lui. Les mains de Gantry l'entourèrent. Il demanda :

– La même intensité ?

Les hommes ont toujours besoin de poser ce genre de questions. Même lui. Les choses sont pourtant claires.

– Oui.

Elle se retourna et chercha sa bouche avec avidité.

Le téléphone portable retiré du panier sonna pour la deuxième fois. Gantry s'annonça, écouta la voix qui lui parlait d'un certain Basinger, lequel s'enquérait d'un correspondant à Manille et du plafond éventuel de la mise.

– Qu'il prenne contact avec Hara. Et pas de plafond, répondit Gantry. Et ne m'appelez plus. Je serai de retour sur la jonque dans quarante-cinq minutes.

Il reposa l'appareil. La tête de Zénaïde était posée sur son ventre. Les mains de Zénaïde couraient.

– On t'a envoyée ici, Zénaïde. Quelqu'un a pris grand soin de t'aiguiller sur moi. Sachant très bien que, tôt ou tard, tu découvrirais la vérité. On se calme, Gagnon. Je parle sérieusement.

– L'un n'empêche pas l'autre.

– Ce quelqu'un avait quelque chose en tête. Non, pas ça, s'il te plaît ! Ce n'est pas sportif ! Non !

Elle éclata de rire, enchantée. Finit par aller faire à nouveau trempette.

– Et, encore, je n'ai pas dormi, dit-il.

Il remit son sarong pour plus de sûreté et demanda :

– On peut parler, maintenant ?

– On peut.

Elle s'assit en tailleur, achevant une mangue entamée dix minutes plus tôt. D'accord, dit-elle, elle était parvenue à la même conclusion : ce quelqu'un dont il parlait avait tout fait pour les réunir, Gantry et elle. Premier point. Elle voulait bien admettre qu'on les avait suivis tout du long, Alex, Laviolette et elle, depuis New York. Bon, elle l'admettait. Et elle acceptait également l'idée que c'était à elle qu'on en voulait parce qu'à Milwaukee elle était tombée par une série de hasards (le fait que Morales eût été reconnu par une employée de la banque

Kessel), le fait qu'elle-même ce matin-là, l'eût rencontré dans deux banques où il effectuait des dépôts, sur une opération de blanchiment d'argent. À rapprocher sans doute des irrégularités qu'elle avait constatées à la banque Kessel.

– D'accord mais je ne vois pas le lien entre cette affaire et l'affaire de l'Obawita.

– Tu es le lien, dit Gantry. Il n'y a pas d'autre explication.

Sauf si les recherches qu'il faisait faire établissaient une relation entre la banque Kessel et l'OPA sur l'Obawita. Il en doutait. Les premières études sur le montage de cette OPA démontraient qu'elle avait été conçue par des professionnels de haut niveau. Tels qu'il n'en existait pas cent sur tout le territoire nord-américain. Et encore. Il n'y avait pas tant de vrais spécialistes. En fait, la qualité même du montage trahissait ses auteurs.

– D'après mes vieilles tantes, ils ne sont pas cent, mais au plus une quinzaine à être capables d'une telle finition.

Ce qui voulait dire – il fallait d'ores et déjà en accepter l'idée – qu'il ne serait probablement pas possible de remonter jusqu'aux vrais auteurs de l'OPA. Ceux qui se tenaient derrière Harkin, Fielding et Campanella. Dont, toutefois, on pouvait, en quelque sorte, dessiner un portrait-robot :

– Des hommes ayant d'énormes moyens, très soucieux de leur anonymat.

– Introuvables.

– C'est le secret même dont ils s'entourent qui les révèle. Aucun financier ordinaire n'aurait eu besoin de se cacher pour une OPA en somme ordinaire. Ce ne sont donc pas des financiers ordinaires.

– La Mafia.

– C'est la première possibilité. Mais une de mes vieilles tantes du Maine chasse les investisseurs mafieux depuis vingt-cinq ans. C'est une experte. Et elle a un copain de collège au FBI. Aucune des neuf banques qui ont accordé les prêts, aucun des fonds de retraite et aucun des fonds d'investissement de la mezzanine n'a de lien connu avec la Mafia. Et puis, le style n'est pas le même.

– Des groupes étrangers. Des Japonais, des Arabes. Ou des Russes.

– Deuxième possibilité. Je vois que tu y as pensé aussi. Sauf que ni les Japonais, ni les Arabes, ni les Russes n'auraient besoin de blanchir de l'argent. À Milwaukee ou ailleurs.

– Si les deux affaires sont liées.

– Elles le sont. On parie?

Elle le fixa. Il rit.

– Pari tenu, dit-il. J'ai une préférence pour la troisième possibilité.

Les *pedrodollars*. L'argent de la cocaïne. Oui, il se doutait bien qu'elle avait eu la même idée, qui, bien sûr, n'expliquait pas.

Ils durent cesser toute conversation. Un hélicoptère les survolait. Zénaïde pensa qu'il s'agissait de l'appareil « *pour faire les courses* ». Gantry fit non de la tête.

– Ce n'est pas l'un des miens.

Le téléphone grésilla, dans le silence revenu. Une voix demanda : « *On contrôle?* ». « *Oui. En priorité* », répondit Gantry. Qui enchaîna comme si de rien n'était :

– Cela n'explique pas pourquoi Mantee a pris la peine de te contacter, par le truchement de Larry Elliott, uniquement pour te lancer à ma recherche.

Il se leva, replia la natte faite de grands carreaux de latanier, et ce qui restait de leur pique-nique.

– Il vaudrait mieux rentrer, Zénaïde.

– L'hélicoptère?

L'hélicoptère et tout le reste. Elle l'aida à remplir le panier.

– Pourquoi des gardes, Gantry, si tu n'es qu'un financier ordinaire?

– Ce sont des Ibans de Bornéo. On les appelle aussi *Dayaks de la mer.*

Ils se mirent en marche, Gantry portant le panier, vers la première cascade si difficilement franchie, à l'aller, par Zénaïde.

– Tu n'as pas répondu à ma question, Gantry.

– C'est tout simplement l'équipage de la jonque. La plupart d'entre eux naviguent avec moi depuis des années.

– Pourquoi des gardes?

– Parce qu'on t'a suivie jusqu'ici.

Il était en train de faire descendre le panier sur les trente mètres de dénivelé, au bout de la corde. Il fixa celle-ci, pour assurer leur propre descente.

– Mantee m'aurait envoyée à toi pour m'exécuter plus facilement? Ça me paraît plutôt imbécile, comme plan. À moins... L'idée venait de lui venir. C'est peut-être à toi qu'on en veut?

– Peut-être. Descends.

– Je n'ai pas besoin de corde.

– Alors, saute.

Elle ne sauta pas, mais, désireuse de montrer son adresse, dégringola littéralement, risquant par deux fois de se casser la figure sur les rochers glissants.

– C'est malin.

Il venait de la rejoindre. Il allongea le bras, lui caressa la joue de la main. Dans la seconde, elle était dans ses bras. Mais elle s'écarta la première.

– On va chercher à nous tuer, Gantry?

– C'est possible.

Ils pataugèrent dans l'eau du ruisseau qui se jetait dans la mer.

Alex.

– Alex Decharme en sait pratiquement autant que

moi, dit-elle. Et lui est à Montréal, pas à bord d'une jonque gardée par des Dayaks de la mer.

– On peut peut-être faire quelque chose.

– Tes vieilles tantes du Maine.

– Voilà.

Un Dayak surgit, puis un autre. En dehors de leur sarong, ils étaient nus. Ils portaient sur le torse, les épaules et les bras de superbes tatouages.

– D'où m'as-tu dit qu'ils venaient ?

– De Bornéo. Du Sarawak.

– Ils comprennent ce que nous disons ?

– Non. Randa, le plus âgé des deux, a coupé une bonne douzaine de têtes.

– J'espère que tu plaisantes.

– Bien entendu.

On vint les chercher de la jonque, en canot pneumatique.

On était le 4 janvier, à midi et demi.

Vers minuit, le mardi 3, MacArthur mit un terme à sa réunion de travail avec ses assistants et regagna sa cabine, toujours à bord du *Sea Wolf*. Il n'emporta qu'un dossier, qui exigeait une décision urgente, et qu'il n'avait pas eu le temps d'étudier jusque-là. Il avait quatre à cinq bonnes heures de sommeil devant lui. Le lendemain à l'aube, l'hydravion allait revenir le prendre, et commencerait le fatigant voyage vers la Colombie.

Il sourit : un plaisantin avait affiché, juste au-dessus de sa couchette, le texte de la déclaration de Bâle par laquelle la plupart des grands pays occidentaux et le Japon affirmaient leur volonté de « *coordonner* [leurs] *initiatives pour empêcher que le système bancaire international soit entraîné dans le recyclage de l'argent sale* ».

« *Entraînés* ». Le mot était réjouissant. « *À partir d'aujourd'hui, ont décidé les participants au sommet*

186

des Sept, nous allons prendre des mesures pour que la Terre ne soit pas entraînée dans une rotation autour du Soleil. »

Il se coucha avec son dossier, qui concernait les bons du Trésor italien. MacArthur y avait consacré dix-huit milliards de dollars durant les quatre années précédentes. Dix-huit milliards cent onze millions trois cent mille, si sa mémoire était bonne. Elle l'était sûrement. Durant les douze derniers mois, cependant, il avait ralenti les achats de façon sensible. Puis il les avait interrompus, en mars dernier. Mancini, à Milan, lui avait signalé de mystérieuses transactions sur ces mêmes bons, sans pouvoir en identifier les instigateurs. MacArthur n'avait pas hésité, il n'avait pas besoin de preuves. C'était un coup de la Mafia. La concurrence, en d'autres termes. Il prit sa décision : désengagement total. Dommage ! À sept pour cent d'intérêt et avec la garantie pour l'acheteur d'un anonymat absolu, ces bons constituaient une satisfaisante solution d'attente.

Je trouverai autre chose.

Il allait éteindre quand le téléphone sonna. Bet Sussman était en ligne.

— La décision est prise. On commence la chasse à l'oiseau et à la tourterelle.

En clair : Laudegger avait réussi à obtenir l'accord de Milan pour l'élimination du Fou de Bassan et de la Canadienne. Qui devaient donc être ensemble, maintenant.

— Raison invoquée ? demanda MacArthur.

— L'oiseau fourre son bec partout.

Le Fou de Bassan avait ouvert une enquête sur l'Obawita.

— Merci et bonne nuit.

— Bonne nuit à vous.

MacArthur éteignit et vida ce qui restait de scotch dans son verre.

Tout allait comme prévu. Pendant quelques secondes,

il se demanda s'il n'avait pas surestimé Gantry. Et si les commandos de Milán n'auraient pas le dessus. *Je ne sais même pas où se trouve cet aimable cinglé. S'il est quelque part dans une ville, en Europe, en Asie ou en Amérique, ses chances sont nulles.*

Mais un peu supérieures à zéro, quand même, s'il déambule sur sa jonque.

Bon, c'était un risque à prendre. Risque pour le Fou de Bassan, pas pour moi.

On verrait bien.

Les informations concernant l'hélicoptère qu'ils avaient aperçu vers midi arrivèrent peu avant quinze heures. L'appareil avait été loué à Bangkok. Il appartenait à une société de production cinématographique ayant son siège à Hong-kong et cette société vivait pour l'essentiel en prêtant ses services à des compagnies américaines qui tournaient des films sur la guerre du Viêt-nam. La société de location paraissait sans histoires. Les clients (trois hommes dont un pilote dûment muni d'une licence) étaient plus intéressants. L'un d'eux, Giustiniari, était un Corse qui dirigeait une affaire d'import-export à Singapour mais qui avait autrefois fait trois ans de prison à Phnom Penh pour trafic de drogue. L'homme passait pour un tueur. Quant à ses compagnons, on pensait en avoir identifié un. Il s'agissait d'un Chinois de Singapour, un certain How Chee Sak, qui avait dû quitter Hong-kong deux ans plus tôt après avoir été impliqué dans un véritable massacre à Kowloon. Le troisième, le pilote, était probablement un Américain; on ne connaissait que le nom figurant sur son passeport : George Stevens. Il avait débarqué le matin même à Bangkok en provenance de San Francisco, trois heures seulement avant le décollage de l'hélicoptère.

– Ça te suffit, Zénaïde ?

– Oui. Et pour Alex ?

– Je ne suis qu'un financier ordinaire. Je n'ai pas l'habitude de faire ce genre de choses.

– Tu me sembles t'en tirer très bien, jusqu'à présent. Tu peux faire quelque chose pour Alex et sa famille?

Gantry sourit :

– Si nous nous trompons, si ces hommes n'ont pas la moindre intention de nous tuer, nous allons avoir l'air malin. Ton Alex sera fou de rage.

Elle réfléchit quelques secondes encore puis dit qu'elle en prenait le risque.

Sur les indications que Zénaïde lui donna, il demanda à l'une des vieilles tantes de faire le nécessaire à Montréal. Dans l'intervalle, les informations continuaient à arriver.

Peu après quatre heures de l'après-midi, on apprit qu'un yacht avait quitté Georgetown, dans l'île de Penang, tandis qu'un autre partait de Singapour. Ce qui avait frappé les capitaines des ports, dans les deux cas, était l'absence de toute femme à bord de ces bateaux de croisière. En revanche, les hommes y étaient anormalement nombreux, et tous fraîchement débarqués de divers avions. Ils prétendaient participer à un séminaire mais n'avaient pas la tête de l'emploi.

La jonque leva l'ancre à six heures, trente à quarante minutes avant la tombée de la nuit. Pour le cas où elle aurait été observée depuis la terre, elle fit d'abord route vers Phuket, à petite vitesse.

La nuit vint très vite, avec soudaineté, comme toujours sous ces latitudes. Tous les feux, allumés quelques minutes plus tôt, furent éteints. On mit le cap plein ouest, vers l'archipel des Nicobar, à travers la mer d'Andaman. Le radar seul pouvait prévenir une collision.

Vers huit heures, on entendit le bruit lointain d'un hélicoptère, mais l'appareil passa trop au large pour qu'on eût à s'inquiéter d'avoir été repéré.

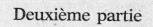

Deuxième partie

1

– Ne criez pas, ne tentez rien.

Alex Decharme stoppa net le mouvement qu'il avait amorcé pour se redresser dans son lit. Ce qui était appuyé contre sa tempe, c'était le canon d'une arme. Pendant quelques secondes, encore engourdi de sommeil, il se crut revenu au Liban, à Beyrouth, où, comme les autres correspondants, il avait connu la hantise de l'enlèvement. Mais il était à Montréal, dans sa maison de la montée de l'Anse. L'homme qui le menaçait de son revolver n'était pas seul; il y en avait deux autres.

– Vous ne courez aucun danger, monsieur Decharme. Ni vous, ni votre femme, ni vos enfants. Nous vous demandons seulement d'être calme.

Béatrice, à sa droite, s'éveillait à son tour. Soudain, elle réagit.

– Les enfants!

Déjà elle s'était jetée hors du lit. L'un des hommes la saisit par les bras, dut la bâillonner de sa paume.

– Zénaïde Gagnon, monsieur Decharme. Nous venons de sa part. Priez madame Decharme de ne pas s'agiter.

– Béa, attends, dit Alex.

Lui-même luttait contre cette stupeur où vous plongent les réveils brutaux. Il demanda :

– Je peux allumer?

Oui. S'il le faisait sans mouvement brusque. Il alluma la lampe de chevet. Trois hommes dans la chambre, qu'il n'avait jamais vus. Un seul était armé. Et quelque chose arriva, qui avait de quoi surprendre : cet homme, qui tenait un pistolet, un Colt 1911 A 1, le fit sauter dans sa paume et le tendit à Alex, crosse en avant.

– Pour vous rassurer tout à fait. Prenez-le. Il est chargé; attention!

Decharme prit l'arme, un peu machinalement. Il acquiesça quand il lui fut demandé s'il était tout à fait éveillé.

– Maintenant, lisez.

Une feuille de papier. Une bande, plutôt, visiblement découpée du rouleau d'un téléscripteur, les caractères du texte en capitales : *ALEX – DE CROCODILE 2 À CROCODILE 1 SUR BAOBAB – PATEZ AVEC EUX – TRÈS URGENT.*

– Cela vous dit quelque chose, monsieur Decharme?

Le souvenir lui revint d'une très jeune Zénaïde, à qui il apprenait à nager dans le lac de Missikami; il était Crocodile 1, la fillette était Crocodile 2; et le « baobab » était un grand arbre, dont les branches basses servaient de plongeoir.

– Oui.

Il faillit préciser que *partez* s'écrivait avec un r.

– Vous nous emmenez?

– Oui. On nous a demandé de vous emmener de force au besoin. Nous le pouvons. Et, à propos, s'il est bel et bien chargé, ce pistolet que vous tenez ne marche pas. Il est enrayé depuis plus de vingt ans. Défaut d'alimentation, comme souvent sur ce modèle. Vous allez nous obliger à employer la force?

– Et les enfants?

– Vous partez avec vos enfants.

– Et le chien?

– Le chien aussi sera du voyage.

L'expert en pistolets souriait, rassurant. Il n'avait

vraiment pas une tête de tueur professionnel. Il donnait l'impression d'être sorti de son lit depuis peu, lui aussi. Sous la grosse écharpe de laine enroulée autour de son cou, Alex aperçut le haut d'un pyjama. Il dit qu'il s'appelait Waiters, Roger Waiters. Son français était correct mais teinté d'accent. Ses deux compagnons, et un troisième qui apparut sur ces entrefaites, étaient d'une stature imposante. Alex évalua ses chances de résister et les jugea inexistantes.

– Et nous irions où?

Béatrice Decharme réveilla elle-même les trois enfants, dont l'aîné avait douze ans. Waiters dit que des bagages n'étaient pas utiles mais que l'on pouvait emporter tout objet familier. L'ours en peluche? Pourquoi pas?

– Cher monsieur Decharme, dit-il également, je vous ai dit que ce Colt ne fonctionnait pas. Il ne sert donc à rien de me le coller sur la nuque. D'ailleurs, appuyez sur la détente. Si, si. J'insiste. Vous voyez? Nous perdons du temps; c'est tout.

À quatre heures passées, onze minutes après l'irruption de Waiters et de ses hommes – ils étaient finalement six, en tout –, la famille Decharme au grand complet monta dans un minibus. Le chien de garde, Grandgousier, avait été le plus difficile à réveiller. À treize ans, ce berger des Pyrénées avait le sommeil profond. Le minibus traversa Pierrefonds puis s'engagea sur l'autoroute Chomedey.

– J'ai des excuses à vous présenter, dit Waiters. J'espère que ça n'a pas été trop désagréable. Nous ne sommes pas des kidnappeurs très expérimentés. Personnellement, je suis avocat. Tout comme Harry et Craig, ici présents, qui sont mes associés. Tibbets est un détective privé auquel notre cabinet fait parfois appel. Arnaud, qui est au volant, est le veilleur de nuit de notre immeuble. Quant à Lafleur, le hasard a voulu qu'il se trouvât dans nos bureaux cette nuit – il est chauffagiste.

J'ai levé mon armée en mobilisant tous ceux que j'ai pu joindre.

Oui, bien sûr; son client était Jonathan Gantry. Avec qui mademoiselle Zénaïde se trouvait, quelque part en Asie du Sud-Est. Non; Waiters ignorait la destination des Decharme. Ses ordres étaient seulement de conduire ceux-ci à l'avion.

L'avion était un Falcon 50 aménagé luxueusement, avec un équipage au complet. Il était en attente, moteurs en marche, sur l'aire de stationnement des avions d'affaires. Les enfants y montèrent et Alex Decharme les suivit. Waiters secoua la tête.

– Nous ne venons pas avec vous. Je vous l'ai dit : j'ignore votre destination – et je ne veux d'ailleurs pas la connaître. En ce qui nous concerne, nous retournons nous coucher. Bon voyage.

La passerelle fut relevée. L'appareil se mit aussitôt à rouler, pour décoller deux minutes plus tard. Un steward et une hôtesse s'empressèrent d'installer les Decharme. Il n'y avait aucune autre surveillance. Le steward dit que lui-même et le reste de l'équipage avaient été alertés il n'y avait pas trois heures. Sans cela, ils auraient eu le temps de préparer des couchettes supplémentaires. Le radio interrompit ces explications.

– Pour vous, monsieur Decharme.

– Alex?

La voix de Zénaïde semblait très proche, malgré de petits crachotements.

– Je ne pourrai pas parler longtemps, Alex. Nous sommes en silence radio. Ne m'en veuillez pas trop. Nous avons des raisons de croire que votre vie à tous était menacée. Comme la nôtre. Nous reprendrons contact très vite.

Communication coupée. Decharme n'avait pas eu le temps de prononcer un mot. Sous l'appareil, les lumières de Montréal s'éloignaient. Alex identifia la pointe aux

Trembles et l'île Sainte-Thérèse. Et Varennes, probablement. Le Falcon volait vers l'est. Les pilotes souriaient.

– Où allons-nous?

– Nous avons un plan de vol pour l'île Saint-Martin, dans les Antilles. Mais, en réalité, nous allons en Irlande.

L'autonomie du Falcon était de six mille cinq cents kilomètres. On pouvait faire le tour du monde avec un tel avion. Après l'Irlande, ils ne savaient pas, non, dirent les pilotes. Cela dépendrait des ordres de monsieur Gantry.

Ils sourirent de plus belle : le Fou de Bassan, tout juste.

Dix ans plus tôt. James Doret MacArthur vient d'achever son cours. Ses étudiants sortent. Lui-même rassemble ses notes – dont il n'a pas réellement besoin, il les dispose sur son bureau pour donner l'impression qu'il ne fait pas appel qu'à sa mémoire. Il a le sentiment d'une présence. Il relève les yeux et découvre un jeune homme en jeans, blouson de cuir et col roulé. Il est nonchalamment accoté au chambranle de la porte, les mains dans les poches de son blouson.

– Je m'appelle Gantry. Jonathan Gantry. Puis-je vous parler?

– C'est ce que vous êtes en train de faire.

Sourire. Un superbe sourire. Des dents très blanches et puissantes, sous la moustache. Le garçon porte également une barbe courte, qui n'a pas encore dix jours.

– Je voudrais acquérir quelques rudiments d'économie, de finance, de droit des affaires.

– Vous êtes étudiant?

– Oui. Mais pas dans ces matières.

– Inscrivez-vous dans ces matières.

– Je n'y aurais jamais pensé tout seul, dit le jeune homme en riant... Mais deux choses m'en empêchent.

D'abord, entre mes études et mon travail, il me reste très peu de temps libre. Et puis, surtout – c'est la raison essentielle –, je ne veux vraiment que quelques notions élémentaires. De quoi gagner un ou deux millions de dollars en vitesse.

– Pas plus? demande MacArthur, sarcastique.

– On ne peut pas savoir à l'avance. J'ai besoin d'un bateau. J'ai fait à peu près tous les ports, de Colombo à Sydney en passant par Hong-kong, mais je n'ai rien trouvé qui me convînt. Je crois que le mieux serait d'en faire construire un.

C'est un fou, pense MacArthur, mais au moins il est drôle.

– Pour quoi faire, un bateau?

– Biologie marine. Entre autres choses. Je fais des études de biologie. Entre autres choses.

– Quelles autres choses?

De la chimie, de la géographie. Mais il ne compte pas aller au-delà de la simple licence, dans ces domaines. Une licence, ça suffit. Pour la médecine, il aurait été assez tenté mais c'est décidément trop long. Et puis, il est difficile de faire deux années en une, en médecine. Les profs s'y opposent. Tant pis. Il se contentera d'un ou deux doctorats dans ses matières préférées.

Un illuminé complet. Mais apparemment inoffensif. Et c'est tant mieux; le garçon a une carrure d'haltérophile et est sans doute capable de soulever MacArthur et de le jeter par la fenêtre.

– Je me suis renseigné, dit le dénommé Gantry. Tous les renseignements que j'ai pris vous désignent comme le meilleur professeur possible. Et vous êtes à New York, sur place. C'est une chance. Je ne me voyais pas aller à Harvard. Je vous écoutais depuis le couloir, tout à l'heure. Et cela m'a fourni un troisième argument pour vous décider.

– Me décider à quoi?

– À me donner des cours particuliers. Pendant,

disons, deux semaines. Je peux vous payer huit cents dollars. Je n'ai pas davantage. J'ai parlé de trois raisons. La première, et la moins importante, ce sont les huit cents dollars. La deuxième, c'est que vous trouverez en moi un étudiant d'une intelligence proprement prodigieuse. La troisième découle de la seconde : vous vous ennuyez à mourir à donner vos cours. Dont pourtant le sujet vous passionne. Avec moi, vous pourrez éliminer les quatre-vingt-quinze pour cent de bavardage et d'explications inutiles.

– Quatre-vingt-quinze pour cent ?

MacArthur commence à s'amuser.

– Peut-être un peu plus de quatre-vingt-quinze, concède le jeune homme, avec un grand sourire qui fait presque entièrement pardonner sa formidable effronterie. Monsieur MacArthur, vous êtes d'une intelligence exceptionnelle. Moi aussi. Ce sera un vrai plaisir de discuter ensemble. Finalement, vous êtes comme un grand joueur de tennis qui ne rencontre pas d'adversaires à sa taille et s'ennuie. C'est le problème de l'enseignement. Vous n'allez pas vous ennuyer pendant ces leçons particulières. Et, à propos, je ne suis pas fou. Je ne suis pas un illuminé et je n'ai aucune intention de vous jeter par la fenêtre. Ce n'était pas ce que vous pensiez ?

Il faut à MacArthur quelques secondes pour retrouver l'usage de la parole. Il pourrait se fâcher et mettre le garçon dehors. Il choisit de rire. Ce soir-là, ils vont prendre un café, Gantry et lui. De fil en aiguille, MacArthur l'invite à dîner. Ils mangent cet horrible gâteau aux macaronis qui est la principale spécialité de Letty et le fleuron de son art culinaire. Le gamin a tout le culot du monde. Il dit carrément à Letty que son truc aux pâtes est parfaitement dégueulasse et ferait vomir un tigre de Tasmanie. Et Letty, contre toute attente, ne se fâche pas. Elle en a le fou rire. Elle adore Gantry, la chose est claire. Elle l'écoute raconter les quatre voyages qu'il a déjà faits en Asie du Sud-Est et dans le Pacifique. Elle se passionne pour ces Ibans, qui vivent, paraît-il, au Sarawak, à Bornéo, et dont le jeune homme prétend être un frère de sang. *N'importe quoi!* Gantry fait le récit de ses traversées entre la Californie et l'Asie : les Philippines, Hong-kong, Djakarta, Port-Moresby. C'est hilarant. Sauf que MacArthur n'en croit pas un mot. *Un mythomane!*

— Vous n'avez pas cru un seul mot de tout ce que j'ai raconté, n'est-ce pas? Vous me prenez pour un mythomane.

De nouveau, cette très déconcertante façon de deviner les pensées. MacArthur reconduit le jeune homme, qui a laissé sa moto (il l'a oubliée, occupé qu'il était à parler) devant l'université.

— Quel âge avez-vous? demande MacArthur.

Dix-neuf. Vingt en septembre prochain (on est en janvier).

— Nous pouvons commencer les leçons demain, monsieur MacArthur?

— Je n'ai pas dit que j'acceptais.

— Simple omission de votre part. Vous ai-je reproché quelque chose? Six heures trente, ça va?

Ils commencent la série de leçons le lendemain. Dans l'intervalle, MacArthur a procédé à quelques vérifications. Il est déjà d'une prudence extrême, en ce temps-là. Il a contrôlé les dires de Jonathan Gantry en appelant certains confrères. Confirmation. Jonathan Gantry! Il existe bien une espèce de phénomène de ce nom. Qui poursuit simultanément on ne sait combien d'études différentes. S'il est doué? Bonté divine! On aimerait qu'il le fût un peu moins. Il exaspère tout le monde. Certains professeurs le haïssent. S'entendre dire après trente ans de carrière que son cours sur l'inducteur primaire des amphibiens ou sur la gemmiparité des infusoires et autres bryozoaires est absolument infantile et, qui plus est, dépassé depuis des lunes, voilà qui a de quoi agacer, non?

Le lendemain, MacArthur se retrouve en tête à tête avec l'olibrius.

– Excusez-moi, monsieur MacArthur, mais je prends mon travail de plongeur à huit heures. Même en moto, il me faut le temps d'aller jusqu'au restaurant. Je dispose donc de soixante-trois minutes. Pour ce soir, si vous commenciez par m'expliquer ce que c'est qu'un *proxy fighter*, un crédit-relais, un arbitragiste-risque, une mezzanine, la différence exacte entre une banque d'affaires et une banque commerciale, les principes généraux des émissions d'actions et d'obligations, comment fonctionnent une agence de *rating* et la mécanique du *price earning ratio*, et enfin la différence entre une offre publique d'achat et un *street sweep* qui, à moi, me semblent bien semblables?

Et, un peu plus tard :

– Excusez-moi, monsieur MacArthur, mais ne pourrait-on pas aller un peu plus vite? Je comprends très bien ce que vous me dites. Vous pouvez accélérer un peu.

En sorte que MacArthur, pour la première fois de sa vie, a l'occasion de faire travailler son cerveau à une vitesse qu'il ne le savait pas capable d'atteindre. C'est une découverte. L'exemple du joueur de tennis lui revient en tête : il ne pensait pas pouvoir jouer si vite, en frappant la balle si fort et en l'envoyant sur les lignes à chaque fois ou presque. La balle lui revient avec la même rapidité.

– On s'amuse, non?

– Oui, Jonathan, je m'amuse. Vous aviez raison.

En fait, c'est exaltant. Appelez-moi Mac, Jon, vous m'agacez avec votre *monsieur MacArthur*. C'est exaltant mais cela débouche sur autre chose : la crainte d'être pris de vitesse par ce morveux rend MacArthur féroce. Il reste tout de même le maître, et Gantry l'élève.

Mais il en viendra à penser, plus tard, que sa propre évolution a pris à ce moment-là un tournant décisif.

D'un rendez-vous à l'autre, il apprend à mieux connaître l'oiseau. Jonathan Blaine Gantry. Parents divorcés – père vivant en Espagne (Gantry parle peu de son père, avec qui il semble avoir des relations difficiles), mère demeurant dans le Maine. La mère est infirmière. Gantry paie ses études en travaillant. Il a tout fait. N'importe quoi pourvu que cela lui procure de quoi se loger et se nourrir. Ses aventures dans le Pacifique sont apparemment véridiques. Son passeport en témoigne. Les voyages ont peut-être été accomplis dans des circonstances aussi rocambolesques qu'il le prétend. Même les Ibans coupeurs de tête finissent par devenir vraisemblables.

Un drôle d'oiseau.

Entre ses multiples cours à l'université, auxquels il est dispensé d'assister régulièrement, il travaille, le soir, comme plongeur, dans un restaurant prétendument français de Greenwich Village, et, dans la journée, il est garçon de courses pour un cabinet d'avocats. Pas n'importe lequel, il s'agit de Prosser, Meredith et Kolb, autrement dit du haut de gamme. C'est là qu'il en est venu à comprendre la nécessité d'acquérir des connaissances dans la finance. Oh! sûrement pas pour y faire carrière! C'est comme de regarder jouer au cricket (Gantry affectionne décidément les images puisées dans le registre sportif); c'est mieux de connaître les règles.

– Et ça me semble bien plus simple que le cricket. Ils sont tous là à courir et à téléphoner dans tous les sens pendant que je vide les corbeilles et que je taille leurs crayons. Mais, dans le fond, c'est enfantin, leur truc. Je ne dis pas ça pour vous, Mac.

– Merci de me reconnaître une petite compétence.

– Vous êtes compétent. La preuve : nous avons déjà travaillé dans les douze heures. Je comprends mieux ce qui se passe.

La quinzième et dernière leçon arrive. En quinze

heures, Gantry a absorbé, comme une éponge, une masse ahurissante d'informations. Elles ne lui permettraient pas de réussir à un examen – n'importe lequel des étudiants de première année en sait, dans beaucoup de domaines, bien plus que lui. Mais MacArthur n'est pas dupe. Dans les questions que n'a cessé de lui poser le garçon, il a fini par discerner une ligne conductrice. Gantry est allé droit à l'essentiel, avec une sûreté stupéfiante. Entre tous les axes possibles de la finance, il en a choisi un. Que, sans doute, il avait en tête depuis le début. Les raids. La prise de contrôle d'une société sans le consentement de ses dirigeants. Jusqu'où aller sans aller trop loin en ce domaine. La barbe, la moustache et le grand rire aux dents étincelantes correspondent à la réalité : Gantry est un pirate. Ou un corsaire. Tout dépendra des limites qu'il s'imposera.

Après la quinzième leçon, il disparaît plus de trois mois, sans donner de ses nouvelles. À deux ou trois reprises, Letty s'enquiert du jeune homme qui détestait son gâteau aux macaronis, « *pourtant excellent, n'est-ce pas, Jimmy? – Absolument*, répond MacArthur, *je l'adore; mais, Gantry, je n'ai pas la moindre idée de ce qu'il a pu devenir* ». Gantry lui a payé les huit cents dollars, rubis sur l'ongle, en billets visiblement amassés un à un. Et l'argent a immédiatement trouvé un emploi : Letty s'est acheté un réfrigérateur neuf – on ne roule pas sur l'or chez les MacArthur, à l'époque.

– J'ai gagné quarante mille dollars. Un peu plus, même. Je risque d'aller en prison, Mac?

On est à la fin d'avril. Il pleut. C'est le soir. MacArthur, sortant de l'université, s'apprête à monter dans sa voiture pour rentrer chez lui et aller au cinéma avec Letty. La silhouette massive en blouson de cuir a surgi sous l'averse.

– Expliquez-moi ça. Asseyez-vous. Abritez-vous, au moins.

Gantry raconte. Il a pris place dans la vieille voiture. Les vitres sont couvertes de buée, si bien que personne, de l'extérieur, ne pourrait identifier ces deux hommes qui parlent. Plus tard, se remémorant chacune de ses rencontres avec le Fou de Bassan, MacArthur constatera que, jamais, elles n'ont eu de témoin. Jamais, hasard ou volonté délibérée de la part de Gantry ? Volonté délibérée sans doute ; il ne veut pas qu'on sache qu'il a appris la finance, même en quinze jours. MacArthur verra tout l'intérêt d'un tel secret. Personne, à part Letty, ne saura jamais qu'il a connu le Fou de Bassan dans sa jeunesse, et, d'une certaine façon, qu'il l'a eu pour élève. Et Letty ne dit jamais rien.

Gantry raconte comment il a gagné quarante-trois mille six cent vingt-neuf dollars en quatre jours. Avec une mise de fonds de mille trois cent vingt dollars provenant pour l'essentiel de la vente de sa moto. Il explique qu'il n'est plus plongeur à présent. On l'a promu garçon de salle. Il change les assiettes et dresse les tables dans son restaurant presque français de Greenwich Village.

Il reconnaît, un soir, l'un des clients de Prosser, Meredith et Kolb et, à une autre table, un autre financier. Les deux hommes ne se sont pas salués en entrant, bien qu'ils se soient trouvés tout près l'un de l'autre. Mais, pendant que leurs compagnons de soirée n'y prêtent pas attention, ils échangent un regard.

– J'ai donc là deux financiers qui font semblant de ne pas se connaître et, pourtant, se connaissent bien. Vous me suivez ?

– Très bien, dit MacArthur en riant.

– J'en conclus qu'ils fricotent quelque chose ensemble. Le lendemain matin, je me renseigne – j'adore me renseigner sur les gens. À propos, est-ce que le nouveau réfrigérateur marche bien ?

– Très bien.

– Heureux de savoir que mes huit cents dollars ont été utiles.

Donc, il se renseigne sur les deux hommes, découvre qu'en effet, officiellement, ils ne se connaissent pas. Mais qu'une fusion de leurs entreprises principales ferait un sacré boum, à Wall Street.

– J'ai acheté le plus d'actions possible.

– Avec mille trois cent vingt dollars ?

Pas seulement. Gantry a utilisé ce truc, ce machin, comment diable est-ce que ça s'appelle ? *Leverage buy-out ?* Non, ce n'est pas tout à fait le mot, puisqu'un LBO consiste à acquérir toute une entreprise grâce à beaucoup d'argent emprunté. Enfin, il a employé une sorte de petit LBO, en prenant une hypothèque sur la maison de sa mère dans le Maine.

– Je ne vois pas où est le problème, dit MacArthur.

– Je n'ai pas commis un délit d'initié ?

– Comme garçon de restaurant ? Ça m'étonnerait !

– Dix pour cent, dit alors Gantry. Pourquoi croyez-vous que je suis passé ce soir ?

MacArthur comprend. Quatre mille trois cent soixante-deux dollars et quatre-vingt-dix cents. Dix pour cent des gains réalisés par le « drôle d'oiseau ». Il hésite. Quatre mille trois cents dollars permettraient de changer de voiture. C'est tentant.

Il refuse. Il se demandera plus tard pourquoi. C'est de l'orgueil pur et simple. Voilà un morveux qui aurait appris la finance en quinze leçons et qui vient de réussir ce que lui, MacArthur, avec toute sa science, n'a même pas envisagé de faire !

Il refuse, pour la même raison, sans doute, l'espèce d'association que Gantry lui propose. Au bord de l'irritation, cette fois. Il va regretter ce deuxième refus plus longtemps que le premier. Il se voit professeur jusqu'à la retraite. Il n'est pas encore mûr pour voler de ses propres ailes. Pour renoncer à la tranquillité de son travail d'enseignant, fût-elle médiocre. La deuxième offre de Gantry va pourtant rester dans sa mémoire. Et y cheminer. Quand Mora vient avec sa proposition, il cueille sans le savoir le fruit du travail secret déclenché par le Fou de Bassan.

MacArthur va revoir Gantry six fois encore. Chaque fois, des entrevues furtives, au coin d'une rue, dans une cafétéria, dans le métro, chez lui. Stupéfaction de Letty ouvrant au garçon, qui lui apporte, outre un gâteau et des fleurs, cent kilos de macaronis, qu'il traîne dans un sac – pour fêter son premier million de dollars, explique-t-il. Pendant toute la soirée, Letty et Gantry partagent des fous rires complices au point de susciter chez MacArthur une véritable jalousie. « *Qu'est-ce que tu lui trouves, Letty? – Ce que je lui trouve? Tu plaisantes? Tu ne l'as pas regardé? J'aurais dix ans de moins, je traverserais le Pacifique à la nage pour grimper sur sa jonque! Et dans son hamac! Il y a des femmes, quand vous autres, hommes, vous les regardez, vous les imaginez tout de suite nues, et vos oreilles palpitent. Eh bien, Gantry, c'est ça. Mais en homme. Ne me le mets jamais tout nu sous les yeux; je ne répondrais plus de rien!* »

Survient ensuite l'affaire des *junk bonds* – des obligations pourries – dont Gantry est l'initiateur. Et dont il tire un profit maximum en moins de deux ans. Avant de disparaître. Sur une dernière visite à MacArthur.

– Il est encore temps de vous associer avec moi, Mac. Je vous dois beaucoup.

– Vous ne me devez rien. Vous m'avez payé huit cents dollars.

Le sourire de pirate.

– Dommage. Vous valez mille fois mieux que ce que vous faites. J'espère que vous aurez un jour le bon sens de vous en rendre compte.

(Mora n'allait plus tarder).

MacArthur n'a plus revu Gantry depuis. Gantry qui est devenu, entre-temps, le Fou de Bassan, à cause de sa migration annuelle vers l'Asie tropicale à l'instar des oiseaux du même nom. Après l'opération, des *junk bonds*, véritable pêche miraculeuse, il n'est pratiquement plus jamais revenu de ses îles. Il a transformé sa fameuse jonque, construite à Hong-kong, en une annexe de Wall Street parfaitement opérationnelle.

Quant à MacArthur, il a rencontré Mora.

L'hydravion qui avait chargé MacArthur à quelques encablures du *Sea Wolf* survola Cuba, escorté par deux Mig de l'armée de l'air cubaine. Il se posa dans les Jardins de la Reine, entre deux îlots de ce petit archipel parallèle à la côte ouest de Cuba. Un autre appareil était au rendez-vous. Il y avait à bord plusieurs généraux et colonels venus tout exprès de la Havane. La réunion dura à peu près deux heures. Consacrées pour l'essentiel à des problèmes financiers. La Havane se plaignait de n'avoir pas tout à fait reçu son dû. MacArthur prouva aisément le contraire, donnant des chiffres à profusion. On voulut l'amener sur le terrain de la drogue elle-même, sur les problèmes d'acheminement, de relais et autres. Il coupa net : ce n'était pas de son domaine, il ne savait rien, ne voulait rien savoir de ces choses. Son problème à lui était financier, rien que financier.

Il n'était qu'un conseiller en investissements.

L'hydravion reprit l'air. Il évita les îles Caïmans, trop surveillées par les États-Unis, et se ravitailla à la pointe ouest de la Jamaïque, dans une crique déserte entre Montego Bay et Savanna la Mar. Les radars côtiers l'avaient certainement repéré mais *on* avait depuis long-temps fait le nécessaire pour que cet amerrissage ne fût pas signalé.

Il arriva sur le *Graziella* à l'heure du déjeuner. Le deuxième bureau mobile de MacArthur était plus confor-table que le premier – la salle de bain y était en vrai marbre –, mais l'équipement et le travail restaient sensiblement les mêmes. Un doublon voulu et parfaitement maîtrisé.

– On déjeune et on se met au travail, Danny. Vous m'avez fait préparer de la daube? Quelle bonne idée! Merci de vous être souvenu que je l'adore.

Les communications et les ordres se succédèrent pendant les heures suivantes.

Il y eut un appel. On semblait rencontrer de petites difficultés dans la chasse à l'oiseau. Mais on finirait par l'avoir.

– J'en suis sûr, dit MacArthur.

Il réprima un sourire. Le Fou de Bassan avait donc vu venir la première attaque. Et l'avait esquivée. *Tu l'avais prévu, Mac. Qu'est-ce qu'ils s'imaginent? Qu'ils attraperont Gantry aussi aisément?*

Il pensa aussi à la Canadienne. Elle était, paraît-il, jolie. Plus que jolie. Séduisante en diable. Qui sait si la rencontre avec le Fou de Bassan n'avait pas fait des étincelles?

J'aurais joué les marieuses, en quelque sorte.

Mais il changea de sujet de réflexion. Demain, il devrait présenter son Plan d'ensemble. Essayer de le *leur* faire comprendre. Il était prêt, bien entendu. Mais il sentait quand même un pincement au creux de l'estomac.

Comme chaque fois qu'il se rendait *là-bas*.

2

Gantry dormait, couché sur le ventre, une main posée sur le sein de Zénaïde. Elle se dégagea, centimètre par centimètre, et les longs doigts du dormeur se crispèrent légèrement puis se détendirent. Elle put se glisser hors du lit. Dehors, il faisait grand jour. Une lumière bleue perçait à travers les lames des persiennes. Le grondement puissant des moteurs de la jonque faisait doucement vibrer ces lames, où était sculptée la silhouette d'un grand oiseau de mer, ailes déployées. Zénaïde passa un maillot, puis un sarong, noué au-dessus de ses seins. Elle se pencha sur Gantry, envahie par une douceur et une tendresse qui l'effrayaient presque. Elle était à peine éveillée quand il l'avait rejointe, au milieu de la nuit, après être resté plus de trente heures dans le carré des ordinateurs, à l'écoute de ses multiples correspondants, recevant des informations, donnant des ordres. Il méritait ce repos, qu'il était en train de prendre. Elle sortit sans bruit de leur cabine et monta sur le pont.

La jonque voguait à bonne allure sur une houle longue et paresseuse. Aucune terre en vue sur la mer violette. Le pont était désert, à l'exception d'un Iban hiératique qui se tenait à l'avant, en guetteur. Et de Laviolette. Le géant déjeunait, attablé seul. Le soleil des derniers jours avait fait virer sa peau au rouge écrevisse. Il portait une chemise à manches longues et, sur la tête, un chapeau thaï à larges bords, aussi grand qu'un parapluie de curé. Il la regarda s'approcher et, sans un mot, lui versa du café.

– Si tu te mettais plutôt à l'ombre, François-Xavier?

Il acquiesça. *Il boude*, pensa-t-elle. Elle but son café. La jonque lui était apparue immense quand ils l'avaient découverte dans la crique. Elle l'était en effet. Plus de deux cents pieds de long, dans les soixante-dix mètres. Et près de douze mètres de large, sur presque toute la longueur. Deux niveaux aménagés. Sans compter les superstructures, le compartiment des moteurs et la soute avant, où couchait l'équipage de dix hommes. Avec Laviolette et elle, ils étaient vingt-cinq à bord. Le capitaine était un Anglais, Anthony Beardsley, qui, en ce moment même, se tenait dans la dunette, flanqué de son premier lieutenant, Kaï, un Sino-Malais.

– Désolée de t'avoir entraîné dans cette histoire, François-Xavier.

– Quand tu m'appelles par mon prénom, c'est mauvais signe.

Il avala un œuf frit entier.

– Tu es amoureuse de lui?

– Oui.

– C'est sérieux?

– Oui.

– Comme avec Elliott?

– C'est différent.

Elle n'en était même plus à s'étonner de tant de certitude.

– Tu rentreras avec moi quand ce sera fini?

– Je ne crois pas. Sauf s'il me jette à la mer.

– Nous voilà bien, dit Laviolette.

Il attaqua le bifteck de deux livres que venait de lui servir un steward, quasi fantomatique à force de discrétion silencieuse.

– La seule chose qui m'empêche de le massacrer, dit-il la bouche pleine, c'est que je suis presque sûr qu'il a pris

210

un grand coup sur la tête, lui aussi. À la seconde où il t'a vue. Un coup de foudre des tropiques, en quelque sorte.

– C'est gentil de me le dire, remarqua Zénaïde, le nez dans sa tasse de café.

– Ce n'est pas parce que je suis grand et plutôt costaud que je suis forcément crétin. Et d'ailleurs, ils ont tous la même impression, à bord. Tous ceux à qui j'ai parlé.

Zénaïde vit distinctement ses mains trembler et dut reposer sa tasse. Elle aurait embrassé Laviolette. Elle changea de sujet.

– J'ai l'impression que tu as surtout parlé avec tes mains, soit dit en passant.

Il rit. C'était vrai qu'il avait un peu sauté Lee, qui s'occupait de faire marcher les ordinateurs, et Sue, qui était responsable des machins-trucs écologiques. Pas Lolly. Lolly la secrétaire était en main. Avec Warren DelMonte. Pour Lee et Sue, il avait simplement répondu aux avances qui lui étaient faites. Cela pouvait peut-être étonner Zénaïde, mais il avait du succès avec les femmes. À Montréal, elles se le disputaient. Le voir sur une patinoire leur donnait des tas d'idées. À peine s'il pouvait répondre à la demande. Et puis, ce n'était pas un couvent, cette jonque; les autres filles, les Malaises, ne faisaient pas que servir à table, si Zénaïde voyait ce qu'il voulait dire. Tout était prévu, quoi.

– En bref, je suis content d'être ici. Je ne sers pas à grand-chose, c'est tout. Tu sais où est Alex?

En Irlande, toujours. Les Decharme au grand complet avaient trouvé refuge chez des amis de Gantry, dans le comté du Wicklow. Zénaïde aurait bien voulu les joindre et s'expliquer un peu mieux avec Alex, mais, quand elle était allée se coucher, vers quatre heures du matin, la consigne du silence radio était toujours en vigueur.

– Ça m'étonnerait que ça serve encore à quelque

chose, observa Laviolette. L'avion qui nous a survolés ce matin vers sept heures nous a sûrement repérés.

Un avion ? Elle le regarda, stupéfaite, et demanda :

– Gantry est au courant ?

Évidemment. Il avait fait contrôler l'appareil, qui, par deux fois, était passé à moins de deux cents mètres au-dessus de la jonque. On pouvait voir le blanc des yeux des quatre types à son bord.

– On ne sait pas combien ils sont après nous, Zénaïde, mais ils nous ont localisés. Il y a six heures, en tout cas, c'était vrai. On dirait qu'une bataille navale s'est engagée. Je crois que je vais me retrouver dans les commandos de marine.

Laviolette termina son bifteck et attaqua le riz cantonais.

Pat Hennessey, en dépit de ses allures de collégien, était le chef des opérations du Fou de Bassan. Il avait vingt-six ans et était marié. Sa femme et leur jeune fils vivaient à Bali. L'avion servant aux déplacements de l'équipe l'avait ramené à bord de la jonque le 2 janvier seulement, après deux semaines de vacances. Cela faisait près de quatre ans qu'il travaillait avec « Gannie ». Il n'avait même pas eu le temps de terminer ses études d'ingénieur aéronautique. Quatre ans plus tôt, à Singapour, au *Long Bar* du *Raffles*, sa route avait croisé celle du Fou de Bassan – dont il ne savait strictement rien, à l'époque. Sinon qu'il était, ce soir-là, escorté de deux filles superbes. Ils avaient passé la soirée ensemble. Le surlendemain, Pat avait poursuivi son périple sud-asiatique. Mais, surprise !, dix jours plus tard, à Kuta, près de Denpasar, à Bali, Gantry était réapparu. Sachant tout sur lui. Jusqu'au montant des notes de bar qu'il avait laissées dans son club de Curzon Street, à Londres.

– Il m'a proposé de travailler avec lui. Tout de suite. J'ai d'abord cru à une blague. Je ne connaissais rien à la finance. Il m'a répondu que, justement, c'était à ses yeux ma qualité principale, et que j'avais tout le temps de prendre ma décision – il n'appareillait que dans vingt minutes. Mes valises étaient déjà à bord et il m'avait ouvert un compte à Singapour, sur lequel il avait versé cent mille livres anglaises. C'est un type fantastique !

– C'était quoi, l'avion de ce matin ?

Un avion affrété à Bangkok, par les mêmes hommes qui avaient loué l'hélicoptère la veille.

– On est sûr que c'est à nous qu'ils en ont ?

Pat sourit. Les vieilles tantes avaient communiqué d'autres renseignements sur ce pilote qui avait débarqué à Bangkok juste à temps pour mener deux reconnaissances au-dessus de la jonque. Si son passeport actuel était au nom de Stevens, il se nommait plus probablement Paul Oliver Sánchez – Oliver étant un nom d'origine hispanique, en dépit des apparences. L'identification n'était pas certaine. Mais, parmi les pilotes d'hélicoptères qui avaient opéré au Viêt-nam dans le début des années 70, il y avait un Oliver Sánchez.

– Mantee, dit Zénaïde. Mantee est un ancien du Viêt-nam, lui aussi.

En effet, les vieilles tantes avaient également constaté ce fait. Une étude était en cours, dans les archives du Pentagone, mais les premiers éléments démontraient qu'en tout cas Mantee et Oliver s'étaient trouvés ensemble au Viêt-nam et qu'ils avaient été engagés dans les mêmes opérations.

– On pourrait dresser une liste de tous ceux qui ont été au Viêt-nam avec Mantee ?

Pat lui jeta un regard approbateur. *À croire qu'il est surpris de me découvrir un peu plus intelligente qu'un lavabo*, pensa Zénaïde avec un peu d'agacement. Il lança un ordre. Le carré des ordinateurs était occupé, pour l'heure, par cinq des assistants de Gantry. L'ambiance était nonchalante. Il y avait de la musique – un vieux Led Zeppelin. Le terme « carré des ordinateurs » ne rendait pas justice à cette salle bourrée d'appareils –

dont des télécopieurs et trois visiophones. Sans compter les machines dont Zénaïde ne connaissait ni le nom, ni l'usage.

– Votre idée est retenue, dit Pat. Les vieilles tantes ont du pain sur la planche. D'autant plus qu'elles étaient déjà fort occupées.

– Combien de vieilles tantes, en tout?

– Secret militaire, répondit-il en riant. Même moi, je l'ignore. Seul Gannie le sait. Il y a bien des vieilles tantes dont je ne connais qu'un numéro de télécopieur. Je les interroge et, après un temps plus ou moins long, on me répond.

– Pourquoi une installation aussi extraordinaire? Même la NASA doit faire pâle figure, à côté.

– Il ne faut rien exagérer. Mais c'est vrai que Gannie a toujours eu le goût de ces trucs. Vous saviez qu'il a aussi un diplôme d'informatique?

– Non. Ne détournez pas la conversation.

C'était involontaire, dit-il. Il n'y avait rien à cacher, à bord de la jonque; elle était aménagée de façon à conduire à distance toute espèce d'opération financière. Et, bien sûr, quand on lançait un projet immobilier à des milliers de miles, au diable Vauvert, il fallait des gens sur place. Et des renseignements. Gannie estimait que tout le secret d'une opération réussie était dans le renseignement. Peut-être en avait-il un peu rajouté, d'accord. Mais ce suréquipement était bien utile aujourd'hui.

– Nous menons de front une grosse affaire – celle qui était en cours avant votre arrivée – et les recherches que nous avons commencées il y a trois jours et qui suffirait à nous occuper à plein temps.

– Quelle sorte d'affaire? demanda-t-elle.

Pat surveillait l'un des télécopieurs, en train de recevoir une communication. Le visage d'un homme y apparaissait, accompagné de quelques lignes.

– Vous le connaissez, Zénaïde?

Elle se pencha et examina la physionomie d'un individu âgé de trente à quarante ans. Blond, les yeux clairs, portant une petite moustache. Les traits étaient presque féminins par leur finesse.

– Jamais vu. Qui est-ce?

– D'après l'une des vieilles tantes, il s'appelle Bruce Morrell. Dit Sluggy.

– Quelle affaire? Vous ne m'avez toujours pas répondu.

– Demandez-le à Gannie. Il est juste derrière vous.

– Une OPA, dit Gantry.

– Un raid, plutôt.

Il lui répondit par le grand rire qu'elle commençait à connaître. Malgré ses cinq petites heures de sommeil, après plus de trente heures de veille et de travail, sans compter l'intermède à la cascade, pendant lequel il ne s'était pas ménagé (Zénaïde en avait des bleus partout!), il semblait en excellente forme.

– D'accord, un raid. Mais tous les raids ne sont pas destructeurs. Il y a la bonne et la mauvaise finance.

– Le pirate, c'est l'autre.

Il acheva d'un trait une bouteille de lait glacé, sans reprendre souffle. Ils étaient remontés sur le pont, Gantry et elle. Droit devant eux à l'horizon, il semblait que quelque chose se dessinât.

– Zénaïde, c'est Léo Stern qui dirige cette OPA pour moi. Va le voir. Il te montrera tout le dossier. Tu sais lire un dossier.

– Je vais y aller.

Nouveau rire. Il n'en doutait pas une seconde.

– Mais tu pourrais mieux faire. Tu pourrais nous aider. Tu es banquière, après tout.

– Je n'ai fait que des études de droit et d'administration des affaires. Pas la moindre licence de zoologie ou d'histoire des jupes-culottes au Moyen Âge. Comment pourrais-je comprendre quelque chose à la finance?

– J'ai envie de toi, Gagnon.

– Pareil pour moi, Gantry.

Il reprit du lait. Cette fois, dans un bol et avec des flocons d'avoine mélangés à du poisson séché. *Écœurant!*

– Sauf qu'il nous faudra remettre notre conférence, dit-il. J'ai du boulot par-dessus la tête. Tu aurais dû me réveiller en te levant. Bon, tu as le choix. Travailler avec Leo sur l'OPA ou faire équipe avec Warren. Warren s'occupe de l'Obawita. À moins que tu ne préfères te mettre avec Pete. C'est lui qui contrôle ce que nous envoient mes vieilles tantes sur Milwaukee.

– Milwaukee?

– Je continue à croire que les deux affaires sont liées. Et Pat t'a montré la photo de Sluggy Morrell.

– Qu'est-ce qu'il a à voir avec Milwaukee?

– Tu aurais dû lire le texte d'accompagnement. Ma vieille tante qui canote sur le lac Michigan pense que c'est lui qui a démonté la porte de ton appartement et emporté les serrures.

Elle marqua le coup.

– Comment sait-on que c'était lui?

– En rentrant du Viêt-nam, il a tiré cinq ans pour vol. Ce type est une mouche. Il marche sur les murs. Si quelqu'un a pu entrer chez toi par l'extérieur, c'est lui. Ou quelqu'un ayant ses aptitudes, ce qui ne court pas les rues. En plus, il est de Milwaukee. Il y était il y a quinze jours. On l'y a vu. Et il a quitté la ville un jour après toi. Il avait pas mal d'argent. Il a laissé tomber sa petite amie du moment mais, avant de disparaître, il lui a fait cadeau d'une petite boîte à musique portant une inscription, gravée : *À Émilie*, en français.

– Mon arrière-grand-mère.

– Je sais. Ma vieille tante a récupéré la boîte à musique contre dix mille dollars. Tu veux travailler avec nous?

– Oui.

– Avec Warren ou avec Leo?

– Celui qui s'occupe de l'Obawita.

– Warren. À propos, Zénaïde, ça nous a frappé, nous aussi, que Morrell, comme Mantee, avait fait le Viêt-nam. Ton idée d'établir une liste des anciens camarades de Mantee est bonne. J'aurais dû y penser. Ce sont les Nicobar.

– Quoi?

– Cette terre droit devant nous. Et l'avion de ce matin a sans aucun doute signalé notre position. Je ne sais pas où se trouvent les bateaux qui nous poursuivent. D'après Tony, ils pourraient nous tomber dessus ce soir ou dans la nuit. Ils vont plus vite que nous. J'ai fait construire une jonque pour me servir de bureau et de laboratoire. Pas pour battre des records de vitesse. Tu devrais manger quelque chose. Rien que du café le matin, c'est peu.

– Nous allons vraiment à ces Nicomachin? Je ne savais même pas que ça existait.

– Elles dépendent de l'Inde. L'un de mes ancêtres y a été pendu pour meurtre. Il s'y trouvait un bagne autre-fois.

Pourquoi y allons-nous? Puisque les autres savent que nous y allons?

Il cligna de l'œil en souriant, la bouche pleine.

– Je vois, dit-elle. En somme, nous n'avons pas encore la preuve que ces types à nos trousses sont véritablement à nos trousses et veulent véritablement nous assassiner. On va aux Nicobar et, si on s'y fait tuer, nous aurons notre preuve.

– Elle est intelligente, pour une femme, dit Gantry à Laviolette.

– Ça dépend des jours, dit Laviolette.

Vers sept heures, juste après la tombée de la nuit, Tony Beardsley, en sa qualité de capitaine de la jonque *Le Fou de Bassan*, annonça qu'on serait à la Grande Nicobar dans une quarantaine de minutes et qu'un bateau venant de l'est-sud-est approchait à grand vitesse. Mais il ne les rattraperait pas avant une heure.

– Gantry, il y a de la police, ou de la marine de guerre, sur ta Grande Nicobar ?

Assez pour arrêter un voleur de poules. Quant à la marine de guerre, une espèce de patrouilleur indien était basé à Port-Blair, dans les Andaman, à quatre cents bons milles nautiques plus au Bord. Il ne fallait pas compter sur son intervention. Et on ne pouvait pas davantage attendre un quelconque secours des villages de pêcheurs établis sur la côte sud de la Grande Nicobar. Gantry écartait toute hypothèse d'un combat entre l'équipage de la jonque et les vingt ou trente hommes fortement armés qui, d'après les renseignements fournis par Penang, se trouvaient à bord du navire pirate lancé à leur poursuite. Tout affrontement se serait soldé par un massacre. Malgré la présence des Ibans, les forces dont disposait la jonque étaient trop inférieures. On se trouvait, en somme, dans la situation d'un navire marchand à peu près dépourvu de défenses et sur le point d'être attaqué par des pirates.

Il était huit heures du matin aux États-Unis. Cinquante minutes plus tôt, dans la lumière incertaine de l'aube, l'un des hélicoptères avait lancé le signal : les débris de l'avion de la Fourmi voyageuse avaient été repérés. L'accident avait eu lieu dans le Sud de l'Arkansas, à une trentaine de miles de la frontière de la Louisiane, près d'une petite ville du nom de Hamburg. Le terrain était très difficile. La tempête s'était à peu près calmée, mais la pluie tombait, toujours aussi violente.

Harrison Ladd, responsable général des Fourmis voyageuses pour l'ensemble des États-Unis, avait communiqué, dans la seconde, la nouvelle à Milán (qu'il connaissait sous le nom de Chandler), à New York. Il n'avait pas pour autant chanté victoire. Rien ne prouvait que ce fût le bon avion, et, même si c'était le bon, on ne savait pas si les deux cent cinquante millions de dollars se trouvaient encore parmi les débris. D'ailleurs, des curieux pouvaient arriver sur place avant l'intervention des Fourmis de contrôle – lui parlait simplement de ses *équipes de récupération et de recherche*. On pouvait alors se retrouver dans la situation qu'on avait connue dans le désert de Mojave, où il avait fallu éliminer les témoins.

Sitôt constatée la disparition de l'appareil, Ladd avait évoqué l'hypothèse d'un vol. Le pilote et le convoyeur avaient pu se mettre d'accord pour se partager ce quart de milliard et filer. Mais il n'y croyait pas vraiment. Il avait personnellement choisi les deux hommes. Il avait strictement appliqué la consigne de n'employer que des gens ayant une famille, que l'on pouvait menacer et que l'on tenait sous surveillance tout le temps de l'opération. Consigne à laquelle Ladd lui-même n'échappait pas; il savait ce que sa femme et ses quatre enfants risquaient de subir en cas de manquement de sa part.

Ladd n'avait jamais su par quel cheminement mystérieux il avait été recruté, onze ans plus tôt. Il était alors en plein divorce et portait encore les cicatrices – plus psychologiques que physiques – du Viêt-nam. Il avait désespérément besoin d'argent. Sa petite compagnie d'aviation, spécialisée dans l'épandage, allait à la faillite. Les exigences de sa première femme, coactionnaire, n'arrangeaient rien. Deux hommes lui avaient proposé vingt-cinq mille dollars pour deux vols. De l'île d'Andros, aux Bahamas, jusqu'à un petit terrain dans le New Jersey. Pas un mot sur le chargement mais, bien sûr, il avait compris. Et accepté. Il avait transporté de la cocaïne pendant trois ans, s'était remarié, avait remonté une autre affaire, d'hélicoptères cette fois – sur les conseils des amis de Chandler. Ces mêmes amis lui avaient demandé s'il souhaitait prendre des responsabilités plus importantes et gagner plus d'argent. Argent payé en liquide ou versé sur un compte *off shore*. Oui.

Il était contrôleur général depuis avril 1985.

À huit heures douze, un autre de ses hélicoptères parvint à larguer une équipe de trois hommes sur les lieux de l'accident puis transmit la bonne nouvelle : les sacs étaient là, un seul était éventré. Le pilote avait été tué sur le coup. Le convoyeur vivait encore, mais il était difficilement transportable, bassin et jambes prises. Peut-être aussi la colonne vertébrale. Ladd donna ordre de l'achever. Prendre le risque insensé de le conduire à l'hôpital aurait été stupide.

Il fit son rapport à Milán et passa aux affaires suivantes. Il fallait maintenant trouver un autre appareil et un autre équipage pour le vol de remplacement, déterminer les horaires et le parcours de ce vol, prendre les mesures nécessaires au contrôle du nouveau pilote et du nouveau convoyeur (mise sous surveillance de leur famille), et prévenir (en termes codés, évidemment) le relais de Fort Myers, en Floride – la responsabilité de Ladd cessait au moment où les avions qu'il mettait en route atteignaient le golfe du Mexique; quelqu'un d'autre prenait le relais; il ignorait qui.

Et puis, tout de même, il lui fallait également veiller sur les autres avions chargés de sacs identiques à ceux que l'on avait si heureusement récupérés dans les décombres de l'accident. Dieu merci, deux autres appareils poursuivaient leur route sans histoires, Fort Myers le lui avait confirmé. Les cinq suivants allaient décoller dans quelques heures du Texas, de l'Idaho, de l'Iowa, du Nord de l'État de New York, et des environs de Florence, en Caroline du Sud. Janvier était toujours un mois difficile. Ladd savait pourquoi : les recettes de fin d'année étaient les plus importantes. Comme chez les confiseurs ou les marchands de jouets. Certains avions allaient emporter jusqu'à huit cents millions, sommes abstraites, auxquelles il valait mieux ne pas trop penser.

Quand les appareils qui s'apprêtaient à partir auraient

atteint le golfe du Mexique, Ladd n'en aurait pas terminé pour autant. Par trois fois, déjà, deux hommes étaient venus à son bureau de Houston, annoncés à l'avance par Chandler, qui les appelait les agents du fisc officieux. Bien qu'il ne s'agît pas de vrais représentants du département du Trésor, leur rôle était de vérifier les comptes de la compagnie de Ladd. Ils avaient regardé ses livres de très près mais, surtout, l'avaient aidé à présenter une comptabilité à l'épreuve de n'importe quel contrôle fiscal officiel.

La crainte l'effleura qu'on lui reproche d'avoir fait décoller l'avion des Ozarks malgré des conditions météo défavorables. On ne savait jamais. Chandler était tout bonnement terrifiant, avec ses ongles pointus et sa manie exaspérante de toujours pianoter sur quelque chose – ce bruit sec qui usait les nerfs !

Non, il ne voyait pas quelle erreur il avait pu commettre. Toutes les dispositions avaient d'ailleurs été prises – les deux cent cinquante millions ayant été récupérés sans histoire – pour que l'enquête officielle n'eût pas la moindre chance d'établir une relation entre l'avion accidenté et les transports d'argent. Le plan de vol était en ordre, le pilote avait été engagé avec un contrat en règle. Quant au convoyeur, sa couverture n'était pas moins solide. C'était officiellement un employé d'une société de messageries chargé d'apporter de toute urgence à la femme d'un milliardaire vivant aux Bahamas des bijoux qu'elle voulait porter à l'occasion d'une soirée. La police de l'Arkansas retrouverait les bijoux dans la carlingue détruite, et l'administration de l'aéronautique ouvrirait une enquête pour déterminer les circonstances et les raisons de l'accident. Cet aspect des choses réjouissait Harrison Ladd. Au moins n'avait-il pas besoin de mener sa propre enquête ; il lui suffisait d'attendre les conclusions officielles.

Ça le faisait toujours rire.

– L'argent a été récupéré et sera embarqué sur un autre avion. Et les deux hommes à bord de l'avion sont morts.

Milán était assis dans sa voiture et pianotait sur le volant. Il était neuf heures et quelques du matin dans Central Park, à Manhattan.

– Très bien.

– Le convoyeur vivait encore à l'arrivée des hommes de Ladd. Il a été achevé.

Pourquoi Milán croit-il nécessaire de me fournir de pareils détails? pensa Laudegger. L'argent a été retrouvé, point à la ligne. Je me fiche des circonstances. Je suis sûr qu'il le fait exprès. Ce fils de pute adore jouer avec les nerfs des autres.

– Milán, arrêtez ce tapotement, nom de Dieu!

– Excusez-moi, dit Milán, ironique.

– Est-ce que Ladd a commis une erreur?

– Oui. Il a sous-estimé les conditions météo. Ou surestimé les qualités du pilote.

– C'est un très bon élément.

– Très bon n'est pas suffisant, dit Milán. En tout cas, d'après les ordres que j'ai reçus.

– D'accord, éliminez-le, si vous y tenez.

– Aucune décision n'est encore prise. Je vous tiendrai au courant.

– Qui décidera?

– Vous le savez.

El Sicario. Qui d'autre? Laudegger avait rencontré El Sicario en deux occasions. L'antipathie violente qu'il avait ressentie n'avait d'égale que la peur que cet homme lui avait immédiatement inspirée. Un jour viendrait où lui, Bill Carlos Laudegger, pourrait enfin quitter le front et prendre place au quartier général, *là-bas*. Ses oncles n'étaient pas éternels et il avait autant de droit qu'un autre, dans la famille, à prétendre à la succession. Bien plus de droits que ses cousins. Il avait fait ses preuves, lui. Il avait commandé au feu. Et personne ne connaissait mieux que lui tous les mécanismes. À l'exception de MacArthur. Mais MacArthur ne faisait pas partie de la famille. Ça compte, les liens du sang. Ce jour-là, quand il serait au quartier général, El Sicario serait entièrement à ses ordres. Et Milán aussi.

Quelle jouissance.

Milán avait enchaîné, sans aborder l'affaire du Fou de Bassan – à croire qu'il avait perçu l'impatience de Laudegger. Milán faisait son rapport sur la situation dans le Wisconsin. Tout était rentré dans l'ordre. Il allait falloir se débarrasser des frères Kessel, mais on attendait le moment propice. La meilleure solution était un accident qui les tuerait ensemble; sous huitaine. Les modalités n'étaient pas encore fixées.

– De toute façon, elles ne vous intéressent pas.

– Pas vraiment, dit Laudegger.

Milán avait mis à profit son enquête dans le Wisconsin pour passer en revue toute la zone de Milwaukee, qui s'étendait, pour la collecte, jusqu'à l'Ohio, à l'est, et jusqu'au Dakota, à l'ouest, et qui incluait une partie du Canada.

– Dans l'ensemble, ça va, dit Milán. Les petits problèmes que nous avons connus à Detroit et Chicago, et pour lesquels je vous avais demandé d'aller voir sur place, sont réglés. À part ça, rien de bien extraordinaire à signaler. Une Fourmi de dépôt à Salt Lake City et une autre à Tulsa ont fait des fantaisies. Vos ordinateurs les avaient repérées?

– Oui.

– Celle de Tulsa a déjà été reprise. L'autre a filé au Mexique, en abandonnant sa famille. Nous sommes sur ses traces. Sa durée de vie ne devrait pas excéder deux jours, dans le pire des cas. Vos ordinateurs auraient dû m'alerter.

– Stroud l'a fait hier soir. Voyez plutôt du côté de vos

propres hommes, dit Laudegger, assez content de river son clou à Milán.

— L'affaire Gantry, à présent, dit enfin Milán, sans relever la critique. À Milwaukee, nous avons employé un homme du nom de Morrell. Il a parfaitement exécuté le travail dont nous l'avions chargé et il a quitté la ville. Mais il semble que quelqu'un soit en train de s'informer sur lui. La police de là-bas le recherche et elle a été renseignée. Nous ignorons par qui.

— Gantry ?

— C'est possible. Il dispose d'enquêteurs privés des plus efficaces. Plutôt spécialisés dans les recherches financières, mais qui peut le plus peut le moins. Surtout si l'on dispose d'énormément d'argent, ce qui est le cas de ces policiers privés.

— Gantry enquêterait à Milwaukee ?

— Tout comme il enquête sur cette OPA que vous avez faite.

— L'Obawita General Wood. Je vous ai dit depuis le début que cette fille était dangereuse. Et, avec Gantry dans son camp, elle le devient mille fois plus.

Milán consulta sa montre.

— La nuit est déjà tombée sur la jonque de Gantry. Il est certain que, s'il avait été n'importe où sur terre, il serait déjà mort. Mais il est sur mer, à l'autre bout du monde. Il m'a fallu trouver des hommes et des bateaux...

— Ne m'emmerdez pas avec les détails.

Laudegger se sentait envahi par une grande satisfaction. Il ne doutait pas que Milán parvînt à éliminer Gantry et la fille. Mais surprendre Milán dans l'embarras était une expérience nouvelle et plaisante.

— J'ai trouvé les bateaux qu'il me fallait, poursuivit Milán comme s'il n'avait pas été interrompu. J'en ai trouvé deux. Deux autres arrivent d'Australie et un cinquième vient de Hong-Kong. Et j'ai trouvé les hommes pour les équiper. Tous ces navires sont deux ou trois fois plus rapides que la jonque de Gantry. Ils ont à leur bord assez d'armes pour massacrer la population d'une ville. Gantry s'est cru malin en allant se réfugier aux îles Nicobar. C'est un territoire de l'Inde, au sud des Andaman.

— Je m'en fous, dit Laudegger, bien décidé à user de son avantage.

— L'endroit est presque désert. Nous aurions eu quelques difficultés à faire sauter la jonque dans le port de Singapour, ou devant des témoins. Là-bas, il n'y aura pas de témoins.

— Vous allez l'avoir, oui ou non?

— Que cela se passe au bout du monde est un atout pour nous. Je vous explique seulement la situation. Aux dernières nouvelles, qui me sont parvenues voici dix minutes, la jonque vient d'entrer dans une crique de la Grande Nicobar. Ils sont deux douzaines à bord. Ils ne sont armés que de quelques fusils. Le premier bateau de ma flotte les aura rejoints dans vingt minutes. Le deuxième n'est qu'à une heure de route. Et j'ai réussi à amener une douzaine d'hommes sur l'île elle-même. Si Gantry y débarque, ils l'auront. S'il reprend la mer, mes vedettes intercepteront la jonque et n'en laisseront pas une planche intacte. D'autres questions, Laudegger?

— Ne le ratez pas.

— Je ne peux pas le rater.

3

Trois ou quatre minutes plus tôt, la jonque avait doublé, tous feux éteints, un long promontoire rocheux. Elle s'était immobilisée. Tony Beardsley avait fait descendre deux ancres pour ralentir un drossage vers les récifs battus par les flots de l'océan Indien. Un canot pneumatique avait été mis à la mer, dans un silence total. Gantry lui-même y avait embarqué, avec trois Ibans, dont Randa, quelque chose qui ressemblait à un treuil et une amarre reliée à une élingue. L'embarcation s'était éloignée.

La nuit était claire. Un peu trop. Mais, comme disait Laviolette, le ciel « se morpionnait », s'emplissait de nuages. Par moments, il faisait presque sombre. Zénaïde examinait à la jumelle le fond de la baie. À mille huit cents mètres environ, elle apercevait la bande grise d'une plage de sable, avec des cocotiers et quelques maisons. Elle crut distinguer un appontement sur pilotis.

– Celui-là, Tony ?

– Il n'y en a pas d'autre sur des dizaines de miles. Les voilà.

Elle crut qu'il parlait du canot pneumatique, mais il s'agissait de grosses pirogues, avançant à la rame, et qui venaient de surgir de l'ombre portée du promontoire.

Peut-être avaient-elles croisé le canot. Elles transportaient des fûts.

On les hissa à bord, à l'aide de la caliorne arrière, un gros palan à deux poulies.

– Sept minutes, annonça Pat Hennessey, qui surveillait l'écran du radar.

Tout se produisit en même temps. Les pirogues, plus grosses que des praos malais, s'en allèrent sitôt le déchargement terminé. Le canot pneumatique réapparut, mais Randa s'y trouvait seul avec un autre Iban. Une grosse forme sombre passa à quelques encablures, forme bizarre, comme hérissée d'antennes et recouverte de plaques disparates.

– On y va. En avant, doucement.

Beardsley venait de remettre les moteurs en route. L'amarre emportée par Gantry se transforma en élingue, plus résistante. Laquelle se tendit. Et, sous l'action conjuguée de cette remorque et de sa propre propulsion, la jonque passa à quinze mètres des récifs. Elle entra dans la zone plus sombre dominée par le promontoire. Pendant quelques dizaines de secondes, il sembla qu'elle allait se fracasser contre la muraille rocheuse. Un passage s'ouvrit soudain. Des rochers défilèrent à moins de deux mètres, de part et d'autre. Gantry sauta à bord. Malgré la pénombre, on entrevit l'éclair de ses dents blanches.

– On y est arrivé, Tony.

– C'était juste. Tu es fou.

Gantry se hissa sur le toit de la dunette. Il chantonnait. Zénaïde le vit. Il lui sourit.

– On s'amuse, non?

La forme sombre qui avait doublé la jonque deux minutes plus tôt se trouvait déjà à quatre cents mètres et poursuivait sa route vers le fond de la baie. Une lumière verte s'alluma à l'emplacement de sa tête de mât puis, dans les secondes suivantes, un autre feu se mit à clignoter, signal auquel on répondit, de la terre.

– Onze minutes. Ils ont accéléré. Ils seront en vue dans neuf minutes.

Dans la dunette, Pat Hennessey se penchait sur l'écran du radar. À l'exception de Warren DelMonte, de garde dans le carré des ordinateurs, tout le monde était sur le pont. Hennessey parlait de la grosse vedette qui les coursait depuis deux jours. Sans doute les poursuivants avaient-ils été avertis que la jonque était allée droit au piège. Et ils se dépêchaient pour prendre part à la curée. La main de Gantry glissa autour de la taille nue de Zénaïde, les longs doigts caressèrent le renflement sous le nombril, parurent vouloir descendre plus bas, effleurèrent le maillot, s'écartèrent. À la jumelle, on voyait la silhouette en forme d'araignée approcher de l'appontement. Deux heures plus tôt, à mesure que l'on découvrait la Grande Nicobar – l'île s'étendait sur une soixantaine de kilomètres du nord au sud –, une information était arrivée : l'un des auteurs officiels de l'OPA sur l'Obawita, Albert Campanella, avait déjà participé à une opération du même genre, quatorze mois auparavant, en association avec quatre autres hommes, sur lesquels les vieilles tantes venaient d'ouvrir un dossier; dans le montage financier de cette première OPA figurait un des fonds d'investissement collectif auxquels Morales, l'épicier de Milwaukee, avait fait verser l'argent qu'il déposait. C'était la première preuve d'une relation entre l'affaire de l'Obawita et celle de Milwaukee.

– Quatorze minutes.

La jonque était à moitié enchâssée dans une calanque étroite. Elle ne tenait sa position que grâce à l'élingue frappée à l'avant et aux amarres arrières fixées par ses ancres. Elle n'en tanguait pas moins, bien qu'étant en partie protégée de la houle; ses défenses latérales s'écrasaient presque contre les rochers. Gantry s'était souvenu de ce mouillage pour s'y être abrité cinq ans auparavant, lors de sa deuxième visite aux Nicobar. Mais à l'époque, la jonque sur laquelle il naviguait était plus petite et, surtout, le vent soufflait de l'est.

– Seize minutes.

Toutes les jumelles du bord étaient braquées sur l'appontement. Il venait de s'éclairer d'une lampe, mais celle-ci s'éteignit aussitôt.

– Je crois que tu vas avoir ta preuve, Gagnon, dit Gantry.

Des silhouettes apparurent sur l'appontement. Les flammes des armes automatiques clignotèrent dans l'obscurité. On tirait sur le bâtiment aux formes biscornues qui avait stoppé sa progression et semblait dériver. Malgré le bruit du ressac et la distance, Zénaïde crut entendre des détonations en chaîne.

– Mitrailleuse lourde, précisa Tony Beardsley qui était sorti de sa dunette pour mieux entendre.

– Et grenades.

Les premières flammes d'un incendie éclairèrent la nuit.

– On est en train de détruire ma belle jonque, dit Gantry en riant. Et, en plus, on nous massacre. Tu es morte, Zénaïde.

– Toi aussi.

– Nous avons peut-être réussi à éviter les balles de leur mitrailleuse et nous tentons en ce moment de gagner la côte à la nage. Où d'autres tireurs nous attendent. Nos chances sont nulles. Sincères condoléances.

Zénaïde recherchait, un peu au hasard, les trois pêcheurs des Nicobar qui, selon le plan prévu, avaient piloté le leurre jusqu'à deux cents mètres de l'appontement, avant de l'abandonner. Le leurre lui-même était un gros sampan dont on avait étoffé la silhouette autant qu'on l'avait pu. En plein jour, il n'aurait évidemment pas été possible de donner le change. Mais de nuit...

– Je les vois, annonça Tony Beardsley. À deux heures.

L'une des embarcations venues tout à l'heure réapprovisionner la jonque en mazout était en train de recueillir les trois pêcheurs. La fausse jonque brûlait à plusieurs centaines de mètres de là, sur la gauche. Elle continuait à dériver.

– Attention.

Lancé à toute vitesse, un gros yacht blanc doubla le promontoire et embouqua la baie. Ses deux ponts étaient illuminés. Zénaïde vit une vingtaine d'hommes en armes. Il passa à six cents mètres de la calanque, s'éloigna. Les moteurs de la jonque étaient en route, l'élingue était larguée et les ancres avaient été remontées par les Ibans. Le lourd bâtiment sortit de sa niche. Il coupa le sillage du yacht et, lancé à plein régime, se dirigea vers la haute mer. La fausse jonque brûlait toujours, dérivait toujours.

– Et il sort d'où, ce bateau qui brûle ? questionna Laviolette.

– Gantry l'a acheté par radio. Il est déjà venu aux Nicobar et il y a des amis. On est inquiet, Laviolette ?

Il mangeait un sandwich.

– Je meurs d'angoisse, dit-il avec sa placidité ordinaire. Mais, quand cet autre bateau qui vient de nous passer sous le nez va voir que ce n'est pas nous qui brûlons, il va faire demi-tour et nous prendre en chasse.

Sûrement. Étant donnée sa vitesse, au moins deux fois supérieure, il allait rattraper la jonque et la pulvériser. Surtout en haute mer, où l'on n'était pas gêné par les voisins. Et, si ce premier yacht ne suffisait pas, le deuxième, affrété à Singapour, plus puissant encore, terminerait la besogne.

Le *Fou de Bassan* cinglait plein ouest, s'enfonçant tout droit dans l'océan Indien. La côte la plus proche, celle de Sri Lanka, ne se trouvait jamais qu'à mille deux cents kilomètres environ. Le ciel ne se « morpionnait » plus; il était carrément couvert. La nuit était dense. Les prévisions météo se révélaient exactes.

– J'ai tout compris, dit Laviolette. Dans peu de temps nous allons rencontrer le porte-avion ou le sous-marin que Gantry avait jusque-là dans son garage.

Ni sous-marin, ni porte-avion. Simplement le premier yacht – et le second...

Même à la jumelle, l'épave en feu n'était plus visible. Ils en étaient maintenant éloignés de deux ou trois milles nautiques et, de toute manière, les avancées de la côte faisaient écran. D'après Tony, leurs chances de s'en tirer augmenteraient s'ils parvenaient à prendre cinq milles d'avance. On y était presque.

Les deux yachts allaient devoir se ravitailler en mazout. Ils avaient singulièrement forcé les feux, depuis leur départ. Ni celui qui venait de Penang, ni celui qui avait appareillé à Singapour, ne pouvait, selon les calculs de Gantry et de Beardsley, envisager de continuer la poursuite dans l'immensité de l'océan Indien sans d'abord refaire le plein de carburant.

– Et nous avons raflé tout le mazout qui était disponible; c'est ça?

Pas du tout. Le risque était trop grand que les yachts, dans l'impossibilité de se ravitailler, ne réattaquent tout de suite, pour en finir. Non, il était plus logique de penser que les capitaines des deux bateaux allaient choisir de perdre une heure pour mazouter, sachant que cette heure de retard compterait peu par la suite. Dans le meilleur des cas, même avec ses voiles en renfort des moteurs, la jonque ne pouvait guère filer que huit nœuds. Quatorze ou quinze kilomètres à l'heure. Une distance que le premier yacht pouvait couvrir en vingt minutes.

– Tony estime que l'autre est plus rapide encore.

Et les deux navires disposaient d'un radar – et peut-être même d'un avion – pour les aider dans leurs recherches.

232

– Ils vont mazouter, Laviolette. Et ils repartiront. Au mieux, ils ne nous retrouveront pas avant le lever du jour. Tony pense qu'avec cinq milles d'avance nous pouvons leur échapper, à la faveur de la nuit.

Mais c'était vrai que les douze prochaines heures risquaient d'être pénibles. Surtout si l'avion de reconnaissance s'en mêlait. D'après le correspondant de Gantry à Port-Blair, dans les Adaman du Sud, il y avait bel et bien un avion en alerte, arrivé de Bangkok et attendant le jour pour participer aux recherches. Gantry avait essayé d'empêcher l'appareil de décoller, mais sans grand succès. La police indienne affirmait n'avoir aucune raison de retenir des touristes porteurs de passeports en règle.

Le plus vraisemblable était donc qu'au petit matin on verrait apparaître soit le yacht de tête, soit l'avion. Dès lors, les vrais ennuis ne seraient plus très loin.

Sauf si l'idée farfelue de Gantry se révélait bonne. Zénaïde expliqua en quoi consistait cette idée. Elle eut à peine le temps d'achever sa phrase. Lolly, la secrétaire, lui faisait signe. La communication avec l'Irlande venait d'être établie.

– Nous n'avions pas le choix, Alex.

Lors de leur échange précédent, Decharme se trouvant dans l'avion qui les emmenait en Irlande, sa famille et lui, elle ne lui avait pas laissé le temps de placer un mot. Il prenait sa revanche. Elle lui accorda le temps d'épancher sa bile, tandis qu'autour d'elle, dans le carré des ordinateurs, Gantry et son équipe s'étaient remis au travail. Les télécopieurs à eux seuls déversaient des documents par dizaines. Les Decharme se trouvaient toujours dans le Wicklow. Dans un château des plus confortables, d'accord. Mais, encore une fois, il avait, lui Alex, passé l'âge d'être materné; il était très capable de se protéger seul, et de prendre soin de sa famille – si danger il y avait, ce qui ne lui paraissait pas évident.

– Je peux parler, maintenant, Alex?

Il reprenait son souffle. Elle raconta ce qui se passait, décrivit la situation dans laquelle ils étaient. Bref silence.

– C'est à ce point-là?

C'était à ce point-là, oui. Et elle allait lui passer Gantry, qui avait quelque chose à lui dire. Gantry prit le relais. Il attendait de Decharme qu'il fît sa part du travail.

– Vous notez, Alex?

Il indiqua des noms d'hommes et de femmes que Decharme pouvait contacter. Si Decharme était d'accord pour collaborer. Il l'était? Très bien. L'ampleur de l'enquête en cours depuis près de cent heures était telle, on poussait les recherches dans tant de directions différentes que toute aide était la bienvenue. Surtout celle que pouvait apporter un journaliste possédant autant de relations dans la presse internationale, parmi les grands reporters en particulier.

Gantry finit par raccrocher. Zénaïde le fixait, incertaine.

– Tu as réellement besoin d'Alex?

Oui. Enfin, peut-être. Ç'allait dépendre de beaucoup de choses. Elle demanda :

– Qui est ce MacArthur, que tu cherchais à joindre il y a deux minutes? Le nom m'est familier.

– Il dirige l'un des plus gros cabinets d'avocats de New York, et même des États-Unis.

– Tu l'as eu?

– Non. Et on ignore où le contacter. Parlons d'autre chose.

Zénaïde découvrait un Gantry jusque-là inconnu. Sous la nonchalance apparente, l'intelligence fonctionnait avec une sidérante rapidité. Elle l'avait entendu expliquer à Alex ce qu'il attendait de lui et n'était pas très sûre de comprendre où il voulait en venir.

– Tu aurais une idée en tête, Gantry?

– Rien de bien précis. Mais il est certain qu'il va falloir trouver une solution. Nous ne pourrons pas continuer éternellement à nous laisser pourchasser.

D'autant que, pour l'heure, tout laissait croire que leurs poursuivants étaient sur le point de les rattraper.

– J'ai vu que tu avais demandé à Warren une recherche sur toutes les opérations antérieures de Campanella.

– Puisque nous n'avons rien trouvé sur celle de l'Obawita. Pour l'instant, du moins. D'ailleurs, tu m'as dit toi-même que nous ne trouverions rien.

Et il en était de plus en plus convaincu. Le montage de l'affaire de l'Obawita était un authentique chef-d'œuvre. Prouver que Harkin, Fielding et Campanella n'y avaient participé qu'en tant qu'hommes de paille prendrait des années. Mais Zénaïde ne devait pas imaginer pour autant que les possibilités d'investigations étaient infinies. Il y avait des limites à tout.

– Si je réussis à établir que Campanella s'est servi des fonds d'investissement alimentés par les dépôts de Morales, j'aurai prouvé quelque chose, dit-elle, agacée.

– Qu'il y a un lien entre Milwaukee et l'Obawita. Et encore... D'abord, je suis certain que ce lien existe, et je n'ai pas besoin de preuves. Et puis, tu n'aurais rien prouvé du tout. Ces fonds d'investissement se comptent par milliers et leurs gérants sont payés pour placer l'argent dont ils disposent dans les meilleures affaires.

Elle s'entêta. Il devait être possible de dresser une liste des fonds d'investissement utilisés, pour d'autres opérations, soit par Campanella, soit par Harkin ou Fielding. Ensuite, elle allait vérifier si, entre tous ces fonds, il ne se trouvait pas un point commun.

Nous sommes tout bonnement en train de nous engueuler, Gantry et moi. Il ne nous aura pas fallu longtemps.

Mais, somme toute, c'était son argent à lui, lui qui

n'était concerné ni par l'histoire de Milwaukee ni par celle de l'Obawita.

— D'accord, dit-elle. Je laisse tout tomber, si tu y tiens.

Il était absorbé par l'étude des cours de la bourse de New York. On approchait de la clôture.

— Non, continue.

En même temps qu'il suivait le défilé des chiffres sur les écrans, il feuilletait d'énormes liasses de documents. Elle faillit y jeter un coup d'œil, mais elle s'en abstint – encore une fois, c'étaient les affaires de Gantry, pas les siennes. Pendant un moment, elle se consacra à l'examen de toutes les informations que les vieilles tantes avaient transmises durant les dernières heures. Rien de bien extraordinaire. Sinon que monsieur Albert Campanella avait été extrêmement actif au cours des trois dernières années. Mais ce n'était interdit par aucune loi. Vers deux heures du matin, elle monta sur le pont. Kaï avait pris la barre pour relayer Tony Beardsley. Ce dernier n'avait pas pour autant regagné sa cabine. Il dormait dans un hamac, dans un coin de la dunette. Zéanaïde se pencha sur le radar.

— Il y a un gros machin, là.

— Un cargo japonais. Nous l'avons identifié. Il nous a dépassés par tribord vers minuit. Il ne va guère plus vite que nous.

— Il pourrait signaler notre position?

— Il n'a pas pu nous voir, sauf sur son écran radar.

Kaï avait environ vingt-cinq ans. Il était petit et corpulent. Zénaïde demanda :

— On ne nous poursuit pas?

— Le petit point à droite, juste au bord de l'écran.

— Comment savez-vous que c'est l'un des yachts? Il y a plein de petits points.

— La vitesse de son déplacement. Et l'autre yacht est dans le quart sud-est, à cent vingt milles. Ils nous cherchent. Et ils ont du mal à nous repérer avec tous ces baleiniers qui ont les mêmes dimensions que nous. Notre dernière manœuvre les a trompés.

– Mais ils vont nous retrouver.

Kaï acquiesça. Il mâchonnait de la canne à sucre. Où et comment Gantry avait-il recruté tous ces hommes et toutes ces femmes capables de continuer à travailler comme si rien au monde ne les menaçait ? Elle connaissait l'histoire de Pat Hennessey et fut un moment sur le point d'interroger Kaï. En fin de compte, elle partit se coucher. Pensant qu'elle ne pourrait pas s'endormir.

Ce en quoi elle se trompait. Elle fut réveillée brusquement.

– Deux choses, dit Gantry. La première : je suis concerné par l'affaire de l'Obawita. L'un des arguments utilisés par Campanella, Fielding et Harkin pour réussir leur coup était que j'étais derrière eux. Ils se sont servis de ma réputation d'écologiste pour apaiser certaines craintes. Et je n'aime pas ça. Pas du tout.

– Embrasse-moi.

Elle l'attira à elle et leurs langues se mêlèrent. Mais Gantry se dégagea avec douceur.

– La seconde : l'avion nous a repérés. Il est au-dessus de nous.

L'appareil passa au-dessus d'eux pour la troisième fois, à moins de quarante mètres du sommet du mât principal. L'homme assis à la droite du pilote tira deux ou trois coups de feu. Une balle fracassa un plat sur la table.

– Une façon comme une autre d'exhaler sa mauvaise humeur, dit Gantry en riant. Où sont les yachts, Tony ?

– Le premier à environ six milles plein est, le deuxième nettement plus loin – je dirais dans les cent milles – et également plus au sud. Ils ont bel et bien réussi à nous prendre en tenaille. Tu veux aller leur regarder le blanc des yeux ; c'est ça ?

– C'est ça! En ce qui concerne le plus proche du moins. L'autre est décidément trop loin. Mais on pourrait lui dire bonjour par radio, l'attention serait délicate.

Beardsley relança les moteurs arrêtés depuis des heures et mit cap à l'est.

– Seulement du café pour moi, dit Zénaïde.

Ils étaient une douzaine à prendre le petit déjeuner ensemble sur le pont. Le ciel était bas, très nuageux. Il ne pleuvait toujours pas mais les Ibans étaient en train de tendre un dais de toile, au cas où... L'ambiance était très calme. Hudson Leach et Pat Hennessey commentaient avec ardeur la prochaine rencontre de rugby qui allait opposer l'Angleterre et l'Irlande, pour le début du tournoi des Cinq Nations. André Hannah était absorbé par le masters de tennis – la jonque était équipée de manière à pouvoir recevoir dans l'heure les résultats sportifs du monde entier. Une quarantaine de minutes plus tard, Kaï aperçut à la jumelle, distante d'environ trois mille mètres, la silhouette blanche du yacht à la dérive.

– Ils essaient de mouiller une ancre mais nos cartes indiquent un fond de plus de neuf cents brasses. Aucune chance.

– Ils vont dériver jusqu'où?

Le pôle Sud, peut-être. Sauf si, dans l'intervalle, le radio du yacht réussissait à convaincre quelqu'un, soit à Port Blair, aux Andaman, soit à Penang, soit, plus probablement, à Sumatra, de leur venir en aide. Mais il faudrait trois à quatre jours au moins avant qu'on puisse les prendre en remorque.

– Pareil pour l'autre yacht?

Question de Laviolette.

Pareil. Sauf que le second navire se trouvait plus près de la côte occidentale de Sumatra. Peut-être les courants allaient-ils le ramener vers la terre. Mais, là encore, c'était l'affaire de plusieurs jours. Tony Beardsley fit envoyer aux deux navires, par radio, les salutations cordiales du *Fou de Bassan* et vint s'asseoir lui aussi à table. Il avait joué deux matches en troisième ligne du Quinze d'Angleterre. Selon lui, les Irlandais allaient être pulvérisés. Gantry souriait à Zénaïde.

Si bien que ce fut Laviolette qui dut poser la question.

À savoir : qu'avait-on bien pu mettre dans le mazout des yachts, lors de leur ravitaillement, à la Grande Nicobar?

Gantry ne savait pas au juste. Du sucre peut-être.

Deux heures plus tôt, l'avion, venant d'un aérodrome perdu dans la jungle du Costa Rica, avait débarqué MacArthur. L'accueil qu'on lui avait réservé différait peu de celui qui lui avait été fait lors de ses voyages précédents. Un peu plus de gardes armés? Il avait compté, machinalement, une bonne soixantaine d'hommes entre le franchissement de la grille d'entrée de l'hacienda et le grand porche devant lequel s'était arrêtée la limousine climatisée. Plus deux positions de mitrailleuses – des armes énormes, anti-aériennes peut-être – sur les toits plats des écuries. Mais la courtoisie que lui avaient témoignée les hommes impassibles était la même. On l'avait conduit à son appartement habituel, suite de trois grandes pièces ouvrant sur un large balcon qui dominait le Magdalena et permettait d'apercevoir, à trois kilomètres, sur l'autre rive, la voie ferrée Bogotá-Santa Marta. Et, plus loin, la cordillère, presque irréelle, que la nuit effaçait. On avait demandé à MacArthur s'il désirait boire ou manger quelque chose. Ou peut-être profiter de la piscine.

– Merci, non. *Muchas gracias.*

– *De nada, señor Adams.*

Adams était le patronyme sous lequel chacun le connaissait ici. Chacun sauf *eux*, évidemment, qui savaient à peu près tout de lui. Il avait pris une douche, s'était allongé. Depuis sa dernière visite, le matériel audiovisuel de son appartement avait été renouvelé; il pouvait écouter n'importe quelle musique de son choix ou regarder tel film récent sur l'écran de télévision géant de cent dix-sept centimètres ou bien capter une centaine de chaînes différentes, transmises par satellite. Et, bien sûr, des femmes étaient à sa disposition. Une fois, il en avait fait venir une; rien que pour voir à quoi elle ressemblait – grande et blonde, avait-il précisé. La fille qui s'était présentée quelques minutes plus tard était superbe, à tous égards, et grande et blonde, en effet, parlant anglais avec un léger accent australien. Il lui avait offert un verre mais l'avait renvoyée sans la toucher, quoiqu'il eût été assez tenté. Outre sa crainte du sida et son peu de goût pour l'adultère, il ne voulait rien accepter qui pût le mettre davantage à leur merci. On est toujours prisonnier d'un cadeau.

Des livres étaient disposés dans la chambre. Il ne les regarda pas davantage. Il suivit pendant un quart d'heure les informations sur CNN. Le petit pincement aux creux de son estomac revenait par intermittence. Il résista à l'envie d'un verre et, une fois de plus, s'obligea à repasser dans sa tête le détail du compte rendu qu'il allait devoir faire. Il n'avait emporté aucune note – pas question de se promener avec quoi que ce fût d'écrit, même pas des chiffres. Sa mémoire devrait suffire; il lui faisait entière confiance. Elle pouvait, dans la seconde, lui restituer, entre autres, les chiffres des investissements français dans leur totalité, secteur par secteur, avec les noms des responsables locaux, ou bien encore le montant, à cent dollars près, des bénéfices dégagés par la réalisation de ses placements en Allemagne, ou à Singapour, ou en Australie. Il avait récemment acquis beaucoup de terrains en Australie, sur la côte entre Sydney et Cairns, en s'assurant le contrôle des infrastructures nécessaires et la propriété de trois grandes chaînes d'hôtel dans tout le Pacifique. Il croyait fermement à la future expansion, à l'explosion même, de l'industrie touristique dans cette région du monde – en Australie et en Nouvelle-Zélande surtout, pays « occidentaux » qui n'étaient pas à la merci d'une révolution imbécile. Il avait déjà injecté près de cinq milliards dans ce projet et ne comptait pas en rester là.

Sauf s'*ils* s'y opposaient. On ne savait jamais, avec *eux. Leur* expliquer la finance était, à peu de chose près, comme enseigner l'arithmétique à une vache. C'était la raison de son pincement à l'estomac. Ces hommes étaient des fauves. Irrationnels. Et impénétrables – comment savoir ce qui se passe dans la tête d'un tigre, voire d'un simple chat ? S'il s'y passe quelque chose.

*Tu exagères, Mac. Ils ne sont pas si idiots que cela. Ils ne seraient pas où ils en sont si leur cerveau était totalement vide. Il y a certainement un peu de racisme dans l'opinion que tu as d'*eux*. Ils seraient blonds aux yeux bleus – et moins basanés, moins métèques, moins métissés d'indien,...*

Non.

En toute objectivité, il conclut que le racisme n'y était pour rien. Il doutait même d'être raciste. Il ne croyait pas à la supériorité d'une race sur une autre. Il y avait des crétins partout. Et puis, il éprouvait des sentiments presque identiques pour certains de ses clients ordinaires, qui n'étaient en aucune manière liés aux Fourmis. Cette famille de Boston, par exemple, dont il gérait la fortune considérable. Belle brochette de requins à sang froid. Ils n'employaient pas l'assassinat comme moyen de persuasion, mais c'était uniquement par crainte du scandale, les scrupules ne les étouffaient pas.

Sept heures. On n'allait pas tarder à venir le chercher pour le prier de descendre. Il savait exactement ce qui allait se passer. *Ils* lui demanderaient des nouvelles de sa femme et de ses enfants, s'enquerraient de sa propre santé. Il y en aurait forcément un pour lui rappeler combien d'argent il avait gagné, grâce à *eux*. On lui demanderait s'il était content. Il répondrait « *oui, très content* ». Et un autre dirait que cela faisait beaucoup d'argent. « *Oui, beaucoup* », dirait-il. Et un troisième insisterait : avait-il jamais rêvé d'amasser une telle fortune ? Se rendait-il bien compte que c'était grâce à *eux* ?

Et qu'à tout moment les choses pouvaient changer ? Qu'il pouvait non seulement être ruiné, mais tué ? Sa femme et ses filles aussi ? Et ces dernières avec un grand raffinement de cruauté ? (*Ils* n'utiliseraient pas le mot *raffinement*, mais ce serait l'idée générale.) Comprenait-il que sa vie tenait à un fil ? Qu'outre sa famille, on pouvait s'en prendre aussi à des parents plus lointains ? Qu'ils avaient fait le compte de ces parents et que pas un ne serait épargné ? Surtout pas les neveux et nièces de la *señora MacArthur* ? C'était clair ? Cela faisait quand même beaucoup d'argent, *no* ? – *Sí*. Il comprenait bien qu'il avait une chance incroyable de gagner tant de *dinero* ? Il le comprenait ? Il était content ? Il savait ce qui se passerait à la moindre erreur, au moindre soupçon d'erreur ? Au début, cette répétition de questions toujours identiques, de menaces, cette mise au point réitérée qui insultait son intelligence, était insupportable. Mais il s'y était fait. Du moins ne le traitait-on plus de « *petite merde qu'on peut écraser de la semelle* » – mais même cela l'aurait laissé de marbre, désormais.

Ces « politesses » traditionnelles échangées, on en viendrait à la question rituelle : *ils* avaient gagné combien, selon lui, depuis leur dernière entrevue et son dernier rapport ?

Mais, avant, naturellement, on lui ferait remarquer qu'il n'était jamais que sept heures quinze et que, pour eux, ce n'était encore que l'heure de l'apéritif, pas celui du dîner. On dînerait plus tard, à la mode espagnole puisqu'ils étaient d'origine espagnole pure (il n'y avait, en Colombie, que vingt pour cent, au plus, de descendants directs des colons ibériques, mais toute allusion au métissage était férocement proscrite; on était « blanc », fût-on couleur de réglisse, et mettre en doute ce postulat revenait à attenter à l'honneur). On lui demanderait donc si, en tant que *Gringo* accoutumé à dîner plus tôt, cela ne lui faisait rien d'attendre un peu. Il devrait rire. Ce serait une plaisanterie d'une drôlerie irrésistible. Tous riraient, enchantés de leur humour.

Ils avaient gagné combien, selon lui? MacArthur devrait immédiatement indiquer un chiffre. Pas celui des recettes globales du commerce de la drogue, bien entendu. Il l'ignorait. Mais celui des bénéfices obtenus par son organisation, à partir des capitaux qui lui avaient été confiés par la collecte, par les Fourmis de dépôt et par les Fourmis voyageuses. Ce chiffre qu'il donnerait devrait être exact au dollar près. En tous cas égal à celui que leur avait indiqué leurs propres comptables. Égal ou supérieur. En général, il était supérieur. Il l'avait toujours été sauf une fois, tout au début, quand il n'avait pas encore mis en place tous ses mécanismes d'investissement. Il ferait donc le compte de l'argent blanchi et des revenus rapportés par le placement de cet argent blanchi.

Muy bien. Ils se regarderaient les uns les autres avec des sourires satisfaits. Quels grands hommes d'affaires *ils* étaient, tout de même! *Eux* qui étaient sortis des sinistres faubourgs de Bogotá, de Medellín ou de Cali! Quel chemin parcouru! Et tout cela grâce à leur seule intelligence!

Ils demanderaient ensuite inévitablement s'il y avait quelqu'un de plus riche qu'*eux*, dans le monde? (« *Miroir, miroir, suis-je la plus belle?* » MacArthur faisait chaque fois ce rapprochement avec la méchante reine de Blanche Neige; pour un peu il en aurait souri.) Ces Japonais étaient-ils plus riches qu'*eux*? Et MacArthur, dans le rôle du miroir, ferait la réponse attendue : non, personne au monde n'était plus riche. Les hommes – les particuliers – les plus riches du monde, officiellement, étaient deux Japonais. Un certain Mori Taikichiro, et un autre qui s'appelait Tsutsumi Yoshiaki. L'un et l'autre ne prétendaient qu'à des fortunes misérables – à peine dix ou douze milliards de dollars chacun. *Ils* étaient infiniment plus riches que cela. Quel que fût le mode de répartition entre les cinq du Cartel – MacArthur devinait que leurs parts n'étaient pas égales –, le moins riche d'entre *eux* disposait d'une bonne vingtaine de milliards. MacArthur avait lu quelques jours plus tôt le classement des grandes fortunes mondiales, établi par *Forbes Magazine*. Si les deux Japonais figuraient en tête de ce classement, suivis par l'Américain Sam Walton (huit milliards sept à peine), il avait noté avec un amusement sarcastique que ses clients étaient cités, certes, mais seulement dans la catégorie des *deux milliards et plus*. Pendant quelques secondes, il avait envisagé l'idée d'écrire au journal pour protester et rétablir la vérité.

Les préliminaires seraient enfin terminés. On entrerait dans le vif du sujet. Dans le détail. Des détails à l'échelle du milliard de dollars. MacArthur commencerait son exposé des investissements, pays par pays. En additionnant les chiffres de la collecte et ceux des bénéfices déjà acquis, le total n'atteindrait pas tout à fait trois cents milliards de dollars. À peu près deux fois le budget global de la France ou de la Grande-Bretagne. Le rapport de MacArthur renforcerait encore leur mégalomanie. Le Cartel avait toujours rêvé l'impossible, et ne désespérait pas de dominer bientôt le monde. Il avait comme alliés, « objectifs » ou conscients, les terroristes, les activistes d'extrême droite, ceux du M 19, du FARC, les Cubains, les révolutionnaires du Nicaragua, le dictateur du Panamá. Les narcodollars avaient corrompu et infiltré les appareils d'État, et les institutions. Des dizaines de milliers d'hommes et de femmes, qui poursuivaient des objectifs différents et adhéraient à des idéologies contraires, travaillaient avec ou pour le Cartel. La puissance des

Cinq était sans limite, à la mesure de la terreur qu'*ils* imposaient. En Colombie, la mort violente par assassinat ou par meurtre devenait, avant les accidents de la circulation et la maladie, la principale cause de décès pour les hommes âgés de quinze à quarante ans. Et quatre-vingt-dix-neuf pour cent des crimes restaient impunis. On ne comptait plus les enlèvements. En Bolivie, au Pérou, au Nicaragua, de véritables armées contrôlaient les « Silicon Valleys » de la cocaïne.

MacArthur savait cela comme il connaissait les chiffres ahurissants des victimes de la guerre de la drogue. Des dizaines de journalistes, des centaines de politiciens, de juges et de soldats, des milliers de policiers, de fonctionnaires responsables des services des stupéfiants et de civils... près de dix mille personnes tuées en six ans sur ordre du Cartel. À coup de narcodollars – ou *pedrodollars* –, les Cinq avaient littéralement pris en otage les sociétés les plus développées de la planète. *Ils* réalisaient plus de bénéfices qu'IBM, Coca-Cola et la General Motors réunis, disposaient de quinze mille hommes en armes, étaient capables de payer la dette extérieure de plusieurs pays d'Amérique latine, et s'appelaient entre eux, avec pudeur, les plus grands exportateurs de la Colombie... Certains de leurs compatriotes, d'ailleurs, les considéraient comme tels.

Ces « dieux de pierre » allaient exiger de MacArthur un exposé qui durerait des heures. À un moment ou un autre, on passerait enfin à table. Il mangerait peu (cuisine trop grasse et trop lourde à son goût, d'ailleurs) et déviderait le flot des informations qu'il avait en mémoire et dispersait délibérément de façon à être le seul à pouvoir les maîtriser.

On sortirait de table, on regagnerait la grande et belle véranda, et les gardes boucleraient la pièce. MacArthur poursuivrait sa litanie. Il écouterait les questions et y répondrait, bizarrement fier de son agilité intellectuelle et de la précision de sa mémoire.

On irait se coucher tard. Quitte à reprendre, le lende-main matin – jamais avant onze heures –, la séance de travail si celle-ci n'avait pu permettre de faire le tour de toutes les affaires en cours. Cela, c'était le déroulement ordinaire d'une rencontre ordinaire.

Celle de cette nuit était à part. La journée du lende-main le serait encore plus. Sitôt qu'il avait appris sa convocation, deux semaines plus tôt, MacArthur avait formulé une demande exceptionnelle : une journée sup-plémentaire, puisqu'il avait, en plus de son rapport, un projet à présenter.

Le *Plan d'ensemble*.

Ils n'en connaissaient rien; MacArthur n'en avait soufflé mot à personne. Il *leur* avait seulement expliqué qu'il souhaitait *leur* parler de quelque chose qui était absolument capital.

Capital pour *eux*, mais aussi pour lui. S'il réussissait à *les* convaincre de son utilité, à la *leur* faire comprendre peut-être, le Plan d'ensemble bouleverserait du tout au tout sa propre situation. Il deviendrait le *deus ex machina* indispensable, intouchable. Il disposerait d'El Sicario, l'arme absolue.

Ce serait du même coup le couronnement de sa carrière. Il aurait réussi ce dont jamais personne n'avait osé rêver.

On frappait à sa porte; un domestique vint lui annon-cer qu'*on* l'attendait en bas, selon l'usage.

– Je viens.

Il remonta peu avant trois heures du matin. La séance avait été sans surprise. Le chiffre qu'il avait énoncé en réponse à la question attendue avait sidéré par son ampleur. MacArthur avait tiré quelque satisfaction de leur ébahissement. Tout n'avait pas été dit, cependant. Il faudrait reprendre dans huit heures.

Ils ne lui avaient rien demandé sur son projet. *Ils* ne voulaient pas paraître s'intéresser le moins du monde à ce que la « petite merde » avait imaginé. Une flambée de haine parcourut MacArthur. Très brève. Il ne pouvait se permettre ce genre de sentiment.

Il allait prendre une autre douche quand on frappa de nouveau à la porte. Dans la seconde, il sut qui était là.

Malgré la chaleur, El Sicario portait une chemise à manches longues, boutonnée aux poignets. MacArthur se rendit soudain compte qu'il n'avait jamais vu le Sicaire qu'entièrement vêtu, même au bord de la piscine.

Cela doit vouloir dire quelque chose; mais quoi?

MacArthur ne savait toujours rien sur cet homme, même pas sa nationalité. Comment était-il devenu El Sicario? Comment avait-il gagné *leur* confiance?

– Fatigué?

– Un peu, répondit MacArthur. J'allais prendre une douche.

– Faites. J'attendrai. Et nous pouvons tout de même parler.

MacArthur acheva de se dévêtir et entra dans la cabine vitrée. Il régla la température de l'eau, qu'il ne supportait pas froide, même par cette canicule.

– Vous connaissez un homme du nom de Gantry?

La question eût peut-être pris MacArthur par surprise, l'eût peut-être fait réagir, s'il avait été en face d'El Sicario. Il contempla la pomme de douche en or massif et attendit que l'eau fût à sa convenance pour se placer dessous.

– Je connais un Jonathan Gantry.

– Celui des *junk bonds*?

– Celui-là.

– Vous le connaissez personnellement?

Attention, Mac!

– Non.

– Je n'ai pas entendu votre réponse.

MacArthur plaça son visage sous le jet et l'y laissa, le temps de compter jusqu'à vingt.

– La réponse est non, dit-il.

Il venait de sortir de la cabine et enfilait un peignoir marqué à ses initiales, qu'il n'utilisait que deux nuits par an. La penderie contenait cinq autres peignoirs identiques.

El Sicario était entré dans la salle de bains et fumait un long cigarillo des Philippines à l'odeur âcre. Il sourit.

– Je veux parler du Gantry que l'on surnomme le Fou de Bassan.

– Je ne l'ai jamais rencontré.

MacArthur enfila des sandales également à ses initiales. *Pourquoi prennent-ils la peine de faire broder mon nom partout alors que les domestiques m'appellent Adams ?*

Il gagna sa chambre, puis le salon voisin, s'y servit un scotch, surveillant ses mains. Elles ne tremblaient pas. Sa question suivante aurait dû être : « *Pourquoi m'inter-rogez-vous sur Gantry ?* » Il choisit de ne pas la poser.

– Un scotch ?

– Tequila. Il doit y en avoir dans votre réfrigérateur. Mais je me servirai.

Une chose gênait particulièrement MacArthur : il ne savait pas comment appeler son interlocuteur. El Sicario, ou simplement Sicaire, lui paraissait ridicule et mélodramatique ; il aurait eu l'impression de jouer l'une de ces pièces qu'affectionnent les professeurs de lettres, avec un capitaine de *commedia dell'arte* portant un nez de perroquet et un grand sabre, du type Matamoros.

Il but la première gorgée de son scotch, guettant le moment où le Sicaire se déciderait enfin à bouger – il était encore sur le seuil de la salle de bains.

– Il n'y a pas un nom par lequel je pourrais vous appeler, un nom autre que ce surnom d'El Sicario ? Nous nous sommes vus huit ou dix fois au moins.

– Appelez-moi Ben. Ou Wilfrid. Ou Suzanna.

– Matamoros. Mat pour les intimes.

– Pourquoi pas ?

248

Le Sicaire bougeait enfin, avec sa lenteur d'aï – ces paresseux auxquels il faut une journée pour escalader le tronc d'un palmier. Pendant le temps qu'il mit à ouvrir le réfrigérateur dissimulé dans un admirable coffre *vargueño*, à en sortir la bouteille de tequila, à en remplir un demi-verre, à replacer la bouteille et à refermer la porte du réfrigérateur, MacArthur aurait probablement pu dicter deux lettres.

– Autre question, dit le Sicaire après ce long silence. Comment rétribuez-vous Sussman et les autres pour qu'ils vous tiennent au courant de tout ce que fait Laudegger ?

– Les autres ?

– Il n'y en a pas d'autres ?

– Si vous en avez repéré un deuxième, c'est qu'ils sont deux.

Le jeu commençait à amuser MacArthur. *Il en sait moins qu'il ne veut me le faire croire.*

– Je n'ai repéré que Bert Sussman.

– Je ne le paie pas. Il fait ça par amitié pour moi.

Leurs regards se croisèrent. L'œil du Sicaire riait aussi. Et, levant son verre :

– *Salud*, Mac.

– *Salud*, Mat. Sussman est toujours vivant ?

– À ma connaissance, oui.

– Il va le rester dans les semaines qui viennent ?

– Nous pouvons tous mourir dans les semaines qui viennent.

Autrement dit, il ne fera pas exécuter Bert. Bien que les renseignements que me donne Bert puissent être assimilés à une trahison. Et le Sicaire n'allait pas les prévenir. Et il n'est pas venu me voir cette nuit pour me parler de Sussman.

Le Sicaire traversa la pièce, sembla un instant sur le point de passer sur le grand balcon, puis, presque sans paraître bouger, entra dans la pièce suivante, où étaient les livres et tous les appareils audiovisuels.

– Est-ce que Sussman est mêlé de quelque façon à ce projet que vous allez leur présenter demain, Mac?

– À votre avis?

– À mon avis, non. Il en ignore tout. Je l'aurais déjà fait parler si je pensais le contraire.

Est-ce qu'il sait ou non que j'ai connu Gantry? S'il est parvenu à mettre Bert Sussman sur table d'écoute, peut-être. Et, surtout, est-ce qu'il a deviné que j'amenais très doucement Laudegger dans un piège? Laudegger qui est le neveu de ses employeurs – auxquels il voue une fidélité totale? Le jeu devient follement amusant.

– Mon projet vous intéresse, Mat?

– Assez.

– Vous ne seriez pas, par hasard, en train de me proposer un troc? Certaines informations que vous pensez avoir réunies sur mon compte, et dont vous estimez qu'elles me seraient préjudiciables si elles étaient révélées, contre le contenu de mon projet?

Ce fut stupéfiant: le Sicaire leva la main qui tenait le petit verre de tequila, lâcha ce verre, et le rattrapa un bon mètre plus bas. Sans qu'aucune goutte fût versée.

– Superbe démonstration, dit MacArthur.

– Gantry. Le Fou de Bassan. Laudegger a obtenu qu'on envoie contre lui un véritable corps expéditionnaire. Milán vient de manquer sa première attaque. Pour l'heure, le *Fou de Bassan* navigue très paisiblement sur les eaux violettes de l'océan Indien. Milán ne sait plus exactement où. Milán n'aime pas échouer. Il sait ce que je pense des gens qui échouent. Ou qui trahissent. Même en pensée. Milán pense liquider le Fou de Bassan à sa prochaine tentative. Il vaudrait mieux qu'il réussisse. Selon certaines informations, le Fou de Bassan s'intéresserait à ce qui s'est passé à Milwaukee, ainsi qu'à une OPA sur l'Obawita General Wood. Ce genre de curiosité met ordinairement les Fourmis combattantes de très mauvaise humeur.

– Passionnant, dit MacArthur.

Le Sicaire se retourna. On eût dit le lent pivotement d'un très gros navire, entre deux jetées. Le verre de tequila était à présent posé en équilibre sur son index droit tendu. La surface du liquide était rigoureusement immobile.

– Bonne nuit, Mac.

Il sortit, glissa vers la porte, posant au passage, sur le téléviseur géant, le verre de tequila intact.

Trente secondes.

MacArthur réussit enfin à bouger. Il constata que ses doigts étaient bien trop serrés autour de son propre verre. Il le vida, revint dans sa chambre, se débarrassa du peignoir, se mit au lit. Une fois la lampe de chevet éteinte, il entendit un très faible murmure. Des gardes chuchotaient, sans doute dans le parc, sentinelles échangeant quelques mots en se croisant. Par les fenêtres ouvertes entraient des odeurs de fleurs. *Je suis venu onze fois ici sans jamais voir vraiment la Colombie, qui est, paraît-il, très belle.*

MacArthur se tourna sur le côté droit, sachant qu'il ne trouverait pas le sommeil.

Les derniers événements étaient plus que préoccupants. Le Sicaire savait. Il était au courant pour Bert Sussman. C'est-à-dire que, bientôt, il saurait pour les autres, pour Tolliver et Sassia notamment. *Et, de là à conclure que je suis en train de manœuvrer pour écarter Laudegger, il n'y a qu'un pas.*

Que le Sicaire a apparemment franchi.

Il a également découvert que je comptais me servir de Gantry.

Il n'en a pas la preuve, mais ce n'est pas un policier ou un juge en robe noire; il n'a pas besoin de preuve; un simple soupçon lui suffit pour prononcer et exécuter la sentence.

Comment? Nom d'un chien!

Peu importe. L'essentiel est de déterminer ce qu'il va faire.

Presque en riant, tu lui as demandé s'il te proposait un échange. Ce n'est pas le mot. Il s'agissait d'une mise en garde.

Ou d'une offre d'alliance?

Alliance, évidemment pas contre eux.

Contre Laudegger, peut-être? C'est sûrement ça. À mots très couverts, il sera venu te dire : « Je sais que vous vous apprêtez à éliminer Laudegger. Eh bien, d'accord. Je vous laisse faire. Mais, attention! réussissez sans me mettre dans l'obligation d'intervenir. Une fois votre petit règlement de comptes terminé, je verrai si je dois vous châtier ou non. Je n'ai pas encore choisi. J'attends. Si vous atteignez une position inexpugnable grâce à votre projet, si, en quelque sorte, vous faites leur bonheur, même malgré *eux*, alors, d'accord. »

« Sinon... »

MacArthur se tourna sur le côté gauche.

Il est certain que je n'aurais pas dû mener de front la mise au point de mon Plan d'ensemble et l'éviction de Laudegger. J'aurais dû attendre. Mais cette affaire de Milwaukee, et surtout le fait que la Canadienne mêlée à l'incident de Milwaukee fût aussi concernée par l'OPA sur l'Obawita, était décidément trop tentante. Je n'ai jamais supporté qu'on m'ait mis en tandem avec Laudegger. Je pourrais le remplacer demain. J'ai trois ou quatre hommes qui seraient capables de prendre sa place, des hommes que je contrôlerais mieux. Laudegger est le dernier obstacle à écarter sur la route du pouvoir absolu.

Laudegger et El Sicario.

Mais pas question d'éliminer le Sicaire. Impossible. Ce n'est même pas souhaitable. Les Fourmis, que j'ai créées, auront toujours besoin d'un homme comme lui – et il est de très loin le meilleur.

Ne rêve pas; tu ne pourras jamais éliminer le Sicaire.

Ou alors dans très longtemps. On verra.

Pour le moment, et dans les mois qui viennent, tu vas devoir manœuvrer avec son pistolet braqué sur la tempe. Ce n'est pas confortable.

Il est trop tard pour stopper l'opération Fou de Bassan, et donc l'offensive contre Laudegger. Tu n'es même pas sûr que cette offensive réussisse! Milán est très capable de tuer Gantry! Et, surtout, si Milán échoue encore, il se peut que le Sicaire s'en occupe lui-même. Auquel cas, Gantry est un homme mort. Le Sicaire n'échoue pas, lui.

Bon. Finalement, c'est très simple.

D'abord, tu dois faire en sorte que le Sicaire n'intervienne pas contre Gantry. Si Gantry n'a affaire qu'à Milán, il a une chance de s'en tirer vivant et de faire ce que tu attends de lui : qu'il détruise Laudegger. Si tu as bien analysé l'attitude du Sicaire, il ne t'est pas trop hostile. Tu pourras peut-être le freiner. Gagner du temps.

Ensuite, dans l'intervalle, présenter ton Plan d'ensemble et le leur faire adopter. Ce qui, au minimum, te prendra six à huit semaines. Ce sont des fauves; ils ont l'extraordinaire prudence des fauves. Ils mettront du temps à comprendre ce que tu leur proposes, et ils en mettront encore plus à l'accepter. Quand ils t'auront dit oui, tu seras en sécurité.

Sauf si, d'ici là, Gantry se fait tuer et que Laudegger, vainqueur, se retourne contre toi, lui qui est leur neveu.

Et sauf, bien sûr, si le Sicaire te tue avant.

Tu t'es mis – c'est peu de le dire – dans une situation pour le moins hasardeuse! Il va falloir que tu te *montres diablement convaincant, tout à l'heure, quand il s'agira de* leur *expliquer ton Plan d'ensemble.*

Comme pour reposer son esprit, MacArthur ferma les yeux et se mit à reconstituer l'image de la porte principale de l'hacienda. Une curiosité monstrueuse. On l'avait flanquée de l'avion qui avait servi au premier transport de cocaïne du Cartel vers les USA. C'était un des Cinq qui avait assuré lui-même le convoyage. Maintenant, on donnait jusqu'à cinq cent mille dollars par voyage.

MacArthur se détendait peu à peu. *Maintenant, il faut que tu dormes. Après, ce sera une sacrée course contre la montre.*

On appelle *action* un titre négociable représentant l'apport fait par un souscripteur au capital d'une société. Une action donne des droits de propriété. Un actionnaire est propriétaire d'une société à proportion du nombre d'actions qu'il détient. En théorie. De la même façon qu'il vaut mieux être riche et bien portant que pauvre et malade; il vaut mieux être un gros actionnaire qu'un petit. Entre quelqu'un qui possède une action de la société Badaboum et quelqu'un qui en possède un million, la différence est rarement de un à un million. Surtout si ce million d'actions constitue un pourcentage significatif du nombre total d'actions émises par la société Badaboum. Les dirigeants de la société Badaboum (c'est un nom inventé, bien sûr!) se fichent du petit actionnaire comme de leur premier club de golf. Croire le contraire relève de l'utopie. D'autant qu'ont été créées des actions, bénéficiant d'un statut particulier, auxquelles un petit actionnaire n'aura jamais accès, les actions dites *de priorité*, ou *privilégiées*. Les dirigeants de la société Badaboum nient unanimement, et avec énergie, ces faits.

Mais cela est une autre histoire.

On appelle *obligation* une valeur mobilière (cotée ou non en bourse) qui n'est rien d'autre qu'une créance. On a prêté de l'argent à la société Badaboum et, en échange, ladite société a remis un document par lequel elle reconnaît ce prêt dont elle s'engage à rembourser le montant (le plus tard possible) plus un intérêt (le plus bas possible). Cet intérêt est en général à taux fixe. Il peut être indexé – autant dire variable pour quantité de raisons (l'imagination des dirigeants de la société Badaboum est sans limite).

Les obligations peuvent être émises par le secteur public ou semi-public (bons du Trésor par exemple) ou par le secteur privé.

Les obligations émises par le secteur public sont, en principe, sûres. Sauf si le pays connaît une révolution ou un krach monumental.

Les obligations du secteur privé sont infiniment plus rigolotes. Leur valeur dépend uniquement de la qualité de celui à qui l'on prête de l'argent. Il ne s'agit même pas de savoir si cet emprunteur est honnête – en théorie, il existe des lois pour le contraindre à rembourser le prêt et à payer les intérêts qu'il a promis de verser; on connaît même des cas où ces lois ont été appliquées! Non; tout le problème est de savoir, à l'avance, si l'emprunteur sera suffisamment intelligent, travailleur, chanceux, retors, etc., pour faire fructifier l'argent qui lui a été prêté, et donc pour verser les intérêts, et rembourser le capital.

Tout le jeu est là, dans cette évaluation de l'intelligence, de la capacité de travail de l'emprunteur.

Les dirigeants de la société Badaboum sont sournois. Ils préparent leur émission d'obligations par des campagnes de séduction. Ils peuvent mentir (mais si!). Ils peuvent même mentir en toute bonne foi et affirmer qu'ils vont réaliser des bénéfices incroyables parce qu'ils le croient vraiment. Qu'ils fabriquent, distribuent ou vendent quelque chose, ils ont peut-être retiré de leur étude du marché (étude confidentielle; inutile d'alerter la concurrence) la conviction de développements futurs. Nul ne sait s'ils ont raison. Même pas eux.

Certains emprunteurs sont des sociétés établies, estimées fiables. Elles ont une réputation; leurs bilans, depuis des lustres, sont positifs. Ce sont quasiment des institutions. Elles bénéficient donc d'un *rating* élevé – le *rating* étant, sur le marché nord-américain, l'évaluation, faite par des bureaux d'analyse sérieux, aux marges d'erreurs infimes, de la qualité d'un emprunteur potentiel. Les obligations émises par ces sociétés à haut *rating* trouvent aisément preneurs. Les grandes banques d'affaires se font un plaisir de les placer; ce sont des obligations nobles – les taux d'intérêts étant, bien sûr, inversement proportionnels à la sécurité qu'elles garantissent; ils sont bas.

Ces emprunteurs sans histoire sont, à la fin des années 70, aux États-Unis, un peu moins de sept cents, soit à peine trois pour cent du nombre total des entreprises américaines ayant des actifs supérieurs à un quart de milliard de dollars. C'est-à-dire que quatre-vingt-dix-sept pour cent de ces entreprises ont, elles, pour quantité de raisons, un *rating* souvent misérable. Il peut s'agir d'*anges déchus*, de grandes compagnies, anciennes, qui, du fait de la conjoncture économique ou d'une gestion hésitante, ont perdu leur éclat passé et la confiance des analystes. Mais il s'agit, le plus souvent, d'affaires récemment créées, jeunes, peu connues – parce que leurs créateurs ont mal su se vendre eux-mêmes, parce qu'ils ont pris leur envol loin de Wall Street, ou parce qu'ils se lancent dans des créneaux dont on mesure mal l'avenir (l'informatique, par exemple). Ces quatre-vingt-dix-sept pour cent de sociétés ont pourtant, comme les autres, désespérément besoin d'argent pour se développer ou consolider leur première percée. Elles émettent donc des obligations. Dites *à haut risque*. Puisque ces emprunteurs-là ne suscitent pas l'enthousiasme des spécialistes. Et ces obligations étant plus difficiles à placer, elles offrent forcément des taux d'intérêt alléchants – aux environs de quinze pour cent.

L'argot de la finance les baptise *junk bonds*, obligations pourries.

Quand James D. MacArthur rencontre pour les premières fois Jonathan Gantry, celui-ci travaille comme garçon de bureau dans un cabinet d'analystes spécialisé dans la recherche financière, pour le compte notamment des *zinzins*, les investisseurs institutionnels (les fonds de retraite, entre autres). Certains de ces fonds disposent de capitaux énormes, pouvant atteindre trente milliards de dollars par an. Où placer autant d'argent, où l'investir (avec un minimum de risques) de manière à gagner ne serait-ce qu'un demi-point de plus que l'inflation ?

Pas question de *junk bonds*. Qui les leur conseillerait et courrait le risque de perdre ainsi leur clientèle ?

Et, d'ailleurs, qui, parmi les experts confirmés et établis, a réellement accordé de l'attention à ces obligations de pacotille ? En 1977, certes, on a enregistré une transaction importante. Une célèbre compagnie d'aviation est parvenue à obtenir l'aide d'une non moins célèbre banque d'affaires – l'une des six premières des États-Unis – pour lever des obligations à haut risque. Mais il n'y a pas eu de lendemain.

Or, dans les mois qui suivent la dernière apparition du Fou de Bassan, MacArthur apprend qu'une quantité considérable de *junk bonds* vient d'être échangée. Une banque d'affaires, d'envergure peu importante encore mais qui va bientôt affirmer sa puissance grâce à ce type d'opérations, a décidé de se jeter dans la bataille. Elle place des *junk bonds* à tour de bras ; elle est en train de créer un marché qui n'existait pas ; elle suscite l'apparition de liquidités. Cela fait boule de neige ; les mouvements sur les fameuses obligations de pacotille sont de plus en plus nombreux, de plus en plus importants. La banque a découvert le filon et, se chargeant d'émissions obligataires pour des entreprises jusque-là négligées, accède au rang de spécialiste ; elle fait fortune.

Voilà pour l'histoire officielle. MacArthur a le goût, voire le besoin, d'en savoir davantage (bien qu'il n'ait pas encore rencontré Mora à cette époque et qu'il soit toujours dans l'enseignement). On finit par apprendre tout ce qu'on veut à condition de poser les bonnes questions aux bons interlocuteurs. Et MacArthur dispose d'excellents informateurs : ses anciens élèves, tous embauchés par les meilleurs cabinets.

Gantry. C'est Gantry qui a donné le branle. Gantry a, selon toute apparence, fait le meilleur usage de ce premier argent qu'il était si fier d'avoir gagné. Avec ce capital de départ, il a fondu sur le marché des *junk bonds* en plein marasme. Sa remarquable aptitude à amasser des informations lui a visiblement servi à opérer une sélection extrêmement judicieuse entre toutes les entreprises qui émettent des *junk bonds*. Il a su repérer les étoiles montantes ou les anges déchus sur le point de réintégrer le paradis des *ratings* aristocratiques. Il a fait un usage massif du crédit. Prenant tous les risques, il s'est quasiment placé en position de *corner* sur les meilleures des *junk bonds* (le *corner* est celui qui, détenant une part essentielle d'un marché quelconque, est en mesure d'influer à sa guise sur ce marché).

Tout cela avec une grande discrétion et sans sacrifier sa migration annuelle vers ses chères mers du Sud. Il paraît même qu'il ne quitte presque plus ses bases pacifico-asiatiques. Il est parmi les premiers à comprendre que, avec les formidables progrès de l'électronique, nul n'a besoin d'être physiquement à Manhattan pour y réaliser dans la minute une opération, quelle qu'elle soit.

MacArthur suit l'aventure. Il en rit. *Cette crapule outrecuidante n'a été mon élève que quinze heures et je ne suis même pas certain qu'il serait plus efficace aujourd'hui si je l'avais eu pendant quatre ans !*

On peut estimer les gains réalisés par Gantry en un peu moins de trois ans à deux cent cinquante millions de dollars environ. Sans qu'il ait commis la moindre infraction aux lois. Et c'est à peine si cinquante personnes savent le nom du bonhomme. On préfère ignorer cet olibrius qui ne fait pas partie de la grande famille des financiers, qui affirme que la finance, c'est enfantin.

Gantry empoche son quart de milliard. Il pourrait poursuivre, et gagner deux, trois, quatre fois cette somme.

Il décroche. Peut-être parce que, pour demeurer sur ce champ de bataille, il devrait renoncer à ce qui est, dit-on, son activité principale, la biologie marine et la défense de la faune et de la flore en Asie du Sud-Est.

Il n'abandonne pas la finance pour autant. Mais, désormais, ses interventions ne seront plus que ponctuelles, et ciblées. L'idée lui est venue de financer des offres publiques d'achat avec des *junk bonds*. D'abord, parce qu'elles constituent une source presque inépuisable d'argent frais et mobile, orientable à loisir. Et puis, surtout, parce qu'aucune loi n'empêche d'émettre des *junk bonds* sur l'entreprise dont on a déjà acquis une partie par l'achat d'actions. Ce qui, en d'autres termes, revient à acquérir la société Badaboum susnommée avec les propres actifs de la société Badaboum. C'est fou mais réalisable.

Gantry – qu'ils sont de plus en plus nombreux à appeler le Fou de Bassan –, est devenu *raider*.

– Des fous de Bassan, dit-il. Des vrais.

Zénaïde releva le nez et considéra les deux palmipèdes perchés sur une vergue, qui, eux-mêmes, les considéraient, Gantry et elle, d'un air exceptionnellement niais.

– Ça ressemble à des pélicans.

– C'est la même famille. Ce sont des sulidés. Ceux-ci,

qui scrutent ton mont de Vénus avec tant d'intérêt, sont des *Sulae bassanae.*

– Ils ont vraiment des têtes de crétins.

– Leur stupidité est proverbiale.

– Tout s'explique.

Les deux oiseaux étaient d'un blanc neigeux. Ailes déployées, ils devaient dépasser les deux mètres, ils avaient des pattes courtes, un gros ventre, un bec énorme, et ils se rengorgeaient à la façon des frères Kessel, de Milwaukee, racontant leurs exploits au golf.

– Leurs déjections valent – ou valaient – de l'or, ajouta Gantry. C'est du guano.

– Salut, les Kessel, dit Zénaïde.

Gantry et elle étaient couchés tête-bêche, nus, sur le toit de la dunette. C'était le seul endroit où elle pouvait bronzer de partout sans provoquer une mutinerie, grâce à quatre prélarts disposés en carré. Ils travaillaient, mine de rien. Elle étudiait la masse formidable des informations fournies par les vieilles tantes sur toutes les opérations menées durant les cinq dernières années par Albert Campanella, par Fielding et par un certain Aguilar Núñez, qu'elle avait plusieurs fois trouvé associé soit à Fielding, soit à Campanella, soit à Lou Mantee. Sept jours s'étaient écoulés depuis la déroute des deux yachts patibulaires. La jonque voguait plein sud, à environ cent cinquante milles de l'archipel des Kepulauan, à l'ouest de Sumatra. On avait eu des nouvelles des yachts. Ils avaient été pris en remorque, au bout de plusieurs jours, et on était en train de refaire leurs moteurs. Deux autres bateaux les avaient rejoints. Tout indiquait qu'ils seraient donc quatre à reprendre la chasse, pour autant qu'elle n'eut pas déjà repris. On signalait l'arrivée d'un gros bâtiment dans le détroit de la Sonde, entre Sumatra et Java – trente hommes d'équipage, quarante mètres de long, deux cent cinquante tonnes, filant quinze nœuds au minimum, grâce à deux moteurs douze-cylindres de six cents chevaux. Selon d'autres informations, une deuxième unité faisait route à plein régime vers le détroit de Lombok. Il était aussi question d'hélicoptères lourds, prétendument destinés au tournage d'un film, mais les vieilles tantes assuraient que les producteurs du film ne faisaient que prêter leur nom. Gantry avait aussitôt réclamé un dossier sur ces gens de cinéma si complaisants.

— Tu trouves quelque chose, Gagnon?

— Arrête de m'appeler Gagnon.

— Tu m'appelles bien Gantry.

C'était vrai. Elle s'interrogea sur cette manie d'appeler par leur patronyme tous les hommes avec lesquels elle entretenait... disons un certain degré d'intimité. Pas seulement eux, d'ailleurs. Elle appelait bien Laviolette Laviolette, et, pourtant, elle n'avait jamais... Pourquoi Gantry et pas Jonathan? *Tu appelais bien Elliott Larry. Pas toujours, mais souvent. Et dès le début, dès le premier soir où tu as dîné avec lui à Toronto, alors que tu ne savais même pas si tu allais ou non voir à quoi ressemblait sa chambre d'hôtel. Tu n'as jamais dit Jonathan à Gantry. Est-ce par besoin de garder tes distances? Aurais-tu un peu peur de ce qui t'arrive, Zénaïde?*

— Je n'ai rien trouvé, dit-elle. Ou, alors, c'est tellement énorme que ça en devient fantasmagorique.

— Dis toujours.

— Une organisation à l'échelle du continent américain, une seule tête pour penser et donner les ordres, des hommes de paille d'un niveau tel qu'ils pourraient aisément faire fortune par eux-mêmes mais qui restent cependant des hommes de paille. Plus une technique sans faille. Et des capitaux qui suffiraient à combler le déficit du commerce extérieur américain pour pas mal de temps.

Gantry ne dit rien. Il était couché sur le ventre et intégralement bronzé. Elle posa son talon gauche sur sa nuque.

– Tu ne devrais pas me répondre quelque chose?

– Fantasmagorique, dit Gantry. Et tu oublies les producteurs de cinéma capables de financer officiellement la location de six hélicoptères lourds pour un film qu'ils n'ont pas l'intention de tourner. Bien qu'ils expédient ces hélicoptères à l'autre bout du monde.

– Ça veut dire quoi?

Il abandonna les feuillets qu'il feignait de lire et s'assit.

– D'accord. On en parle, Zénaïde. J'ai dépensé deux millions de dollars, sans compter le manque à gagner puisque j'ai laissé tomber l'affaire entamée avant ton arrivée. Tout ça pour apprendre qu'il n'y a à peu près rien à apprendre. Parce que nous nous heurtons à une mécanique merveilleusement construite.

Il regarda à nouveau les palmipèdes imbéciles qui étaient perchés sur les vergues et laissaient tomber du guano sur le pont.

– Autre chose : ils nous attendent dans le détroit de la Sonde. Et ils nous attendront dans le détroit de Lombok. Et, si nous allons plus à l'est, au-delà de Flores et de Timor, ils seront encore là, dans la mer d'Arafoura et le détroit de Torres entre la Nouvelle-Guinée et l'Australie.

– Pourquoi? Ils ne peuvent pas savoir où va la jonque.

– Ils savent sûrement que notre port d'attache est à Bornéo, au Sarawak.

– Chez les Ibans.

– Chez les Ibans, où il faudrait une armée entière pour venir me prendre. Nous prendre. Ils vont tout faire pour nous empêcher de remonter au nord et d'entrer dans la mer de Flores.

Zénaïde se sentait perdue au milieu de tous ces noms.

– La mer de Flores est entre Java et Bali. Je pensais

pouvoir passer par les Moluques, en contournant les Célèbes par l'est. Je n'y crois plus.

– Allons en Australie.

– Nous avons un petit avantage tant que nous restons en mer. On met le pied à terre, dans n'importe quel pays, et on est mort.

– On va jouer les Hollandais volants et vagabonder sur les mers ? Combien de temps ?

– Ils attendront le temps nécessaire. Ils ont dépensé bien plus que moi. Ils ont acheté tous ces bateaux. À n'importe quel prix. Ils ont pris la peine de créer des sociétés de droit libérien uniquement pour effacer leurs traces. Ils ont engagé cent ou deux cents hommes, trouvé et acheminé des armes. Ils ont peut-être fait davantage encore, je ne sais pas. Le jour où ils se décideront à lancer ces hélicoptères, nous n'existerons plus. Il y a deux mille mètres de fond par ici.

– Mais tu as une idée.

– J'en ai une. Pas terrible, mais je ne trouve pas mieux. Je vais diriger la jonque vers le grand large. Vers les îles Kerguelen et, s'il le faut, le pôle Sud. Assez loin pour que les hélicoptères ne puissent pas la rejoindre. Et dans des mers suffisamment désertes pour que, sauf hasard, personne ne puisse la trouver. Et elle y restera le temps nécessaire.

Elle le fixait et comprit dans la seconde.

– Une petite minute, Gantry. Et tu seras où, toi, pendant ce temps ?

Il dit qu'il pensait aller faire un petit tour. En aéroplane. Pour voir quelqu'un. Il avait une ou deux questions intéressantes à poser à ce quelqu'un.

Et bien sûr, elle dit qu'elle irait aussi, et, bien sûr, il dit qu'il n'en était pas question, et, bien sûr, elle finit par avoir gain de cause. Têtue, elle l'était ; ce n'était une surprise pour personne.

Zénaïde s'était renseignée sur l'OPA dont Gantry s'occupait au moment de son arrivée à bord de la jonque. Elle avait dû se rendre à l'évidence. Il s'agissait d'une société contrôlant des mines au Nevada et des usines de constructions mécaniques dans l'Oregon. Leo Stern, qui avait conduit l'OPA pour Gantry, ne lui avait rien caché. Il lui avait ouvert tous les dossiers, qu'elle avait longuement étudiés. Pour s'étonner.

– Leo, c'est mal géré, d'accord, mais je doute que les bénéfices qu'on pourra en retirer, même après une restructuration impitoyable, vaudront tout l'argent dépensé. Gantry fera une affaire blanche. Et encore. En cinq ans.

– Il n'en demande pas plus. Ce n'est pas le gain qu'il recherche en l'occurrence. Il serait même prêt à perdre un peu d'argent. Ce qu'il veut, ce sont les deux cent mille hectares au Nevada.

– Pour en faire quoi? C'est aride, d'après les rapports!

– Pour que les mustangs puissent vivre en paix.

On massacrait les mustangs au Nevada et dans l'Ouest américain. En peu de temps, le nombre de ces bêtes était passé de deux millions à moins de trente mille. L'idée de Gantry était d'acheter les terres (et il n'avait pu le faire qu'en tentant de s'emparer de la société qui les avait dans ses actifs), de les clôturer autant que possible et, dans tous les cas d'y interdire la chasse, en maintenant sur place une brigade de gardes armés. *Les voilà, ses raisons personnelles.*

– C'est le genre de truc qu'il lui arrive de faire, Zénaïde. Et s'il y perd trop d'argent, il s'arrange pour réussir un petit coup à la bourse ou un coup immobilier. C'est tout lui, ça.

Elle avait voulu en savoir plus long. L'assistant de Gantry pour les affaires écologiques était un Bengali de Calcutta, qui s'appelait Hurree et que l'on surnommait le Babu, en souvenir du *Kim* de Kipling. Avec la même docilité, nuancée d'une ironie amicale, il avait, comme Stern, ouvert ses classeurs informatiques. Impressionnant : l'action du Fou de Bassan dans le domaine de la protection de la faune et de la flore s'étendait à plusieurs pays d'Asie, sinon à tous. Il protégeait les zones de la Nouvelle-Guinée appartenant à l'Indonésie, l'Irian Jaya, où il avait dépensé trois millions de dollars pour empêcher la destruction progressive d'habitats exceptionnels – forêts de palétuviers, savanes, récifs de coraux abritant une flore et une faune uniques, oiseaux de paradis, gouras (sorte de pigeons à aigrette, rarissimes), casoars, cacatoès, tortues de mer. Il protégeait aussi, en collaboration avec le WWF, les oiseaux migrateurs qui fréquentaient les marais de Mai Po, dans les nouveaux territoires de Hong-kong, et que l'urbanisation galopante menaçait. En Chine, il avait largement financé près de quatre cents zones protégées, dont celle du lac de Poyang, près du fleuve Yang Tsé, où venaient se réfugier des millions d'oiseaux aquatiques migrateurs, des grues de Sibérie, qui ne survivaient plus que par centaines. En Chine, également, il s'était battu pour la protection du panda géant. Comme il s'était battu pour la défense du kouprey, animal quasi mythique de la péninsule indochinoise. Discuter du sort du kouprey avec des Khmers rouges !

Le onzième jour après qu'elle s'était débarrassée des deux yachts, la jonque arriva en vue de l'île Christmas. En vue était une façon de parler : il faisait nuit noire.

– C'est à prendre ou à laisser, dit Laviolette. Je monte dans votre petit canot ou j'y vais à la nage.

Ils partirent donc à trois; le hockeyeur était du voyage. Et à peine le dinghy avait-il atteint le rivage que la jonque repartit, sous voiles, par un vent de force quatre, droit vers l'est. Ce n'était qu'une feinte, destinée à dérouter les espions, s'il y en avait sur l'île. En réalité, sitôt qu'elle aurait échappé à toute surveillance radar, elle ferait cap vers le sud-sud-ouest, vers les Kerguelen, dernière terre habitée avant le pôle.

– Est-ce que l'île Christmas...

– On la ferme, Laviolette, souffla Zénaïde.

Un homme venait de surgir dans la nuit sombre. Il voulut aider Zénaïde à escalader des rochers. Elle faillit le flanquer à la mer. Ils parcoururent dans le plus grand silence plusieurs centaines de mètres, manquèrent se cogner contre le mur d'une maison qui parut surgir de terre devant leur nez. Ils se retrouvèrent dans un cottage où la télévision passait un vieux sketch de Paul Hogan. L'homme qui avait essayé d'aider Zénaïde dans l'escalade des rochers, et, ce faisant, lui avait un peu caressé la croupe, se révéla de la même taille que Laviolette. Il était australien et se nommait Geoff MacNulty.

– J'y vois la nuit, je suis nyctalope, dit-il. Oh! Putain! Gantry! D'où sors-tu cet obus?

L'obus, c'était Zénaïde. Gantry répondit qu'il ne se souvenait pas. Sans doute l'avait-il ramassée dans un casier à langoustes. Et il ne se rappelait pas non plus ce qu'elle faisait là.

– On peut allumer, Bout-de-Chou?

Bout-de-Chou, Pee Wee MacNulty, tira d'abord les rideaux puis alluma. On y vit alors un peu plus clair qu'à la seule lumière de l'écran de télévision. Le cottage n'avait que trois pièces. Quant à MacNulty, il approchait les soixante-dix ans.

– Beau poulet, dit-il en toisant Laviolette. Vous voulez du thé, les gars?

À l'évidence, il adorait Gantry, qu'il connaissait depuis onze ans.

– Depuis que ce jeune morpion a débarqué, un beau jour, sur la jonque qu'il avait en ce temps-là. Et qui était grande comme une baignoire. Tu as toujours tes trois Balinaises?

– Je les ai revendues. L'avion est prêt?

Évidemment qu'il l'était. Et MacNulty le piloterait lui-même, pour éviter toute indiscrétion. Puisqu'il fallait être discret, à ce qu'on lui avait dit. On décollerait avant l'aube, la putain d'aube, avant que le putain de Soleil se montre. Et toute la suite du putain de voyage était prévue. Mais il valait mieux que quelqu'un l'aidât à sortir le putain d'avion du putain de hangar. Ils partirent, Laviolette et lui, annonçant qu'ils reviendraient dans trois heures et que, d'ici là, la chambre était libre. Si l'obus voulait y poser son derrière de course, libre à elle.

— Mon derrière de course! Tabernacle! dit Zénaïde.

C'était la première fois qu'elle se retrouvait avec Gantry dans une vraie maison. Elle en éprouvait une gêne bizarre. Elle se sentait responsable de ce que Gantry avait dû abandonner son bateau pour s'engager dans une aventure qui le concernait assez peu, quoi qu'il prétendît.

— Ton copain est toujours aussi grossier?

— Non. Devant toi, il se surveille. Tu lui as fait une forte impression. Tu veux t'allonger un peu?

— Ça dépend pour quoi faire.

Il prépara du café. L'île Christmas appartenait à l'Australie; elle s'étendait sur cent trente-cinq kilomètres carrés, à trois cent soixante kilomètres au sud de Java, à deux mille kilomètres de la première plage australienne, à deux mille kilomètres de Perth, la plus proche des grandes villes. Quatre mille personnes, dont la moitié étaient des Chinois, y vivaient, de l'exploitation du phosphate.

— Tu es marié?

Curieuse question, mais qui lui avait échappé. Sous l'effet, peut-être, de cette atmosphère quasi conjugale, tandis qu'ils buvaient tous deux leur café assis devant la télévision – qui diffusait maintenant un match de rugby australien. Sur un terrain ovale, avec des poteaux de but dans tous les sens et des douzaines de grands types aux bras musclés courant apparemment au hasard tels des gamins dans une cour d'école.

– Une seule fois, ça a failli. Mais elle avait le mal de mer et ne supportait pas de vivre sur une jonque.

Gantry regardait le match. *Tu es complètement idiote, Zénaïde. Tu as toujours refusé de laisser un homme te dicter ton mode de vie. Tu te vois passer le reste de tes jours loin du Canada et de Missikami, sur un bateau guère plus grand que l'appartement de Larry, Park Avenue? Et, surtout, pour y faire quoi? Lui servir de secrétaire? Il en a déjà une, et bonne. Travailler avec lui? Tu parles! Gantry pense à la vitesse de la lumière. Tu ne fais pas le poids. Et puis, tout de même, il a peut-être le droit d'avoir un avis sur la question.*

Gantry lui prit des mains sa tasse de café, la souleva, l'emporta vers la chambre.

– Lâche-moi.

Cette sensation de n'être plus qu'un poids plume la mit en fureur. Elle entreprit de se débattre, se retrouva plaquée sur le lit. Si ses coups de pied manquèrent leur cible, l'un de ses coups de poing atteignit Gantry à la bouche. Pendant un temps interminable, trente secondes environ, ils luttèrent en silence. Il était d'une force et d'une souplesse incroyables. Elle finit par se retrouver le nez dans les draps déchirés, quatre-vingt-dix kilos de muscles la maintenant immobile.

– Le type qui me violera n'est pas encore né.

Elle l'entendit rire.

– Je n'ai pas l'intention d'essayer.

– On joue à quoi, alors?

– Nous avons fait un pari. Tu l'as perdu. Tu paies.

Une nuit d'amour s'il arrivait à établir que les deux affaires – Milwaukee et l'Obawita – étaient liées.

– Tu n'as rien prouvé du tout, Gantry.

– Tu sais que j'ai raison.

Il la relâcha et s'allongea près d'elle. Elle réfléchit. Il n'avait pas tort. D'accord, aucune preuve décisive n'avait été découverte. Mais elle devait avouer qu'elle était convaincue.

– Admettons, dit-elle.

– Articule, je n'entends rien.

Elle se mit sur le côté et s'accouda.

– Où allons-nous?

– Mystère et boule de gomme.

– Qui est ce quelqu'un à qui tu veux poser deux ou trois questions intéressantes?

– Deux questions suffiront. Mais je me vois mal les poser par radio ou au téléphone.

– Tu n'as pas confiance en moi, Gantry?

Il allongea et arrondit les bras au-dessus de la tête – il était couché sur le dos. Sa lèvre fendue par le coup de poing qu'elle lui avait donné saignait.

– Admettons que j'ai perdu mon pari. Pee Wee Mac-Nulty sera ici dans deux heures et demie au plus. Pour une nuit d'amour, ça ne fait pas le compte.

– J'accepte les arrhes.

L'irritation que lui avait causée son silence s'effaça. Elle allongea une main et commença à déshabiller Gantry.

Qui ne bougea pas, conformément à leurs conventions, puisqu'elle avait perdu son pari.

Enfin, presque pas.

Je suis complètement dingue de ce palmipède; voilà la vérité.

– MacArthur, dit-il. James Doret MacArthur. Nous étions trois à savoir que nous nous connaissions, lui et moi. Il y avait lui, il y avait moi, et il y avait Letty.

– Nous voilà donc quatre.

– Bienvenue au club.

– Pourquoi lui?

– Tu as regardé des matches de tennis? Tu crois que tu pourrais reconnaître le service de MacEnroe, la volée de revers d'Edberg, le coup droit de Lendl, même si tu ne voyais que leur bras, leur raquette et la balle ?

– Probablement. Et tu oublies le revers à deux mains de Jimmy Connors.

– C'est pareil dans la finance, Zénaïde. On reconnaît le style. Pour les grands.

– La fameuse mécanique merveilleusement construite, c'est MacArthur ?

– Ou quelqu'un qui a été son élève, qu'il aura formé.

– C'est la première des deux questions que tu veux lui poser ?

– Oui.

– Et la deuxième ?

Gantry hésita. Un silence.

– Je suis de ton avis, dit Zénaïde. Je pourrais parfaitement être une espionne que ces hommes qui achètent à tour de bras des yachts et des hélicoptères t'auraient envoyée. Juste pour t'entendre me révéler le nom de MacArthur.

– Voilà, dit-il tranquille.

– Et, de cette façon, je saurais pourquoi on m'a dirigée sur toi, pourquoi Mantee m'a fait ce cinéma, pourquoi on ne m'a pas tuée à Milwaukee, dans mon appartement, ni à Missikami, ni pendant mon voyage. Pourquoi on a voulu que nous nous rencontrassions. Pourquoi on veut à tout prix te mêler à ces affaires qui ne te concernent pas. J'ai oublié quelque chose ?

– Oui. Comment se tirer de ce guêpier mortel ? Mais, bien sûr, ce n'est qu'un détail de peu d'importance.

Zénaïde embrassait Gantry, léchait à tout petits coups de langue sa blessure à la lèvre. Son sentiment de culpabilité s'estompait de seconde en seconde, qui pourtant la tourmentait depuis des jours. Tout était clair (façon de parler). Elle n'avait pas entraîné Gantry dans cette histoire ; on avait voulu qu'il y fût entraîné ; ils étaient des victimes, Gantry et elle. Et elle n'était pas loin de croire que c'était à Gantry, surtout, qu'on en voulait. *On s'est juste servi de moi.*

— Tu as tant d'ennemis, Gantry?

— Je ne m'en connais pas qui soient capables de recommencer la guerre du Pacifique à seule fin de m'exterminer.

Que dire après cela? Elle se tut. S'étonna une fois encore du désir qu'elle éprouvait pour cet homme, désir troublant, affolant presque.

— Second round, dit-elle. Il nous reste encore une bonne heure.

Et, par-dessus tout, il y avait cette intuition qu'ils couraient maintenant un danger mortel. Peut-être savait-on déjà qu'ils étaient à terre. *Tu vas voir que la porte va s'ouvrir et qu'ils seront tout à coup cinquante à nous mitrailler. Ou, alors, ils nous attendront ailleurs, quelque part le long de notre voyage. J'ai un petit peu peur, à vrai dire.* C'était presque la même angoisse qui l'avait prise à Milwaukee lorsqu'elle avait vu que la porte palière avait été démantibulée.

En sorte qu'elle acquiesça, d'un simple signe de tête, lorsque Gantry dit que, d'accord, un pari était un pari, mais qu'il ferait sa part du travail dans ce deuxième round. Elle voulait bien. C'était bon de sentir autour d'elle la force de Gantry.

— Tu vas continuer longtemps à m'appeler Gantry, Zénaïde? Surtout dans des moments comme celui-ci?

Il souriait, mais l'expression du regard bleu nuit était sérieuse, sinon grave. *Pourquoi ne pas lui dire Jonathan, ou inventer un nom que vous serez seuls à connaître? Tu en as envie, en plus.*

— Nous en reparlerons, dit-elle.

Troisième partie

1

L'avion volait dans le soleil levant, piloté par Pee Wee MacNulty, qui avait coiffé une casquette à longue visière. Le décollage avait eu lieu juste avant l'aube, il n'avait eu aucun témoin.

– À qui est l'appareil? À toi?

À Pee Wee – dont la famille avait, dans le temps, obtenu la concession à perpétuité d'un groupe d'atolls dans le Sud-Ouest de l'île Christmas. Il y avait une douzaine d'années, l'État australien avait racheté ces îlots à leurs propriétaires pour quatre milliards de dollars américains. Pee Wee avait reçu sa part et l'avait ajoutée à une fortune déjà considérable, provenant entre autres choses de l'élevage des moutons.

– C'est une chance qu'il se soit trouvé sur Christmas juste pour nous recevoir.

– Il n'y était pas. Il y est venu uniquement pour nous chercher. Je ne pouvais pas faire appel à un avion de compagnie.

– Nous avons un pilote milliardaire. C'est d'un chic!

La passion presque exclusive de Pee Wee MacNulty était la grande Barrière de corail, sur la côte est de l'Australie. Il s'y promenait à longueur d'année à bord de l'un de ses trois bateaux (Pee Wee ne possédait pas de maison), dont un fabuleux quatre-mâts de cent trente mètres de long, avec un équipage de soixante-quinze personnes. Onze ans plus tôt, Pee Wee, qui avait un peu forcé sur la bière, avait plus ou moins éperonné la petite jonque de Gantry. Non seulement il avait payé tous les frais, mais, en plus, il lui avait fait construire une jonque neuve, le *Fou de Bassan III*. L'actuel *Fou de Bassan* portait le numéro IV.

L'avion se posa, quelque part en Australie, très à l'intérieur des terres. Zénaïde vit une piste d'atterrissage, des montagnes dans le lointain, une assez grande maison, un champ de courses, une piscine de cent mètres.

– On est où?

– Pas très loin du désert de Gibson. Il y a un patelin du nom de Mundiwundi par là-bas. C'est un coin tranquille.

– Je croyais que Pee Wee n'avait pas de maison.

– C'est la maison des gardiens. Nous y ferons un jour construire quelque chose.

– Nous?

– Pee Wee et moi avons acheté un ou deux millions d'hectares. Il adore faire du cheval, nous faisons des courses. Pour l'instant il mène par dix-neuf à seize.

– Vous vous êtes construit un champ de course rien que pour vous deux?

– Exactement. Et Pee Wee n'est venu nous chercher à Christmas que contre la promesse que je lui donnerai l'occasion de remporter sa vingtième victoire. Le premier de nous deux qui arrive à vingt et un doit boire tout ce que l'autre lui donne. Tu veux m'excuser? Nous en avons pour une petite demi-heure. De toute façon, il faut refaire le plein de l'avion.

L'avion repartit sur un score de dix-neuf à dix-sept. Gantry l'avait emporté d'une très courte tête, seule la photo-finish avait consacré sa victoire.

– Vous êtes complètement fous, tous les deux, tu sais?

Le Cessna survolait un désert de pierres parsemé de lacs asséchés qui, un million d'années plus tôt, avaient étanché la soif d'une faune disparue. Pee Wee MacNulty hurlait des noms sans importance; il semblait s'être remis de sa défaite de jockey (Gantry avait couru avec un handicap d'une bonne soixantaine de livres). Zénaïde s'interrogea sur l'amitié qui liait les deux hommes en dépit de leur différence d'âge. Elle fut sur le point de poser la question mais Gantry la précéda, avec son exaspérante façon de lire dans les pensées.

– Mon père vit en Espagne. Je ne l'ai pas revu depuis près de quinze ans. Je suppose que tu veux savoir pourquoi. Très bien. On en parle. Je lui ai tapé dessus. Un seul coup. J'avais quinze ans.

– Il t'avait frappé le premier?

– Il m'avait frappé pendant les dix ou douze années précédentes. Mais ce n'était pas une raison. J'aurais dû partir, simplement, sans riposter. On arrête d'en parler, maintenant; d'accord?

Alice Springs apparut, nombril de l'Australie et seule vraie ville à n'être pas au bord de la mer. Puis, ce furent le désert de Simpson et les premiers verdoiements du Queensland. On approchait de Brisbane.

On y atterrit. Le Cessna resta en bout de piste. Une limousine aux vitres teintées vint à sa rencontre. Deux autres voitures l'escortaient qui ne transportaient pas moins de six gardes du corps.

– Gantry, ce n'est pas un peu extravagant, comme précaution? Personne ne peut savoir que nous sommes à Brisbane.

– Ça amuse Pee Wee.

On avait déjà parcouru près de six mille cinq cents kilomètres; on avait volé pendant une dizaine d'heures et il était prévu que l'on repartirait à minuit, heure locale – pas à bord du Cessna 550, dont les cinq mille cinq cents kilomètres d'autonomie étaient un peu justes pour traverser le Pacifique; Gantry avait carrément affrété un DC 10 de la Quantas, compagnie dans laquelle Pee Wee avait des intérêts.

– Un DC 10 pour trois passagers! On ne sera pas un peu serrés?

Les premiers coups de feu partirent.

Encadrée par les deux voitures d'escorte, la limousine avait quitté l'aéroport d'Eagle Farm et pris la direction du centre-ville. Elle avait traversé Fortitude Valley, avec ses restaurants et ses boutiques, puis un petit quartier piétonnier en pente; elle avait franchi un pont et gravi une colline. Elle entra dans une propriété dont le parc était plein de bougainvillées, d'hibiscus, de manguiers et de frangipaniers. Des koalas et des wombats y circulaient en liberté.

– Pee Wee n'a pas de maison mais ses enfants en ont une. Nous sommes chez l'aînée de ses filles.

Il était cinq heures trente de l'après-midi. En descendant de voiture, Zénaïde fut éblouie par le panorama. Brisbane tout entière, avec sa rivière, son port et ses immeubles modernes poussés entre les alignements de maisons coloniales, s'étendait au-delà de la pelouse. Elle eut encore le temps de découvrir la maison élégante, prolongée par une véranda à treillis de bois, garnie de galeries et de balcons de fer forgé, surmontés de tourelles vaguement moscovites. Une femme sortait de la maison, jolie, la quarantaine. Elle s'avançait, en souriant d'un air de surprise, au-devant de ces visiteurs que, de toute évidence, elle n'attendait pas.

– Shirl, je te présente...

La balle frôla l'épaule de Gantry et frappa Pee Wee MacNulty entre les deux épaules. Les vitres de la limousine explosèrent. Une grêle de mitraille s'abattit sur la carrosserie. Zénaïde n'eut pas à se jeter au sol, elle s'y trouvait déjà, aplatie par une violente bourrade. Quelqu'un cria. Laviolette, avec une rapidité ahurissante, se ruait à couvert. Couchée à plat ventre et n'ayant d'autre perspective que celle qui s'encadrait entre les roues de la voiture, Zénaïde n'apercevait que ses jambes courant sur une pelouse où les impacts des balles faisaient voler de petites mottes de terre mêlées d'herbe. *Cet abruti de François-Xavier va se faire tuer!* On entendait d'autres détonations; les gardes du corps ripostaient, debout ou accroupis derrière les véhicules. Les jambes de Laviolette disparurent dans les massifs de fleurs.

Il y eut encore deux coups de feu lointains, en deux secondes.

Puis le silence.

– J'en ai eu un, dit Laviolette.

– Deux, dit Gantry. Mais ce deuxième ne parlera plus.

– Je l'ai à peine touché!

– Tu lui as tout de même cassé le cou. C'est lui qui t'a tiré dessus?

– Il n'a pas eu le temps. C'est l'autre.

L'autre avait une épaule cassée et le thorax enfoncé. Des policiers encadraient la civière sur laquelle il était couché. C'était un homme d'une trentaine d'années. Rien ne permettait de l'identifier; ses poches étaient vides; il n'avait même pas de montre. Il n'avait pas prononcé un mot. Ses cheveux étaient châtains, assez sombres, son teint légèrement bistre. Le deuxième homme, tué net par une seule manchette de Laviolette, avait un type latin plus prononcé. Sur lui non plus, on n'avait trouvé aucun indice. En revanche, on avait pu récupérer leurs armes, des Winchester 70 à canon spécial équipées de lunettes Inerti telles qu'en avaient les tireurs d'élite, les *snipers*, pendant la guerre du Viêt-nam.

– Je peux marcher, dit Laviolette. Qu'est-ce qu'ils fabriquent, ces clowns?

Il avait deux balles dans la cuisse et une troisième lui avait transpercé le pied. Il se remit debout et clopina jusqu'à l'ambulance, repoussant les infirmiers. Il allait monter dans l'ambulance.

– Et MacNulty?

– Ils m'ont tué Pee Wee, dit Gantry. Ils me l'ont tué.

Il sourit à Zénaïde mais son sourire avait tout du rictus.

– Ne me dis plus que je ne suis pas concerné.

Un policier de haut grade passa vers neuf heures. Le tireur au thorax enfoncé survivrait, mais il n'avait pas été possible de lui tirer un mot. On avait essayé de l'interroger en espagnol. Rien, aucune réaction. Et, bien sûr, des recherches étaient en cours pour faire un tri parmi tous les voyageurs récemment débarqués en Australie.

– Nous n'y croyons guère. Il faut un visa pour entrer chez nous quand on a un passeport sud-américain. Nous sommes déjà presque certains que ni lui ni l'autre homme, le mort, ne sont arrivés récemment. Du moins, légalement. Soit ils se trouvaient déjà en Australie, soit ils y sont entrés clandestinement. Nous vérifions cette histoire d'hélicoptères, monsieur Gantry. Et j'ai bien reçu l'appel du cabinet du Premier ministre à votre sujet. Je n'ai aucune objection à ce que vous quittiez le pays.

En un certain sens, il n'en était même pas trop mécontent. Il avait donné des ordres pour que le DC 10 fût examiné par une équipe spécialisée. Il fallait vérifier qu'on n'y avait pas placé de bombe.

– Et je vous fournirai une escorte pour gagner l'aéroport. Si je voulais vous joindre dans le cadre de mon enquête?

Gantry répondit qu'il craignait que ce ne fût un peu difficile durant les semaines à venir. Ces gens, qui tenaient tant à les abattre, mademoiselle Gagnon et lui, avaient su prévoir où MacNulty les abriterait, le temps

280

de leur escale à Brisbane. Peut-être avaient-ils posté des tireurs dans tous les refuges possibles.

À dix heures, Zénaïde et Gantry quittèrent la maison, à bord d'une voiture blindée qu'encadraient des motocyclistes de la police. Laviolette avait été hospitalisé et restait en Australie. Des agents seraient placés à la porte de sa chambre d'hôpital, mais Zénaïde estimait que – Dieu merci! – les risques que courait son ami d'enfance étaient minimes.

Le DC 10 fut à nouveau fouillé. La Quantas ayant de son côté fait tout son possible pour s'assurer que l'appareil était techniquement en parfait état. Quant à l'équipage, il avait été changé au tout dernier moment et ignorait la destination qu'il allait devoir prendre.

– Papeete, à Tahiti. Puis Kingston, à la Jamaïque, dit Gantry au chef-pilote.

Ils volaient déjà depuis cinq à six minutes.

– Pourquoi la Jamaïque?
– Je n'y connais personne.
– Et c'est une raison, ça?

Tant qu'à faire, ils s'étaient installés en première classe. Après le meurtre de Pee Wee MacNulty, Gantry – et Zénaïde – avaient été soumis à un feu roulant de questions. Ils avaient dû raconter toute l'histoire. À Zénaïde, la police australienne avait demandé pourquoi elle ne s'était pas adressée à la police de Milwaukee dès le début. Pour dire quoi? Qu'elle avait reconnu, dans ce petit épicier apparemment assassiné par des rôdeurs un client de la banque où elle travaillait? Qu'elle soupçonnait les propriétaires de cette même banque de ne pas respecter la réglementation en matière de dépôt d'argent et de transferts à l'étranger? Quelles preuves détenait-elle? D'ailleurs, elle pouvait se tromper; elle se trompait sans doute en jugeant que c'était elle que l'on visait. Elle n'était que la fondée de pouvoir fraîchement nommée d'une banque de province. Il n'était guère vraisemblable que quelqu'un déployât tant d'efforts dans le seul but de la tuer, presque aux antipodes du Wisconsin. Ainsi s'était-elle, sans l'avoir consciemment décidé, surprise à minimiser toute l'affaire. Du moins, le rôle qu'elle y avait joué. Non; elle ne savait rien de ces bateaux qui avaient poursuivi la jonque de monsieur Gantry. Elle n'avait rien vu. Le scepticisme des policiers de Brisbane l'avait largement aidée à suivre cette pente, si naturelle.

À l'évidence, sans qu'ils se fussent concertés, Gantry avait agi de la même manière. Lui aussi avait minimisé l'affaire. Il avait déclaré ne se connaître aucun ennemi capable de l'éliminer physiquement. Il n'était qu'un biologiste. Certes, il s'occupait aussi de finance, mais à la façon d'un passe-temps à présent – sa fortune lui aurait permis de renoncer aux affaires. Aucune de celles qu'il avait en cours ne pouvait expliquer qu'on en voulût à sa vie. Sa jonque? Elle ne transportait rien qui fût de nature à éveiller la convoitise de pirates bien hypothétiques. Tel ministre australien, actuellement au gouvernement, était monté à bord l'année précédente. Et, tout récemment encore, le Premier ministre de Singapour l'avait visitée. Elle servait à la fois de laboratoire et de bureau pour les affaires de finance. Gantry avait joint la jonque par radiotéléphone. Le capitaine Anthony Beardsley, en ligne, avait assuré que tout allait bien. « *Nous suivons la route convenue, monsieur Gantry. Aucune des observations scientifiques que nous avons faites n'a donné de résultat.* » Ce qui, traduit en clair (les policiers étaient également à l'écoute), signifiait que Tony n'avait relevé aucun signe de poursuite et que, donc, il faisait route vers les Kerguelen.

– Gantry, pourquoi n'avons-nous pas tout dit à ces policiers australiens?

– Je ne t'ai pas demandé de ne rien dire

– Mais je me suis tue. Et toi aussi. Et Laviolette n'en dira sûrement pas davantage. Qui nous croirait?

Et il y a une autre raison. Qui tient à Gantry. « Ne me dis plus que je ne suis pas concerné. » On lui a tué l'un de ses meilleurs amis. Il est dans une rage folle sous son calme apparent. Il n'aura de cesse d'avoir eu la peau du responsable. Ce qu'aucune police au monde ne pourrait faire. Le petit tueur capturé à Brisbane grâce à Laviolette (ce monstre aurait pu se faire tuer; je ne me le serais jamais pardonné) ne dira rien. Et, à supposer qu'il parle, il ne doit pas savoir grand-chose. Tout au plus, il connaît son supérieur immédiat dans la filière. Une filière dont le dernier maillon doit être quelqu'un tirant toutes les ficelles de son bureau. Tu parles si une enquête policière intercontinentale aurait des chances de remonter jusqu'à lui et de le confondre! Gantry a évidemment suivi le même raisonnement que moi. Le Fou de Bassan part en guerre.

Elle regardait Gantry, qui, comme elle, s'était installé dans un des sièges du troisième rang des premières classes. De l'autre côté de l'allée toutefois. Il semblait dormir mais, bien sûr, il n'en était rien. Il n'avait pas touché au dîner servi par les hôtesses (le DC 10 avait emmené un équipage presque complet, c'était apparemment compris dans le forfait d'affrètement). Il donnait l'impression d'une tension intérieure formidable. Une vraie bombe! « *Ils m'ont tué Pee Wee* », avait-il dit à Laviolette. Cette façon de prendre la mort du vieil homme à son compte exprimait tout son état d'esprit.

— Tu ne m'as pas répondu, Gantry. Pourquoi la Jamaïque? Que tu n'y connaisses personne et n'y sois jamais allé me semble au contraire une excellente raison pour ne pas y mettre les pieds.

Parce qu'il pensait que l'ennemi était remarquablement informé. En dépit de toutes les précautions prises – précautions extravagantes, avait même dit Zénaïde –, cet ennemi avait repéré le débarquement sur Christmas et identifié Pee Wee MacNulty. Il s'était renseigné sur ce dernier, avait deviné quel refuge le vieil homme pouvait offrir à des amis traqués, et avait posté des tueurs au bon endroit. L'ennemi avait probablement dressé une liste de tous ceux qui, par amitié ou relations d'affaires, pouvaient leur porter secours. Il convenait donc d'éviter ces gens. La mort de Pee Wee suffisait.

Il faudrait ne compter que sur soi-même. Le grand réseau d'amitiés qu'il avait tissé en près de quatorze ans ne servait plus à rien, ne pouvait pas être utilisé.

– Maintenant, je te le dis gentiment, Zénaïde, voudrais-tu me foutre la paix ?

Elle se leva et alla marcher un peu, pour se détendre. Ne se trouver qu'à deux passagers dans un avion conçu pour trois ou quatre cents personnes donnait un extraordinaire sentiment d'irréalité. Le jour apparaissait par les hublots. Le grand jour, bien qu'il ne fût que trois heures du matin à l'heure australienne. Mais on volait vers l'est.

Elle bavarda un peu avec les hôtesses, qui, visiblement, mouraient d'envie de lui poser des questions. Mais elles s'en abstinrent.

Zénaïde revint s'asseoir. La fatigue de deux nuits blanches consécutives s'abattit sur elle. Elle s'endormit sous deux couvertures. C'était la première fois de sa vie qu'elle voyageait en première classe. Mais c'était la première fois aussi qu'elle... Bon, on n'en finirait plus de compter les premières fois.

À l'escale de Papeete, elle dormait très profondément. À peine eut-elle conscience d'un atterrissage puis d'un décollage.

– Jus d'orange ?

Une hôtesse lui souriait. Elle chercha Gantry, qui n'était plus dans son fauteuil.

– Votre ami discute avec notre commandant de bord.

Elle but le jus de fruit et, remettant à plus tard le café offert, gagna la cabine de pilotage. Gantry s'y trouvait, accroupi entre les deux pilotes. Sa carrure était impressionnante. Il se retourna :

– Bien dormi?

Il était même rasé.

– Où sommes-nous?

– Regarde toi-même.

Une bande de terre apparaissait dix kilomètres plus bas.

– L'isthme de Panamá?

– Et la Colombie sur la droite, dit Gantry de sa voix nonchalante.

Il avait fallu durement négocier avec les contrôleurs aériens de Kingston, surpris et agacés de voir surgir cet appareil qui n'était inscrit sur aucun programme, mais on avait fini par se poser.

– Livrés à nous-mêmes, hein?

– Tout juste, répondit-il.

Il lui sourit. Ils sortirent de l'aéroport et montèrent dans la voiture de location dont Gantry prit le volant.

– On a la trouille, Gagnon?

– Oui.

– Nous sommes deux.

– Ça ne me rassure pas.

Elle scrutait tous les visages, s'attendant à voir apparaître des tueurs porteurs de mitrailleuses, voire de canons.

– Aussi bien, on se fait peur pour rien, dit-elle. Ils ne sauront pas où nous sommes. Ils ne disposent quand même pas de l'organisation de la CIA ou du KGB.

– Sans parler de l'Armée du Salut.

Gantry conduisait sans hâte.

– Excuse-moi de t'avoir dit de me foutre la paix.

– Ne recommence pas, c'est tout.

Seul signe de sa nervosité : il ne cessait de surveiller son rétroviseur. Zénaïde, elle, s'agitait sur son siège, regardant derrière, devant et sur les côtés. *J'ai tout du blaireau en chasse.*

– Si un jour tu m'avais assez vue, je me crois assez futée pour m'en apercevoir. Et je filerais sans attendre que tu me flanques à la mer, Gantry.

– Rien ne presse.

– Heureuse de te l'entendre dire. Je suis, comme qui dirait, attachée à toi, pour le moment. Il y a une fourgonnette qui nous suit.

– J'ai vu.

Mais la fourgonnette tourna dans une rue – car ils roulaient maintenant dans les rues de Kingston, qui étaient noires de monde.

– Je veux dire, dit Zénaïde, que, à supposer qu'on nous tue dans les minutes qui viennent, j'aurais passé de bons moments sur ta saloperie de jonque, dans l'ensemble.

– Sur l'île Christmas aussi.

– Eh ouais. Pour être franche...

Il stoppa net.

– Viens avec moi, petite.

– *Petite ?*

Ils entrèrent dans une agence et y louèrent un avion et un bateau. Ils ressortirent et remontèrent dans la voiture japonaise de location.

– Je n'aime pas les voitures japonaises. La prochaine fois, choisis autre chose. Pour être franche, je ne suis toujours pas très sûre d'avoir perdu mon pari. J'avais tout simplement envie de faire comme si je l'avais perdu. Si tu vois ce que je veux dire.

– Le câlin du siècle. Je vois très bien. Je n'aime pas du tout la tête de ces deux Noirs qui nous regardent.

– Il y a dans les six cent mille Noirs qui nous regardent. À mon avis, c'est mon décolleté qu'ils lorgnent.

Ils s'arrêtèrent à nouveau et, cette fois, louèrent un bateau et un hélicoptère. Gantry dit que oui, il savait piloter un hélicoptère, et qu'il avait même une licence. Ils repartirent

– Tu as vraiment une licence ?

– Non. Mais je sais vraiment piloter ces trucs. Enfin, je crois. J'espère que c'est bien à ton décolleté qu'ils en ont.

– Je peux me mettre les seins nus, si tu veux. Ça va carrément les hypnotiser.

– Voilà une bonne idée ! On nous flanquera en prison et ils pourront venir nous mitrailler tranquillement à travers les barreaux. Pourquoi crois-tu que je conduise en respectant toutes les règles ?

Ils stoppèrent à six autres reprises. Louant n'importe quoi qui volait, flottait ou roulait : ce n'était certainement pas une idée de génie que de multiplier ainsi les pistes – ils avaient indiqué aux loueurs dix-sept points de départ différents, depuis Port Morant et Manchioneal jusqu'à Montego Bay et Savanna la Mar –, mais ils n'avaient rien trouvé d'autre. En ajoutant les réservations déjà faites à l'aéroport, ils en étaient à onze gros *cabin cruisers*, sept hélicoptères, cinq avions et seize voitures. Plus trois motos. Ils avaient certes pensé à louer aussi des bicyclettes, mais cela relevait trop du gag.

– La Jamaïque à vélo... Mon rêve !

– Je crois bien qu'on nous suit, cette fois.

Une autre de ces voitures japonaises que Zénaïde n'aimait pas. Deux hommes à son bord. Puis un seul homme, qui restait au volant. Puis à nouveau les deux mêmes hommes.

– Il se sera arrêté pour téléphoner et prévenir la meute. Si tu brûlais ce feu rouge, Gantry ?

Ils firent mieux ; ils sautèrent hors du véhicule, qui resta portières ouvertes, à bloquer la rue, et se lancèrent en courant dans la foule.

– On cavale, hein, Gagnon ?

– Plus vite que toi, mon vieux. Forcément, sur la

jonque, je n'ai pas eu à courir; je ne demandais qu'à me laisser attraper.

— Il n'y avait pas la place, de toute façon. Tu n'aurais pas représenté le Canada aux Jeux olympiques?

Non. Il aurait fallu qu'elle s'entraînât plus régulièrement. Quoique, avec Laviolette à ses trousses, elle avait pu pratiquer assidûment le demi-fond entre quatorze et dix-huit ans.

— Ils nous courent derrière, Gantry.

Cela faisait maintenant un peu moins de quatre heures qu'ils étaient à la Jamaïque.

Ils eurent un peu de mal à retrouver la bonne agence. Ce fut Zénaïde qui prit les commandes de la moto. Elle avait conduit des tas de motos et aussi des scooters des neiges. Pas Gantry.

— Accroche-toi.

Ils passèrent en trombe sur un trottoir, leurs poursuivants débouchant au même instant sur le trottoir d'en face. Zénaïde coupa au plus court, traversant de part en part un super-marché, des chemisettes de plage accrochées à ses poignées de frein.

— Regarde la carte, Gantry, au lieu de me tripoter.

Il riait.

— A droite puis deux fois à gauche.

Ils filaient dans une rue. Deux voitures maintenant les avaient pris en chasse.

— Qu'est-ce que tu disais tout à l'heure, à propos de fourmis?

— C'est toi qui parlais de Fourmis, Gantry.

— Non, c'est toi.

Elle dirigea la moto droit vers la gare, passa d'extrême justesse entre deux autocars, se retrouva dans la salle des pas perdus, puis sur un quai.

— Nom d'un chien! dit-elle, c'est toi qui le premier a prononcé le mot fourmi!

— Je te jure que c'est toi, Zénaïde.

Au moins, il est toujours assis derrière moi, pensa-t-elle. Lancée à toute allure, la moto avait atteint l'extrémité du quai et fait un saut dans le vide de plusieurs mètres. D'ordinaire, Zénaïde accomplissait ce genre d'acrobaties sur la neige, pour échapper à Laviolette, mais, à moto aussi, ça marchait.

– L'un de nous, en tout cas, a parlé de fourmis, cria Gantry dans son oreille d'une voix hoquetante – la moto roulait sur les traverses de la voie ferrée, où une voiture aurait eu du mal à les poursuivre.

– Pas moi, hurla-t-elle, entêtée.

Les maisons commencèrent à s'espacer. On sortait de Kingston. On passa une rivière. Sur la route qui longeait la voie, trois voitures fonçaient, se rapprochant d'eux. Zénaïde ralentit, sauta le rail de gauche, accéléra de nouveau, sur un sentier en bordure du ballast.

– Tu es sûr qu'on va dans la bonne direction?

– Certain.

– Arrête de me tripoter! Bon sang! Tu me déconcentres!

Elle se sentait comme ivre, prête à franchir un gouffre s'il l'avait fallu. Elle avait déjà piloté une Harley-Davidson de cette puissance. Mais sans les mains de Gantry autour d'elle. Ce qui changeait pas mal de choses.

– Navigateur au pilote : on tourne à gauche d'après la carte.

Ils s'envolèrent par-dessus un fossé. Suivit une trouée dans un champ de canne à sucre.

– C'est bon, tout droit, dit Gantry.

Elle n'y voyait goutte. La bouche remplie de poussière, elle n'ouvrait qu'un œil, pour se protéger des projections, et se couchait sur le guidon pour éviter d'être flagellée par les cannes. Sitôt après qu'ils eurent traversé une sorte de grange, où des ouvriers firent un bond en arrière pour ne pas être renversés, l'horizon s'éclaircit.

– Rien en vue. Nous les avons semés. Continue.

Dix minutes encore d'une course folle. Ils stoppèrent.

— Les voilà, dit Gantry. Quatre voitures... Non, cinq.

Ils virent les cinq voitures venir vers eux, des hommes en sortir et leur tirer dessus – c'était une sensation plutôt désagréable de servir de cible. Ils parvinrent quand même à gagner l'hélicoptère et, pour finir, Gantry réussit à découvrir quel machin-truc il fallait actionner pour que cette saleté d'engin consentît à prendre de l'altitude.

— Des Fourmis de deux mètres, c'est rare, dit Zénaïde.

2

MacArthur revint de la plage avec ses filles et, pour se rincer, choisit de piquer une tête dans la piscine d'eau douce. Le bassin faisait vingt mètres. Il parcourut deux longueurs sans reprendre son souffle, faillit se lancer dans une troisième, mais y renonça, à peu près certain d'être incapable d'arriver au bout. Dix ans plus tôt, et même cinq, il y serait parvenu. Il aurait peut-être tenté deux aller et retour. *Je vieillis*, pensa-t-il.

– Tu vieillis, dit Letty.

Elle avait deux de ses amies de San Francisco avec elle – une Cynthia Machin et une Judy Chose. Ou le contraire. Non. Cynthia était celle qui avait une si jolie chute de reins. MacArthur grimpa les marches en jouant l'épuisement total. Il vint s'écrouler au pied des trois femmes et réclama un verre de Dom Pérignon rosé sur le ton de quelqu'un à l'article de la mort. Il était de merveilleuse humeur depuis son retour de *là-bas*. Comme prévu, *ils* ne lui avaient pas dit oui. Pas tout de suite. Mais *ils* finiraient par accepter. Ç'avait été un moment assez grisant quand, après deux heures d'exposé, il avait lu dans leurs yeux qu'enfin *ils* comprenaient – et, pour tout dire, trouvaient son Plan d'ensemble génial. Oh! *Ils* n'avaient formulé aucune appréciation aussi flatteuse. En fait, *ils* n'avaient pas prononcé un mot; comme s'il était normal qu'un homme travaillant pour *eux* ait des idées pareilles. Il était payé pour ça. *¿No?*

Il but son champagne allongé sur le dos. Letty ne pouvait pas voir dans quelle direction allait son regard, fixé sur les seins de Judy (ou de Cynthia? Non. De Judy. *Cynthia a un ravissant derrière mais ses seins ne valent pas le détour*).

– On déjeune, Jimmy?

– Quand vous voudrez, mesdames.

Il n'avait pas revu le Sicaire le lendemain; il était reparti. Une fois, encore, il se demanda si son analyse du comportement du Sicaire était exacte. Le Sicaire avait peut-être offert une alliance : vous vous débarrassez de Laudegger sans que j'intervienne; vous prenez sur *eux* tout le pouvoir qu'il vous plaira; et, moi, je me tais, mais il faudra ensuite vous souvenir de mon silence. Et *cuidado! ¡Cuidado!* À la moindre erreur, je vous retirerai ma confiance.

– Je t'ai vu, MacArthur.

Letty se penchait sur lui. Les deux San-Franciscaines étaient parties changer de maillot, avant de passer à table.

– On regarde mais on ne touche pas, dit-elle.

Elle souriait et l'aida à se relever. Il réclama un autre verre à Miguel, le maître d'hôtel – dont il n'avait jamais réussi à déterminer de façon certaine s'il était un espion du Sicaire.

Letty s'y opposa, comme prévu. D'ailleurs il n'en avait pas réellement envie. Ce n'était qu'un jeu, entre sa femme et lui.

Un seul point continuait à tourmenter MacArthur. C'était son mensonge au Sicaire, lorsque ce dernier lui avait demandé s'il connaissait personnellement Jonathan Gantry, le Fou de Bassan.

– Tu as faim, Jimmy?

– Oui et non. J'ai pris mon petit déjeuner très tard.

– Je t'ai fait mon gâteau aux macaronis. Tu m'as toujours dit que personne ne le faisait comme moi.

– C'est la pure vérité, dit MacArthur, sincère. Le tien est unique.

Pourquoi est-ce que je ne lui dis pas une bonne fois pour toutes que je trouve ce truc parfaitement dégueulasse?

Durant le déjeuner, il raconta des histoires mexicaines. Il était censé avoir passé huit jours au Mexique, chez deux de ses plus gros clients. Les clients existaient réellement – l'un d'entre eux lui avait été fourni par Mora, des années plus tôt, afin de lui servir de couverture, lors de ses voyages *là-bas*.

Le déjeuner terminé, il s'excusa et fila. Les bureaux qu'il avait sur l'île géraient toutes ses affaires officielles. Il y travailla pendant deux heures. Miguel vint l'y chercher et lui annoncer que des visiteurs le demandaient. MacArthur n'eut pas à feindre la surprise.

– Quel nom avez-vous dit?

Gantry. Jonathan Gantry. Et une jeune dame, qui s'appelait Gagnon.

Ce tour de l'histoire te prend par surprise, Mac. C'est pourtant un développement que tu aurais dû prévoir. Il était logique, ou du moins possible, que Gantry vînt te voir, ou cherchât à te contacter. Comment diable n'y as-tu pas pensé?

Il finit de dicter la longue note qui serait ensuite transmise à son cabinet de New York et à partir de laquelle ses assistants à Manhattan rédigeraient les contrats pour le compte de l'un de ses clients. Il s'agissait d'une affaire fort complexe d'établissement de filiales en Chine. Le gouvernement de Pékin mettait à la disposition d'une très grosse entreprise américaine une main-d'œuvre constituée de prisonniers politiques qu'il faisait passer pour des droits-communs. Une des difficultés consistait à escamoter cette prestation de services derrière toutes sortes de sociétés relais. L'emploi de ces véritables esclaves allait, certes, réduire des quatre cinquièmes les prix de revient ; mais il fallait éviter par tous les moyens légaux que la société américaine pût un jour être mise en accusation par la presse.

Tu n'as rien prévu, c'est un fait. Bien entendu, tu pourrais essayer de prétendre que ce débarquement de Gantry est incompréhensible – et que tu ne connais même pas Gantry.

Mais Letty le connaît.

Mais des amies de Letty sont là, qui pourront témoigner.

Et puis il te faudrait demander à Gantry de faire comme si vous ne vous étiez jamais rencontrés, lui et toi. Et, si Gantry a déjà quelques soupçons, ce serait le meilleur moyen de les lui confirmer.

– Où sont ces gens, Miguel ?

– Avec madame et ses amies, à la plage.

Et voilà. Cet événement n'est pas seulement imprévu, il se révèle catastrophique. Le Sicaire t'avait recommandé de ne commettre aucune erreur. Voici une erreur, et de taille.

D'autant que Miguel, s'il est bien l'espion du Sicaire, va illico faire son rapport.

La peur envahit MacArthur. Mais une peur curieusement mêlée d'une espèce d'allégresse. Le jeu devenait de plus en plus excitant.

– Je viens, Miguel.

Jonathan Gantry était allongé sur un matelas de plage. Il portait un maillot de bain que MacArthur reconnut comme l'un des siens, et, dans la seconde, une pensée, qui n'était guère de circonstance, traversa son esprit : Gantry pesait quarante bonnes livres de plus que lui, et pourtant il entrait dans ses maillots – mais il n'avait pas de ventre, lui.

MacArthur remarqua tout de suite la jeune femme (dans un maillot prêté par Cynthia, celui-là).

La Canadienne...

– Et voici enfin mon mari, disait Letty.

Good Lord! Quel morceau! pensa MacArthur. *On me l'avait décrite appétissante; elle est bien mieux que cela. Cent fois mieux. Et dire qu'elle est condamnée à mort! Que le pion qu'elle représente dans la partie contre Laudegger devra être éliminé! Tu aurais des remords, Mac? Tu n'en as jamais eu durant toutes ces années. Qu'est-ce qui te prend?* En l'espace de quelques secondes, toute l'extraordinaire ambiguïté de sa vie apparut à MacArthur. Il fut saisi d'affolement.

– Jimmy? Qu'est-ce que tu fabriques? Tu nous rejoins?

Il arriva près d'eux.

– Jonathan Gantry, disait Gantry, qui venait de se lever et lui tendait la main. Je ne suis pas sûr que vous vous souveniez de moi.

– Sur le moment, non. Mais maintenant je me rappelle, répondit MacArthur en plein désarroi.

– Zénaïde Gagnon, une amie.

MacArthur eut conscience de bredouiller quelques mots de bienvenue. *Reprends-toi!* Letty – *Dieu la bénisse!* – vint à son secours.

– Il faut toujours un certain temps à Jimmy pour revenir sur terre quand j'arrive à l'arracher à son bureau.

MacArthur croisa le regard de Gantry. Un peu de sang-froid lui revint. Dans les prunelles noires – non, bleues – du Fou de Bassan passait une expression d'amusement. « *Je ne suis pas sûr que vous vous souveniez de moi* », vient-il de dire. *C'est sa façon de m'informer qu'il n'a pas parlé de nos rencontres précédentes et que la comédie à jouer est celle de deux hommes se retrouvant par le plus grand des hasards.*

– J'ai été un peu présomptueux, disait Gantry. Nous

nous rendons à Kew, dans la Grande Caïque, et j'ai cru être capable de piloter moi-même un hélicoptère. La prochaine fois, je prendrai un pilote.

Gantry poursuivit ses explications. De temps à autre, son regard croisait celui de MacArthur, qui y lisait un message clair : « *Faisons comme si je n'étais ici que par hasard.* » Il dit qu'il avait eu des problèmes avec son appareil. Déjà, dans le Windward Passage, le bras de mer entre Cuba et Haïti, il aurait dû se poser. Pas à Cuba, bien sûr; mais en face, sur l'île de la Tortue par exemple. Ou plus loin, sur la Grande Inagua.

— J'ai voulu m'obstiner et, pour un peu, nous finissions à la nage, Zénaïde et moi. Nous sommes loin de Kew?

Une quarantaine de milles.

— Jimmy, j'ai demandé au pilote de notre hydravion de jeter un coup d'œil sur l'hélicoptère. Mais j'espère que tu vas insister aussi pour que monsieur Gantry et mademoiselle Gagnon passent la nuit ici.

« *Monsieur Gantry.* » Même Letty s'en mêlait. Elle l'avait appelé Jonathan les deux fois où il était venu dîner chez eux. *Letty, je t'adore. S'il m'est parfois arrivé de me demander pourquoi je t'avais épousée, à présent, je le sais.* Letty avait toujours été d'une exceptionnelle discrétion.

— Bien entendu, dit MacArthur, il est hors de question que nous vous laissions repartir. Ce soir en tous cas. Demain, au besoin, Jake, notre pilote, pourra vous déposer à Kew.

Il sourit, à peu près redevenu lui-même.

— Nous ne voudrions pas avoir votre mort sur la conscience, Letty et moi. Ces hélicoptères de location ne sont pas toujours bien entretenus.

— Surtout avec n'importe qui aux commandes, dit la Canadienne.

Et, dans ses yeux aussi, il y avait une expression singulière.

Le plus gros est passé, Mac. Bien entendu, le Sicaire ne croira pas une seconde à un hasard. Mais les apparences seront sauves. Tu as une chance de t'en tirer.

Mais tu as vraiment craqué pendant un moment.

MacArthur sourit à Gantry.

– Où avez-vous garé votre engin diabolique ? Je ne vous ai même pas entendu arriver.

– Tout à l'extrémité de l'île, sur une plage en demi-Lune adossée à une espèce de mangrove.

– La crique du Borgne. Des boucaniers français y venaient autrefois. D'ici, en canot à moteur, c'est l'affaire de dix minutes. Nous pourrions aller jeter un coup d'œil.

– Je n'ai pas demandé à Letty de faire semblant de ne pas me connaître, Mac.

– Je ne le lui ai pas demandé non plus. Votre arrivée a été une surprise. Je vous croyais quelque part dans les mers du Sud.

Le canot passa près de l'hydravion puis doubla un petit cap qui fermait l'anse au nord. La plage, où les quatre femmes continuaient à bronzer, s'éloignait.

– J'y étais, dit Gantry. Et j'y étais fort tranquille. Jusqu'au moment où l'on est venu m'apprendre que, dans une certaine opération sur une société américano-canadienne, quelqu'un s'était servi de mon nom, et de ma... disons réputation d'écologiste.

– On ?

– Il se trouve que l'opération dont je viens de parler a eu pour conséquence la vente d'un lac auquel cette jeune femme, qui m'accompagne, tient beaucoup. Les acheteurs sont des gens avec lesquels sa famille est à couteaux tirés depuis des générations et qui auraient l'intention de bouleverser l'environnement. Je vous apprends quelque chose ?

Le duel vient de commencer, Mac. Et tu te sens très à ton aise, maintenant.

– Vous m'apprenez tout, dit MacArthur. De quelle opération s'agit-il?

– L'OPA sur l'Obawita General Wood.

– Je ne l'ai pas suivie. Excusez-moi. Cela remonte à quelque temps, non?

– L'année dernière. Les raiders étaient trois : Harkin, Fielding et Campanella.

– Je connais un Randolph Harkin III ou IV. De nom uniquement. Il doit y avoir à peu près deux ans, il a contacté mon cabinet de New York. Il voulait que je prenne ses affaires en main.

– Et vous avez refusé.

– J'ai déjà plus de clients que je n'en veux. Et, autant que je me souvienne, ce Harkin n'était pas une lumière, même s'il avait beaucoup d'argent.

– Mais vous ignorez tout des deux autres.

– Absolument tout.

Nous sommes dans ce que l'on pourrait appeler le round d'observation.

C'est amusant en diable.

– Pour Letty, dit MacArthur, il ne faut pas vous étonner. Elle est très entraînée à ne jamais rien dire. Certains de mes clients sont toujours surpris de la voir paraître ignorer leur nom alors qu'elle a dîné avec eux la veille. Je n'ai jamais eu besoin de lui recommander une discrétion qui lui est naturelle. Je ne serais pas étonné qu'elle me demandât un jour de lui rappeler mon nom. Je peux vous poser une question?

– Toutes les questions.

– Vous n'avez pas débarqué chez moi par hasard, n'est-ce pas.

On commence à entrer dans le vif du sujet...

– J'ai un compte dans une banque de Kew. Ça n'a rien de secret ni d'illégal. Si je suis citoyen américain, je suis fiscalement domicilié à Singapour... La réponse est non; je suis bel et bien venu exprès pour vous voir.

— Une leçon supplémentaire ? Je crois me rappeler que vous en aviez eu pour vos huit cents dollars, dans le temps.

— Vos tarifs seront les miens.

— Vous avez eu de la chance; je m'absente souvent.

— J'ai appelé trois fois. Les deux premières, on m'a répondu que vous étiez en voyage. La troisième fois aussi mais, là, j'ai compris qu'on me mentait.

— Qui avez-vous eu ?

— Letty elle-même, puis deux de vos assistants. Je ne me suis pas nommé.

— Pourquoi ?

Gantry sourit.

— Une idée comme ça. Nous allons en parler.

Tu es censé ne rien comprendre, Mac. Mais est-ce bien la peine ? Tu ignores ce qu'il sait au juste, mais, s'il est chez toi, ce n'est certainement pas pour te demander des conseils — dont il s'est fort bien passé jusqu'ici.

Non. Ne joue pas avec le feu (curieuse cette propension que tu as depuis quelque temps à prendre des risques). Non. Tu n'es qu'un grand avocat d'affaires sans autre singularité que celle de diriger ton cabinet à distance, depuis une petite île des Caïques.

— J'ai quitté ma jonque dans des circonstances assez particulières, reprit Gantry. Figurez-vous que des inconnus sont à mes trousses. De toute évidence avec l'intention de nous tuer, Zénaïde et moi.

— C'est une superbe jeune femme. Des inconnus ?

— Des inconnus que je ne connais pas tout à fait, si je puis dire. Zénaïde leur a trouvé un surnom : des Fourmis.

— Voyez-vous ça ? dit MacArthur, occupé à diriger le canot entre deux roches affleurantes.

— Ce surnom ne vous dit rien, Mac ?

– Je suis très peu ferré en entomologie.

– Les fourmis dont il s'agit ici font entre un mètre soixante et deux mètres. Je les ai récemment observées un peu partout dans le monde, le plus souvent armées de revolvers ou de fusils de guerre, et même de pistolets mitrailleurs. Elles me rappellent un phénomène bien connu des entomologistes, la marabunta.

– J'ai vu un film là-dessus. Charlton Heston avait beaucoup de mal à se débarrasser de cette invasion de fourmis. Mais elles m'ont paru d'une taille normale.

Cette conversation est décidément délicieuse.

– Est-ce que je vous appelais Jonathan autrefois? Il me semble que oui. Vous avez étonnamment peu changé, Jonathan. Quel âge avez-vous, trente ans?

– À peu près.

– Il y a quelque chose entre cette jeune femme et vous?

– Oui.

– C'est ce qu'il m'avait semblé. Excusez l'indiscrétion de ma question. Elle m'a paru fort intelligente et d'un caractère bien trempé. Beaucoup d'hommes, dont moi-même, vous envieraient.

– Merci, dit Gantry.

Il était à demi allongé à l'avant du canot et laissait traîner une main dans l'eau presque phosphorescente. MacArthur réduisit encore un peu la vitesse. Gantry, avec son visage hâlé, sa barbe courte et son grand sourire, le faisait penser à ces boucaniers un peu pirates qui hantaient autrefois les Caraïbes. *Je parierais volontiers que l'un de ses ancêtres a été pirate – ou corsaire. Quant à mes propres ancêtres, si j'avais un jour la curiosité de faire des recherches en ce sens, je découvrirais sans doute qu'ils étaient prêtres ou notaires. Soit dit en passant, Gantry pourrait me tuer d'une seule main. Il est peut-être venu pour ça, d'ailleurs...*

– Ainsi, donc, on a voulu vous tuer.

– On a essayé. Et on va sûrement essayer encore. À

Kingston, nous nous en sommes tirés de justesse. Et, en Australie, on a assassiné quelqu'un que j'aimais beaucoup.

Le regard bleu nuit croisa celui de MacArthur.

– Et, ça, c'est le genre de chose que je ne supporte pas, Mac.

– Merci d'être venu chez moi. Vous pouviez y attirer ces cohortes de tueurs qui vous pourchassent. Vous y avez pensé?

– Oui.

Silence. MacArthur s'attendit à une accusation directe. Mais Gantry changea soudain de sujet.

– L'idée de la comparaison avec les fourmis est venue à Zénaïde après quelque chose qu'elle a vu, dans une épicerie du Wisconsin : les corps de quatre personnes que l'on avait tuées, alignées par terre comme des fourmis, et sur lesquelles on avait dispersé de grosses fourmis. L'une de ces victimes, un nommé Morales, avait effectué au moins deux dépôts de neuf mille et quelques dollars dans deux banques différentes le jour de sa mort.

– Je vois, dit MacArthur, soutenant le regard.

– Une image est donc née dans la tête de Zénaïde, celle d'une infinité de petits Morales effectuant, dans d'innombrables banques à travers tous les États-Unis, des dépôts identiques.

– Comme des fourmis.

– Voilà.

– Cela impliquerait une organisation monumentale.

– Je ne vous le fais pas dire, Mac. Avez-vous entendu parler de quelque chose de ce genre?

– Jamais.

– Cela vous paraît vraisemblable?

– Racontée par quelqu'un d'autre que vous, je ne croirais pas à une histoire pareille. Et l'on voudrait vous tuer à cause de cette découverte?

Nom de Dieu, il en sait infiniment plus que je ne le

pensais. Dois-je le laisser attaquer Laudegger ou prier le Sicaire d'intervenir au plus vite ?

– Oui et non, dit Gantry. Le fait est que nous n'avons aucune preuve.

– Vous voulez dire que vous ne pouvez pas prouver que ces fourmis existent.

– Nous pourrions alerter les autorités américaines. Peut-être allons-nous le faire, d'ailleurs. Mais je doute personnellement que cela serve à grand-chose. Il faudrait contrôler des centaines de millions, voire des milliards, de dépôts bancaires. Et la fourmi en chef n'aurait qu'à faire interrompre les versements pour être à l'abri. On ne pourrait sans doute pas remonter jusqu'à elle. Au pis, elle perdrait un peu d'argent.

– Et serait très en colère contre vous.

Je ne sais pas quoi penser. Gantry est-il en train d'essayer de me convaincre qu'il n'est pas dangereux ? Est-ce parce qu'il me croit quelque influence sur la « fourmi en chef », ou est-ce pur hasard ?

– En effet, reprit Gantry, elle serait encore plus en colère qu'elle ne l'est déjà. Elle nous poursuivrait, mademoiselle Gagnon et moi, jusqu'à la fin de nos jours.

– Une fin qui se rapprocherait très vite.

– Exactement.

– Vous parliez d'inconnus que vous ne connaissiez pas tout à fait. Ces inconnus un peu connus seraient les hommes de main de la fourmi en chef, selon vous ?

– Vous devriez couper votre moteur, Mac. Ou nous allons finir en haut d'un arbre.

– Je ne suis pas un très bon marin. Il y a quelque chose que je comprends mal dans votre histoire. Si mademoiselle Gagnon...

– Zénaïde.

– Si Zénaïde a vu quelque chose qu'elle n'aurait pas dû voir et si votre fourmi sait depuis le début qu'elle a vu ce qu'elle a vu, comment est-elle encore vivante ? Elle a pris des précautions particulières ?

– Je crois qu'on a voulu qu'elle arrive jusqu'à moi. Toute la question est de savoir pourquoi.

Gantry sauta souplement dans vingt centimètres d'eau et tira le canot sur la plage. Le mouvement dessina les muscles de ses épaules et de son abdomen.

– Inutile de chercher à amarrer le canot, dit-il. Nous aurons déjà assez de mal à le remettre à flot. Mac, de deux choses l'une : ou bien cela arrange quelqu'un que Zénaïde et moi soyons ensemble...

– Quelqu'un qui aura pensé que vous formiez un beau couple?

– Ou bien on aura voulu attirer la foudre sur moi. Puisque je viens en aide à Zénaïde, forcément, je mérite le même châtiment qu'elle.

– On voudrait se venger de vous, pour quelque chose que vous avez fait dans le passé.

– C'est la deuxième explication. L'hélicoptère est par là, à cent cinquante yards. Nous avons bien aperçu votre maison mais nous perdions constamment de l'altitude. Je me suis posé où j'ai pu. Je ne suis pas meilleur pilote que vous êtes marin. Il y a une troisième explication, Mac. Qui s'accorde éventuellement avec la deuxième. En me mêlant à ces affaires de fourmis, on m'a peut-être manœuvré pour que je fasse quelque chose.

L'hélicoptère était en piteux état. Le moteur perdait de l'huile et les patins d'atterrissage étaient tordus.

– Je ne connais rien aux moteurs non plus, dit MacArthur. Mais Jake, mon pilote, va s'en occuper. Il ne devrait plus tarder. Il a une petite maison sur la côte est. Notre île n'est pas très grande; tous les déplacements s'y font à pied.

La nuit venait.

– Dans quel but vous aurait-on manœuvré?

– Je ne sais pas, dit Gantry.

– Vous n'êtes pas de ceux que l'on manœuvre.

– Sauf si je crois comprendre que ma vie, la vie d'une

femme pour qui j'ai une certaine affection et celle d'autres personnes dépendent du résultat de mon action. Ce serait une sorte de marché : faites ce que l'on attend que vous fassiez et les fourmis cesseront de vous courir après.

– Ce n'est pas un peu compliqué, comme stratégie?

– Nous autres, marins, avons beaucoup d'imagination. Il faut bien s'occuper pendant qu'on court les sept mers.

MacArthur alluma la torche électrique qu'il avait emportée et la fixa à la portière de l'hélicoptère pour que Jake pût les repérer.

– Parlez-moi de ces inconnus un peu connus, Jonathan. Je retire ce que j'ai dit tout à l'heure à propos du danger que vous pouviez faire courir à ma famille en venant ici. Votre histoire est tout à fait passionnante. Je vois mal en quoi je peux vous aider, remarquez bien.

– Je me suis demandé, dit Gantry de sa voix un peu traînante, si j'avais des ennemis mortels – au moins un, quelqu'un qui pourrait être la fourmi en chef ou le commandant en second.

– Vous pensez à moi?

– Quelle idée! Évidemment, non. Je vous ai payé vos huit cents dollars et je vous avais même proposé une association. Et puis, est-ce que je serais venu tout droit ici, dans votre antre?

– Si j'étais la fourmi en chef, ce serait pour vous l'endroit le plus sûr du monde. Vous me voyez assassiner quelqu'un sous le nez de Letty? Elle me ferait du gâteau aux macaronis pendant des mois, tous les jours. À y bien réfléchir, je suis certain qu'elle sait que j'ai le gâteau aux macaronis en horreur. C'est sa façon de me punir de mes absences.

– Évidemment, c'est un argument, reconnut Gantry. Mais je pense à quelqu'un d'autre. J'ai cherché où, quand et comment j'avais pu me faire un ennemi si acharné. Il n'y a rien dans ma vie privée, rien dans mes activités de biologiste.

– Restait la finance.

– Restait la finance. J'ai entrepris deux douzaines d'opérations depuis mes débuts. J'en ai raté neuf. Vous savez que j'ai la manie de chercher des renseignements. Je suis assez bien équipé pour cela. J'ai fait passer au crible les quatorze affaires que j'avais réussies.

– Et vous avez trouvé.

– Je crois avoir trouvé. Un petit coup d'immobilier, il y a quelques années, à San Diego, en Californie.

La nuit était tout à fait tombée à présent. *Et c'est tant mieux. Je suis en train de vivre un grand moment. Je n'étais pas du tout certain que Gantry pourrait remonter l'une des deux filières qui pouvaient le conduire à sa cible. Il en a trouvé une. Et très vite.*

– Je n'étais pas au courant de cette affaire de San Diego, dit MacArthur. J'ai pourtant suivi d'assez près vos exploits. Je suis l'un de vos fans, ne l'oubliez pas. Comment s'appelle cet ennemi que vous auriez identifié?

– Ils étaient deux ou trois au départ. J'ai demandé une enquête sur chacun d'eux et les choses se sont éclairées. Il y a dans la vie de cet homme des liens assez nets avec les *pedrodollars.*

– Les quoi?

MacArthur éclata de rire.

– Les *pedrodollars.* L'argent de la drogue.

– Le mot est joli.

– La mère de mon homme est colombienne. Il a pu faire des études grâce aux subsides qui lui ont été versés par une banque de Panamá. Cette banque a été repérée depuis. On sait maintenant qu'elle a beaucoup servi à des opérations de blanchiment. Les avocats que Carlos Laudegger a utilisés pour se battre contre moi à San Diego ont été victimes d'une espèce d'épidémie. Trois d'entre eux sont morts dans les douze mois suivant cette affaire. Le principal, qui se nommait Liedenski, s'est noyé accidentellement dans sa piscine. Il se trouve que son ancienne secrétaire est l'amie d'une de mes vieilles tantes.

– Laudegger? Je connais un William Laudegger. Il dirige l'un des plus gros cabinets d'affaires.

– Son deuxième prénom est Carlos. Vous ne le connaissez pas mieux que cela, Mac?

La voix de Gantry était, comme toujours, indolente, distraite sinon lointaine. Il avait posé sa question comme il se fût enquis des prévisions météo pour le lendemain.

Le filet se resserre. Jusqu'où sa vieille tante – autrement dit, ses enquêteurs – est-elle allée dans ses recherches?

Je m'amuse énormément.

– J'ai dû rencontrer Laudegger trois ou quatre fois. Il est très brillant. Nous ne sommes pas intimes. Et il n'a jamais été de mes élèves.

– Je sais, dit Gantry. Laudegger a fait ses études à Harvard. Mais une chose m'a frappé, néanmoins.

– Laquelle?

– Le style. Je ne pourrais sans doute jamais le prouver, mais je pense que c'est Laudegger qui était derrière Harkin, Fielding et Campanella, dans l'OPA sur l'Obawita. Et il était encore derrière au moins cinq des raids qu'a menés Albert Campanella.

– Il est très actif, dites-moi!

– Dans chacune des seize affaires que nous avons étudiées, on retrouve la même technique. Brillante, comme vous dites. Il est curieux que vous ayez pensé à me dire que Laudegger n'a jamais été votre élève. Parce qu'il a chaque fois démontré un style qui pourrait fort bien être le vôtre.

– J'en suis flatté. Je ne savais pas que j'étais, comment dire? typé à ce point.

Et, en plus, je suis sincère. C'est vrai. Cet animal a mis le doigt sur quelque chose que j'avais négligé.

– Mais, bien entendu, reprit Gantry, je n'imagine pas une seconde que vous ayez la moindre relation avec...

Gantry s'interrompit. L'éclat d'une torche électrique troua la pénombre. Jake, le pilote, arrivait enfin.

–... avec mes fourmis, acheva de dire Gantry. Vous êtes célèbre; vous avez donné des conférences et accordé des interviews, écrit des articles. Il a même pu se procurer des copies de vos cours – du temps où vous enseigniez. Puisqu'il est si brillant, il aura assimilé votre technique. Quelle autre explication?

– Quelle autre, en effet?

Jake vint à eux. Il s'excusa d'avoir tardé; c'était son jour de repos et il était parti à la pêche avec ses deux fils. Il allait tout de suite s'occuper de cet hélicoptère.

– Si nous rentrions? proposa Gantry.

– De nuit? Je préférerais repartir à pied.

– Je sais naviguer dans le noir, dit Gantry en souriant.

Bizarrement, ils se turent durant le court voyage de retour. À la fin seulement, quand ils arrivèrent tout près de la plage, MacArthur demanda :

– Et vous êtes sûr que ce Laudegger est votre ennemi, comme vous dites?

– Je n'ai aucune preuve.

– Une conviction intime?

– Et une fourmi de six mètres, dit alors Gantry qui, braquant la torche (il tenait la barre du petit moteur hors-bord), fouillait la mer transparente devant l'étrave.

– Pourquoi six mètres?

– Ce doit être la taille nécessaire pour s'imposer à des fourmis de deux mètres.

Le canot vint avec adresse s'aligner contre l'appontement.

– Il est plus beau que jamais, dit Letty dans l'obscurité de leur chambre. Cynthia et Judy en avaient la langue qui traînait par terre. Mais, évidemment, à côté de cette fabuleuse créature, aucune de nous ne fait le poids. Quel couple ! Ça ne doit vraiment pas être triste quand ils batifolent ensemble.

– Elle est peut-être frigide, ou lui impuissant.

– Ne me fais pas rire.

– Il n'était pas absolument nécessaire que tu fisses semblant de ne pas le reconnaître, mais merci.

– Pas de quoi. C'est lui le premier qui s'est présenté sous son nom complet, comme si je l'ignorais.

Du coup, MacArthur eut la réponse à l'une des questions qu'il se posait : la petite comédie jouée par Letty et Gantry, feignant de ne s'être jamais vus auparavant, avait-elle été une initiative du Fou de Bassan ou le seul effet des réflexes conditionnels de Letty ?

– Il repart demain, Jimmy ?

– Oui.

Et tout le problème est là, pensa MacArthur. *La chasse allait reprendre sitôt que les deux fugitifs seraient ressortis de ce havre. Nom de Dieu ! Pourquoi Gantry n'était-il pas resté sur sa jonque ? Cet animal m'oblige à un choix que je n'ai vraiment pas envie de faire et qui, dans tous les cas, sera très désagréable.*

– Nous ne sommes pas en affaires ensemble, Gantry et moi. Il se rend vraiment à Kew et n'est passé nous voir que par hasard. Il semble avoir quelques petites difficultés dans une de ses opérations mais il a été des plus discrets.

Pourquoi est-ce que je me lance dans ce genre d'explication ? Letty ne me demande rien. Elle ne me demande jamais rien, d'ailleurs. La cause de cette discrétion était-elle de l'indifférence pure et simple ou bien Letty en savait-elle déjà trop pour oser la moindre allusion ? *Tu sais très bien ce qu'il en est, Mac. Tu le sais quand tu as le courage de regarder les choses en face. Letty est intelligente. Si elle n'avait pas voué sa vie à ta propre réussite, elle aurait terminé ses études de droit, elle aurait entrepris une carrière, et elle aurait valu ou surpassé la plupart des hommes.*

MacArthur prit alors sa décision. De s'être enfin déterminé l'apaisa. De toute manière, les deux solutions comportaient chacune des risques également graves.

Tu as choisi, n'y pense plus.

– Je n'ai pas trop sommeil, dit-il.

C'était leur phrase code, à Letty et à lui. Il l'entendit qui riait doucement. Les doigts de Letty entamèrent leur exploration:

– C'est vrai que nous n'avons pas eu notre sieste coquine, dit-elle. Mais, avec Judy et Cynthia au milieu, ce n'était pas facile. Il fallait bien que je m'occupe d'elles!

Elle rit encore plus.

– Avec qui as-tu envie de faire l'amour, James Doret MacArthur? Avec ta femme ou avec la Canadienne? En la regardant, tu avais les yeux qui te sortaient de la tête!

– Quelle question!

Il se rendit compte qu'il venait de reprendre les mots et le ton mêmes de Gantry lorsqu'il lui avait demandé s'il croyait que c'était lui, la Fourmi de six mètres.

Le petit appartement où Zénaïde et Gantry avaient été installés donnait directement sur la plage, tout au bout de la maison. La climatisation y fonctionnait, mais Zénaïde l'avait arrêtée, préférant l'air naturel, si chaud fût-il (il l'était bien moins dans l'hiver caraïbe qu'en Asie du Sud-Est).

Zénaïde descendit les trois ou quatre grandes marches de bois, foula le sable, entra dans l'eau. Jusqu'aux genoux seulement. Cette mer immobile et noire ne lui disait rien qui vaille. Elle devait être infestée de requins,

de caïmans et de tas de choses gluantes. *J'ai la trouille.*
C'est ridicule. Elle s'assit et s'immergea jusqu'aux seins.
J'ai la trouille et je suis en rage.

– Fiche-moi le camp, Gantry.

– La mer est à tout le monde.

– Qu'est-ce qu'il y a en face?

– Ça dépend. En nageant droit devant toi, dans à peu
près onze cents kilomètres, tu devrais rencontrer la
Floride. Mais tu pourras toujours te reposer quelques
instants à Cuba.

Placide, le Gantry. Il m'énerve vraiment. Elle jeta un
coup d'œil derrière elle. Gantry était accroupi à la mode
chinoise, nu lui aussi, frôlé par les vaguelettes.

– Je suis en rage, dit-elle. Tout l'après-midi! Tout
l'après-midi, je suis restée avec les bobonnes. On a
même joué au gin rummy. Tabernacle! Et, pendant ce
temps-là, les mâles discutaient entre eux de choses
sérieuses.

– Il n'aurait rien dit devant toi. Ni devant quiconque,
homme ou femme.

– Parce qu'il t'a dit quelque chose?

– Je crois que j'ai raison sur certains points.

Ce n'était même pas un chuchotement. Gantry parlait
bien plus bas que cela encore. Mais il dut juger qu'il
risquait pourtant d'être entendu.

– Je peux m'approcher, Gagnon? J'aimerais autant ne
pas avoir à vociférer.

Il vint près d'elle.

– Viens nager.

– Non.

– Tu as la trouille. Je peux le comprendre. Personnellement, j'ai horreur des lacs et de l'eau douce. Tu
prendras ta revanche à Missikami. Allons nager,
Zénaïde. Cynthia nous regarde, et je me demande s'il n'y
a pas quelqu'un d'autre.

Les lèvres de Gantry étaient contre son oreille, il

feignait de lui faire des mamours. Elle se décida et avança de dix mètres dans l'eau, terrifiée.

– Accroche-toi à mes épaules.

Il l'entraîna vers le ponton équipé d'un plongeoir.

– Tu as dit que tu avais raison sur certains points. Lesquels?

– Laudegger.

– MacArthur t'a dit que c'était lui?

– En quelque sorte.

– Quoi d'autre?

– Ma troisième hypothèse est sans doute la bonne. Quelqu'un me manœuvre pour que je livre bataille – une bataille contre Laudegger.

– C'est MacArthur, ce quelqu'un?

– Il est favori à cinq contre deux.

– Autrement dit, tu n'as aucune preuve.

– Rien qu'une intime conviction. Je n'en attendais pas davantage.

– Ça veut dire quoi entrer en guerre contre Laudegger? Nous allons remonter l'East River avec la jonque et aller bombarder ses bureaux?

Ils feignaient tous deux de s'embrasser et de se câliner, accrochés ensemble au ponton. *Enfin! Quand je dis que nous feignons*, pensa Zénaïde, *je joue un peu sur les mots. Le Gantry est dans tous ses états et je suis moi-même au bord de l'effervescence – quoique je m'étais promis de ne pas l'être. En tout cas, si quelqu'un nous observe, il en aura pour son argent.*

– C'est vrai que, pour l'instant, je ne vois pas du tout comment livrer cette bataille, dit Gantry. Et moins encore comment la gagner. De façon définitive, je veux dire.

– Tu serais capable de tuer quelqu'un?

– Je n'en sais rien. Je sais simplement que j'en ai envie.

– Tu n'as pas envie que de ça, mon bonhomme.

– Ça n'a rien à voir.

– Ah! bon?

– Tu ne donnes pas précisément ta part au chat, Gagnon. Zénaïde, j'ai une foutue envie de tuer ce fils de pute. Et je le ferais si j'étais sûr d'arrêter les fourmis. Il y a une autre possibilité.

– Je suis contre.

– Tu ne sais même pas ce que j'allais dire.

– Oh! Que si! Tu me proposes de régler le problème de Missikami en rachetant au prix fort et ensuite d'attendre que les fourmis se lassent de nous courir après.

– Et tu n'es pas d'accord.

– Non.

Ils étaient yeux dans les yeux, soudés l'un à l'autre, et parler de mort, de meurtre et de vengeance ne faisait qu'accroître l'envie qu'ils avaient l'un de l'autre. Zénaïde le constatait. Elle avait les larmes aux yeux. C'était clair. Si elle n'avait pas été là, s'il n'avait pas pris soin de la protéger, Gantry aurait déjà été en route pour aller affronter ce Laudegger – quitte à courir des risques insensés.

– Je suis biologiste et un peu financier, dit-il. Je me suis battu physiquement, mais seulement à coups de poing – ou, au pis, avec une bouteille ou un tabouret de bar. D'ailleurs, révolvériser Laudegger ne suffirait pas.

– Si c'est bien lui.

– Si c'est bien lui, la fourmi de six mètres. M'attaquer à lui sur le terrain de la finance me permettrait au mieux de lui faire perdre de l'argent. Je serais loin du compte. Et puis, il a dû faire des progrès depuis l'affaire de San Diego. Il a d'autres appuis, d'autres moyens.

– Et ça prendrait des mois. Avec plein de fourmis cavalant dans tous les sens pour nous manger vivants. Ça peut manger un homme, la marabunta?

– En soixante-dix-sept minutes, dix-neuf secondes, et quatre dixièmes – record du Brésil.

– Tu dis n'importe quoi.

– Oui.

Maintenant, elle pleurait vraiment. Mais le goût salé de ses larmes devait heureusement se confondre avec celui de la mer. Il restait un point d'incertitude : ce qui se passerait à la minute où ils quitteraient l'île de MacArthur. Gantry avait-il une idée sur le sujet ?

Non.

Il l'embrassait doucement sur les paupières, avec tendresse.

– On rentre ?

Il s'endormit d'un coup, à peine allongé sur le lit, dans leur chambre. Il avait si peu dormi depuis leur débarquement de la jonque. Elle le regarda. Ce n'était pas juste que tout pût s'arrêter juste au moment où elle venait de trouver Gantry. Elle alla et vint dans la pièce. Sortit sur la véranda. Elle crut apercevoir la silhouette d'un homme. Tout était calme à part cela. Il faisait clair de lune sur la mer. *On aurait pu nous tuer dix fois, tout à l'heure.*

Mais *ils* attendront demain.

MacArthur s'était levé dans la nuit – il suivait de près la bourse de Tokyo et avait voulu assister à la fermeture. Il plaça quelques ordres. Il fit de même à Hong-kong, une heure plus tard. Puis encore à Singapour. Il repartit dormir un peu, il avait pris l'habitude de ces moments. Dans la majorité des cas, il ouvrait les yeux avant la sonnerie du réveil, qu'il arrêtait pour ne pas déranger Letty.

En revanche, vers neuf heures du matin, ce fut Letty qui dut venir le secouer.

– Ils s'en vont, Gantry et la belle Zénaïde. Tu m'as demandé de te réveiller; tu te rappelles ?

Il passa rapidement sous la douche, enfila un maillot. La veille, bien après le dîner, Jake, le pilote, avait rendu son diagnostic : l'hélicoptère pouvait voler jusqu'à Kew, mais... « *Vous les emmènerez avec l'hydravion, Jake.* »

– Bien dormi?

– Parfaitement. Votre île est très calme, répondit Gantry.

MacArthur nota le mouvement de la Canadienne. Qui semblait tout à coup frappée d'extase devant les serres et les plantations de Letty. Et Letty jouait le jeu, entraînant avec elle Cynthia et Judy. Opération de diversion.

– Je prendrai du café, Miguel. Et, j'y pense, ils apprécieraient quelques sandwiches, dans les bureaux. Merci de vous en occuper.

Miguel s'éloigna.

– Je peux m'en aller aussi, dit Gantry, mais vous vous retrouverez bien seul.

Ils se sourirent.

– Vous comptez toujours passer par Kew, Jonathan?

– Oui.

– Si la stupéfiante histoire que vous m'avez racontée hier est un tout petit peu vraie, des hordes de tueurs vous attendront à Kew.

– Probablement.

Tu ne te trompais pas, Mac. Il est venu dans ton île en supposant que tu l'aiderais à en repartir. Qu'il te soupçonne ou non d'être une Fourmi. Et, si tu veux mon avis, il t'en soupçonne.

Très bien. Puisque ta décision est déjà prise.

– Et si, par chance, on vous ratait à Kew, vous ne croyez pas, cependant, que les risques augmenteront à chaque escale suivante? Quelle que soit votre imagination?

– C'est vraisemblable.

– Vous envisagez de regagner votre jonque?

– Oui.

– Et vos chances de survie, une fois sur votre jonque?

– Une sur deux.

– Vous menez une existence palpitante.

– N'est-ce pas?

314

– Ma propre vie est d'un terne, par comparaison.

Arrête de faire le clown, Mac. Miguel et les femmes ne vont pas tarder à revenir.

– Je vais intervenir pour trois raisons, Jonathan. La première est l'amitié que Letty et moi vous portons. La deuxième est qu'il est inenvisageable qu'un couple aussi charmant que celui que vous formez avec cette merveilleuse jeune femme se retrouve criblé de balles de revolver devant ma porte.

– Cela ferait jaser, dit Gantry en souriant. Et la troisième ?

– Ma conviction que vous êtes venu ici pour obtenir une réponse. Pour savoir justement, si j'allais vous aider ou non.

– Je vous suis mal.

– Je pense que vous me suivez très bien. Je me demande même si vous ne me précédez pas. Certains pourraient imaginer qu'en vous aidant je vous donne la preuve que, non seulement je crois toute votre fantasmagorique histoire, mais encore que j'y joue un rôle important.

– Déduction intéressante, dit Gantry. Sauf que je vous ai déjà dit que je ne voyais pas en vous ma fourmi de six mètres.

– Je ne suis pas un homme d'action, c'est vrai. Mais j'adore paraître extraordinairement intelligent en prodiguant des conseils. Vous connaissez Charlotte Amalie ?

– Pas personnellement.

– Ce n'est pas une femme mais une ville. Dans les îles Vierges américaines, à l'est de Puerto Rico. Jake vous y déposera, à trois encablures d'un embarcadère réservé à la marine américaine. Un hélicoptère de l'US Navy vous emmènera jusqu'à l'aéroport Harry Truman, en zone militaire. Il vous déposera au pied d'un gros avion militaire en partance pour le Pacifique Sud. Il est toujours possible qu'il se trouve une fourmi ou deux à bord mais j'en serais surpris ; la Navy fait un usage abondant des insecticides. J'ignore où vous avez caché votre jonque mais vous vous arrangerez avec les marins. Ils ne vous refuseront rien. Non seulement je connais cinq ou six amiraux, mais l'actuel secrétaire d'État et quelques ministres ont été mes clients.

Les femmes revenaient. Elles étaient à trente mètres. La Canadienne portait une robe si légère qu'elle en était transparente. On voyait clairement la minuscule culotte et la poitrine, libre de soutien-gorge. *Proprement éblouissant*, pensa MacArthur.

Et, maintenant, le point final, Mac. En espérant que le Fou de Bassan va comprendre.

– Voilà un instant, je vous parlais des conseils que je donne. J'en ai un pour vous. À ma connaissance, la seule façon de se débarrasser définitivement d'une fourmi de six mètres est de lancer contre elle une fourmi de dix-huit mètres.

MacArthur guettait les yeux de Gantry.

Il a compris. Je ne l'avais pas sous-estimé.

– Bon voyage, monsieur Gantry. À vous aussi, mademoiselle Gagnon.

3

La pluie avait accompagné le lent voyage d'Alex Decharme depuis le fin fond du comté du Wicklow jusqu'à Dublin. Lent parce que le chauffeur de la Rolls cinquantenaire semblait convaincu que prendre un virage à plus de vingt miles à l'heure était du ressort de la Formule 1. Il pleuvait encore et toujours à Dublin. Alex Decharme connaissait la ville. Il y était venu à cinq ou six reprises pour des reportages. Il avait même séjourné pendant trois semaines dans le vieillot mais charmant hôtel *Shelbourne* – et éclusé des quantités astronomiques de Smithwicks au bar. Il reconnut les frondaisons de Saint Stephen's Green malgré le rideau de pluie et la brume. La Rolls ne s'arrêta pas; elle passa devant le *Shelbourne* puis fit le tour du parc.

– Par précaution, dit le chauffeur, âgé de quatre-vingt-cinq ans au minimum.

– Très bien, dit Alex, patient.

Il continuait à trouver grotesques toutes ces précautions mais savait que discuter n'aurait servi à rien. Surtout avec un Irlandais presque contemporain de James Joyce.

Deuxième tour.

– J'attends un signal, monsieur.

Pourtant, il faisait nuit noire et Dublin n'est pas la ville la mieux éclairée du monde.

Le chauffeur dut enfin voir le signal car la voiture s'engagea dans une rue, puis dans une impasse, et stoppa devant une porte noire fileté de bleu canard. Une jeune femme sortit dans la seconde, ouvrit un parapluie pour les abriter sur les deux mètres qui séparaient la voiture de la maison.

– Voudriez-vous me suivre, je vous prie, *sir?*

Quelques volées de marches, puis Alex se retrouva dans un bureau lambrissé dont les fenêtres donnaient sur Saint Stephen's Green. L'homme dit qu'il se nommait Sean Ryan. Il s'excusa d'avoir fait entrer son visiteur par l'entrée de service et informa Alex qu'il était le représentant en Irlande de Jonathan Gantry.

Son regard se fit grave quand Decharme lui dit ce qu'il pensait de ces précautions exagérées. Il tira d'un tiroir de son bureau des reproductions de photos transmises par télécopie. Il les déposa devant Alex, qui se pencha et vit, devant une grande et belle maison coloniale, une grosse voiture criblée de balles et le cadavre d'un vieil homme.

Ryan expliqua que le mort s'appelait Charles Woodward MacNulty. Ses amis le surnommaient Pee Wee en dépit de sa taille. Il avait été assassiné pour avoir aidé monsieur Gantry et mademoiselle Gagnon à Brisbane. La balle qu'il avait reçue était sans doute destinée à monsieur Gantry.

Ryan raconta toute l'histoire. Monsieur Laviolette allait bien, il avait été transféré dans un hôpital militaire.

– Où vous pouvez l'appeler, monsieur Decharme, si vous souhaitez lui parler. Il est environ quatre heures du matin en Australie. Mais votre appel est attendu. Voulez-vous décrocher cet appareil et prendre la communication?

La voix de François-Xavier était relativement gaie, compte tenu des circonstances. Oh! Il ne s'agissait pas de ses blessures! Les balles qui lui avaient traversé la cuisse avaient été extraites et il allait très bien. Il s'inquiétait surtout de Zénaïde. Et de Gantry. Gantry n'était pas mal, pour un maudit Anglais. Il ne savait pas ce qui leur était arrivé.

Alex lui demanda combien des crêpes du grand-père Gagnon il avait mangées à Noël deux ans plus tôt. « *Cent onze* », répondit Laviolette sans hésiter une seconde.

C'était bien Laviolette et pas quelqu'un qui se faisait passer pour Laviolette.

– Vous pouvez lui annoncer que mademoiselle Gagnon et monsieur Gantry vont bien et sont en ce moment même en train de regagner la jonque par un moyen sûr, dit Ryan.

Alex transmit la bonne nouvelle, dit que sa famille et lui-même allaient fort bien aussi, prit congé de Laviolette, et raccrocha.

Ryan sortit d'autres photos. Celles des six yachts de grande croisière qui pourchassaient la jonque.

– Naturellement, ces clichés n'ont pas été pris ces derniers jours. Nous les avons obtenus des propriétaires précédents, à qui les bateaux ont été achetés par six sociétés différentes, sociétés de droit libérien, ce qui exclut toute possibilité de découvrir l'identité des nouveaux propriétaires. Et il y a aussi ces hélicoptères et ces avions...

– Quel est ce moyen sûr dont vous parliez?

– La marine américaine. Je serais bien incapable de vous dire comment monsieur Gantry a obtenu son concours. (Sourire.) Mais monsieur Gantry est capable d'une quantité surprenante de choses. Il semble que mademoiselle Gagnon et lui se soient rendus dans une île des Turks et des Caïques, pour une raison que nous ignorons. Ils en sont repartis et ont échappé à leurs poursuivants.

Ryan demanda si la famille Decharme était satisfaite de son installation. Oui? Eh bien, tant mieux! La sécurité était totale dans le comté, et, avec ses deux cents pièces, son parc et ses serres, le château lui avait paru, à lui Ryan, l'endroit idéal pour un séjour discret.

– Par ailleurs, monsieur Decharme, j'ai fait envoyer les lettres que vous nous aviez confiées pour votre journal ainsi que pour vos parents et vos amis au Canada. Elles ont été postées de divers endroits dans le monde. Elles sont toutes arrivées; nous avons contrôlé. Des questions?

– Pourquoi m'avoir fait venir ici ce soir?

D'un autre tiroir, Ryan sortit un passeport, un permis de conduire, une douzaine de cartes de crédit, et de l'argent liquide – environ vingt-cinq mille dollars. Il plaça le tout sur le plateau du bureau devant Decharme.

– Voici quelques jours, monsieur Gantry vous a parlé par radio. Il vous a demandé si vous étiez disposé à remplir une sorte de mission secrète. Vous l'êtes toujours?

– Évidemment.

– Il vous faudra vous rendre en Amérique. Ça peut être fort périlleux.

– Qu'est-ce que c'est que ce passeport?

– Il vous permettra de passer pour un citoyen français. Le passeport est authentique, seule la photo sera changée. On m'a assuré que vous n'aviez pas ce que les Français appellent l'accent canadien.

– Exact.

– Le vrai titulaire du passeport a accepté de prendre des vacances – aux frais de monsieur Gantry. Nous allons faire le nécessaire pour cette photo. J'ai pu me procurer le spécialiste qu'il faut. Je n'ai guère l'habitude de ces choses, je ne suis qu'un avocat. Si vous êtes d'accord, vous prendrez ce soir l'avion pour Londres. Puis, de Londres, vous gagnerez Paris. Une place à bord du Concorde de demain pour New York y est déjà réservée à votre nouveau nom. Vous voudrez bien signer les cartes de crédit. Vous pourrez tirer autant d'argent que vous le souhaitez avec ces cartes. Le crédit est à peu près illimité. Nous vous avons également préparé des valises et des vêtements de rechange. Vous êtes officiellement divorcé, ces photos sont celles de votre amie du moment. La note jointe vous expliquera qui est cette dame, comment vous l'avez rencontrée, et où ces photos ont été prises.

– Elle est nue.

Ryan sourit.

– Puisque vous êtes français, maintenant. Je n'ai pas la moindre idée de ce que peut être votre mission, monsieur Decharme. Et je ne veux pas le savoir.

– Gantry m'avait demandé d'attendre. Il m'a dit qu'il me donnerait un signal. Une sorte de code.

– Missikami 23.

Alex hocha la tête. C'était ça. Dans l'ensemble, il avait plutôt envie de rire. Il retrouvait des sensations oubliées, des sensations du temps de ses vagabondages de grand reporter chassant le *scoop*. Il sentait monter l'excitation.

Le Fou de Bassan était bien parti en guerre.

À Charlotte Amalie, dans les îles Vierges américaines, tout s'était déroulé comme prévu. Pas la moindre Fourmi en vue. Les petits marins US avaient fait des yeux ronds; une espèce de stupeur les avait saisis; certains n'avaient pu retenir un sifflement admiratif mais quasiment imperceptible.

– Tu n'avais vraiment rien d'autre à te mettre que cette robe transparente, Gagnon? Et une minijupe, en plus.

– Ce n'est pas une minijupe, c'est un boubou. Un peu petit pour moi, c'est vrai. Mais c'était le seul des vêtements de Letty dans lequel je pouvais entrer. Je n'y peux rien si je suis grande. Et dodue. Et si nous avons dû abandonner nos valises à Kingston. On est jaloux, Gantry?

– Pas du tout.

Ils étaient montés dans un B 70, l'un de ces avions énormes qui peuvent embarquer des chars d'assaut et des camions. L'appareil avait pris la direction des États-Unis, puis fait escale sur un aérodrome militaire non identifié, et était reparti, au bout de six heures, à destination des Philippines. Lors de l'arrêt sur l'aérodrome non identifié, la Navy avait, sur les instances de Gantry, habillé Zénaïde en petit marin, ce qui ne la rendait pas moins séduisante. Elle avait pourtant conservé le boubou. Étant donné l'effet qu'il produisait sur Gantry, il valait de l'or.

– Tu es jaloux; ça saute aux yeux.

– Non.

– Oh! Que si!

– On arrête d'en parler; tu veux bien?

Ils étaient deux ou trois cents marins à bord, qui rejoignaient différents bâtiments croisant dans le Sud-Est asiatique. Ces hommes rentraient de permission ou se rendaient à leur nouvelle affectation. La vue de Zénaïde les plongeait à peu près tous dans une profonde mélancolie. *Je me demande ce qui se serait passé*, pensa-t-elle, *si Gantry avait été un immonde pot à tabac. J'étais décidée à tout pour le convaincre de venir au secours de Missikami, mais il y a des limites. Bon. La surprise a été merveilleuse. Je n'ai vraiment pas eu à me forcer. Dieu est juste. Et, les choses étant ce qu'elles sont, j'en perdrais presque de vue mon objectif premier (aucun doute, je suis dingue de ce palmipède barbu). Ça ne durera pas la vie entière; c'est entendu. Passer le reste de mes jours avec Gantry – à supposer même qu'il veuille de moi – signifierait que je renonce à toute vie personnelle. J'ai le temps d'y penser. En attendant, je suis gaie.*

– D'accord, dit-elle; parlons d'autre chose. Par exemple, de cette prétendue idée géniale que t'a donnée

MacArthur. Je ne vois pas en quoi c'est une idée géniale.

– C'est pourtant clair.

Gantry venait de revenir de la cabine de pilotage. Il était allé passer des messages radio, tous dans ces codes qu'il avait la manie d'employer.

– Pour détruire une fourmi de six mètres, il faut envoyer contre elle une fourmi de dix-huit mètres. Tu trouves ça clair ?

– La Fourmi de six mètres serait Laudegger.

– Admettons.

– Mais elle ne serait pas la Fourmi en chef. Il y aurait quelqu'un au-dessus d'elle. Quelqu'un de trois fois plus gros.

– Qui serait qui ? MacArthur ?

– Non. Mais quelqu'un que MacArthur connaît. Pour qui, sans doute, il travaille aussi vraisemblablement.

– Je comprends, dit Zénaïde.

– Je n'ai jamais pensé que tu étais idiote.

– Il s'agit de mettre Laudegger dans une situation telle que ses supérieurs pourraient lui en vouloir de ce qu'il aurait fait.

Gantry souriait.

– Continue, dit-il, paisible.

– Le coup parfait serait qu'il fût puni précisément pour avoir lancé cette attaque contre Missikami... Non. Attends... pour avoir lancé l'attaque contre l'Obawita et donc contre Missikami et aussi pour avoir utilisé des Fourmis combattantes contre une espèce de cinglé du nom de Gantry, qui ne demandait rien à personne, sans autre motif que sa rancune personnelle.

– Pas mal du tout, Gagnon. Surtout pour une femme.

– Je réglerai ce compte-là plus tard, Gantry. En tête à tête. Il y a un peu trop de marins derrière nous, et, en plus, ils sont en manque. Je reprends. Notre Fourmi de six mètres aurait utilisé à des fins personnelles des moyens qui n'avaient été mis à sa disposition que pour faire régner l'ordre parmi les petites Fourmis. Il aurait contrevenu à ses ordres.

– Tu as de beaux yeux, tu sais.

– Et la ou les Fourmis de dix-huit mètres n'aimeraient pas beaucoup ça. Tu crois que ça suffirait à les mettre en colère au point de pulvériser... Non ; ça ne suffirait pas. Il y aurait autre chose. Ceci, par exemple : qu'il rate une affaire dans laquelle un certain oiseau des îles serait parvenu à l'entraîner. Que, non seulement il la rate, en y perdant des monceaux d'argent, mais qu'en plus cela se sache. Il commencerait alors à être dans une sacrée panade.

Gantry ne dit rien. Son regard était comme tourné vers l'intérieur. *C'est à peine s'il m'écoute,* se dit Zénaïde. *Mais je ne lui apprends rien. Il a déjà fait le tour de la question dans sa tête. Il est allé plus vite que moi, c'est tout.*

– Particulièrement, reprit-elle, dans le petit monde des Fourmis, où on ne pardonne pas les échecs – sans parler des trahisons. Chez ces gens-là, monsieur, on tue. Surtout pour des erreurs de cette taille. On tue jusqu'aux Fourmis de six mètres qui, plus encore que les Fourmis de moindre envergure, doivent être à l'abri des erreurs.

– Un moment.

Un officier passa près d'eux deux, frôla les sièges spécialement installés à leur intention. Quelques mots furent échangés. Apparemment, l'officier, comme la grande majorité de ceux qui se trouvaient à bord, croyait que Zénaïde était la fille d'un amiral très influent, ou bien alors que Gantry était un agent secret.

Ou bien qu'ils étaient des agents secrets l'un et l'autre.

L'officier finit par s'éloigner.

– C'est ça, Gantry ?

– Oui.

– Tu crois que MacArthur a pensé que nous y pense-rions?

– Oui.

– Tu crois qu'il souhaite l'élimination de Laudegger?

– Oui.

– Tu connais la raison?

– Non.

– Tu crois que c'est ça, la manœuvre autour de toi pour te conduire à passer à l'attaque?

– Oui.

– Mais tu vas attaquer quand même.

– Oui.

– Tu crois que l'élimination de Laudegger mettra fin à l'offensive des Fourmis combattantes? Elles ne nous poursuivront plus? Elles nous oublieront?

– Je l'espère.

– C'est une impression? On a une solution de rechange?

– Absolument, dit-il. Un suicide en tandem pour échapper à l'assassinat.

Le gros avion fit une escale de huit heures dans l'atoll de Wake. Pour des raisons militaires, c'est-à-dire sans raisons apparemment.

Gantry en profita pour établir quelques communica-tions radio. Il revint.

– Alex a pris le sentier de la guerre et la jonque va bien.

Sur l'île de l'archipel des Caïques, Gantry et la Cana-dienne étaient partis depuis trente-deux heures quand MacArthur reçut un message peu ordinaire : *GERMAN OFFER RENEWED. ASK YOU RECONSIDER 1 800 000. HG TRABERT.*

H.G. Trabert était l'un des trois noms de code du Sicaire.

Il existait bel et bien un H.G. Trabert. C'était un courtier en matières premières dont les bureaux se trouvaient Fulton Street, à Manhattan Sud. Mais Trabert n'était en réalité qu'une boîte aux lettres.

La teneur du message n'avait aucune importance. Seul comptait le nombre de lettres. Trente-quatre. Moins trente et un. Le rendez-vous fixé par le Sicaire était donc pour le 3 février. Et, en négligeant les zéros, le nombre à retenir était 18. Rendez-vous le 3 février prochain à six heures du soir à l'endroit habituel, des bureaux situés deux étages au-dessus de ceux de Trabert, Fulton Street.

Le cher Sicaire sait que je serai à New York après-demain. Et avoue que tu t'y attendais, Mac! Il a évidemment appris que Gantry est venu te voir. Une chose est sûre : il ne t'a pas encore condamné à mort, l'extinction totale de la famille James Doret MacArthur n'est pas à l'ordre du jour. Letty, les filles et toi survivrez au moins jusqu'au 3 février – disons six heures et demie.

C'est bon de savoir que l'on a du temps devant soi.

Tu as peur, Mac?

Oui.

– Letty, j'aimerais beaucoup que vous m'accompagnassiez à New York, les filles et toi.

– Il neige à New York. J'aime autant Aspen ou la Suisse, pour le ski.

– Tu as sûrement des courses à faire. Tu ne m'as pas accompagné à New York depuis des mois.

Elle jeta un rapide coup d'œil à MacArthur puis se remit à rouler Dieu seul savait quelle pâte destinée à Dieu seul savait quel gâteau bizarre. Malgré les deux cuisinières, elle faisait le plus souvent la cuisine elle-même.

– D'accord, Jimmy. On part quand?

– Demain. Je voudrais m'arrêter à Nassau en passant.

– Nous serons prêtes.

Les deux cuisinières en chômage technique faisaient

de leur mieux pour paraître occupées. L'une venait de Haïti, l'autre de Saint-Domingue. Elles discutaient généralement entre elles dans une espèce de créole incompréhensible. MacArthur dut se forcer à leur sourire. Il était glacé. C'était assez réfrigérant de s'apercevoir, après tant d'années, que Letty savait. Elle avait deviné la partie cachée de l'iceberg et n'avait rien dit. MacArthur était choqué. Au sens propre. Letty savait et acceptait. Il faillit vomir dans la salle de bains, où il venait de se réfugier, sous l'effet de la déception, de la colère et de la honte.

En fin de compte, tandis qu'il s'attardait sous la douche, la peur de ce qui l'attendait à New York revint et le submergea.

La peur, au moins, c'était un sentiment dont il avait une certaine habitude.

Ils étaient à Manille sur une base de la Navy. Les marins, qui avaient été d'amusants compagnons de voyage, étaient tous descendus de l'avion géant. Zénaïde et Gantry étaient restés à bord jusqu'à l'arrivée d'un « *adorable officier* » (disait Zénaïde) tout de blanc vêtu, qui était capitaine de corvette. Il leur apprit qu'il se nommait Osborne.

– Mes ordres sont de vous emmener n'importe où vous souhaitez vous rendre. J'ai personnellement choisi les douze hommes qui assureront votre protection pendant tout le temps que vous demeurerez aux Philippines. À moins que les Philippines ne soient justement votre destination ?

– Pas vraiment, dit Gantry.

Dehors, sous le soleil philippin, au pied d'une passerelle qui avait presque les dimensions du pont de Brooklyn, l'escorte attendait, en armes. Et un fourgon blindé stationnait, porte arrière ouverte.

– Tu devrais dire à ce brave homme, dit Zénaïde, qui

nous sommes et pourquoi le département de la Marine prend tellement soin de nous.

Nous serons peut-être morts demain mais, en attendant, qu'est-ce que je rigole! Vas-y Gantry! Trouve une explication plausible. Voyons un peu comment tu vas t'en tirer. Parle-lui donc des Fourmis, par exemple. De deux, six et dix-huit mètres.

Gantry prit Osborne par l'épaule et lui chuchota une explication à l'oreille. Osborne demeura quelques secondes figé, regarda Zénaïde, considéra Gantry, reregarda Zénaïde. Il déglutit.

– Je comprends, dit-il. Si vous voulez bien me suivre. Vous êtes sous la protection de la Marine, c'est tout dire.

Ils sortirent tous de l'avion et montèrent dans la fourgonnette blindée. Qui roula un certain temps et finit par s'arrêter devant une villa de bois.

– Vous êtes chez vous jusqu'à l'heure de votre départ, dit Osborne. Je vous laisse. Si vous avez besoin de quoi que ce soit.

Les « *laisser* »! C'était une façon de parler! Il y avait un matelot armé à chaque fenêtre.

– Qu'est-ce que tu lui as raconté?

À chaque fenêtre sauf, tout de même, à celles de la salle de bain et de la chambre à coucher, qui étaient bouchées. La climatisation donnait à plein.

– À qui?

– Ne fais pas le malin, Gantry. Qu'est-ce que tu as raconté à Osborne?

– Secret militaire.

Il ne voulut pas en démordre. Mais ce n'était qu'un jeu. Gantry était préoccupé – on l'eût été à moins. La tension se lisait sur son visage. Elle devinait qu'il était en train d'échafauder des combinaisons. Ils étaient convenus de ne parler de rien d'important, aussi longtemps que quiconque risquait de les entendre, fût-ce un petit marin au crâne tondu et aux avant-bras tatoués. *Et voilà, Zénaïde. Tu vis cinquante ou soixante ans avec ce type et c'est ce qui t'attend. Lui, il pensera, et toi, tu joueras le repos du guerrier. C'est ce qui t'as conduite à quitter Larry Elliott; tu ne vas pas refaire la même bêtise!*

Même si Gantry et Elliott, ce n'est pas du tout pareil.

Osborne réapparut et emmena Gantry, qui voulait établir d'autres communications radio. Elle attendit, sa gaîté des dernières heures enfuie. Elle s'inquiétait également pour Alex Decharme, qui venait de prendre « *le sentier de la guerre* ». Elle croyait deviner ce que l'image signifiait. Bien des choses dans le plan imaginé par Gantry (pour autant qu'elle le connût entièrement) lui échappaient. *Et je suis banquière! Qu'est-ce que ce serait si j'avais choisi de poursuivre mes études d'histoire!*

Deux matelots qui louchaient sur ses seins, à l'étroit dans le tricot de la Navy, lui apportèrent à dîner. Ils étaient escortés par un sous-officier qui ressemblait à Schwarzenegger en moins gracile.

– Les plats ont été goûtés, madame. Pas de danger.

– Merci, répondit-elle simplement.

La situation, qui lui avait paru si drôle au départ de Charlotte Amalie, avait cessé de l'amuser.

Je broie du noir.

Gantry revint.

– On y va. Tu as dîné? Moi aussi.

Aller où? Elle ne posa pas la question devant des témoins.

Il faisait nuit. Ils arrivèrent devant un petit avion. Ils durent enfiler des combinaisons de vol et placer des écouteurs sur leurs oreilles. Gantry lui sourit et hocha la tête, l'air de dire : « *Tout va bien, ne t'inquiète pas.* »

Elle n'était pas inquiète. Cafardeuse au plus. Dans l'avion, il n'y avait que les deux pilotes.

– Cavite, la baie de Manille, Manille et Queson City

sur votre droite, et maintenant Corregidor où, le 7 mai 1942...

Elle connaissait l'histoire de l'autre MacArthur, le général, jurant qu'il reviendrait. Elle écarta de son oreille le micro dans lequel l'un des pilotes jouait les guides touristiques. L'avion semblait tourner en rond mais, soudain, il éteignit ses feux et prit la direction du Nord-Ouest.

Gantry lui pressa le poignet.

– On peut parler, maintenant. Nous n'allons pas vers le Nord-Ouest mais plein Sud. On changera de cap dans dix minutes.

Elle ferma les yeux. Elle avait sommeil et se fichait complètement de savoir où ils allaient, en Terre de Feu ou en Alsace.

– Ni l'un ni l'autre, dit Gantry en riant. Tu devrais dormir un peu. Je te réveillerai juste avant que nous arrivions sur le porte-avions.

La famille MacArthur au grand complet, plus l'une des deux gouvernantes, avait quitté l'île sitôt le jour levé. Les filles étaient enchantées du voyage. Letty, comme à l'ordinaire, était vêtue de noir et de blanc. Cela allait bien à son teint de demi-rousse, à son corps mince et nerveux sur lequel les années – elle avait quarante-quatre ans – ne semblaient guère avoir de prise. Comme toujours, elle était calme et précise. Elle sourit.

– Je suis contente d'aller à New York avec toi.

C'était une offre de paix. Ils s'étaient curieusement fait la tête, la nuit précédente, sans un mot d'explication – un état de guerre tacite en quelque sorte. *Elle a compris que j'avais compris et m'en a voulu de la terrible déception que j'ai éprouvée – et que j'ai moi-même du mal à m'expliquer. En somme, je lui reproche d'avoir accepté que je sois un trafiquant de drogue. Belle logique, MacArthur !*

On survola New Providence. Les MacArthur y avaient habité quelques mois, avant de trouver leur île. Comme à son habitude, Jake contourna la terre par l'est – il savait que MacArthur aimait arriver par ce côté. Il posa son appareil à la perpendiculaire du pont reliant Paradise Island et Nassau. Un gros canot à moteur vint prendre les passagers.

MacArthur avait réellement à faire à Nassau. Dans une banque ou deux, mais aussi dans l'un de ses pied-à-terre professionnels, d'où il pouvait communiquer avec le monde entier. Il prit contact avec le *Sea Wolf* et le *Graziella* et parvint également à joindre Bob Sassia (que le Sicaire avait peut-être déjà démasqué comme espion, mais ce n'était plus qu'un détail, au point où en étaient, désormais, les choses). Sassia lui parla, à mots très couverts, de la fébrilité à laquelle étaient en proie les armées de Milán. L'oiseau s'était envolé; on le cherchait partout. On recherchait également la jonque. Gantry avait trouvé le moyen de mettre la marine des États-Unis dans son camp. Mais on l'aurait. Fût-il sur un cuirassé ou un porte-avions.

Letty, les filles et la gouvernante galloise étaient parties de leur côté rendre visite à d'anciennes amies. MacArthur accepta l'invitation à déjeuner de l'un des plus gros banquiers de la place.

Il fit machinalement le calcul : il était à trente et une heures de sa rencontre avec El Sicario.

Et le Fou de Bassan volait, volait même probablement à très haute altitude, tel le grand oiseau de mer qu'il était, toutes ailes déployées.

Poétique. Cet animal pour qui j'éprouve un bizarre mélange de jalousie (il a fait de sa vie ce que je n'ai pas su faire de la mienne) et d'amitié, voire d'affection. Si je ne l'avais pas aidé, il aurait peut-être trouvé un moyen d'échapper à ses tueurs. Mais je serais curieux de savoir lequel.

Est-ce que le Sicaire avait déjà révélé à Milán la part que MacArthur avait prise dans l'évasion de Gantry?

Les avait-il mis au courant – *eux*?

Questions des plus intéressantes. La seconde surtout.

MacArthur déjeuna avec son banquier. C'était un nommé Chandler – Chandar, de son vrai nom. Il était d'ascendance indienne et métissé de Noir mais il avait toutefois un lointain ancêtre anglais. C'était un vrai citoyen des Bahamas, au nationalisme exacerbé. MacArthur avait eu communication du dossier établi sur Chandler par les Fourmis. Ce bonhomme jovial et disert, aussi fier de son yacht que de son handicap au golf, avait réussi la performance de monter et de développer sa banque grâce, à la fois, à la mafia nord-américaine et aux réseaux des trafiquants colombiens. Qu'il fût encore vivant était un défi aux statistiques. C'était lui qui distribuait les pots-de-vin destinés à apaiser les scrupules de ceux qui auraient pu tenter de s'opposer au transit des cargaisons de drogue par les Bahamas. Un trésorier-payeur général multicartes, en quelque sorte. Chandler ne voyait en MacArthur qu'un avocat d'affaires réputé, qui gérait une soixantaine de millions de dollars. Il y avait peu de chances qu'il apprît un jour que le demi-milliard qui lui était confié par des firmes du Luxembourg, de Suisse, du Liechtenstein, des îles Anglo-Normandes, des Antilles néerlandaises, de Nauru, ou des Nouvelles-Hébrides, était géré par ce même MacArthur. MacArthur estimait à environ quatre milliards deux cent mille dollars le montant des capitaux qu'il avait, pour l'instant, en dépôt rémunéré dans des banques comme celle de Chandler. La moitié de cet argent en était au stade deux. La troisième phase, la plus importante, serait celle du blanchiment définitif. Sept milliards allaient arriver dans les mois suivants, et cinq autres encore d'ici à la fin de l'année. MacArthur avait sensiblement réduit les nettoyages par Nassau au profit de

Moscou. Décidément, Moscou se révélait le *nec plus ultra* du secret bancaire. L'opacité des transactions augmentait à mesure que progressait la « transparence ». Budapest aussi prenait de à l'importance. Les pays de l'Est aiment les devises fortes et le secret bancaire existe, en URSS et en Hongrie, dans les principales banques d'État. Les non-résidents peuvent y avoir des comptes numérotés secrets, en devises, librement transférables sur les grandes places financières occidentales où les banques de l'Est disposent de correspondants.

– Que je n'oublie surtout pas... dit Chandler au moment où MacArthur et lui prenaient place à leur table du *Palm II*, sur la Deuxième Avenue.

Il sortit un petit paquet de la poche de son veston de cachemire rose et le posa devant MacArthur.

– J'ignore ce que c'est, dit-il. Au moins, je suis sûr que ce n'est pas une bombe. C'est trop mou et la personne qui m'a chargé de vous remettre ce cadeau est de toute confiance. C'est bien votre anniversaire aujourd'hui?

– Presque, répondit MacArthur. Nous sommes le 2 février et je suis né en octobre.

Il défit le papier de soie.

Un modèle réduit du *bob*, le petit calot porté par les marins de l'US Navy.

– Une blague que me fait un ami, expliqua-t-il à Chandler.

L'expéditeur pouvait évidemment être Laudegger. Ou Milán. Mais ils avaient fort peu d'humour l'un et l'autre. Non; c'était plutôt dans le style du Sicaire. *Qui aurait pu attendre demain pour m'épouvanter. Mais c'est peut-être un signe, une façon de me dire que notre entrevue de demain ne sera pas totalement dramatique.*

Ou le contraire. La caractéristique la plus nette d'El Sicario, mis à part une efficacité qui renvoie Milán à l'école maternelle, est le plaisir qu'il éprouve à jouer avec les nerfs des autres.

– Ça vous est arrivé quand?

– Avant-hier. Par l'employé d'un service de messageries que nous utilisons régulièrement. L'homme venait de New York pour une autre affaire.

Avant-hier. Soit quelques heures après le départ de Gantry et de la Canadienne. Le couple venait à peine de monter à bord du B 70 quand le « cadeau » était parti de New York.

– Je prendrais bien un peu de vin français avec la langouste, dit MacArthur.

Le porte-avions et ses trois navires d'escorte voguaient dans la mer de Corail. Ils revenaient des Samoa américaines et remontaient vers Guam. Ils avaient doublé les Chesterfield par le nord, la Grande Barrière australienne était à peine à mille kilomètres. L'amiral, qui avait invité Zénaïde et Gantry à sa table, leur avait confié, sous le sceau du secret, qu'il ne savait pas trop quoi faire de sa flotte, et moins encore de ses équipages. Cela devenait difficile de faire une balade en mer faute de ports où souffler un peu. Ces foutus Aussies et leurs voisins Néo-Zélandais, n'aimaient pas trop les visiteurs en armes – surtout s'ils transportaient des armes nucléaires.

– Gantry, pourquoi ces petits marins sont-ils si gentils avec nous? Je suis sûre que, si tu avais insisté un peu, cet amiral nous aurait emmenés avec son porte-avions jusqu'à la jonque. On aurait pu hisser la jonque sur le pont – ce n'est pas la place qui manque –, et nous aurions fait des bras d'honneur aux Fourmis maritimes.

– Deux ordres en sens contraire émanant d'officiers égaux en grade s'annulent. Mais, par contre, tout ordre provenant d'un officier supérieur à tous les autres a une autorité qui, non seulement est égale à sa masse multipliée par le carré de sa vitesse, mais en plus, du fait de l'accélération de la gravité, va en augmentant à mesure que l'ordre descend dans la hiérarchie.

Explication de Gantry, donnée d'une voix lointaine. Gantry avait plus que jamais la tête à autre chose. Il n'avait pratiquement pas quitté le poste radio, sinon pendant le dîner. Il avait eu des nouvelles. La jonque allait bien. Laviolette allait bien. Alex avait débarqué à New York et s'était mis au travail; tout était calme dans le Wicklow. Les innombrables informations qu'il avait réclamées commençaient à arriver sur les ordinateurs de la jonque. MacArthur et sa famille avaient quitté leur île et se trouvaient, pour l'heure, à Nassau, en partance pour New York. La filature de MacArthur était extraordinairement prudente. Gantry avait donné des ordres sans équivoque : ne prendre aucun risque et, au besoin, décrocher. Les détectives privés qu'il employait d'ordinaire avaient l'habitude d'enquêter sur des financiers, mais leurs adversaires, cette fois, étaient d'une autre trempe. Ce n'était plus une question d'argent mais de vie ou de mort.

Et, à propos de mort, Gantry avait reçu confirmation de ce qu'il pressentait. On les avait bel et bien attendus, Zénaïde et lui, à Kew, capitale des Caïques. Et pas seulement à Kew, d'ailleurs; les Caraïbes entières avaient grouillé de Fourmis combattantes.

– Tu avais une solution de secours pour le cas où MacArthur ne nous aurait pas aidés à ficher le camp?

– Non.

Rassurant.

Tout autant que le grand yacht blanc qui avait surgi à l'aube sur la mer et s'était, durant plus d'une heure, maintenu à hauteur des bâtiments de guerre, auprès desquels il paraissait minuscule. On avait pu lire son nom, le *Grey Shadow* (l'*Ombre grise*) et celui de son port d'attache, Sydney. Sur les deux ponts, on ne voyait que trois ou quatre hommes, mais le bateau pouvait aisément en contenir une centaine. Il avait fini par s'éloigner, mettant le cap sur le nord-est.

Vers la Nouvelle-Guinée.

– Nous allons quand même à Port Moresby?

– Nous y serons avant lui. Si nous y allons.

– C'est peut-être tout simplement un milliardaire qui se promène.

Non. Les renseignements pris à Sydney indiquaient que le yacht avait été vendu neuf jours plus tôt à une société maltaise, la vente avait été conclue en un temps record, à un prix extravagant. Le *Grey Shadow* avait immédiatement pris la mer, avec un nouvel équipage dont l'importance numérique avait étonné la capitainerie du port australien.

Vers dix heures du matin, un gros hélicoptère Sea King Sikorsky les emporta. Le porte-avions ne se trouvait plus qu'à cinq cent soixante-quinze milles de Port Moresby. La Navy avait officiellement pris contact avec le port, demandant et obtenant l'autorisation de débarquer des malades.

En fait, le Sikorsky les déposa à Cairns. Ils laissèrent les pilotes s'expliquer avec les autorités australiennes. Ils n'eurent que quinze mètres à courir pour gagner le Falcon 50 dont les turboréacteurs vrombissaient déjà et qui décolla alors que le grand rotor de l'hélicoptère tournoyait encore. Il y eut bien quelques interrogations furieuses de la tour de contrôle du petit aéroport de Cairns mais elles furent laissées sans réponse.

Il y avait un passager à bord du Falcon. Il s'appelait Georges Prouvost. Naturalisé australien depuis quelques années, il était d'origine française. Bourguignonne, précisa-t-il. Il sourit à Zénaïde.

– Si je me demandais ce que je viens faire dans cette histoire, à présent, je le sais.

Il dévisagea Gantry avec curiosité.

– Heureux de vous connaître. Allison m'a pas mal parlé de vous.

Allison Grant faisait partie du personnel de Gantry. Rentrant de vacances, elle aurait dû rejoindre la jonque à Penang sans tous les événements des dernières semaines.

— Quand elle m'a appris que je devais me procurer un avion pour aller soit à Moresby soit à Cairns, j'ai cru qu'elle était folle. Et puis l'argent est arrivé.

Et Allison avait accepté de l'épouser en échange d'un peu de bonne volonté de sa part.

— Qu'est-ce qui se passe? La troisième guerre mondiale a éclaté? Elle n'a rien voulu me dire, après que Pat Hennessey l'a eu contactée, sinon que c'était ultra-top secret et que ça pouvait être dangereux. Je vous préviens; je suis viticulteur et un peu coureur de brousse, amateur de romanée-conti, grand mangeur de bœuf bourguignon, de foie gras et de râble de lièvre, pas tueur à gages.

Gantry lui raconta l'histoire. Avec quelques omissions. Il ne fit aucune allusion aux Fourmis. Il dit que, à l'occasion d'une opération financière ordinaire, son équipe et lui étaient tombés sur une filière du blanchiment de la drogue et qu'ils avaient rencontré quelques ennuis.

— Allison court un risque?

— Nous avons fait appel à elle parce que nos adversaires semblent connaître tous mes contacts habituels. Je ne vous connaissais pas avant aujourd'hui.

Le Falcon survolait la Grande Barrière, d'une incroyable beauté. Il allait éviter l'Australie pour le cas où le passage non réglementaire aux Cairns aurait provoqué des recherches.

— Plus de trois mille kilomètres, répondit Prouvost à la question qui venait de lui être posée. Trois mille cinq cents ou davantage.

Mais on serait chez lui, en Tasmanie, pour dîner. En somme, c'était facile.

4

La montre de MacArthur indiquait six heures moins une minute quand l'ascenseur le déposa à l'étage de l'immeuble de Fulton Street. MacArthur était toujours d'une extrême ponctualité à ses rendez-vous. La nature fort particulière de celui-ci ne changeait rien à son habitude. Un employé noir nettoyait le couloir. Les portes vitrées, arborant les raisons sociales de petites entreprises, étaient fermées et les lumières éteintes – les bureaux se vidaient toujours très vite en fin d'après-midi, surtout quand le mauvais temps, qui favorisait les encombrements, rendait plus difficiles et plus longs les retours en banlieue. MacArthur ouvrit la troisième porte sur la droite. Il se retrouva dans une pièce meublée d'une table, d'une machine à écrire capotée, de classeurs et de deux fauteuils en skaï dont l'un était troué.

La sonnerie du téléphone le fit presque sursauter. D'autant qu'on décrocha dans la pièce voisine. Bien qu'aucune voix ne fût audible.

Dix secondes. Le déclic du récepteur remis en place.

– Entrez donc, Mac, dit la voix du Sicaire.

La deuxième pièce était vaste et obscure, éclairée seulement par le clignotement des néons dans la rue. On entrevoyait un bureau, un téléphone posé sur une tablette murale, des classeurs et un petit réfrigérateur. MacArthur remarqua aussi une deuxième porte, sur la gauche. *Il sera arrivé par là. Ou par l'échelle à incendie.*

– On vous suivait, Mac. On vous a suivi à Nassau. Puis ici, jusqu'à votre appartement de la Soixantième Rue et à votre cabinet.

– Pas jusqu'ici en tout cas.

– Vous en avez semé un mais pas l'autre. Nous nous en sommes occupé. Rien de bien méchant : il suffisait de le retarder un peu. Un simple détective privé, non sans talent d'ailleurs. Vous savez qui les a mis à vos trousses ?

– Oui.

– Mais vous saviez aussi que vous n'aviez pas à trop vous tracasser, que nous ferions le nécessaire. Je me trompe ?

– Non, dit MacArthur, profitant de ce que son visage était coloré par le reflet des néons pour sourire.

Le Sicaire était debout, les mains enfoncées dans les poches de son imperméable sombre. Il s'adossait au mur, près de la tablette du téléphone. Il lui avait suffi d'allonger la main pour prendre le récepteur et le reposer. Son visage était dans l'ombre.

– J'ai peu de temps, dit-il. Commencez donc par m'expliquer pourquoi Gantry est venu chez vous.

– Il a dressé une liste d'un certain nombre d'opérations effectuées par Laudegger et son équipe. Il est tombé juste à quatre-vingt-dix pour cent. Et, dans toutes ces opérations, il a cru reconnaître ce qu'il appelle mon style.

– Vous m'aviez donc menti en prétendant ne pas connaître Gantry personnellement.

– Vous saviez que je mentais.

Petit rire.

– D'accord. Question suivante : pourquoi les avoir aidés, la fille et lui ? Milán les aurait eus sans votre intervention.

– Et, moi, j'aurais eu la police chez moi. Gantry a très bien pu confier à quelqu'un ses soupçons à mon sujet.

– Vous pensez qu'il l'a fait ?

– Les chances sont faibles. Je dirais non.

– Vous avez de l'amitié pour lui, Mac ?

– Pas au point d'échanger sa vie contre la mienne, celle de ma femme et celles de mes enfants.

– Et puis, vous avez besoin de Gantry vivant pour votre petite guerre contre Bill Laudegger.

– En effet.

– Je devine même une quatrième raison : votre besoin de prouver à Gantry que ses soupçons ne vous effrayaient pas. Il vous lançait une sorte de défi et vous l'avez relevé.

– Il est fort intelligent.

– Et, surtout, vous avez tendance, maintenant, à prendre des risques. À jouer avec le feu. Vous changez, Mac, depuis un an ou deux. Vous deviendriez suicidaire ?

– Évidemment, non.

– J'en suis moins sûr que vous. J'ai vu mourir quelques hommes dans ma vie. Dans bien des cas, c'était parce qu'ils voulaient mourir, souvent sans en avoir conscience.

C'était la première fois que le Sicaire parlait de lui-même, si peu que ce fût. MacArthur le nota en même temps qu'il rejetait comme ridicule l'interprétation qu'il avait donnée de son propre comportement (il y reviendrait plus tard ; ce n'était guère le moment de faire de l'introspection). MacArthur s'assit confortablement, allongea les jambes et posa les pieds sur le plateau de la table.

– Passons aux choses sérieuses, Mac. Qu'avez-vous prévu pour Laudegger ?

– J'ignore ce que va faire Gantry. Je ne sais même pas s'il va réagir comme je m'y attendais.

– Tttttt, fit le Sicaire, à la façon d'un professeur ne recevant pas la réponse qu'il attend d'un bon élève.

– À sa place, j'attaquerais Laudegger.

– Pourquoi ?

– Parce que je verrais en Laudegger l'instigateur des tentatives de meurtre dont j'aurais été victime.

– Vous lui avez nommément désigné Laudegger comme cible, Mac ?

– Je n'ai pas eu à le faire. Gantry et Laudegger se sont déjà affrontés, il y a quelques années, dans une affaire immobilière à San Diego. Vous l'ignoriez ?

– Je n'étais pas encore en poste il y a quelques années.

– À l'époque, Gantry avait battu Bill à plates coutures. En le ridiculisant. Vous connaissez Bill. Gantry a fait rechercher qui pouvait lui vouloir tant de mal.

– Mais il n'a pas de preuve.

– Aucune. Il n'en aura jamais.

– Et moins encore contre vous.

– Moins encore contre moi.

– Comment étiez-vous au courant de l'affaire de San Diego ?

– Par l'avocat qui a mené l'affaire pour le compte de Bill. Un certain Liedenski. Bill l'a fait éliminer depuis pour qu'il ne subsiste aucun témoin de son échec. Comme vous le feriez si vous aviez commis une erreur, pour éviter qu'*on* l'apprenne, *là-bas*.

– Je ne fais jamais d'erreur, Mac. Plus depuis des années. Quelle sorte d'attaque va tenter Gantry ?

– Financière, évidemment. Il y a plusieurs possibilités. Il en choisira peut-être une à laquelle même moi je n'ai pas pensé.

– Et d'où vous vient l'idée que je vais laisser faire ? Après tout, mon rôle est de veiller à la sécurité générale. Et Bill est leur neveu.

– *Ils* ont des fils et des neveux à ne savoir qu'en faire. Ce qui fait leur force, c'est leur absence totale d'humanité. Ce sont des dieux de pierre. Dont je suis le conseiller et vous l'arme suprême. *Ils* peuvent nous faire tuer demain, vous et moi. *Ils* ne sont même pas intelligents. Nous n'avons aucune prise sur *eux*. Vous, pas plus que moi. Ce projet, que j'ai imaginé, pourrait me donner l'avantage et vous le savez. Je n'aurais jamais eu l'audace de m'attaquer à Laudegger si je n'en étais pas convaincu. Et vous m'auriez déjà éliminé si vous ne pensiez pas que j'avais raison. Si je suis en mesure de *les* influencer vraiment, nous avons une chance de mettre en place une organisation réellement parfaite. Nous avons le même goût de la perfection, vous et moi. Si Laudegger partageait un jour leur pouvoir, il serait insupportable et dangereux.

– Beau discours.

Sonnerie du téléphone. Le Sicaire décrocha, écouta sans prononcer un seul mot. MacArthur entendit un vague murmure. Le Sicaire reposa le récepteur. Il s'appuya de la nuque contre le mur et remit la main dans la poche.

– Des dieux de pierre. J'aime votre image, Mac.

– Merci.

– Je ne suis pas un expert en finance. Vous auriez quelqu'un pour remplacer Bill ?

– Oui. Plusieurs hommes. Dont aucun pris isolément ne serait aussi efficace que Laudegger. Mais qui, tous ensemble, chacun dirigeant une équipe différente, se compléteraient admirablement.

– Leurs noms, Mac.

MacArthur les donna. Il ne s'agissait évidemment pas d'inconnus. L'un d'entre eux était Follet, responsable numéro un de l'équipe du *Sea Wolf*.

– Que vaut Bill, au juste ?

– Il est meilleur que n'importe lequel de ceux que je viens de vous citer.

– Mais il vous abomine, il est impulsif, il n'a pas su

régler le problème que lui pose sa femme, il a trop facilement accepté les raisons que vous lui avez données de ne pas éliminer tout de suite cette Canadienne, et, surtout, il s'est laissé convaincre par vous de faire entrer Gantry sur le terrain. Vous vous seriez laissé persuader à sa place?

– À votre avis?

– À mon avis, non. Vous n'êtes pas Laudegger. Et il a encore à son actif un crime qui ne peut être pardonné : il veut être la Reine des Fourmis.

Moi, pensa MacArthur, *je parle de la Fourmi de dix-huit mètres. Et El Sicario de la Reine des Fourmis. Simple question de vocabulaire.*

Pas d'exaltation surtout; tu n'as pas gagné. Tu peux encore tout perdre, rien n'est joué. Cet homme est passé maître en surprises.

– J'ai failli ordonner votre élimination, Mac. Votre famille et vous avez été à deux doigts de disparaître dans un accident d'hydravion. Je vous éliminais et j'expliquais à Carlos Laudegger et à ses oncles pourquoi je l'avais fait.

– Ils vous auraient donné raison.

– Et j'aurais pris en main l'affaire Gantry. Il serait mort. La fille aussi, bien entendu. Et j'aurais entrepris le nettoyage de cette petite jonque. Jusqu'au dernier Iban.

– Au dernier quoi?

– Les matelots de Gantry, sur la jonque, sont des Ibans. Une peuplade du Sarawak, à Bornéo. On les appelle aussi les Dayaks de la mer. À votre entrée, tout à l'heure, je n'avais pas encore pris ma décision en ce qui vous concerne.

La main droite fit jaillir l'arme avec une rapidité sidérante. Le canon du revolver était prolongé par un silencieux.

– Je vais tirer ou non, Mac?

– Non, dit MacArthur.

– C'est un espoir ou une conviction?

– Les deux.

– Je n'interviendrai pas.

– J'en prends bonne note.

– Et si Milán réussit enfin à abattre votre Fou de Bassan avant qu'il ait lui-même exécuté Laudegger?

– J'aurai perdu.

– Comme vous perdrez si c'est Laudegger qui sort vainqueur du combat. Comment allez-vous expliquer votre absence du front?

– Mon projet va me prendre beaucoup de temps.

Court silence.

– Vous allez rire, dit le Sicaire. J'ai envie de vous tuer juste pour des raisons personnelles. Parce que vous compliquez une situation que j'ai tendance à préférer simple. Parce que vous m'agacez. Parce que vous pourriez devenir pour moi infiniment plus dangereux encore que Bill.

MacArthur fixait le canon de l'arme. Ça pouvait donc finir ainsi. Il n'éprouvait plus aucun sentiment de peur mais un soulagement très étrange. Puis son cerveau se remit tout de même en marche. Il replia les jambes et se leva.

– Je m'en vais, *amigo*.

Il pivota et fit deux pas vers la porte.

– Mac?

– Je sais, dit MacArthur. Rien au monde ne vous empêchera de tuer Gantry et la Canadienne ensuite. Sitôt que Laudegger aura été battu.

– Je n'ai pas le choix.

– Je l'ai toujours su.

MacArthur sortit vraiment, se retrouva dans le couloir, dans l'ascenseur, dans la rue. Il lutta contre la tentation d'entrer dans le premier bar venu pour y boire un verre. Il résista.

Le même soir il emmenait Letty au théâtre. Elle aimait

le théâtre. C'était, disait-elle, la seule chose qui lui manquait sur l'île. Quant à lui, il apprécia surtout, après le spectacle, de dîner chez Peter Lugger, à Brooklyn. Il avait bien gagné ce qu'il considérait comme le meilleur steak du monde.

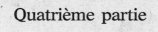

Quatrième partie

1

À la quatrième sonnerie seulement, Laudegger décrocha le téléphone.

– Il est quatre heures trente, monsieur. Vous nous avez demandé de vous réveiller.

– Merci.

Il lui fallut vingt secondes encore pour recouvrer tous ses esprits. Puis les souvenirs lui revinrent. Et la fureur. Il n'était pas chez lui mais dans une chambre d'hôtel. Au *Waldorf Astoria. J'ai un appartement de dix millions de dollars à quatre cents mètres d'ici et je couche dans un hôtel!* Des envies de meurtre le submergèrent. Mandy! Elle l'avait rendu à moitié fou, la veille. Une nouvelle crise avait éclaté qui couvait depuis des semaines, tout ça parce qu'il avait annulé le week-end qu'ils devaient passer au *Breaker's Hotel* à Palm Beach. Mandy s'était mise dans une colère noire – à ce degré-là, c'était même de l'hystérie. Ils avaient prévu de partir du vendredi au lundi mais les affaires l'avaient obligé à tout décommander. « *Un problème grave, Mandy, je t'assure* », avait-il tenté d'expliquer. Il avait même pris la peine de rentrer déjeuner pour lui annoncer la nouvelle de vive voix plutôt que par téléphone. Sur le moment elle s'était contentée d'aller s'enfermer dans sa chambre. Un moindre mal, en somme. Les hostilités avaient commencé dans la soirée; elles avaient repris le samedi soir puisqu'il avait passé toute la journée à son bureau. Ils s'étaient affrontés pendant trois heures, seul à seul, les enfants étant chez leurs grands-parents. Et cela s'était terminé au lit. Comme souvent, leur dispute, dans sa violence, avait réveillé le désir qu'il avait d'elle et qu'il ne s'expliquait pas. C'était ainsi. Elle l'excitait, cette garce, surtout dans de tels moments! Il l'avait presque violée. Il la pensait apaisée mais la rage avait repris quand il lui avait dit qu'il devait encore faire un saut à son bureau – deux ou trois heures pas plus. Il avait écopé une véritable explosion, le grand jeu. Il n'était qu'un métèque, elle allait se tuer, et elle tuerait les enfants aussi. Il avait fini par la frapper (pas au visage, pour éviter les traces, au creux de l'estomac) et elle avait enfin cessé de hurler. Il était parti. Heureusement, on était dimanche et il n'y avait qu'un seul domestique, à l'étage inférieur du duplex. Il l'avait appelée de son bureau.

  — Je me suis énervé tout à l'heure.

  — N'en parlons plus.

  — J'ai beaucoup de travail, tu sais.

  — Très bien.

  — Nous pourrions aller dîner dehors.

  — On verra.

    La voix de Mandy était froide, apparemment calme. Bon. Ce ne serait qu'un incident de plus dans une longue série. Inutile de prendre ces choses au tragique. *Là-bas* (Laudegger s'était toujours bien gardé de la moindre allusion à ses difficultés conjugales devant eux, qui n'admettraient ni un divorce ni une élimination. D'ailleurs, se serait-il résolu, lui-même, à faire tuer Mandy?), *là-bas*, il n'était pas question qu'*on* apprenne la vérité; *ils* avaient le respect de la famille; un homme peut certes prendre une maîtresse ou deux, mais avec discrétion; on respecte la mère de ses enfants, surtout quand on aspire à diriger un jour. Il était donc retourné chez lui vers six heures le dimanche soir. Il n'avait pas pu entrer : À l'intérieur, les clés bloquaient les serrures. Il avait composé son propre numéro. Partagé entre deux sentiments, l'espoir – si seulement elle s'était suicidée, il serait enfin tranquille – et la peur – *ils* ne lui pardonneraient pas ce scandale. Mais non; elle avait décroché presque aussitôt (elle devait guetter son arrivée par une des fenêtres) et elle lui avait dit, calmement, d'aller se faire foutre. « *Va dormir ailleurs. Dans ton bureau, par exemple.* » Et de raccrocher. Il avait pensé, non pas à enfoncer l'une des quatre portes de l'appartement (elles étaient blindées, il aurait fallu un char d'assaut), mais à faire venir un serrurier. Finalement il s'était retrouvé au *Waldorf* avec la première fille venue et avait inscrit un faux nom sur sa fiche.

On frappa à la porte de sa chambre d'hôtel. On apportait le café qu'il venait de commander. Il le but et termina sa toilette, avec le rasoir qu'un garçon d'étage lui avait procuré. Il appela une nouvelle fois l'appartement de Park Avenue. Il ne croyait certes pas aux menaces de suicide de Mandy, mais il préférait prendre ses précautions. Une domestique à la voix ensommeillée répondit que madame dormait.

– Allez vérifier mais ne la réveillez pas, Juana.

La domestique confirma que madame dormait bien.

La salope! pensa Laudegger.

– Juana, faites-moi apporter de quoi me changer entièrement, chaussures comprises... À mon bureau! Où voulez-vous que je sois?

La fille louée pour la nuit (il l'avait engagée par téléphone la veille, en puisant dans son carnet d'adresses) dormait elle aussi. Il laissa mille dollars puis, réflexion faite, ramena la somme à sept cent cinquante. De toute manière, elle ignorait son nom.

Par un raffinement de précaution, il se fit d'abord conduire à Grand Central, entra dans la gare, en ressortit, monta dans un deuxième taxi. Il fut à son bureau à cinq heures vingt-deux. Lehman Stroud, l'un de ses cinq assistants principaux, se trouvait déjà là, avec son équipe presque complète. Et Ray Peretti, autre lieutenant d'importance, arriva peu après. Stroud menait une affaire complexe, l'absorption, par une offre publique d'échange, d'une grosse entreprise ayant son siège à Londres. Tout allait bien, dit-il. Il surveillait le marché de la City. On y assistait même à un miracle : les avocats britanniques étaient déjà arrivés à leur bureau, bien qu'il ne fût que dix heures trente du matin sur les bords de la Tamise.

– En revanche, tu aurais peut-être dû rester un peu plus longtemps au lit, Bill. Tu as les yeux à la hauteur de la mâchoire.

L'équipe Stroud s'occupait également de seize autres dossiers. Un seul de ceux-ci réclamait une attention immédiate : des prises de participation minoritaire (dans un premier temps tout au moins) en Belgique et aux Pays-Bas, sous le couvert d'une société du Liechtenstein, dépendant elle-même d'une société de Curaçao. Les autorités gouvernementales faisaient des difficultés; il allait falloir verser quelques dessous de table et trouver un nouveau prête-nom. Pendant un quart d'heure, Laudegger fit le point. Puis, il rendit son verdict. Pour le prête-nom, Stroud n'avait qu'à prendre contact avec le *Sea Wolf* dont les ordinateurs cracheraient les informations nécessaires. Une heure plus tard, les renseignements arrivaient. Mille huit cent soixante millions étaient immédiatement disponibles, blanchis et prêts à être injectés dans toute opération de type 6 A, à raison de quarante pour cent pour l'Amérique du Nord, par les canaux 81 (Moscou) et 34 (Suède), *via* la Hongrie et le Luxembourg, et de soixante pour cent à répartir entre l'Afrique et l'Europe du Sud, par le canal 101 (Émirats). Destinations à déterminer, ajoutait le message codé émis par le *Sea Wolf*. Cette dernière précision calma un peu la nervosité de Laudegger. Pour une fois, MacArthur lui foutait la paix et ne se mêlait pas de lui donner des directives. Un an et demi plus tôt, au terme d'âpres discussions, une sorte de partage des responsabilités avait été plus ou moins établi entre MacArthur et lui. MacArthur prenait la responsabilité entière de toutes les opérations de blanchiment, et lui, Laudegger, se chargeait plus spécifiquement des investissements, en Amérique du Nord surtout. Du moins Laudegger avait-il interprété ainsi l'accord conclu. Pas MacArthur, apparemment, qui avait toujours des idées sur tout et ne se privait pas de les faire connaître. Au point que Laudegger avait, à plusieurs reprises, failli réclamer l'arbitrage de *là-bas*. Mais *ils* ne comprenaient à peu près rien, *là-bas*, il fallait bien le reconnaître. Autant tenter d'expliquer les fondements de la physique nucléaire à un jaguar.

Pour une fois, ce foutu MacArthur gardait ses conseils pour lui. C'était un événement rare qui confinait au prodige.

MacArthur se trouvait à New York depuis trois ou quatre jours déjà. Ceci expliquait peut-être cela. Ou alors il était trop occupé par ailleurs.

Eh bien, tant mieux.

Un des domestiques de Park Avenue lui apporta les vêtements de rechange qu'il avait réclamés. Il reprit une douche et se changea.

Le *Graziella*, à son tour, annonça la mise à disposition de mille quatre cent vingt-cinq millions. Soit, en tout, près de trois milliards trois cents millions. Presque un record pour un lundi. Laudegger s'autorisa cinq secondes de fièvre froide. Il manipulait plus d'argent que n'importe quel être humain sur la planète. Et le phénomène s'accélérait depuis l'apparition du *crack*, une cocaïne base très impure, complètement insoluble, qui avait, grâce à son faible coût, considérablement élargi le cercle des consommateurs. Ç'avait été une explosion, une véritable épidémie. Tous les milieux étaient touchés, les grandes villes comme l'Amérique profonde, les entreprises comme les écoles.

À évaluer les bénéfices qu'on allait encore tirer du *crack*, Laudegger en oublia complètement Mandy.

Bert Sussman consentit à se montrer quelques minutes avant sept heures. Lui aussi avait travaillé tout le week-end, mais ce n'était pas une raison. D'autant que cet enfant de salaud, qui, pourtant, n'avait pas dormi beaucoup, semblait aussi pimpant que s'il rentrait de longues vacances. Il chantonnait un duo, « *La Veuve joyeuse* », crut-il bon de préciser. Il cessa enfin son horripilante ritournelle pour annoncer que tout était rentré dans l'ordre. Les deux affaires de Fourmis banquières, ces deux affaires qui les avaient obligés à rester sur le pont étaient réglées.

– J'ai essayé de te joindre hier soir vers dix heures pour te l'annoncer mais Mandy m'a dit que tu étais en train de promener les chiens.

– Va donc te faire foutre, Bert !

Et il attendait de Sussman, d'ici au lendemain au plus tard, un projet complet d'utilisation des mille huit cent soixante millions.

Laudegger pensait beaucoup de mal de Bert Sussman en tant qu'individu mais le tenait pour le meilleur de ses cinq assistants.

Il fallait charger Tolliver d'établir l'avant-projet du placement des sommes annoncées par l'équipe du *Graziella*.

Appel d'un certain Carleton Webster après dix heures : monsieur Hoad (Milán) avait obtenu un nouveau rendez-vous – en termes clairs, Milán avait repéré le Fou de Bassan. La nouvelle laissa Laudegger à peu près indifférent ; il avait d'autres préoccupations que Gantry. Il n'était même plus très sûr de s'intéresser à cette affaire. Après tout, l'incident de Milwaukee était réglé. Ces deux imbéciles de frères Kessel avaient trouvé la mort au cours d'une malheureuse partie de chasse au fin fond du Wisconsin. La surface de l'étang gelé sur lequel ils s'étaient aventurés avait cédé sous leur poids. Le premier s'était noyé; le second avait succombé au froid pour avoir perdu les clés de sa voiture. Les frères Kessel venaient de rejoindre sans bruit les milliers de victimes que faisait impunément, chaque année, la guerre secrète de la cocaïne. On pouvait compter sur les hommes de Milán pour faire du bon travail.

Sauf dans le cas de Gantry. Mais que Milán tardât tant à le coincer faisait, maintenant, presque sourire Laudegger. Tous ces faux pas auraient au moins l'avantage de rabattre un peu le caquet de l'homme aux ongles acérés.

Laudegger comprenait, à présent, que sa manœuvre pour lancer Milán sur Gantry avait été une erreur. Il avait eu tort de suivre les conseils de MacArthur. *Je me suis bel et bien laissé emporter par ma haine pour Gantry. Encore heureux que personne ne soit au courant de l'affaire de San Diego. Jamais de règlement de comptes personnel. Et les difficultés de Milán m'arrangent. Si un jour l'affaire ressortait, s'ils me posaient des questions, je pourrais nier; ce serait ma parole contre celle d'un Milán discrédité par ses échecs successifs.*

Et puis, merde! Il n'avait pas le temps de s'attarder sur ce sujet. Gantry était au bout du monde mais Milán, comme toujours, finirait par l'avoir. Il se rappelait la liquidation de l'ambassadeur de Colombie en Hongrie. Le gouvernement de son pays l'avait muté à Budapest pour qu'il pût échapper au Cartel. Les hommes de Milán l'avait retrouvé et abattu là-bas, derrière le Rideau de fer. Une petite carte était épinglée au veston de la victime : « *Tu peux courir, tu peux te cacher, cela ne sert à rien!* »

L'idée enchantait et rassérénait Laudegger.

Bob Sassia était en Californie. Il appela à onze heures trente pour dire que tout allait bien. L'une des deux affaires qui avaient motivé son voyage touchait à l'industrie cinématographique. Une autre idée de MacArthur. Bonne et amusante, Laudegger en convenait : il s'agissait de financer un film, d'y investir sept, huit, quinze millions de dollars déjà blanchis. Les recettes dégagées par la carrière internationale du film seraient dix ou vingt fois supérieures à la mise – et incontrôlables. Et on gonflerait ces recettes en y ajoutant quelques millions de dollars – non blanchis, ceux-là. Ce n'était pas phénoménal mais, l'un dans l'autre, on récupérait le plus régulièrement du monde un demi-milliard par an. Avec une modestie surprenante (ah! sa façon d'avoir toujours raison et de ne jamais oublier un chiffre!), MacArthur avait reconnu que l'idée de départ n'était pas tout à fait de lui. Il s'était paraît-il inspiré de la Mafia finançant un film sur l'organisation elle-même. L'entreprise avait eu ce triple avantage de rapporter gros, de camoufler des capitaux importants et enfin, le scénario ayant été soigneusement expurgé, de donner de ses chefs de famille une image séduisante.

– Vous voulez en venir où, Mac? À ce que je produise un film sur la Colombie?

– Et pourquoi pas? Vous savez comme moi que le Cartel n'hésite pas à jouer les victimes de l'impérialisme *gringo* quand c'est nécessaire. Voilà qui devrait plaire aux spectateurs d'Amérique latine. Trouvez un bon scénariste!

Téléphone de Mandy. Elle était désolée.

– Je t'emmerde, dit Laudegger juste avant de raccrocher.

Une centaine d'opérations étaient en cours. Tout le monde avait du travail par-dessus la tête. Mais Laudegger aimait cela. Il tirait un inépuisable orgueil de sa capacité à suivre simultanément autant de dossiers. *Je n'ai rien à envier à MacArthur, quoi que MacArthur en pense.*

Ne te laisse pas aller à trop penser à MacArthur. Sans parler de Mandy ou de Gantry. Pas d'états d'âme.

Le téléphone sonnait sans discontinuer. Quatre communications arrivaient parfois dans la même minute. Plus les écrans, les imprimantes d'ordinateurs, les télécopieurs, les téléscripteurs. Et le mouvement incessant de ceux qui venaient prendre ses ordres et qui n'avaient, au plus, qu'une dizaine d'affaires en tête. Alors que lui les avait toutes à l'esprit et qu'il pouvait, chaque fois, fournir la réponse, trouver la solution. Ce sentiment de puissance, de contrôle de soi, d'infaillibilité presque, l'exaltait. Il allait devoir élargir ses bureaux, recruter davantage de monde. En perspective se dessinait l'image d'un Carlos Laudegger qui aurait fini par accéder au commandement suprême, qui regarderait Al Capone, Lucky Luciano ou Meyer Lansky comme des bambins inoffensifs et maladroits et la prohibition comme une époque de plaisantins sans envergure. Et qui pourrait surtout remettre MacArthur à sa place.

Sans y attacher autrement d'importance, il nota l'information : deux entreprises venaient de fusionner. Comme toujours, pour éviter la spéculation et des soubresauts sur les marchés, les intéressées avaient gardé la nouvelle secrète jusqu'à la dernière minute. Wall Street réagissait, mais, la clôture ayant eu lieu, les répercussions étaient évidemment minimes.

– Il y a un coup à faire à Tokyo ou à Hong-kong ?

– Rien d'intéressant, j'ai déjà vérifié, répondit Bert Sussman. Il va falloir attendre Londres demain matin. Je m'en occupe, si tu veux.

– Non. Bob rentre ce soir de Los Angeles et suivra l'affaire.

Les deux entreprises qui venaient de fusionner n'avaient qu'un seul trait de nature à retenir l'attention de Laudegger. Toutes les deux comptaient des forêts parmi leurs actifs. Et, d'après certaines informations, la société née de la fusion allait se nommer la Yellowhead & Star Corporation. *Grand bien lui fasse. Si j'avais un jour l'idée de lancer une OPA dans ce secteur je n'aurais qu'une cible à viser au lieu de deux.*

Il passa à autre chose.

– Tu étais déjà venue en Tasmanie, Zénaïde?

– Je savais à peine où ça se trouvait. On m'aurait dit que c'était un pays indépendant, je l'aurais cru.

Elle exagérait à peine.

– Nous avons deux titres de gloire, en Tasmanie, dit Allison. Errol Flynn est né à Hobart et nous organisons chaque année une superbe course à la voile. Et puis nous avons le diable de Tasmanie.

Allison Grant avait environ vingt-cinq ans. C'était une sémillante brunette aux yeux bleus; pas très grande pour une Australienne. Elle avait fait la connaissance de Gantry en attendant l'avion qui devait la ramener de Londres à Melbourne. Elle se trouvait au milieu des passagers de classe économique à l'aéroport d'Heathrow. Ganny s'était approché d'elle. Il s'était présenté. Elle voyageait seule? Accepterait-elle de troquer son petit siège de touriste contre un voluptueux fauteuil de première classe? Sans contrepartie. Il était de toute façon difficile d'attenter à la vertu d'une dame en présence de quatre ou cinq stewards et hôtesses. Il avait deux billets de première et ne pensait occuper qu'un seul siège. Il cherchait quelqu'un – il préférait les dames – pour lui tenir compagnie durant l'interminable vol. D'accord? Au pis, elle risquait qu'il lui prît la main; il avait un peu peur en aéroplane. Allison avait dit oui.

– Je suis tombée amoureuse de lui, Zénaïde, mais jamais je n'ai couché avec lui.

– Tu ne sais pas ce que tu as perdu.

– Je m'en doute un peu. Ne remue pas le couteau dans la plaie.

Mais, à l'arrivée à Singapour, Gantry était descendu et elle avait dû poursuivre seule, en première classe toujours (Gantry avait eu l'élégance de lui payer sa place jusqu'à Melbourne). Et, deux mois plus tard, elle avait reçu une lettre, accompagnée d'un chèque. Si elle voulait poursuivre ses études aux États-Unis, qu'elle se serve de cet argent. C'était quatre ans auparavant. Allison avait terminé ses études grâce à cette subvention originale. Pas de nouvelles de Gantry pendant près de trois ans. Puis, il avait surgi à Hobart, où elle était une fois de plus revenue pour ses vacances. Il avait conquis son père et sa mère et il lui avait demandé si, son diplôme de sciences économiques terminé, elle voudrait bien travailler avec lui. Elle était montée sur la jonque, ancrée face à Castray Esplanade, et avait rencontré Pat, Tony, le Babu, Leo Stern, Hudson Leach et les autres. Et Gantry avait mis les choses au point. Si elle se joignait à son équipe, ce ne serait pas en qualité d'hétaïre. Puisqu'elle allait travailler à ses côtés, il ne la toucherait pas. À prendre ou à laisser. Elle avait pris. Ne l'avait jamais regretté. Ne comptait pas rester éternellement sur la jonque. Surtout si elle épousait Jo Prouvost, ce Français qui avait des mains partout, et devenait viticultrice. Mais, pour rien au monde elle ne quitterait le navire pour le moment. Pas question de laisser tomber Ganny.

— Je m'en voudrais d'être indiscrète, Zénaïde, mais il est comment au lit ?

— J'ai connu pire.

— Pas une seule des filles qui ont travaillé sur la jonque ou qui y travaillent n'a réussi à se glisser dans son lit. Je ne dis pas ça pour, comment dire ? pour te faire l'article. Je voudrais juste savoir...

— La ferme, Grant.

Zénaïde travaillait. Il pleuvait sur la forêt d'eucalyptus et de fougères géantes qui entourait la cabane. Une heure plus tôt, le poste émetteur-récepteur avait enregistré une nouvelle communication de la jonque ; une impressionnante kyrielle d'informations que Zénaïde avait notées, aidée par Allison. Il fallait maintenant les classer, les relier à celles que l'on avait reçues précédemment. Aucune des deux jeunes femmes n'était très experte en dactylographie; elles étaient donc contraintes d'écrire. Dommage qu'on ne disposât pas d'un télécopieur! Mais on ne pouvait pas demander l'impossible.

Zénaïde effectuait un tri. Toutes les informations n'étaient pas de la même importance. Pour l'opération envisagée, certains éléments avaient plus de valeur que d'autres. Mais Gantry avait demandé à tout recevoir. À charge pour lui de déterminer ce qui semblait utilisable. *« À charge pour lui... » façon de parler! Pour l'instant, c'est moi qui me tape tout le boulot. Monsieur joue les gardes-chasse avec Jojo le mangeur de grenouilles et ses copains.*

Elle finit par opérer une sélection et, dès lors, classa tout en trois piles distinctes. La première, qui résumait tous les éléments à son avis essentiels; la deuxième, pour ce qui ne lui paraissait pas d'une extrême importance; et le reste, dont elle pensait qu'on aurait aussi bien pu faire des cocottes en papier. Elle regarda sa montre. Quatre heures douze de l'après-midi. Gantry et Prouvost étaient absents depuis maintenant cinq heures.

Elle enferma la première liasse de feuillets dans une chemise en carton souple et écrivit au feutre rouge : *« YELLOW HEAD & STAR CORP. Modestes suggestions d'une femelle pour contribuer à l'éradication des Fourmis. »*

– On arrête, Allison. Je boirais bien une bière. C'est quoi, un diable de Tasmanie?

Le premier coup de feu éclata brusquement. Immédiatement suivi de plusieurs autres.

Le Falcon 50 qui a décollé de Cairns laisse derrière lui le continent australien, survole le détroit de Bass, approche de la Tasmanie, se pose non pas à Hobart mais à

Launceston, deuxième ville de Tasmanie. L'atterrissage a lieu de nuit, le petit aéroport est désert, un seul homme veille dans la tour de contrôle et Prouvost s'est, par avance, assuré de son silence. Une Range Rover emmène Zénaïde, Gantry et Prouvost. Prouvost qui n'a pas arrêté de parler pendant tout le voyage. Il a ses vignobles pas loin de là; trente-deux hectares ici, dans les plantureux coteaux (dit-il) du vaste estuaire de la Tamar qui, justement, arrose Launceston; vingt ou trente autres hectares ailleurs. Il produit du vin rouge – « *vous diriez du bordeaux... enfin, presque* » – et du « *champagne* » – avec la collaboration de Moët et Chandon et de Roederer. Il n'est pas millionnaire mais ça vient. Il a trente-cinq ans.

Il ne les emmène pas voir ses vignes, quoi qu'il en ait très envie. Si ce qu'Allison lui a dit est vrai (et, Allison, c'est l'Évangile), quelqu'un les poursuivrait, quelqu'un serait capable de les poursuivre jusqu'en Tasmanie, autant dire au bout du monde. D'accord. Qu'ils y viennent, ces types! Ils ne sont pas sortis de l'auberge. Lui, Prouvost, il n'est pas un foudre de guerre, mais, pour un type capable de payer ses études à Allison puis de lui trouver un bon job, et tout cela sans la sauter, il ferait n'importe quoi. « *Excusez-moi, madame* » (il s'adresse à Zénaïde).

Prouvost a pris des précautions judicieuses. D'abord, il s'est assuré la complicité du contrôleur aérien de Launceston. Il a d'autres tours dans son sac. Il conduit ses compagnons au *Penny Royal Windmill Restaurant* et leur fait simplement traverser la salle. Une deuxième Range Rover attend derrière le bâtiment. Ils font route vers le nord, vers le rivage du détroit de Bass, où il a un cabanon. « *En admettant que ces types nous filent encore, ils vont croire que je vous cache dans mon cabanon. Vous me suivez? Eh bien, pas du tout!* » Il prend une piste et repart vers le sud. On traverse une route, une voie ferrée, une autre piste. La Tasmanie a la plus grande forêt vierge – vraiment vierge – du monde. Vous le saviez? Il y a encore plein d'endroits où l'homme n'a jamais pénétré. Sauvages, quoi. Il y en a qui veulent flanquer des barrages sur la Franklin. Ils sont malades. Il paraît que vous êtes écolo, Gantry. Je me disais bien qu'un type capable d'être correct avec Allison devait avoir d'autres qualités. On arrive.

Zénaïde passe leur première nuit tasmanienne dans une ferme qu'on pourrait croire dans le Yorkshire, n'était la présence des cacatoès. Deux amis de Prouvost sont là, des experts en pistes forestières et parcours de jungle.

– Vos gardes du corps, dit Prouvost. Nous en trouverons deux autres à la cabane. Et Allison aussi, qui vous a apporté la radio que vous vouliez, Gantry.

Ils repartent bien avant l'aube, et le si charmant paysage anglais se transforme peu à peu, à mesure qu'on progresse vers le sud-ouest. Il pleut sans discontinuer, une pluie lourde, violente, agressive, qui oppresse. La végétation aussi se modifie. Les arbres européens plantés par les premiers colons cèdent la place à une jungle puissante et dense. La Range Rover et la Land Rover s'aident l'une l'autre à franchir des torrents.

On atteint la cabane au soir du deuxième jour, trois heures après avoir abandonné les voitures, qui ne peuvent plus avancer.

On y est depuis quatre jours. Voilà quarante-huit heures déjà que l'alerte a été donnée.

– Au moins une vingtaine d'hommes. En tout cas, mes copains à Hobart en ont repéré une vingtaine. Ils sont peut-être plus nombreux. Et puis, il y a ces types bizarres qui m'ont été signalés. De Melbourne, il y a un vol direct non seulement pour Hobart, mais encore pour King's Island, Smithton, Strahan, et Queenstown – qui est à six heures de marche. Je dirais que les types qui vous cherchent sont dans les cinquante. Un de mes amis, à Hobart, en a questionné deux ou trois. Rien à dire. Ils ont des passeports américains ou australiens; ils prétendent qu'ils sont là pour pêcher. Il n'y a pas d'armes dans leurs bagages. Pas fous. Mais ils en trouveront sur place; ce n'est pas ce qui manque. Ils sont superorganisés, vos bonshommes!

La pluie, toujours et encore. Prouvost a rameuté le ban et l'arrière-ban de ses ouvriers et de ses amis. Un dispositif de surveillance a été mis en place tout autour de la cabane, notamment aux abords de l'espèce de piste tortueuse qui mène à Queenstown.

Et c'est là que les éclaireurs ennemis ont été signalés, ce matin vers dix heures. Gantry et les autres sont aussitôt partis en reconnaissance.

Il s'agit de tenir trente heures encore, jusqu'à l'arrivée de la jonque, qui fait tout ce qu'elle peut pour les rallier au plus vite. Pas question d'aller la guetter de la côte. Cela reviendrait à révéler le lieu de l'accostage. Reste à espérer que le *Grey Shadow*, malgré toute sa puissance, ne sera pas là avant la jonque.

Et cette pluie!

Dans le lointain, les coups de feu s'interrompirent. Il y en avait eu onze en tout. Allison Grant était allée sur le pas de la porte, qu'un auvent de bois protégeait de la pluie. Zénaïde avait rangé dans un sac de toile imperméable les trois dossiers qu'elle venait de constituer. Elle vérifia que rien ne traînait, aucun document qui...

L'idée lui vint à ce moment-là. Elle retira les dossiers du sac, choisit l'un des feuillets sur lesquels elle avait pris ses notes. Elle le déchira en plusieurs morceaux et rangea dans la chemise appropriée tous ces morceaux sauf un. Et celui-ci, plutôt que d'en faire une boule et de le jeter dans un coin, elle le glissa entre deux lames du parquet grossier en sorte qu'il apparût à peine.

– Dépêche-toi, Zénaïde!

– On se calme!

Le reste de la pièce unique ressemblait exactement à ce qu'il était : un refuge, garni d'une grande table, de bancs, d'une cheminée dans laquelle on avait visiblement brûlé de nombreux documents en prenant soin d'en pulvériser les cendres. Des reliefs de repas traînaient dans de la vaisselle en plastique. Parfait.

— Vite, dit Allison.

Zénaïde enfila sa parka, fixa le sac sur son dos. Elle se mit à courir vers la forêt, rejoignant Allison qui s'était élancée avant elle. La végétation, très vite, se referma sur elles. Elles poursuivirent leur course sur environ un mile, à travers un amas de feuilles ruisselantes. Elles prirent un sentier, à peine visible, pourtant, qu'elles avaient heureusement reconnu à deux reprises l'avant-veille. Elles faillirent néanmoins rater le point de rendez-vous. Une main agrippa Zénaïde. Son premier réflexe fut de pointer le grand couteau de chasse.

— Tu es moins difficile à arrêter qu'un train, mais tout juste, dit Gantry. Ne me mutile pas, s'il te plaît.

Il souriait. Il portait son fusil de chasse comme un pêcheur son épuisette.

— Tu as vraiment l'air malin, en guerrier de la jungle, Gantry. Je te parie que tu raterais une vache dans un corridor.

— Il y a toutes les chances, je ne me suis jamais servi d'un fusil. Vous étiez censées partir en courant au premier coup de feu. Qu'est-ce que tu fabriquais ?

— Un peu de rangement. C'est notre lot à nous, pauvres ménagères dont les mâles jouent aux petits soldats.

Ils marchaient rapidement, suivant l'un des coureurs de brousse de Prouvost. Allison Grant haletait et Gantry la débarrassa de son sac, qu'il porta en plus du sien. Zénaïde raconta à Gantry ce qu'elle avait fait dans la cabane. Il hocha la tête.

— On pense, Gagnon ?

— Ne me dis pas que j'ai eu tort.

– C'est une idée superbe. Ce qui m'agace, c'est de ne pas l'avoir eue moi-même.

Ils marchèrent deux bonnes heures. Sans le moindre bruit pour signaler leur approche, un homme puis un autre se matérialisèrent, comme par magie. Ils ne prononcèrent pas un mot, ils portaient chacun un fusil de guerre (Zénaïde reconnut la petite chose en V renversé sur les canons; ce devaient être des M quelque chose; *M 16, c'est ça; enfin, je crois*) et se contentèrent d'indiquer une direction. Que l'on prit. On pataugea dans des rivières, parfois jusqu'à la taille. Tantôt on remontait le courant, tantôt on le suivait. Allison Grant donnait des signes évidents de fatigue. Ses cinquante kilos potelés n'étaient pas faits pour ce genre de marche forcée. Il fallut carrément la hisser au sommet d'une pente ravinée.

– Ça va, toi? demanda Gantry à Zénaïde.

– Oui. Pourquoi?

– Dieu merci, je n'ai pas eu à te courir après pour te sauter. J'y serais encore.

– C'est moi qui ai couru. Ils étaient combien, ces types avec qui vous avez fait la guerre?

– Dans les douze ou quinze. Ils venaient de Georgetown.

– Tu en as tué combien?

– Quarante-trois, au moins.

En fait, il avait tiré n'importe où et espérait bien n'avoir blessé personne. À sa connaissance, le score était encore vierge pour l'un et l'autre camp. Tant mieux, d'ailleurs. Pourvu que ça dure.

– Pat ne t'a rien dit de spécial à la radio?

– Les quarantièmes rugissants rugissent à tout va. Il y a des creux de neuf mètres. Par endroits, entre deux vagues, ils ont peur de toucher le fond avec la quille. Il nous demande de lui rapporter des fleurs. Je commence à en avoir marre de cette saloperie de rivière.

Ils avançaient à nouveau dans l'eau, dans le sens du

courant. La rivière n'était guère profonde – trente centi-mètres au plus –, mais les pierres de son lit étaient glissantes. Ils s'étaient tous étalés une fois au moins au cours des vingt dernières minutes. Le record était détenu par Allison, qui en était à sa quatrième chute et titubait. La nuit empêchait de voir son visage, mais il devait être blême. Zénaïde elle-même approchait de ses limites. Le coureur de brousse de tête (comment peut-il s'y retrou-ver dans cette forêt et sous cette pluie aveuglante?) se décida enfin. Il se hissa sur des rochers et leur fit signe de passer, lui restant en arrière. Son chapeau australien, dont l'un des bords était relevé et fixé à la coiffe, déversait de l'eau comme une gouttière. Zénaïde et Gantry prirent Allison entre eux et la portèrent à demi pendant toute l'escalade. Ils atteignirent le sommet d'un tertre rocheux. Deux hommes s'y trouvaient, qui avaient installé des tentes. Il y avait du café chaud et un dîner avait été préparé. Ils purent même se changer, enfilant les vêtements légèrement humides qui se trouvaient dans les sacs. Ils étaient dans la tente, qui avait à peine deux mètres carrés et où il n'était pas question de se mettre debout.

– C'est bien ma veine! dit Allison. Pour une fois que je vois Ganny à poil!

Elle s'endormit trois secondes plus tard. Zénaïde man-gea puis se coucha aussi, ayant tout de même pris la précaution de se placer entre Gantry et l'Australienne.

Tard dans la nuit, ou peut-être à l'aube, Prouvost arriva, hilare. Ce petit homme rondouillard et vif, aux joues roses de Bourguignon pourlécheur de fonds de bouteille, était, semble-t-il, dans son élément. Il dit que les patibulaires étaient sur le pied de guerre, conduits par d'autres spécialistes de la forêt. Mais des spécialistes moins spécialistes que ses spécialistes à lui. Et, pour l'heure, la manœuvre de diversion marchait très bien. Ce petit crachin arrangeait leurs affaires en effaçant toutes les traces.

– Et puis, vous n'avez plus qu'une vingtaine d'heures à tenir. C'était juste, remarquez. Ils sont arrivés à la cabane dans les vingt, vingt-cinq minutes après que les filles en étaient parties. Ils sont plus de soixante.

Zénaïde se rendormit. Dans son sommeil précédent, elle avait rêvé que Gantry lui glissait la main entre les cuisses. Elle n'avait pas rêvé. *Même en dormant, ce palmipède trouve le moyen de me tripoter!*

Elle avait eu drôlement raison de se méfier et d'éloigner l'Australienne potelée.

Il était une heure de l'après-midi à New York, où il neigeait.

– Avec le travail que j'ai, je me serais passé de venir dans un parking, dit Laudegger.

Milán tapotait de ses ongles le rebord de la portière.

– Gantry est en Tasmanie avec la fille. J'ai pu mettre en ligne près de cent hommes, qui le traquent. Nous pensons savoir où il va tenter de remonter sur sa jonque. Un endroit appelé Strahan. C'est le seul point de la côte ouest de Tasmanie où un bateau puisse aborder. La mer est toujours très mauvaise dans ce coin-là, et particulièrement ces jours-ci.

– Où est la jonque?

– Quelque part dans l'océan Indien. Elle s'approche. Avec un peu de chance, elle coulera. Les marins appellent cette région du monde les Quarantièmes rugissants. Les meilleurs n'aiment pas trop s'y aventurer.

– Vous n'avez donc pas toute une flotte à votre disposition?

– J'ai cinq bateaux qui foncent vers Strahan. N'importe lequel d'entre eux suffirait à détruire cette putain de jonque.

– Et où sont-ils, eux?

– Le *Grey Shadow* sera sur place dans vingt ou vingt-cinq heures. Deux autres sont trop loin. C'est grand, l'océan Indien, et ils doivent revenir des îles Kerguelen, où nous avons cru un moment que la jonque allait faire escale.

– Il en reste encore deux.

– Dont je suis sans nouvelles. Soit ils ont coulé soit ils ont des problèmes de radio. En principe, d'après leur dernière position connue, ils devraient être plus près que le *Grey Shadow*.

Laudegger faillit éclater de rire. L'abondance même des explications fournies par Milán disait assez son désarroi. Et c'était bon, pour une fois, de pouvoir le prendre de haut avec l'homme aux ongles acérés – *qui continue de m'énerver, avec son tapotement*!

– Et les hélicoptères?

– Il pleut très fort, sans arrêt. C'est plein d'arbres enchevêtrés. Et, de toute façon, il fait nuit pour le moment. Il n'est même pas certain qu'ils puissent voler demain. D'autant que les autorités australiennes ne sont pas faciles à manier; notre histoire de repérage cinématographique ne les a pas tout à fait convaincues.

Silence. Une voiture passa à vingt mètres, conduite par une femme, qui ne tourna pas la tête et poursuivit son ascension vers les étages supérieurs du parking. Elle n'avait certainement pas remarqué ces deux hommes assis dans une voiture garée parmi cinquante autres, dans l'ombre. Laudegger tourna la tête et considéra Milán. Qui ne l'avait pas fait venir dans le seul but de le tenir au courant d'une situation peu brillante – bien que les chances d'abattre le Fou de Bassan n'eussent encore jamais été aussi grandes.

– D'accord, Milán. Vous avez autre chose à me dire. Quoi?

– On a retrouvé et fouillé la cabane où Gantry et la fille se sont cachés durant les derniers jours, depuis leur arrivée de Cairns. Ils avaient laissé un poste de radio émetteur-récepteur hors d'usage. On l'avait volontairement détruit. Mais, dans le parquet, mes hommes ont ramassé des notes manuscrites. Enfin, quelques lignes seulement. Est-ce que le nom de Yellowhead & Star Corp. vous dit quelque chose ?

Gantry était sorti de la tente. Allison dormait ; elle avait ouvert les yeux deux heures plus tôt, avait avalé deux sandwiches et du café, puis s'était rendormie. Zénaïde s'étira, se dégagea du poncho imperméable (le double toit de la tente était creusé de plusieurs gouttières), renfila sa parka et sortit à son tour. Ses jambes étaient un peu raides mais ça allait.

Onze heures passées ; presque midi. Elle regarda autour d'elle. L'endroit était fort joli. Le tertre qu'elle avait découvert à son arrivée, la veille, se révéla plus vaste qu'elle ne l'eût cru – trente mètres de diamètre, uniquement du rocher. Et ce n'était pas vraiment un tertre mais plutôt l'immense marche d'un escalier monumental. Une cascade dégringolait tout au fond, formant un bassin qui alimentait des dizaines de ruisseaux courant sur la rocaille. Il y avait des arbres tout autour. Cela ressemblait à la Thaïlande, à cet endroit où Gantry et elle s'étaient fait un gros câlin pour la première fois. Sauf qu'en Thaïlande il y avait du soleil.

À propos de gros câlin, cela fait pas mal de temps qu'on se serre la ceinture de chasteté, Gantry et moi. D'abord les petits marins avec leurs gros yeux qui leur sortaient de la tête, et puis cette cabane collective et cette tente, avec Allison collée contre nous...

La tente était cachée sous les arbres. Ainsi que les toiles tendues – il y en avait deux – sous lesquelles s'abritaient pour le moment Gantry et le mangeur de grenouilles. Zénaïde croisa le regard de Gantry, qui fumait sa pipe.

– Tu comptes rester longtemps sous la pluie ?

– Je prends ma douche, dit-elle.

Elle finit tout de même par aller s'asseoir à côté de

Gantry et de Prouvost. Oui, elle voulait du café. Et elle avait faim aussi.

Aucun coureur de brousse n'était en vue.

– On en est où?

Elle dut répéter sa question; elle avait parlé la bouche pleine.

– La situation est désespérée, répondit tranquillement Gantry. La manœuvre de diversion de Georges a cessé de marcher. Les soixante-quinze tueurs font mouvement vers nous et nous encerclent. La route de la mer est coupée. La mer elle-même est déchaînée, et, si Tony est assez cinglé pour s'approcher de la côte, il finira au mieux sur un arbre, avec la roue du gouvernail autour du cou. Les prévisions météo sont des plus pessimistes et annoncent des vents du tonnerre de Dieu pour les prochains jours. Un yacht a passé la barre de la Porte de l'Enfer, à Strahan, et attend tranquillement que quelqu'un se montre, soit la jonque, soit nous. Il y a une quarantaine d'hommes armés à bord. Quant à ceux qui nous encerclent, ils devraient être ici au plus tard vers six heures d'après les éclaireurs de Jojo. J'allais oublier, le *Grey Shadow* arrive, il est déjà dans le détroit de Bass. Il sera dans les parages de Strahan vers dix heures ce soir.

– Malédiction! dit Zénaïde en croquant dans un sandwich au fromage franco-tasmanien. Nous sommes donc perdus.

– Complètement.

Gantry tira sur sa pipe et s'installa un peu plus confortablement, en s'accoudant au poste de radio numéro deux. Zénaïde lui sourit et demanda en français:

– Il raconte n'importe quoi, comme d'habitude, où il y a du vrai dans ce qu'il dit?

– Pas un mot n'est à changer, répondit Prouvost dans la même langue. Vous avez un drôle d'accent.

– Je n'ai pas d'accent; c'est vous qui en avez un.

Nouz' aut', du Canada, on cause le vrai français. Il y a vraiment un truc appelé la Porte de l'Enfer à Strahan ?

– Affirmatif. *Hell's Gate*. C'est la seule voie de communication entre l'océan Indien et Macquarie Harbour. Il y a une barre à franchir, que seuls les navires de petit tirant d'eau peuvent traverser. Et, en dehors de Strahan, aucun autre port possible, sur toute la côte ouest. Surtout avec une mer comme celle que nous avons en ce moment. Sans blague ! Dites, à propos, je voulais vous demander quelque chose. Il a couché avec Allison ?

– Je comprends le français, dit Gantry, qui venait de fermer les yeux.

– Tu ne comprends rien du tout, maudit Anglais, lui dit Zénaïde en anglais.

Elle enchaîna en français :

– Elle m'a juré que non.

– Vous la croyez ?

– Oui.

– Moi aussi.

– Eh bien, tant mieux.

– Il comprend ce que nous disons ?

– Pensez-vous ! Il ment.

– J'ai tout compris, dit Gantry.

– Et ta sœur ? dit Zénaïde.

Elle reprit du café. Elle se demandait s'il ne serait pas possible d'expédier Prouvost sous la tente, avec Allison, tandis qu'elle et Gantry resteraient un peu seuls en plein air. Ou, mieux encore, le contraire : le viticulteur et son Australienne dehors à regarder tomber cette saloperie de pluie, et Gantry et elle sous les ponchos à se faire ce fameux câlin qui, apparemment, serait le dernier.

– Ça, j'ai compris, dit Gantry, qui n'avait même pas ouvert les yeux et qui, elle n'en doutait pas, avait bel et bien deviné ce qu'elle avait en tête. J'ai compris et je suis d'accord, ajouta-t-il. On a du retard, c'est vrai.

– Vous parlez de quoi, au juste ? demanda Georges Prouvost.

Gantry rouvrit les yeux. De sorte qu'ils furent deux, Zénaïde et lui, à regarder fixement le mangeur de grenouilles.

Ils étaient sous la tente. Trois ou quatre gouttes vinrent s'écraser sur les reins nus de Zénaïde. Ça chatouillait.

— Si tu te rhabillais, Gagnon?

— Il est à peine trois heures et demie.

— Tu parles! Tu n'as pas arrêté de consulter ta montre! À croire que nous faisions un concours chronométré. Rhabille-toi.

Elle allongea un bras, prit la gamelle qui se trouvait juste à l'extérieur de la tente et qui se remplissait d'eau presque aussi vite qu'on la vidait. Elle s'aspergea puis enfila une culotte et son pantalon de toile.

— Gantry, tu crois qu'ils auront trouvé mon bout de papier dans la cabane?

— C'est du cent contre un.

— Et ils vont le transmettre à Laudegger?

— Mille contre un.

— Avec ton vocabulaire de bookmaker, un de ces jours, tu vas parier sur mon temps de réaction en amour.

— Qu'est-ce qu'on parie? Laudegger a dû entendre parler de la Yellowhead & Star depuis au moins six ou sept heures. Il a dû demander des informations. Il a dû obtenir ces informations. Il a découvert que l'un des actionnaires principaux se nommait Rosewall. Il a cherché qui était Rosewall. Il a appris que c'était le nom de femme d'Abigail MacNulty. Il s'est demandé s'il y avait un rapport entre cette MacNulty-là et un certain Pee Wee MacNulty que des Fourmis ont abattu à Brisbane en cherchant à tuer Jonathan Gantry. Premier point. Il a dû voir passer l'annonce de la fusion qui a abouti à la naissance de la Yellowhead & Star. Quelque chose a dû retenir son attention, dans cette nouvelle : le fait que les deux sociétés avaient chacune dans leur actif des millions d'hectares de forêt.

– Comme l'Obawita.

– Il a noté la chose, mais peut-être sans y attacher autrement d'importance. Mets ton tee-shirt, tu ne vas quand même pas mourir les seins nus.

– C'est bien ce que j'ai toujours pensé; tu es jaloux.

– Il n'y a pas attaché d'importance ou, au contraire, il a déjà en tête d'attaquer la Yellowhead.

– Tu dis ça pour minimiser mon idée géniale de laisser traîner un bout de papier dans la cabane.

– C'était une idée superbe mais elle risque de lui mettre la puce à l'oreille. Un peu grosse, ta ficelle.

– Je suis idiote. Dis-le carrément.

– Tu ne l'es pas. J'ai lu ton boulot. Tes trois chemises. Tes modestes suggestions de femelle sont très futées.

– Il y a dedans des trucs auxquels le grand Gantry n'avait pas pensé?

– Oui. Et dont je vais me servir. On fait plutôt une bonne équipe, Gagnon.

– Si nous sommes encore vivants ce soir.

Gantry la fixa. Elle le fixa aussi et manqua de craquer. *Dis-lui que tu l'aimes, Zénaïde. C'est vrai et il le sait déjà, de toute manière. Ça ne changera pas grand-chose. Ou bien tu l'appelles simplement Jonathan. Il comprendra.*

Gantry lui embrassa la paume de la main et l'écarta de lui.

– On s'attendrira un autre jour, Gagnon. Il suffit que cette pluie s'interrompe un tout petit peu, ou au moins diminue.

– Qu'est-ce qu'on parie? dit-elle, les yeux pleins de larmes.

Il sourit.

– C'est du cinq contre deux. De deux choses, l'une. Ou bien Laudegger, si c'est bien lui la Fourmi de six mètres, passe à l'attaque, ou bien il devine un piège, renâcle, et je mets en batterie mes autres pièces d'artillerie. Et il finira par lancer son OPA.

– Quelle est la cote? Quatre contre un?

– Elle est meilleure : deux contre un. Il lancera son OPA. Il va la lancer, qu'il le veuille ou non. Mais il le voudra. Ne serait-ce que pour prendre sa revanche sur San Diego. Tu n'as rien entendu?

– Des coups de feu.

Elle acheva rapidement de s'habiller et sortit pour rejoindre Gantry. Cette saloperie de pluie continuait à tomber. Elle n'avait pas ralenti depuis trois jours.

Gantry et Prouvost étaient en train de parler avec l'un des coureurs de brousse. Zénaïde s'approcha, au moment même où le garde tirait de sous son poncho le walkie-talkie et enclenchait l'émission. Une voix lente et calme, marquée par un fort accent australien, annonça que les Fourmis étaient à cent mètres.

– Nous allons encore une fois essayer de les attirer ailleurs, mais le type qui est à leur tête connaît le coin. Comptez que vous les aurez sur le dos d'ici une heure. Ils sont trente ou trente-cinq. Il y en a un autre groupe au nord-est, et un troisième au sud. Apparemment, ils ont deviné où vous êtes. Ne tentez surtout rien en direction de la mer, ils vous y attendent. Bonne chance. Terminé.

La radio se mit à fonctionner presque en même temps. La jonque appelait, elle aussi. C'était à peine audible, mais on pouvait reconnaître la voix de Tony Beardsley. *Le Fou de Bassan* serait paré à l'embarquement à HSM au lieu de HWA.

– L'heure de Sydney-Melbourne au lieu de l'heure de Wellington-Auckland, traduisit Gantry. Ils ont réussi à gagner deux heures et nous attendront à partir de huit heures ce soir.

Beardsley parlait encore. Oui, il avait vu la baleine blanche.

L'un des yachts, en clair.

Le regard de Zénaïde croisa celui d'Allison. L'Australienne réussit à sourire. *Elle et Jojo le mangeur de grenouilles ont passé le temps comme Gantry et moi,* pensa Zénaïde. *Ça ne m'étonne plus qu'on fasse autant de bébés en période de guerre.*

– Où va-t-il ? demanda Allison en désignant le coureur de brousse qui s'éloignait avec son fusil.

– Il rentre chez lui, dit Prouvost. Nous avons eu un peu de mal à le convaincre, Gantry et moi.

L'Australienne n'en croyait pas ses oreilles.

– Vous voulez dire qu'il nous laisse seuls face à ces tueurs qui arrivent de tous les côtés ?

Zénaïde baissa la tête et contempla ses chaussures. Bizarrement, ce n'était pas tant la peur qui l'emportait chez elle que le chagrin. Et un immense malaise, à cause d'Allison, qui n'avait pas encore compris.

– Allie, dit doucement Gantry, ça servirait à quoi que les amis de Georges restent avec nous ? Ils ont prévenu la police. Qui viendra. Probablement trop tard. Ils voulaient rester. Leur décision n'était pas facile à prendre. Vous et Georges devriez vous en aller aussi maintenant. Ces hommes qui nous pourchassent vous laisseront peut-être passer. En tout cas, vous avez une chance.

– On ne va pas en reparler, dit Prouvost. Allie ne s'en ira pas et moi non plus. Allie ?

– Évidemment.

– Complètement idiot, dit Gantry.

Zénaïde consulta une nouvelle fois sa montre. Quatre heures dix-huit minutes et onze secondes. *Nous avons jusqu'à cinq heures et quart en gros.* Gantry vint s'asseoir près d'elle, sous la toile, si bien qu'ils se retrouvèrent en rang tous les quatre. *Nous avons l'air de pauvres spectateurs perdus dans les tribunes vides d'un stade de province, juste avant le début d'un match qui n'a pas attiré grand monde.*

– On attend jusqu'à quatre heures quarante puis on

file, dit Gantry. Rendez-vous au restaurant *Le Paris*, à Hobart. D'après Georges, on y mange très bien.

– Forcément, dit Prouvost, le chef est français. Il fait de la cuisine alsacienne. En Tasmanie! Je vous demande un peu! Qu'est-ce qu'il a contre la cuisine de chez moi?

Allison pleurait.

Le vent tourna deux cent quarante-neuf secondes plus tard, d'après la montre de Zénaïde. Ensuite, vers quatre heures quarante trois, il y eut quelques instants pénibles, quand ils se demandèrent si l'hélicoptère qui venait de les survoler sans les voir était le leur ou appartenait aux Fourmis.

– Remarque que son bäckeofe et son kugelhopf sont excellents. Et vous goûterez ses bretzels fondants. Une merveille!

Il lui fallait crier pour dominer le bruit froissé du rotor. Ils étaient déjà à trois cents mètres au-dessus du sol et on n'y voyait goutte à cause des nuages.

– Dieu merci, dit Zénaïde à Gantry, ce n'est pas toi qui pilotes cette fois. Là, oui, on prenait des risques.

King's Island est l'une des deux grandes îles tasmaniennes dans le détroit de Bass. Ils s'y posèrent à la lueur des grands feux de bois allumés par un oncle d'Allison Grant. Le tonton en question se nommait Flint. Comme le corsaire, oui. Il ne leur épargna pas le récit détaillé des cinquante-sept naufrages officiellement homologués sur les rivages accidentés de son île natale. La côte ouest et Strahan, en Tasmanie? C'était de la petite bière, à côté.

– Et, si les bonshommes qui vous y cherchent encore essaient d'accoster, c'est vrai qu'ils auront quelques problèmes. Mais rien qui puisse être comparé à King's Island. Dites-vous bien qu'en 1845 le *Catarque* a fait naufrage tout près d'ici et qu'il y a eu trois cent quatre-vingt-dix-neuf morts. Alors, une jonque!

Tony Beardsley fut à l'heure. Avec même quatre minutes d'avance. Il avait réussi à s'ancrer sur des hauts-fonds, mais, plus tôt on ficherait le camp, mieux ça vaudrait, dit-il. Le yacht qu'il avait vu passer était le *Grey Shadow*, lancé comme une torpille vers Strahan, à trois cents kilomètres au sud.

– Ganny, ne me refais jamais des coups pareils. On ne vivait plus, à bord. Voilà deux heures et quelques, on a établi le contact avec votre radio et ce sont les Fourmis qui nous ont répondu. Et elles nous ont dit qu'elles vous avaient eus.

– La preuve.

Gantry était immédiatement descendu dans le carré des ordinateurs. Dans la seconde, il avait mis en route toutes ses procédures de combat, avant même de savoir si, oui ou non, Laudegger allait lancer son OPA contre la Yellowhead & Star.

– Le cap, Gannie?

– Où tu veux, Tony.

– Si on traversait Bass pour aller en mer de Tasman et dans le Pacifique?

– Pourquoi pas?

Les ordinateurs crachaient des flammes. La vraie bataille commençait. Zénaïde hésitait, pas très sûre d'avoir une place dans cette équipe si bien entraînée. On mit fin à ses hésitations en lui désignant un siège. Un ordinateur avait déjà enregistré toutes ses « *modestes suggestions* ». C'était à elle, maintenant, qu'il appartenait de veiller à leur mise en œuvre. Elle ne serait pas une simple exécutante. On lui fournit la liste d'une centaine d'avocats. Elle devait en sélectionner plusieurs et leur assigner des tâches précises. Pour guider son choix, elle disposait d'une masse de renseignements sur chacun d'eux, renseignements qui allaient de leur spécialité juridique jusqu'à leur handicap au golf. Passées les premières minutes de flottement, Zénaïde se sentit complètement à l'aise et concentrée. L'ambiance qui régnait dans l'équipe de Gantry était bien à l'image de l'homme qui l'avait constituée – chaleureuse, pleine d'humour, faussement nonchalante.

D'une efficacité ahurissante.

Zénaïde se plongea dans le travail, s'y enferma comme dans une bulle, un peu de fièvre aux joues et dans les oreilles, ce léger bourdonnement qui est le signe d'une extrême attention.

Pendant ce temps, la jonque continuait sa route dans le détroit de Bass sur une mer démontée. D'heure en heure, elle distançait ses poursuivants, qui la cherchaient en vain le long des côtes déchiquetées de la Tasmanie occidentale.

2

– Je vais devoir repartir en voyage, dit MacArthur. En Europe. Peut-être ailleurs.

– Très bien, dit Letty.

Qui faisait ses mots croisés. Elle portait ces lunettes de soleil que MacArthur avait en horreur – des lunettes énormes, pareilles à des hublots, qui la faisaient ressembler à un personnage de *Peter Pan* dont il avait oublié le nom. Ces lunettes lui dissimulaient entièrement les yeux, et ce n'était pas par hasard – sûrement pas.

Ils avaient regagné leur île, après leur séjour à New York où MacArthur avait, dans la mesure du possible, évité Laudegger. À peine l'avait-il rencontré à deux reprises et, chaque fois, la conversation avait roulé sur les seules affaires financières.

Il fixa Letty. Il était dans les neuf heures du matin. Lui s'était levé en pleine nuit, comme de coutume, pour étudier les marchés asiatiques. Certes, il s'était recouché ensuite mais sans pouvoir se rendormir. Cela lui arrivait de plus en plus fréquemment. Pour finir, il avait quitté doucement la chambre, alors que Letty, il en était convaincu, simulait un profond sommeil. MacArthur avait la certitude qu'elle ne dormait pas. Elle était couchée en chien de fusil, nue, recouverte seulement d'un drap léger. Il avait contemplé le corps mince dont il connaissait chaque millimètre carré, la douce ligne des

379

épaules, le pli délicat de la taille et le renflement de la hanche. Il avait eu incroyablement envie d'elle. Envie de la prendre dans ses bras, de caresser ses seins, de laisser sa main descendre vers la vasque au creux des cuisses. Alors, Letty se fût retournée lentement, engourdie, un sourire, déjà, dans ses yeux mi-clos. Comme elle l'avait fait maintes et maintes fois dans le passé.

Vingt-quatre ans de mariage. « *La femme que j'ai dans mon lit n'a plus vingt ans depuis longtemps.* » Ainsi disaient un poème et une chanson qu'ils avaient entendus en France, lors de leur premier voyage à Paris.

Il n'avait pas touché Letty, si fort qu'eût été son désir. Il était sorti sur la pointe des pieds, acceptant de feindre lui aussi, repris par sa honte, sa fureur et son dégoût de lui-même.

— Je partirai demain. Je passerai par Londres. Deux jours. Ensuite, Paris et la Suisse.

Il accumulait les détails inutiles. Letty se contenta d'un acquiescement, mordillant son stylo-feutre. Ils étaient sur la véranda; le théorique hiver caraïbe s'effaçait déjà. Les filles n'étaient pas encore levées. Letty porta le mot *opisthoglyphe* dans les cases blanches. Elle connaissait des mots dont il ignorait tout.

— Et c'est quoi, un opisthoglyphe?

— Une sorte de reptile, dit-elle. Tu devrais faire plus souvent des mots croisés. Jimmy, je n'irai pas en Europe « *ou peut-être ailleurs* » – si c'était là la question.

— Vous auriez pu vous installer au *Richemond*, à Genève, ou à l'*Hôtel de Paris*, à Monte-Carlo. Je vous aurais rejointes entre deux rendez-vous.

— Nous sommes très bien ici, les filles et moi. Et je n'ai plus de courses à faire. À New York, j'ai dévalisé *Sachs et Bloomingdale's*. Merci quand même pour l'invitation.

Le doute revint tourmenter MacArthur. Letty avait-elle véritablement changé ou bien était-ce lui qui la regardait différemment, accordait à ses silences une signification nouvelle, croyait déceler des sous-entendus derrière chaque phrase? En bref, depuis combien de temps savait-elle? Six mois? Un an?

Depuis des années. Depuis le début; il en aurait juré. Et elle n'avait jamais rien dit. *Mais – sois franc – tu aurais nié farouchement; tu avais honte, en ce temps-là. Tes ambitions étaient encore très vagues. Et même ta carrière officielle, ta carrière avouable, c'est à eux que tu la dois. Sans eux, qui t'ont forcé à sauter le pas, tu serais encore un petit professeur mal payé. Bien avant que tu n'en aies eu toi-même conscience, ils ont décelé en toi des qualités dont tu étais très loin de soupçonner l'existence; ils t'ont révélé à toi-même.*

Letty le connaissait trop bien pour ne pas savoir qu'il était inutile d'essayer de le détourner de la voie dans laquelle il avait décidé de s'engager. C'est pour cela qu'elle n'avait marqué aucune réaction. À moins qu'elle eût choisi de se taire pour d'autres raisons? L'argent, par exemple? Ce confort, dont ils jouissaient et qu'ils avaient acquis si rapidement? *Oh, non! Pas Letty!*

Il se sentit soudain sur le point de tout dire. Une confession complète. Les phrases se formèrent dans sa tête : *Letty, d'accord, parlons-en. Je sais que tu sais. C'est vrai; je suis le conseiller numéro un des plus grands trafiquants de drogue du monde. Tu as entendu parler du Cartel? Ce sont eux. Je travaille pour eux. Ils me paient cent millions de dollars par an. Outre les sommes que me rapporte officiellement mon cabinet de New York, nous possédons un bon demi-milliard de dollars sur une trentaine de comptes très secrets. Dont même eux ne savent rien. Et toutes les dispositions ont été prises pour que, s'il m'arrivait quelque chose, cet argent vous soit remis, net d'impôt, évidemment, à toi et aux filles. Ne t'inquiète pas des questions que pourrait te poser le gouvernement américain. J'ai fait le nécessaire. Et pour cause; je suis le meilleur spécialiste* mondial du blanchiment de l'argent sale. J'en blanchis cent soixante milliards par an. Rien que des recettes nouvelles. Sans parler des sommes déjà capitalisées au cours des années précédentes. Impressionnant, non? Après tout, la cocaïne, « c'est une affaire de gringos ». Ils sont vingt millions d'Américains à en consommer régulièrement, et ce n'est qu'un début... On me tient pour un génie. « On » étant les deux ou trois hommes – et encore! – qui connaissent l'essentiel de mes activités. Pas eux. Eux me méprisent et me traitent presque comme un chien. Mais je leur obéis. Parce que j'y trouve une sorte de jouissance masochiste. Et parce que je n'ai pas le choix. D'accord, Letty, parlons-en. Si je vous ai emmenées à New York avec moi l'autre jour, c'était parce que j'avais toutes les raisons de croire que le Sicaire pouvait vous faire massacrer. Mais le danger est passé. Pour l'instant. Qui est le Sicaire? Je n'en sais rien moi-même. Une arme. Une arme sans faille. Sans plus d'état d'âme qu'un revolver – sur la détente duquel ils ont l'index posé en permanence.

Non, Letty; je ne peux plus revenir en arrière; je ne peux pas m'arrêter, leur dire que j'abandonne. Nous serions tous morts dans l'heure suivante. Et d'une manière assez horrible, j'en ai peur. Où que nous allions dans le monde. Même en nous servant de ce demi-milliard de dollars. L'important n'est pas de mourir riche mais de vivre milliardaire. Ils nous retrouveraient; le Sicaire nous retrouverait. Regarde Gantry, qui pourtant fuit sur sa jonque à l'autre bout du monde. Ils l'auront.

Je suis désolé, Letty; c'est ainsi.

Non. Je ne suis pas si désolé que cela. J'aime ce que je fais et le pouvoir que j'en retire. Je me démontre à moi-même de quoi je suis capable. D'ailleurs, j'approche de la consécration de ma carrière. J'ai eu une idée géniale, vraiment géniale. C'est pour la mettre en œuvre que je pars demain.

Letty, depuis quand étais-tu au courant et pourquoi as-tu gardé le silence? Longtemps, je me suis émerveillé de ta discrétion. Je regrette de te le dire, mais tu m'as déçu. Je sais, ce n'est pas très logique. Mais il y a toujours en nous quelque chose qui échappe à la logique.

– Tu veux encore du café, Jimmy? Attends au moins que les filles soient levées avant de retourner t'enfermer dans ton bureau.

MacArthur n'avait pu prononcer aucune des phrases qu'il s'était dites à lui-même. Plus tard, il se demanderait, de manière obsessionnelle, ce qui se fût passé si, ce matin-là, il s'était risqué aux aveux.

Cela n'eût rien changé à la terrifiante mécanique. Rien. Il était trop tard. De dix ans au moins.

Il fixait toujours sa femme. Quelques secondes à peine s'étaient écoulées pendant qu'il dévidait son discours intérieur inutile. La main de Letty qui tenait le feutre tremblait un peu. C'était un signe suffisant : elle s'était attendu à ce qu'il parlât. MacArthur nota aussi son imperceptible soulagement quand elle comprit qu'il ne le ferait pas.

– Plus de café, ma chérie, dit-il. J'en ai bu des litres depuis ce matin. Je vais retourner travailler un peu. Pour les filles, je me libérerai un quart d'heure au moment de leur bain.

– À tout à l'heure, dit Letty, penchée sur ses mots croisés.

Il se leva, s'approcha d'elle, l'embrassa sur la nuque, partit vers les bâtiments où étaient ses bureaux, à deux cents mètres de là. Il dut faire un violent effort sur lui-même pour fixer son esprit sur ses affaires, et sur elles seules.

Il allait donc quitter une nouvelle fois l'île, dès le lendemain. Il entreprendrait le périple qui le conduirait à Londres, à Paris, à Genève, à Zurich, et qui n'était que le début d'une grande tournée, préparée de longue date avec toute la minutie du monde.

Il mettait en route son Plan d'ensemble.

Laudegger étudiait les plans d'investissements pour un milliard huit cent soixante millions de dollars – et un milliard quatre cent vingt-cinq millions de dollars d'argent blanchi. Du bon travail, dans les deux cas. Bert Sussman et Arnie Tolliver avaient dressé une liste des investissements possibles dans tous les secteurs de l'activité économico-industrielle. Arnie avait eu une idée intéressante : des placements en Union soviétique, *via* une livraison d'usines clés en main, à faire faire par un consortium italo-allemand dont les Fourmis contrôlaient, bien sûr, les opérations, grâce à une participation majoritaire de trente-quatre pour cent.

Sussman proposait également de nouvelles incursions sur le marché de l'art. Au départ, une fois encore, c'était une idée de l'inévitable MacArthur. Monsieur Je-sais-tout ! On achetait un tableau de maître à n'importe quel prix, mais secrètement ; on se munissait d'un faux acte de vente faisant remonter la transaction officielle à des années ; et l'on revendait, au besoin en rachetant soi-même, dans une galerie de Londres ou de New York. De l'argent superbement blanchi à la sortie. Sussman avait encore amélioré le système, trouvé d'autres « propriétaires » acceptant de prêter leur nom. Ça les flattait de faire savoir à leurs copains du Tout-New York ou du Tout-Tokyo qu'ils pouvaient s'offrir ou s'étaient offert un Picasso ou un Van Gogh. Sussman envisageait une véritable razzia sur la peinture, la sculpture, les manuscrits originaux, les vitraux, les bijoux célèbres, les châteaux de la Loire, etc. Et, ensuite, se déroulait un amusant jeu de Ping-Pong (les Fourmis étant des deux côtés de la table) grâce auquel on finissait par atteindre des prix hallucinants. En argent virginal. Quitte à trouver, à un moment ou à un autre, une compagnie d'assurances, japonaise par exemple – ces types ne savent plus quoi faire de leurs yens –, pour acheter des renoncules au prix de l'uranium enrichi.

D'accord. Laudegger cocha le feuillet au bon endroit.

Il revint à la filière australienne. En Australie, les Fourmis étaient déjà propriétaires d'un terrain grand comme l'Arkansas et de quelques îles, dont certaines faisaient l'objet d'une urbanisation de grand luxe.

L'Australie le ramena aux MacNulty. À la participation du clan MacNulty à l'une des deux sociétés ayant récemment fusionné pour former la Yellowhead & Star.

À Gantry.

Gantry qui – ce ne pouvait pas être une coïncidence – était l'ami des MacNulty et avait dû pousser à la fusion.

Et qui attendait peut-être maintenant que lui, Laudegger, s'engageât dans une bataille pour la prise de contrôle de la Yellowhead.

Peut-être.

Ce n'était certainement pas l'envie d'aller au feu qui manquait à Laudegger. Si Gantry recherchait un affrontement, il était prêt ! En souvenir de San Diego, d'abord *(je ne suis plus le gamin sans expérience que j'étais à l'époque de cette affaire, et, surtout, je dispose de moyens financiers dont tu n'as pas idée, Gantry)*. Et puis, aussi, parce que, l'étude de Bob Sassia le démontrait, la Yellowhead constituait une cible parfaite pour un raid. Bob était d'ailleurs d'avis de le lancer, ce raid. Et Bert, Arnie et tous les autres également.

Ce qui arrêtait Laudegger, c'était l'intuition que le morceau de papier retrouvé par les hommes de Milàn entre ces deux lames de parquet était un piège.

Téléphone. Mandy encore. Elle demandait le divorce.

Mais il en était de ses demandes de divorce comme de ses menaces de suicide.

– Va te faire foutre.

Il raccrocha. À son prochain voyage *là-bas*, il allait devoir aborder le problème Mandy. Tant pis. Cela devenait insupportable. Avec un peu de chance, il finirait peut-être par leur faire accepter le principe d'une élimination bien camouflée en accident. *Inoculer le sida à cette garce, par exemple, je trouve que ce serait une bonne idée. On me plaindra, en plus. Elle prend des trucs pour dormir et se calmer, et moi qui ai horreur de toute espèce de drogue! Elle se sera fait faire une piqûre. Avec une aiguille infectée. Ça arrive, ces choses. Ou bien elle m'aura trompé à droite et à gauche. Non! Pas question de jouer les cocus!*

Et pas question non plus d'agir sans leur accord.

Il reprit dans un tiroir le morceau de papier qu'on lui avait rapporté de Tasmanie. Trois fragments de ligne seulement étaient lisibles, le reste du feuillet manquait. D'après Milán, on avait retrouvé des traces nettes de documents brûlés dans la cheminée de la cabane. L'écriture était celle d'une femme. Peut-être la Canadienne. Qui, nulle part, n'avait écrit *Yellowhead & Star* en entier. Une fois *Yell.*, et, plus bas, *la YSC*.

C'est un piège, Carlos.

Je ne sais pas.

Il allait attendre un peu de toute manière. Milán finirait bien par avoir la peau de ce fils de pute de Gantry. Qui, soit dit en passant, avait sacrément feinté les tueurs, en Tasmanie. On ne savait même plus où se trouvait sa foutue jonque. Soit au pôle Sud, soit en Inde, soit encore ailleurs. *Tu vas voir que, si ça se trouve, elle est ancrée dans l'Hudson, sous mes fenêtres. Ça devient carrément comique.*

Il rouvrit le dossier préparé par Sassia sur la Yellowhead. Vraiment une belle cible. Et qui compléterait les possessions de l'Obawita. Techniquement, le coup était bon, voire excellent.

Qu'est-ce que je crève d'envie de me jeter à l'assaut!

Mais il allait attendre. Rien ne pressait.

On ne lance pas une offre publique d'achat par hasard. Parce que le président-directeur général de la société Badaboum vous a battu au golf. Ou parce que le lait de l'une des milliards de boîtes vendues par la Badaboum (si la Badaboum vend du lait) a tourné. Pour lancer une OPA hostile – *non sollicitée*, en termes élégants – il faut répondre à un certain nombre de conditions. Ne pas être titulaire d'un casier judiciaire gros comme un annuaire, avoir des économies (encore que...), ne pas être soi-même le président-directeur général de la société visée (cas de figure fort rare mais qui s'est présenté), enfin et surtout, considérer que la société visée en vaut la peine.

Qu'elle est une *cible*.

Le premier élément de la définition d'une cible, c'est la valeur de la société visée. Une cible idéale présente des caractéristiques bien définies. Elle n'est pas *pure*. Elle ne se consacre pas à un seul type d'activité. Elle est diversifiée. Ses développements successifs, la fantaisie de ses dirigeants, les acquisitions, les mariages, les fusions ou la nécessité de s'assurer le contrôle d'un secteur d'activité vaguement complémentaire, tout cela a formé un conglomérat hétéroclite, dont tous les éléments constitutifs ne sont pas obligatoirement rentables, ou pas aussi rentables les uns que les autres.

En conséquence, elle vaut moins en Bourse (en additionnant la valeur des actions qu'elle a émises) que le prix de revente global de chacun de ses composants mis bout à bout. Les *canards boiteux* de son actif font baisser le prix de l'ensemble. Les bénéfices déclarés en souffrent dans une Bourse qui ne retient que les bénéfices trimestriels, sans trop s'occuper de la façon dont ils sont calculés. C'est comme un lotissement que l'on a intérêt à acheter en bloc, en sachant que l'on gagnera, plus tard, par la revente individuelle de chacune des propriétés qui le composent. Le conglomérat vaut moins à la Bourse que ce que l'on en retirera *à la casse*.

Surtout si les dirigeants en place, assoupis par un long *dolce farniente* et soucieux avant tout de conserver les avantages qu'ils ont acquis, se préoccupent peu de la valeur boursière de leur entreprise (puisque, de toute façon, ils ne sont presque jamais eux-mêmes porteurs d'actions), et s'ils n'ont pas pris le soin de créer un bon service de relations publiques, chargé d'appâter les investisseurs potentiels importants.

Comme d'habitude, tout le monde se contrefiche des petits actionnaires.

Le raid projeté sera d'autant plus facile à conduire que les dirigeants en question seront peu combatifs, sans expérience de ce genre de bataille, peu enclins à l'autocritique. Ou âgés. Ou carrément idiots. Et, en tout état de cause, plus disposés à négocier et à atermoyer qu'à se ruer sur le pont, hache à la main, au premier signe d'abordage.

Il peut advenir que telle société, qui n'apparaît d'abord pas comme une cible propre à susciter les convoitises, le devienne soudain, en raison de la disparition ou du départ à la retraite de celui qui en était l'âme (souvent le créateur de l'entreprise, qui lui a consacré toute son existence), ou bien parce que ce chef de guerre redouté, dont la seule présence tenait les raiders à distance, a été mis sur la touche.

Son éviction est peut-être liée au fait qu'il empêchait ses pairs de dormir lors des réunions du conseil d'administration. Il a pu être envoyé à la pêche pour quinze ans parce que la belle-sœur de la petite amie du principal actionnaire ne pouvait pas le sentir. Peut-être en a-t-il eu assez de se taper tout le boulot tandis que les autres allaient chasser en Pologne avec l'avion de la société. Ou encore, il s'est violemment opposé à tout le monde sur un projet que les autres dirigeants voulaient adopter.

Une fusion, par exemple.

La jonque sortait de la mer de Tasman et entrait dans le Pacifique. Zénaïde se pencha par-dessus le bastingage pour essayer d'apercevoir la ligne pointillée marquant la limite et ne vit rien. Elle bâilla. Il était quatre heures de l'après-midi – onze heures du soir à New York et Montréal. Elle venait de passer dix heures d'affilée à s'entretenir par le radio-téléphone avec d'innombrables interlocuteurs.

– Café ?

C'était l'une des merveilleuses Ibanes, d'une étonnante égalité d'humeur, qui avaient supporté sans mot dire le froid et les tempêtes.

– Merci. Non, dit Zénaïde aussi gentiment qu'elle le put.

La Dayake de la mer inclina gracieusement la tête, en souriant plus que jamais.

La mimique était claire. Voulait-on autre chose que du café ?

– Rien d'autre. Merci. Moi dormir maintenant, dit Zénaïde. Beaucoup fatiguée.

Elle avait envie de s'allonger à même le pont et de fermer les yeux, certaine de sombrer dans le sommeil à la seconde.

– On est où, Tony ?

– À quarante-trois milles six cent vingt-quatre zéro sept cent huit dans le sud-sud-ouest de Tongatapu.

– Ça existe réellement ou tu inventes ?

– Ça existe. Et, si tu veux plonger, c'est le moment. Il y a dix kilomètres et demi d'eau sous notre quille.

Elle convint qu'elle avait peu de chances de racler le fond.

– On n'était pas en Nouvelle-Zélande, il y a quelque temps?

– C'était la semaine dernière. Et nous avons juste fait une petite escale de nuit pour acheter des tomates.

Tony Beardsley était dans la position d'un capitaine de jonque n'ayant strictement rien à faire. Il était couché dans son hamac, seulement vêtu d'un slip clamant les mérites de l'équipe de football des Reds de Liverpool, sa casquette sur les yeux. De tout l'équipage non iban il était le seul à ne pas respecter la règle des trois huit (huit heures de travail, huit heures de repos, huit heures de loisir). Le seul avec Gantry et Zénaïde qui n'avaient pas non plus d'horaires fixes. Gantry et Zénaïde avaient eu l'air de faire un concours, les premiers temps, à qui resterait à son poste le plus longtemps. Gantry avait gagné. Aux points, pas par knock-out. Gantry pouvait tenir trente à quarante heures d'affilée. L'accession de Zénaïde aux fonctions de commandant en second de l'opération Yellowhead s'était faite en douceur. Elle avait démontré qu'elle pensait plus vite que les autres (Gantry excepté) – et plus « vaste » – en s'appuyant sur une expérience pratique de la finance et des techniques bancaires dont aucun des membres de la jeune équipe du *Fou de Bassan* ne pouvait se targuer. Pour décrire la transformation qui s'était produite en elle au cours des quatre ou cinq dernières semaines, Zénaïde avait recours à une métaphore sportive. On avait longtemps cru que courir le mile en moins de quatre minutes était au-dessus des possibilités humaines. Puis Bannister était arrivé, qui l'avait fait, et des tas d'autres s'étaient engouffrés dans la brèche. Zénaïde avait reculé ses propres limites. Au figuré, elle se sentait presque capable de courir le mile en trois minutes cinquante secondes. Presque aussi vite que Gantry.

Presque.

Ce palmipède est insensé!

– À un de ces jours, Tony.

– Bonne nuit, Zénaïde.

Elle descendit. Elle était devant la porte de la cabine de Gantry, qui, maintenant, était aussi la sienne.

– Un appel pour toi, Zénaïde. Ce numéro que tu voulais joindre, annonça Lolly, la secrétaire.

Elle prit la communication sur le poste dans la cabine. Elle était déjà allongée, peinant pour garder les yeux ouverts.

– Grand-père?

– Je suis content d'entendre ta voix, dit grand-père Gagnon.

– Moi aussi. Où ès-tu?

Grand-père avait quitté Missikami, sa maison, son lac, sa forêt. Il était chez Ludovic – en clair, chez les Robitaille, à Québec, dans un appartement de béton d'où toute odeur de bois était absente, où il devait s'ennuyer à périr, où il étouffait sûrement. Il avait dû partir sur les instances des envoyés de Gantry, qui voulaient le mettre à l'abri des Fourmis, et sous la pression des Guili-Guili, qui avaient entrepris de vider la vallée. Désormais, elle leur appartenait. Mais grand-père ne se plaignait pas; ce n'était pas son genre. Il dit qu'il allait bien.

– Et toi, petite?

– Je vais très bien. Je vogue sur la mer, c'est tranquille. Je me passe très bien de toi, ce sont tes crêpes qui me manquent.

– Un peu de régime ne te fera pas de mal, dit grand-père. Tu aurais fini par avoir un gros derrière, avec toutes ces crêpes.

Zénaïde pleurait, les yeux clos, sous l'effet de la fatigue, parce qu'elle avait enfin réussi à avoir grand-père en ligne (grand-père qui devait avoir un cafard noir!), parce qu'elle était elle-même au bord du désespoir, parce qu'elle adorait grand-père et que, au train où allaient les choses, il mourrait ailleurs que chez lui – et, cela, elle eût donné ses deux bras pour l'éviter!

– Mon derrière a la rondeur qu'il faut; pas de problème. Et, à propos, j'ai un nouveau jules, qui est mieux que bien pour un maudit Anglais. La petite lumière bleue s'allume à tous les coups, avec lui.

– Ça ne me dégoûterait pas trop d'être arrière-grand-père.

– Tu as des chances.

– C'est bien. On va s'arrêter là, petite. Ça doit coûter des millions, de se téléphoner à des distances pareilles.

Elle hésita puis y alla. Tant pis s'il se trouvait des Fourmis radiophoniques sur la ligne!

– Grand-père, on va casser la tête des Guili-Guili; ce n'est plus qu'une question de mois.

– Très bien. Je suis vraiment content de t'avoir parlé. Adieu, petite.

La communication fut coupée. Incapable de tenir les yeux ouverts, Zénaïde tâtonna pour replacer le combiné sur le poste de radio. Une grande main enveloppa la sienne et la guida.

– Tu es vraiment un fils de chien, Gantry, de m'avoir espionnée, dit-elle.

– J'étais venu prendre une douche.

– Et menteur, en plus.

– C'est vrai, dit Gantry.

Si ensommeillée qu'elle fût déjà, elle devina pourquoi Gantry était venu dans leur cabine, à ce moment-là justement. Il savait qu'elle allait parler à grand-père et qu'elle en serait bouleversée, et il voulait pouvoir la réconforter.

– Je n'ai pas besoin qu'on me réconforte, Gantry.

– Personne n'en a jamais besoin; c'est bien connu. Et tu ne lui as pas menti tant que ça. On va casser la tête à vos Guili-Guili. Peut-être pas dans les jours qui viennent; ça prendra un peu de temps. Mais nous y arriverons.

– Qu'est-ce qu'on parie? C'est ça?

– Voilà.

Une minute, Gagnon, pensa-t-elle dans l'engourdissement du sommeil. *Gantry ne comprend pas le français et tu parlais français à grand-père, évidemment. Comment a-t-il pu comprendre ce que tu disais à propos des Guili Guili?*

– Je comprends très bien le français, dit Gantry, lisant, comme souvent, dans sa pensée. Je comprends un mot sur dix-sept et demi. J'arrive à suivre, tout maudit Anglais que je sois.

Il y a pire. Imagine qu'il ait entendu ces autres choses que tu as dites à grand-père. Celle, d'abord, sur un nouveau jules qui serait mieux que bien. Et, surtout, ce gros mensonge sur l'enfant ou les enfants que tu veux avoir de Gantry. Parce que c'était un mensonge. Si! Si! C'en était un. Pas d'enfant.

Ou alors un petit. Et tu partiras avec le jour où tu quitteras Gantry. Tabernacle! Ça me contrarierait beaucoup qu'il ait entendu et compris.

– Ce n'était pas un mensonge, dit Gantry.

– Tu parles de quoi?

– Des Guili-Guili. De quoi d'autre?

– J'ai des soupçons, dit Zénaïde.

Elle s'était retournée et couchée à plat ventre, le nez dans l'oreiller. Elle avait une idée assez précise de l'effet que ça devait produire sur le Gantry, de la voir ainsi, les reins creusés et, Dieu merci, le derrière pas du tout épaissi par les crêpes, ou alors juste assez.

– Ce n'était pas un mensonge, reprit Gantry avec, dans la voix, si calme qu'il voulût paraître, ce tout petit dérapement qu'elle commençait à bien connaître et qui traduisait son désir.

D'accord; elle avait très sommeil, mais, enfin, elle n'en était pas à trois ou quatre minutes près. Sans compter que c'était fort bon, d'être câlinée quand on était si engourdie.

– Tu ne mentais pas à ton grand-père. Laudegger va

lancer son OPA et nous allons lui mettre une pâtée anthologique.

— Tu parles! Ton Laudegger n'a pas bougé du tout. Mon petit morceau de papier a dû le mettre sur ses gardes. Il n'a pas acheté une seule action de la Yellowhead. Il s'en fout complètement. Le coup est raté. Probablement par ma faute. Je n'aurais pas dû me mêler de tactique. Et, en plus, ce n'est même pas Laudegger la Fourmi de six mètres, si ça se trouve.

— C'est lui.

— Tu n'en sais rien du tout.

— Je vais en avoir la preuve. Incessamment. Et il va se mettre à acheter comme un fou des actions de la Yellowhead. Dans les quinze heures qui viennent au maximum.

— N'importe quoi.

Mais elle tourna la tête, posa sa joue sur l'oreiller, et, dans le mouvement, sa bouche rencontra celle de Gantry.

— Tu as fait quelque chose de spécial, Gantry?

— Rien de bien extraordinaire, dit-il. J'ai juste lancé une OPA à mon nom contre l'Obawita.

Il précisa sa pensée. Dans l'ensemble, il avait tendance à croire que son initiative allait jeter la perturbation dans la fourmilière. Fourmilière que toutes les vieilles tantes entomologistes observaient avec leurs grosses loupes. Les vieilles tantes étaient parvenues à dresser une liste très complète de tous les avocats et autres spécialistes qui travaillaient exclusivement pour Laudegger et même de la plupart des hommes de paille qu'il utilisait. Il serait donc intéressant de voir qui allait réagir à l'OPA sur l'Obawita. Les noms des combattants de première ligne, dans la bataille à venir, permettraient de déduire l'identité secrète du général en chef.

— Je suis diabolique, Gagnon.

— J'ai sommeil. Va travailler, feignant!

— Qui t'empêche de dormir?

394

– Diabolique, mon œil!
– Elle s'allume?
– Quoi?
– La petite lumière bleue.
– Pauvre type!

Donc ça a commencé il y a six jours, dit Robert Sassia. Très en douceur. Un mouvement à peine perceptible.

– Ç'a pu commencer avant?
– Oui. Nous vérifions.

Mais Sassia pensait que les premières acquisitions d'actions de l'Obawita remontaient, au plus, à sept ou huit jours. Neuf jours ouvrables au maximum. Sauf si la rafle avait d'abord touché de très petits porteurs, qui ne s'étaient pas manifestés. C'était possible. L'attaque sur l'Obawita était la plus discrète qu'il eût jamais vue. Même aujourd'hui, sans la surveillance particulière que son équipe avait mise en place depuis quatre semaines, à la fois sur la Yellowhead et sur l'Obawita, on n'eût peut-être rien remarqué. Laudegger demanda:

– Ils en seraient à combien, d'après vous?

Un et demi pour cent, ou un peu moins.

– Mais ça s'est accéléré nettement depuis ce matin. Ils seront à deux pour cent ce soir.

Et, si la tendance se maintenait, à cinq pour cent mardi ou mercredi. Une fois les cinq pour cent fatidiques atteints, le mystérieux acheteur serait obligé de se dévoiler, d'après le formulaire 13 (d), que tout auteur d'offre publique d'achat, hostile ou non, était tenu de remplir et d'adresser à la *Securities and Exchange Commission* (la SEC). L'investisseur devait y indiquer son nom, le nom de ses partenaires éventuels, le financement qu'il comptait utiliser, le nombre de titres déjà détenus, le cours des achats déjà effectués, ses intentions, enfin, pour chaque élément du conglomérat dont il tentait de prendre le contrôle – en bref, quel genre de restructuration il se disposait à opérer.

– Qui achète, Bob?

– Ils sont cinquante. Mais nous croyons savoir qui conduit l'attaque.

Marty Kahn, l'une des deux stars des OPA. L'autre était Jack Fein. Quand Fein engageait un combat, presque inéluctablement, il se retrouvait face à Kahn, appelé pour organiser la défense. Et *vice versa*. Il fallait payer un million de dollars, à l'un ou à l'autre de ces deux hommes, rien que pour lui dire bonjour et s'enquérir du temps qu'il faisait. Se priver de l'un d'entre eux, c'était comme envisager de constituer l'équipe de basket idéale en négligeant de réunir Kareem Abdul Jabbar, Larry Bird ou Magic Johnson.

– Bill, j'ai déjà contacté Jack, dit Sassia. Il m'a fait répondre... Enfin, il a fait répondre à Krueger qu'il serait absent de New York pour trois ou quatre semaines. Bill, ça veut peut-être dire que quelqu'un lui a demandé de ne pas s'en mêler.

Max Krueger était le juriste officiel de l'Obawita. Plus exactement, le chef de l'équipe juridique de la société officiellement dirigée par Campanella, dont les associés, non moins officiels, étaient Harkin et Fielding.

– Bill?

Laudegger était perdu dans ses pensées.

– Laissez-moi deux heures, Bob. J'ai besoin de réfléchir. Toi aussi, Bert.

Sussman et Sassia sortirent. Deux téléphones sonnaient en même temps sur le bureau de Laudegger mais il ne décrocha pas. Marty Kahn. Marty Kahn, chez qui la Canadienne avait travaillé dans le temps.

Tu sais que c'est Gantry. C'est lui.

Un troisième téléphone se mit à sonner. Également en vain.

C'était Gantry. Tout son instinct le lui hurlait. Nom de Dieu! À quoi jouait ce fils de pute?

Pas facile à dire. D'autant que les premiers frémissements de l'offensive contre l'Obawita étaient caractérisés par une discrétion qui n'était pas dans le style flamboyant du Fou de Bassan, plutôt porté jusque-là sur les guerres-éclair. Laudegger avait pris le temps d'étudier la stratégie habituelle de Gantry, à travers dix ou quinze affaires. Des raids menés tambour battant, à une vitesse qui déconcertait l'adversaire.

Pas ici.

Ce n'est peut-être pas lui.

Ou, alors, il fallait imaginer que Gantry avait adopté une stratégie en tenaille – la Yellowhead à gauche, l'Obawita à droite.

Il n'en a pas les moyens. Même avec ses foutus junk bonds. *Ou, s'il croit les avoir, il va en prendre plein la gueule. Je pourrai le pulvériser.*

Ou bien c'est un piège. Il ne lance son attaque sur l'Obawita que dans le seul but de me pousser à attaquer moi-même la Yellowhead. Il aura essayé de m'appâter une première fois avec ce morceau de papier et, constatant que je ne bronche pas, il tente autre chose.

Oui.

Sauf qu'il m'offre ainsi une sacrée possibilité de le faire exploser. Financièrement, il n'est pas capable de combattre sur deux fronts.

Moi, si. Je pourrais mener simultanément douze batailles comme celles-là. Et davantage. Je pourrais mettre en batterie cent milliards de dollars. Et plus; je pourrais aller jusqu'à cent cinquante. Personne au monde ne détient ma marge de manœuvre.

Il y a peut-être pensé.

Et puis, quoi encore? Tu crois que Gantry se doute que tu es le général en chef des Fourmis financières? Ne fais quand même pas de ce type un monstre. La haine que tu lui portes t'obsède.

Je ne sais pas quoi faire. Merde!

D'un coup, le nom de MacArthur lui vint en tête. Suivi dans la seconde d'un sentiment de fureur contre lui-même. *Je ne vais certainement pas appeler ce fumier au secours. Plutôt crever!*

On se calme, Carlos. Pour l'instant tu mets de côté ta rage. Tu examines calmement les choses. Un. Rien ne te prouve que Gantry t'a identifié, rien du tout. Il n'existe aucun lien officiel entre l'Obawita et toi. La SEC et le FBI réunis seraient incapables d'en établir un en cent ans d'enquête. D'où diable sors-tu l'idée que Gantry te vise personnellement? L'affaire de San Diego? Le seul qui savait, c'était Nat Liedenski, et il est mort. Deux. En admettant que par une succession de miracles Gantry t'ait repéré derrière tous tes écrans (mais tu viens de vérifier que ce n'est pas possible), il n'aurait jamais de preuve. Même Sussman ou Sassia, qui en savent tant, ne pourraient rien prouver. Trois. En admettant encore que Gantry soit à la fois dans le coup de la Yellowhead et dans celui de l'Obawita, eh bien, d'accord, qu'il y soit. Il n'a aucune chance de te battre. Aucune. Tourne et retourne le problème dans tous les sens, ça reste une évidence.

Tu es sûr que tu ne te laisses pas emporter par ta prétendue impulsivité? Celle que MacArthur t'a reprochée en d'autres temps?

Certain.

Réfléchis bien.

Il s'accorda encore une heure et, pour se détendre, étudia en détail et approuva, pour l'essentiel, les projets d'investissements présentés par Ray Peretti, Lehman Stroud, Bob Sassia et Arnie Tolliver. C'était un travail minutieux, fastidieux à vrai dire, mais qui ne demandait guère plus de concentration qu'une simple réussite avec un jeu de cartes. Si bien qu'une autre partie de son esprit restait focalisée sur le problème Gantry.

Gantry, qui avait commis une erreur. Celle de sous-estimer la puissance de feu de son adversaire. Non que

Gantry fût un imbécile, mais il ne pouvait pas, tout simplement pas, concevoir qu'il s'attaquait à une organisation aussi monumentale. Cette pensée rasséréna un peu Laudegger. Le Narcotic Bureau, le FBI, la CIA, la DEA eux-mêmes étaient loin de se douter de l'étendue de l'organisation, de l'ampleur de la production et de la vente de la cocaïne et, encore moins, du gigantisme des sommes en jeu.

– Madame MacArthur ? Vous vous souvenez peut-être de moi. Je m'appelle Bill Laudegger et nous avons dîné ensemble il y a deux ans, à la *Côte basque*. Vous vous en souvenez ? J'en suis flatté. Je cherche à joindre Mac...

Ce fumier de MacArthur était en voyage, d'après sa femme. Et il n'était sur aucun de ses deux bateaux-bureaux. Ni *là-bas*. Ni à New York, ni au Mexique.

Où était-il passé ? Laudegger envisagea un moment de faire appel aux services de Milán.

C'est ça! Et ainsi ils *apprendront qu'à la première difficulté tu te précipites pour demander l'aide de papa MacArthur!*

Parce qu'il y avait cela, aussi. *Eux.* Jamais, encore, aucune des milliers d'entreprises contrôlées totalement ou partiellement par les Fourmis n'avait été attaquée. Et il refuserait le combat ? On ne le lui pardonnerait pas, *là-bas.*

– Bob ? Venez dans mon bureau.

Il convoqua également Sussman et Stroud.

J'y vais.

– Lehman, je veux une étude encore plus détaillée de la Yellowhead & Star. Vous mettez huit de vos hommes dessus. Pas de limites. Bob, vous vous occupez de l'Obawita en priorité. Vous renforcez Krueger par l'équipe Spagg-DeSanti et le cabinet Downs.

– Je peux essayer encore de récupérer Jack Fein.

– Là non plus, pas de limite.

Bert Sussman sifflotait *Hello Dolly*. Il ne bougea pas tandis que les deux autres assistants sortaient. Mieux, il allongea les jambes et posa délicatement les talons sur le plateau du bureau de Laudegger.

– Tu fais exprès de m'énerver, Bert?

– C'est plus fort que moi. Qui va se charger de l'OPA sur la Yellowhead?

– Moi, dit Laudegger.

– Je peux prendre des vacances; c'est ça?

Laudegger sourit.

– Bert, la principale raison qui m'a fait te garder, bien que ta seule vue me fatigue, c'est que tu as l'esprit le plus tordu que je connaisse. Je veux que tu te mettes à la place de quelqu'un qui voudrait absolument avoir ma peau et qui, pour cela, essaierait de m'entraîner dans une OPA contre la Yellowhead en même temps qu'il lancerait lui-même une autre OPA, sur l'Obawita.

– Rigolo en diable, dit Sussman.

– Tu auras du mal à te mettre dans la tête de quelqu'un qui veut ma peau?

– Je ferai un gros effort, dit Sussman.

– Les coups les plus vicieux que tu puisses imaginer. Les plus fous.

– Tu sais qui est le client de Marty Kahn?

– Nous le saurons mardi ou mercredi prochain. Par le 13 (d).

– Mais tu as ton idée.

Laudegger était déjà au téléphone, convoquant un à un les hommes qui allaient mettre en route l'offre publique d'achat contre la Yellowhead. Bien entendu, cela allait se faire par tous les relais habituels, à l'abri de tous les écrans possibles. Rien, aucun document écrit, ne permettrait jamais d'établir un lien entre lui et l'OPA qui démarrait. La menace des Fourmis combattantes valait tous les contrats. Mais la grande rafle sur les actions allait commencer. Il ne faudrait pas longtemps (la machine était parfaitement rodée, Laudegger en avait pris le plus grand soin) avant que les cinq pour cent fussent atteints. Déclenchant le processus du 13 (d).

Laudegger n'avait pas encore décidé des hommes qui apparaîtraient officiellement, avec toute la vraisemblance du monde, comme les initiateurs de l'OPA. Il avait le choix entre une centaine de prête-noms.

Il fixait Bert Sussman, tout en téléphonant. Il n'avait pas répondu à sa question. Il ne voulait pas encore lancer le nom de Gantry. Il fixait Bert. Il était satisfait de le tester. Sussman avait presque toujours des idées extravagantes.

Du même genre que celles qui pouvaient sortir de la fertile imagination du Fou de Bassan.

S'il y avait quelque part un piège que lui, Laudegger, n'avait pas décelé, Bert était bien capable de l'inventer.

En somme – l'idée était amusante –, il confiait cette mission à Sussman pour les raisons mêmes qui le faisaient se défier ordinairement de lui.

Il était près de onze heures trente du matin à New York.

Et, donc, cinq heures trente de l'après-midi à Genève. Où MacArthur se trouvait depuis déjà trois jours. Les gens de Budapest avaient accepté de venir l'y rejoindre pour un conciliabule.

Avant cela, à Londres, à Paris, puis à Francfort, MacArthur avait pareillement œuvré.

Le Plan d'ensemble prenait forme ailleurs que dans son cerveau. Rien n'était fait, bien sûr. Sans doute faudrait-il encore des semaines, et même, probablement, des mois de discussions ardentes et secrètes. Bon. Il l'avait toujours su. On n'édifiait pas un système aussi complexe, aussi nouveau, en quelques réunions seulement.

MacArthur venait de regagner son hôtel. Il appela Letty dans l'île. Letty était calme, apparemment très normale. « *Oui; les filles vont bien; elles t'embrassent.*

Où es-tu? À Genève? N'y mange pas trop; on mange bien, là-bas. Oui; c'est ça. À demain. Je t'embrasse... Ah! J'allais oublier. Un Bill Laudegger a appelé, il voulait te parler, je lui ai dit que tu étais en voyage et que je ne savais pas où te joindre. Mais je lui ai promis de te faire la commission. C'est fait. Au revoir, mon chéri, gros bisous. » Il appela ensuite son cabinet de New York. Le marché de Wall Street était calme. On parlait toutefois de petits mouvements sur une société américano-canadienne, l'Obawita General Wood.

Une fusion qui donne naissance à une nouvelle société, fragilisée par la mise à l'écart de son principal dirigeant. Et maintenant, sans doute, une OPA sur l'Obawita. Surprenant. Même moi je ne vois pas du tout, pour l'instant, où ce farfelu de Fou de Bassan veut en venir. Je comprends la perplexité de Laudegger.

Qui m'a appelé au secours, soit dit en passant. Il doit en être malade de rage. Mandy va encore prendre des coups. Il est vrai qu'elle est hystérique.

Rappeler Laudegger ou non?

Non. Qu'il mijote un peu dans son jus. Une chose est sûre; il va se jeter sur la Yellowhead. C'est du cinquante contre un, comme dirait Gantry.

Cinq heures plus tard, après un excellent dîner, au restaurant italien *L'Auberge communale d'Onex*, situé à quelques kilomètres de la ville, MacArthur rappela ses assistants officiels. Mouvement sur la Yellowhead. Ça y était. Laudegger était parti en guerre.

Après avoir, sans aucun doute, consulté le plus capable (dans ce domaine) de ses propres assistants. C'est-à-dire Bert Sussman. Laudegger était peut-être allé jusqu'à confier la conduite de l'attaque à Bert. Non. Plus vraisemblablement, il la conduirait lui-même.

La revanche de San Diego, en quelque sorte.

Je ne vois toujours pas comment Gantry espère l'emporter. Il aura sous-estimé la puissance de Laudegger.

Ça ne m'arrive pas souvent, de ne pas comprendre.

Les amis genevois avec lesquels il avait passé la soirée s'en allèrent. Il rentra au *Richemond*, resta une vingtaine de minutes au bar, y but deux cognacs, tout en discutant avec Evans, le chef barman, de la situation internationale et des meilleures cuvées de scotch.

Il remonta dans sa chambre. Le surlendemain, il prenait un avion pour Bahrein. Huit jours sans alcool ou presque, au pays du Prophète. C'était une perspective peu alléchante.

Il se rappela le conseil – l'ordre, en fait – qu'il avait donné à Bert Sussman, la semaine précédente : ne pas s'opposer à une OPA que Laudegger voudrait lancer sur la Yellowhead. L'encourager, au besoin, avec adresse.

La Yellowhead & Star Corporation était le produit de la fusion de la Yellowhead Anglo-American Corporation (la YAAC) et de la Murchison Star Industries. La première fabriquait des machines à papier et des turbines hydrauliques, la seconde, des hélices, des moteurs et des machines-outils; l'une et l'autre avaient diversifié leurs activités, dans la pâte à papier et ses dérivés, dans l'électronique et la mécanique de précision, et dans l'exploitation forestière. Au fil des années, les deux entreprises avaient pris des participations çà et là – pas seulement aux États-Unis et au Canada mais aussi en Europe. Une filiale de la Yellowhead détenait par exemple près de quinze pour cent de la S.M. Hagler GmBH, groupe ouest-allemand qui figurait en très bonne place parmi les fabricants mondiaux de machines à papier. Cela remontait à l'immédiat après-guerre, quand la haute industrie américaine s'était fait un plaisir d'aider à relever l'économie de l'Allemagne ex-hitlérienne. Les usines de la Hagler avaient été soigneusement évitées par les bombardiers anglo-américains : ainsi seraient-elles opérationnelles dès la fin du conflit. La YAAC avait même envisagé, à la fin des années 70, de porter à trente pour cent cette participation (la YAAC avait été créée dans le milieu des années 20 par des Américains d'origine allemande), mais le dispositif anticartel de la RFA avait fait échec à cette tentative. Quant à la Murchison Star, dont le lieu d'origine était Vancouver, ses intérêts s'étaient portés plus volontiers vers le Pacifique – Nouvelle-Zélande et Australie. D'autant plus que l'un des neveux du fondateur (Silas Murchison, mort en 1952) avait épousé l'une des filles MacNulty, de Brisbane.

Parmi les nombreuses activités de la Star, avant sa fusion avec la YAAC, on comptait deux ou trois filiales qui fabriquaient en sous-traitance du matériel « sensible », autrement dit, du matériel de haute précision essentiellement destiné à l'US Air Force, à la technique aérospatiale et à certains programmes informatiques militaires. Toutefois, ce secteur de l'activité de la Star ne représentait que deux pour cent quatre de son chiffre d'affaires global.

Toujours antérieurement à la fusion, la Star avait son siège à Seattle, dans l'État de Washington, la YAAC étant pour sa part installée à Pittsburgh, en Pennsylvanie.

Les héritiers de feu Pee Wee MacNulty détenaient dix-sept pour cent de la Star. La fusion les ramenait à neuf pour cent de la Yellowhead & Star. Ce qui représentait tout de même près de quatre cent millions de dollars US.

Les actifs forestiers de la nouvelle Yellowhead, la YS, étaient constitués par trois millions deux cent mille hectares. Partie dans l'Ouest du Canada, partie aux États-Unis, partie enfin en Tasmanie – pour le Canada, rien de plus à l'est que le Saskatchewan.

On estimait à quatre milliards deux cents millions le poids total de la nouvelle société. La fusion avait surpris Wall Street. Rien, jusque-là, n'avait laissé présager un rapprochement entre deux groupes ayant, certes, quelques points communs mais par ailleurs, aucun lien connu. On était unanime à estimer que cette fusion n'avait pas été un chef-d'œuvre du genre. Le secret nécessaire à ce type d'opération avait été conservé jusqu'à la dernière minute mais l'exploitation de la nouvelle avait été exécrable. Aucune agence de relations publiques n'avait été chargée d'énumérer en termes dithyrambiques tous les bienfaits de cette union. Pas la plus petite campagne de presse. Des déclarations ternes aux journalistes spécialisés. Quelques contacts avec les investisseurs institutionnels que sont les gérants des caisses de retraite (le plus important d'entre eux étant responsable de trente milliards de dollars), mais, là encore, ces interventions avaient été timides, maladroites, d'un effet finalement contraire à celui que l'on recherchait : rassurer un actionnariat troublé par la nouvelle de la fusion.

Le résultat ne s'était pas fait attendre. L'action de la nouvelle Yellowhead avait dégringolé de soixante et un à cinquante.

Russell Kurtz, généralement tenu pour l'analyste financier le plus sûr de Wall Street (autrement dit, du monde, selon ses admirateurs, du moins) n'avait pas hésité à déposer ses conclusions. Selon lui, et son opinion était largement partagée par ses confrères, le *deal* de la Murchison Star et de la YAAC était l'un des plus lamentables enregistrés au cours des dix dernières années. Nul doute que la fusion avait eu pour conséquence de susciter une cible idéale pour un raider d'envergure. Quatre milliards deux cents millions n'étaient quand même pas rien, il fallait des reins solides pour s'attaquer à une telle affaire.

Kurtz avait trouvé deux raisons capitales à une aussi pitoyable prestation.

La première était la mort tragique de Pee Wee Mac-Nulty, à Brisbane. Vivant, le vieil Australien, qui avait su édifier une fortune d'un bon milliard de dollars en débutant à quatorze ans comme berger, n'aurait certainement pas accepté une fusion opérée de façon si désastreuse. Ses dix-sept pour cent avaient fait de lui l'actionnaire principal de la Murchison Star, à laquelle il avait, des années durant, insufflé son remarquable dynamisme. Ses héritiers – trois filles et leurs maris – étaient loin de posséder ses qualités.

La deuxième raison avancée par Kurtz était, en quelque sorte, encore plus péremptoire que la première. L'homme qui avait, durant les deux décennies précédentes, présidé aux destinées de la YAAC – et avec quelle autorité! – avait violemment combattu la fusion (Kurtz refusait comme toujours de dire d'où il tenait ses informations, mais il les garantissait). Cet homme s'appelait Adam Roarke. Il avait été mis en minorité par son propre conseil d'administration. Dans l'affrontement, il avait menacé de démissionner. Ce n'était pas la première fois qu'il brandissait une telle menace, on le savait coutumier du fait (l'autoritarisme de Roarke était bien connu, autant que sa phénoménale puissance de travail et son caractère emporté, qui l'avait conduit à faire des déclarations enflammées contre la plupart des dirigeants de grandes entreprises).

Sa démission avait été acceptée. Sans doute avec soulagement. Cette espèce de coup d'Etat contre Roarke avait été la revanche de ceux qu'il appelait les nabots (tous les autres, sauf lui). Processus classique.

Il n'était pas parti les poches vides. Il détenait cent vingt mille actions de la YAAC – entre six et sept millions et demi, selon les cours – et son contrat prévoyait qu'en cas de départ, il recevrait trois autres millions.

Il les avait reçus, avait pissé sur la longue table du conseil d'administration (l'authenticité de l'anecdote était attestée par une vingtaine de témoins, dont deux secrétaires sténotypistes chargées de l'enregistrement de la séance et un actionnaire administrateur-scrutateur, Frank Burke), avait pris les commandes de son petit avion personnel, et était parti pour ses premières vraies vacances depuis trente-trois ans – il en avait cinquante-six.

– J'aimais bien le vieux Pee Wee, dit Roarke. Lui, au moins, avait des couilles! Excusez-moi, Zénaïde. Et il m'avait assuré que vous en aviez aussi, Gantry.

Zénaïde choisit d'éviter tout commentaire. Gantry fumait sa pipe. La jonque était à l'amarre près d'un endroit appelé Mitiaro, dans les îles Cook méridionales – une vingtaine de kilomètres carrés et une poignée d'habitants, tous disposés à jurer sur la Bible qu'ils n'avaient jamais vu de jonque ni de Fou de Bassan avec des jambes et une barbe.

– Quand je dis que j'aimais bien Pee Wee, j'entends que je l'aimais beaucoup, reprit Roarke. Il y a de cela vingt-deux ans, il a voulu m'engager pour diriger la Murchison Star. Nous nous sommes engueulés pendant deux heures et dix-sept minutes et il est parvenu à hurler plus fort que moi – ce qui ne m'était jamais arrivé avant et ne m'est jamais arrivé depuis. Il est plusieurs fois revenu à la charge, toujours pour me demander de m'occuper de sa boîte. Ça devenait un jeu, à la longue. Tous les dix-huit mois, à peu près, on s'enguculait. Ça nous gardait en forme. Il va me manquer. Vous en étiez où, de votre concours hippique?

– Il menait dix-neuf à dix-sept.

– Vous le laissiez gagner, hein?

Gantry sourit. Roarke hocha la tête.

– C'est moi le premier qui lui ai parlé d'une fusion entre ma Yellowhead et sa Star. Il n'a pas dit non. Ni oui. C'était pourtant la seule façon de me mettre à la tête de la Star sans quitter la Yellow pour autant.

– Qui était au courant?

– Lui et moi, et personne d'autre. Ce n'est pas demain la veille que je rendrai des comptes à ces nabots. Ils signent où je leur dis de signer et ils ferment leur gueule. Gantry, je me servirai des pouvoirs qu'ils m'ont remis le jour où ça me chantera. Je voulais d'abord voir la tête que vous aviez. Des parlotes à la radio, ce n'était pas assez.

– Vous me connaissiez déjà.

– Il y a six ans, au Mexique, chez le gendre de Pee Wee, celui qui fait de la voile – j'oublie toujours son nom –, on s'est vus dix minutes, vous et moi.

– Bonne impression ?

– Pas complètement répugnante, convint Roarke.

– Quelque chose dans la culotte, dit Zénaïde.

Roarke la fixa.

– Je n'aime pas les bobonnes qui se mêlent d'affaires d'hommes. Surtout bâtie comme vous l'êtes.

– Je vous mets la pile au poker quand vous voulez, mon vieux. Et, ensuite, on se fait un bras de fer, tous les deux.

– Elle est toujours comme ça ? demanda Roarke.

– En ce moment, elle est calme. Méfiez-vous de son crochet du gauche. On descend ?

Ils descendirent voir où en étaient les deux OPA. Roarke était venu par l'Europe. Les vieilles tantes de Gantry avaient veillé à ce que son voyage fût discret et pensaient y avoir réussi, au prix de plusieurs changements d'avion.

L'OPA sur l'Obawita avait maintenant trois semaines d'existence officielle. Le 13 (d) avait été présenté. Le nom de Gantry y était apparu, flanqué de ceux d'hommes d'affaires américains et canadiens, et, ce qui était plus surprenant, d'un consortium de financiers sino-singapouriens. Des crédits d'un montant de quatre cent cinquante millions avaient été consentis par cinq banques différentes, et il y avait encore dans le sandwich, en mezzanine, pour six cents millions de *junk bonds*. Dans la déclaration de ses intentions relatives au patrimoine forestier de l'Obawita, Gantry avait souligné qu'il donnerait la priorité à la protection de l'environnement. L'action de l'Obawita était cotée trente-huit dollars le jour de la publication du 13 (d). Gantry en avait offert quarante-cinq. Durant la période de dix jours ouvrables qui avait précédé le 13 (d) et suivi l'annonce officielle de l'OPA, le raid avait permis de prendre huit pour cent de plus. On en était aujourd'hui à vingt-six pour cent. Mais la rafle était presque interrompue, faute de vendeurs. La riposte était venue, sous la forme d'une contre-OPA annoncée par Randolph Harkin III (il était en voyage au Cachemire) et son associé Albert Campanella. Les dirigeants de l'Obawita proposaient cinquante dollars par action pour battre l'offre à quarante-cinq faite par Gantry.

Roarke se pencha sur les chiffres et demanda :

– Quel est le prix réel d'un titre de cette Obamachin?

– Dans les quarante. Harkin, Fielding et surtout Campanella ont fichtrement épuré les comptes. Leur restructuration a été un modèle du genre. Ils ont vendu à la casse tout ce qui était peu ou pas du tout rentable. Avec ce résultat que l'action, qui valait vingt-quatre, s'est retrouvée à trente-huit. Du beau travail de raider prédateur.

– Sauf pour les compagnies qui ont dû fermer, les milliers de types qui ont perdu leur emploi, les petites villes qui ont vu disparaître l'usine ou la scierie qui faisait vivre les trois quarts de leur population.

– Sauf pour eux.

– Et vous offrez quarante-cinq pour ce qui vaut au mieux quarante?

– Eh oui!

– Eux montent à cinquante, et vous l'avez dans l'os.

– C'est ça.

– Vous allez vous faire carboniser, mon vieux.

– J'en ai peur.

– Je peux avoir un peu de café? J'ai tellement pris d'avions, ces deux derniers jours, que je ne sais même pas dans quel hémisphère je suis.

– Îles Cook, pays associé à la Nouvelle-Zélande avec

autonomie interne. C'est dans le Pacifique. Hémisphère sud.

– Je me disais bien que ça ne ressemblait pas à la Norvège. Dites donc, vue de l'extérieur, votre opération ressemble fort à un bide total.

– Vue de l'intérieur aussi, dit Gantry en souriant.

– Vous allez arrêter les frais?

– Je m'amuse trop. Je vais monter à cinquante-cinq.

– Et eux sauteront à soixante. Ou cinq mille cinq cents. Ils détiennent combien, vos Harkin, Campanella et consort?

– Huit et demi pour Harkin, onze pour Fielding, seize pour Campanella.

– Trente-cinq et demi.

– Plus les paquets de titres achetés par les fonds communs de placement l'année dernière, au moment de la première OPA. Je dirai dans les cinquante-quatre en tout.

– Petits porteurs pour le reste?

– Oui.

– Gantry, vous avez plus de chances d'être élu Miss Pacifique Sud que de vous en tirer sans très gros dommages.

– En me rasant la barbe, peut-être. La Bourse de New York vient de fermer, et, ici, il est huit heures du matin. Huit heures du soir pour vous, si j'ai bien calculé. On va dîner? Nous sommes un peu décalés dans nos horaires, sur cette jonque.

Dans l'affaire de l'Obawita, Gantry était en position d'attaque. Il était en position de défense dans celle de la Yellowhead. Par avocats interposés dans les deux cas. L'escale en Nouvelle-Zélande n'avait pas eu pour seul but de réapprovisionner la cambuse; Gantry avait fait un saut rapide et discret au consulat des États-Unis pour y établir les pouvoirs qui permettraient à ses conseils juridiques de le représenter dans l'OPA et lui éviteraient d'avoir à se trouver physiquement sur le territoire américain, infesté de Fourmis.

En position de défense donc, pour la Yellowhead, puisque l'attaque était menée par les Fourmis.

– Si c'est bien ce Laudegger et son organisation, remarqua Roarke.

– Regardez.

Une imprimante d'ordinateur se mit à faire défiler des noms. Par dizaines. Puis par centaines.

– J'en connais quelques-uns, dit Roarke. Et tous ces gens seraient des Fourmis?

Pas exactement. Et pas tous. Peut-être pas tous. Et, sans doute, la liste, si impressionnante qu'elle fût, n'indiquait-elle pas tous les noms de tous les rouages.

– Dans un premier temps, nous avons fait le tri de tous ceux qui avaient procédé à des achats d'entreprises, par un moyen ou par un autre : acquisitions normales ou fusions, offres publiques d'échange ou d'achat, OPA hostiles ou amicales. Pourvu que les opérations aient été effectuées au cours des cinq dernières années et aient touché, de près ou de loin, des entreprises américaines. Un moment, j'avais envisagé de faire ça à l'échelle mondiale, mais le temps me manque un peu.

– Et après ce premier tri?

– Une liste de quelques milliers de noms. Ceux des instigateurs officiels de tout achat d'une entreprise de plus de dix millions de chiffre d'affaires.

– Nom de Dieu!

– Ceux aussi des adjoints de ces instigateurs – de tous ceux qui, à un degré quelconque, étaient intervenus dans les transactions.

– Les avocats?

– Nous avons établi une autre liste pour les avocats. Vous voulez la voir?

Une autre imprimante se mit en route.

– Quatre cent soixante et onze noms, dit Gantry.

– Là, j'en connais une bonne quarantaine. Plus autant

dont je connais la raison sociale. Il y a du beau monde. Il y a sûrement eu un plus grand nombre d'avocats que cela qui sont intervenus dans des prises de contrôle de sociétés.

– Il y en a eu des milliers et des milliers. D'autant que, pour chaque cabinet, nous avons entré le détail de tous les juristes. Ce que vous avez sous les yeux est le résultat d'un écrémage.

– Sur la base de quoi?

– Mes vieilles tantes on fait une sélection de toutes les transactions qui pouvaient avoir été effectuées grâce à de l'argent blanchi. Nous avons éliminé un peu de monde. Exxon, General Motors, ITT, IBM, Coca-Cola, par exemple.

– D'après les monstrueuses élucubrations dont Abigail Rosewall-MacNulty m'a fait part, rien ne prouve que l'une de ces grosses boîtes ne soit pas déjà contrôlée par vos Fourmis.

– Rien du tout. Les Fourmis en ont les moyens. Avec deux ou trois cents milliards de dollars, on peut s'acheter n'importe quoi. Et n'importe qui. Nous avons également éliminé mon oncle Leonidas.

– Vous avez réellement un oncle baptisé Leonidas?

– C'est un nom de code. Ce sont tous les hommes que mes vieilles tantes et moi considérons comme peu susceptibles d'être des Fourmis. Ainsi, Jimmy Goldsmith et Bernard Arnault, ou Carl Icahn, ou Pickens.

– T. Boone m'a battu quatre fois au poker. C'est sûrement une Fourmi pour sortir autant de carrés de dames! Je plaisante. Qui d'autre avez-vous écarté?

– Ceux qui ont raté leur coup.

– Logique. Les Fourmis ne ratent pas leur coup. Vous pouvez faire monter la climatisation? Je crève de chaud. D'accord; vous avez rayé pas mal de noms. Et ensuite?

– Nous avons fait avaler à nos ordinateurs...

– Ceux de la jonque?

– Non. Ils ne sont pas assez puissants. Mais ils sont reliés à de plus gros. Ça se loue, ces machins. Nous avons donc fait avaler tous les renseignements que nous avions déjà sur les Fourmis.

– Ça ne fait pas lourd.

– Ça fait Harkin, Fielding et Campanella. Ça fait Lou Mantee. Plus tous les avocats qui ont travaillé à l'OPA sur l'Obawita. Plus tous ceux qui, de près ou de loin, ont eu affaire à la banque Kessel, dans le Wisconsin. Plus tous ceux qui ont reçu, pour leurs opérations, des appuis financiers des deux fonds de retraite repérés à Milwaukee.

Plus les gérants de ces mêmes fonds. Ce qui commençait à faire pas mal de monde. Une bonne base de départ, en tous les cas. Et, entre-temps, on s'était également occupé des banques. De la même façon que l'on avait écarté *a priori* Exxon ou IBM, on avait laissé de côté la Chase Manhattan et d'autres établissements du même calibre. Mieux encore, on avait éliminé d'office toutes les affaires dans lesquelles ces banques de haut niveau étaient entrées comme bailleurs de fonds, considérant, à tort ou à raison, que les Fourmis avaient dû éviter des contacts risqués entre leurs banques à elles et d'autres trop bien équipées pour mener des investigations sur les fonds propres de leurs clients.

Si bien qu'à peine trois mille transactions éventuelles de Fourmis étaient demeurées en course. On les avait classées en cinq catégories, de A à E, plaçant en catégorie A les plus suspectes (utilisation de financement *offshore* ou mal définis).

On avait introduit dans la mémoire des ordinateurs tout ce qui concernait les catégories A, B et C. Pour commencer. En dressant une nouvelle liste, celle de tous ceux qui avaient trempé, même en toute innocence, dans ces transactions-là.

Et l'on avait comparé avec le dossier Fourmi précédemment établi.

En relançant les vieilles tantes sur le sentier de la guerre chaque fois qu'un point était obscur. Par exemple, tel avocat de la 341 A (ayant également officié dans la 27 A, la 118 A, la 45 B, la 96 B, la 233 B, et dans une demi-douzaine de C) avait-il un point commun avec Max Krueger, chef du service juridique de l'Obawita? Ils avaient fait leurs études ensemble et débuté dans le même cabinet de Chicago? Intéressant. Voyons un peu ce cabinet de Chicago; qui y est encore et qui l'a quitté; pour aller où...

– Je commence à m'y perdre, Gantry.

– C'est parce que vous avez fait des études d'économie et d'administration des affaires. Vous auriez étudié la biologie marine, ça vous paraîtrait enfantin. Je continue?

– Vous n'avez pas dit un mot de Laudegger.

– Nous avons découvert à vingt-trois reprises la trace de William Carlos Laudegger. En plus, dans cent quatorze autres cas, la probabilité qu'il ait rencontré une fois au moins l'un de nos quatre cent soixante et onze avocats est de quatre-vingt-cinq pour cent. Et elle est supérieure à soixante pour cent dans cinquante-trois cas encore.

– Il est lui-même avocat et dirige un énorme cabinet. Rien de surprenant à ce qu'il connaisse des confrères.

– Quatre cent soixante et onze confrères? Et expliquez-moi donc pourquoi aucun d'eux n'a eu le moindre rapport officiel avec Laudegger, ne s'est jamais trouvé dans une affaire où il était partie prenante. Laudegger fait travailler plus de trois cents personnes mais pas un seul de ses anciens condisciples d'Harvard, pas un seul des membres des clubs qu'il fréquente. Pourquoi? En outre, il travaille près de seize heures par jour, pourtant le chiffre d'affaires officiel de son cabinet, s'il est considérable, ne justifie pas...

– On arrête, Gantry. Vous êtes sûr que notre homme est Laudegger?

– Certain.

– Donnez-moi un seul de vos vingt-trois cas à cent pour cent.

– Je vous en donne deux. Max Krueger, d'abord. Officiellement, Laudegger et lui n'ont aucune raison de se connaître. Ils n'ont jamais travaillé ensemble, nulle part. Mais dix-neuf des affaires dont Krueger s'est occupé ont été classées A par mes vieilles tantes. Il y a trois ans, Laudegger et Krueger sont allés ensemble au Mexique. Même avion, même hôtel, même limousine qui est venue les chercher pour les conduire vers une destination inconnue. Les deux hommes ont dîné deux fois ensemble dans le salon privé d'un restaurant français. Et Krueger est, je vous le rappelle, le chef de l'équipe juridique de l'Obawita, comme d'ailleurs de six autres entreprises également classées en catégorie A. Deuxième exemple : Laudegger sort de temps à autre les chiens de sa femme; des bobtails, si vous voulez tout savoir. Voici trois nuits, il a rencontré un autre propriétaire de chien, avec qui il a bavardé pendant que leurs bêtes respectives faisaient leurs petits besoins. J'ai quatre vieilles tantes qui se relaient dans un appartement de Park Avenue. L'une de ces vieilles tantes est entraînée à lire sur les lèvres, surtout avec des jumelles. L'interlocuteur de Laudegger a prononcé mon nom à deux reprises et il a parlé d'un bateau appelé le *Grey Shadow*. Détail intéressant, sitôt après avoir quitté Laudegger, l'inconnu a flanqué son clebs dans une voiture et est parti vers le nord. Mes vieilles tantes n'ont pas osé le suivre. Ça vous suffit ?

– Oui. Si vous arrivez à traîner Laudegger devant un tribunal, je vous offre un déjeuner à Paris, chez *Robuchon*. Quelles sont vos chances ?

– A peu près mille fois inférieures à celles que j'aurais d'être élu Miss Pacifique Sud. Même en me rasant.

– Ma Yellowhead maintenant, dit Roarke.

– Trois cabinets d'avocats sur le coup, tous spécialisés

dans les affaires de type A. Ayant déjà opéré dans un certain nombre d'affaires de ce genre. Les courtiers qui ont commencé la rafle avant l'annonce de l'OPA correspondent aux mêmes caractéristiques. Pareil pour le cabinet de relations publiques. Le cas du *proxy-fighter* est plus intéressant encore.

Un *proxy-fighter* est un expert en communication financière. Il y a deux façons de s'assurer le contrôle d'une société : acquérir une majorité des actions ou détenir une majorité de mandats au conseil d'administration. Les *proxy fighters* se consacrent uniquement à la deuxième, en agissant sur les actionnaires dans les semaines, les jours, les heures qui précèdent l'élection annuelle des administrateurs. (Aux États-Unis la mobilisation des actionnaires pour ce type d'élection peut atteindre quatre-vingt-dix pour cent.) Qu'ils obtiennent que les mandats envoyés par ces actionnaires désignent tel et tel administrateur, ils auront obtenu le pouvoir réel pour le compte de leurs clients. Si bien que, en théorie, le porteur d'une seule action de Coca-Cola pourrait contrôler entièrement la société s'il réussissait à faire élire toute sa famille au conseil d'administration.

Le *proxy-fighter* qui était en jeu dans l'OPA contre la Yellowhead se nommait Freddie Sharp.

— Il y a trois ans, il était considéré comme le meilleur de la place. D'une ténacité et d'une ingéniosité hors du commun. C'est lui qui est revenu dix-huit fois à la charge auprès d'un gros actionnaire, dans l'affaire Penn-Alcott. Il s'est fait jeter dehors dix-sept fois et a convaincu son bonhomme au dernier coup. Il y a trois ans, il a pris sa retraite. À l'âge de trente-quatre ans. Il a fermé son bureau de Broad Street et est parti s'installer dans sa maison des Bahamas, achetée un million, alors qu'elle en vaut six fois plus, à une société de Curaçao.

— On l'a acheté, lui aussi !

— Exactement. Il revient de temps à autre. Pour le

plaisir, selon lui. Et s'occupe d'un coup ou deux avant de repartir.

– Et il n'intervient que dans les transactions de type A.

– Les plus importantes. Pour deux cent cinquante mille dollars d'honoraires. Une misère.

– Les Fourmis l'ont engagé à plein temps ?

– Ne serait-ce que pour ne pas l'avoir face à elles.

– D'accord. Parlez-moi des hommes dont les noms figurent sur le 13 (d).

– Soler est un raider du type Fielding. La plus grosse partie de son argent vient d'Argentine. Nous vérifions. Chadé est un Libanais qui a obtenu, il y a quatre ans, la nationalité américaine. Pour lui, les vérifications sont terminées. Les Fourmis ont trouvé un moyen original d'en faire un financier capable de monter des OPA sans étonner personne : il serait l'héritier d'un milliardaire du Liban qui lui aurait tout légué. Soixante et quelques millions de dollars.

– Et vos vieilles tantes ont contrôlé ?

– À Beyrouth ? Un obus est malheureusement tombé sur l'étude du notaire. Ou bien c'est une voiture qui a explosé. Plus d'archives. Et Chadé a trouvé des copains, libanais eux aussi, qui ont mis des sous. Et des banques se sont précipitées pour lui accorder des crédits.

– Vos machines peuvent vous dire combien de titres Chadé et Soler détiennent déjà ?

– Dix-neuf. Soixante-sept pour cent. Ils ont tout l'argent du monde, Roarke. Ils pourraient donner un lingot d'or par action.

– Et il faudrait que je remonte sur le ring, juste pour me faire mettre KO par ces types ?

Pour commencer, ils remontèrent sur le pont. Des heures et des heures durant, Adam Roarke s'était plongé dans l'étude des chiffres et ne cachait qu'assez mal sa stupéfaction.

Il se trouvait, à bord de la jonque, bien plus d'informations sur « *sa* » Yellowhead qu'il n'en possédait lui-même, qui avait pourtant consacré toute sa vie à l'entreprise. Il avait demandé à voir le dossier qu'on avait constitué sur lui. Peter Kartsov, celui des assistants de Gantry qui était responsable du département investigations et recherches personnelles et qui, à ce titre, coordonnait tout le travail des vieilles tantes, avait, sur un signe de tête de Gantry, accédé à sa demande. Roarke avait été sidéré – et pas très loin de la fureur.

– C'était vraiment la peine de fouiller à ce point ma vie privée?

Sourire de Gantry.

– Vous auriez pu être, sinon une Fourmi, du moins quelqu'un susceptible de travailler pour elles, Adam.

Et d'expliquer que l'on avait découvert une constante, chez beaucoup de ceux que les Fourmis employaient, une constante que l'on avait repérée d'autant plus facilement qu'on s'était mis à la rechercher systématiquement : un point noir dans le passé des prête-noms. Ce pouvait être une mort suspecte dans l'entourage de l'intéressé, une vilaine affaire d'argent ou de mœurs, un besoin désespéré d'argent; et tout avait été réglé grâce à une intervention mystérieuse.

Les yeux d'Adam Roarke se rétrécirent.

– Vous suggérez que cette organisation fantasmagorique dispose en quelque sorte de son KGB personnel?

Exactement. Les Fourmis avaient, sans nul doute, leur propre KGB, et leur GRU. Également subdivisés en service de police simple, chargé de veiller à la discipline et à la fidélité de chacun, en service de coercition et de sanction (l'affaire Morales, à Milwaukee), en service de renseignements intérieur et extérieur, sans doute responsable du recrutement des hommes de paille et des hommes employés à blanchir l'argent, en service action, enfin, qui poursuivait les ennemis potentiels et les exterminait.

Tout cela impliquait – c'était logique – l'existence de

quelqu'un qui était un spécialiste du renseignement, de l'espionnage et de l'assassinat.

Roarke hochait la tête en portant un verre de rhum à ses lèvres. On buvait plus de rhum que de whisky ou de cognac à bord de la jonque, en hommage très posthume à Long John Silver et à Jim Hawkins, héros de *L'Île au trésor*, le roman de Robert Louis Stevenson.

Roarke demanda :

— Vous avez identifié ce spécialiste grand chef du KGB des Fourmis?

— Évidemment, non, dit Gantry.

— Et le juriste génial?

Gantry sourit à Zénaïde.

— Non plus.

Zénaïde ne dit rien. Si Gantry ne jugeait pas devoir faire allusion à MacArthur, elle était d'accord. D'ailleurs, elle connaissait ou croyait connaître les raisons de cette discrétion. Pour autant que quiconque pût deviner les mobiles de monsieur Jonathan Gantry et suivre les méandres pour le moins erratiques de ses raisonnements. *Voilà le mot : mon palmipède préféré est erratique. Il bouge sans arrêt, il est sans domicile fixe, et sa cervelle d'oiseau de mer pratique la fulgurance. Étonnez-vous, après ça, que j'aie du mal à galoper derrière.*

Et que je tienne pour impossible de rester avec lui jusqu'à la fin de mes jours.

Si je ne meurs pas prématurément, croquée par une Fourmi géante, aux mandibules tranchantes.

Le soir s'annonçait sur les îles Cook. Dans vingt minutes, on débarquerait Adam Roarke sur la petite Cook et il reprendrait, toujours sous l'égide des vieilles tantes (celles-ci étaient chinoises), le chemin de sa maison située à la frontière américano-canadienne, en face de Vancouver.

— Et vous, où irez-vous, avec cette jonque?

Gantry répondit qu'ils allaient se promener un peu, d'île en île; ce n'était pas les îles qui manquaient, dans le Pacifique; ils n'avaient pas d'itinéraire précis.

Roarke considéra le dossier qu'il avait entre les mains.

– Et il faudra qu'à mon âge je me conforme aux instructions établies par une bobonne?

– Vous avez reconnu vous-même que vous ne connaissiez pas grand-chose aux OPA, dit Gantry, apaisant.

– C'est quand même un travail de bobonne, dit Roarke.

Zénaïde lui fit le coup du sein qui tue. Tirant sur son très (trop) petit soutien-gorge de maillot de bain, elle démasqua l'un de ses mamelons, qui pointa comme un obus. Le sein qui tue réduisit Adam Roarke au silence.

Ils reburent un fond de rhum pour fêter la visite du futur ex-manager de la Yellowhead & Star Corporation.

– Résumons-nous, dit Roarke. Et arrêtez-moi si je me trompe, Gantry. Vous avez lancé contre l'Obawita une OPA hostile qui prend chaque jour davantage les allures d'une débâcle. D'accord?

– D'accord.

– Je ne sais pas au juste combien d'argent vous avez jeté dans la bataille, mais il ne doit pas vous en rester tant que ça. D'accord?

– D'accord.

– Et en plus, vos flics privés et tous vos enquêteurs, que vous appelez les vieilles tantes, doivent vous coûter la peau des fesses.

– L'image est gracieuse, dit Gantry, mais exacte.

– Et tout ça pour un raid à l'issue duquel vous serez battu à plates coutures.

– Voilà.

– Très bien. Voyons maintenant ma Yellowhead. Vous avez fait des pieds et des mains pour que Laudegger l'attaque, par une autre OPA hostile.

– Oui.

– Vous m'avez persuadé, vous et vos copines Mac-Nulty, de faire semblant de quitter mon navire, en feignant de m'opposer à une fusion que je souhaitais depuis des années.

– Nous ne vous avions pas demandé de pisser sur la table du conseil d'administration.

– J'ai ma légende à défendre. Et, d'ailleurs, j'en crevais d'envie depuis longtemps. Bon. Je suis parti en claquant la porte, comme vous le souhaitiez. Et maintenant je devrais rentrer de l'île d'Elbe. Vous me demandez de reprendre les commandes d'une entreprise dont vous reconnaissez vous-même que, dans le meilleur des cas, si par miracle elle n'est pas avalée par les Fourmis, elle sortira de la bataille exsangue, toute cassée, au point qu'il lui faudra dix ou quinze ans pour s'en remettre.

– C'est tout à fait ça.

– Et il va falloir que je mène un combat de retardement, en suivant pour ce faire les instructions d'une fille. Tout ça pour courir à mon Waterloo.

– Napoléon Roarke, dit Zénaïde, ricanante. Gantry, ton copain a la folie des grandeurs.

– La ferme, Gagnon, dit Gantry en riant.

– Est-ce que, par hasard, demanda Roarke, il pourrait venir à l'idée de vos Fourmis folles furieuses de lancer contre moi leurs sanglants sicaires ?

– Tu noteras, Zénaïde, dit Gantry de sa voix nonchalante, que, pour un financier, sorti d'Harvard qui plus est, il a quand même l'air de savoir lire et écrire. Le mot sicaire n'est pas connu de tout le monde. Un sicaire est une espèce de tueur à gages.

– Je le savais aussi, mon pote.

– Tu saurais lire, Gagnon ?

– Quand vous aurez fini, bande de morveux..., dit Roarke. On va essayer de me tuer ou non ?

– C'est du un contre un, dit Gantry.

Le canot qui venait chercher Roarke approchait, sur

une eau aussi plate que certains bilans. Il ne faisait pas si chaud, l'air était immobile, des fous de Bassan et mille autres oiseaux des tropiques planaient dans un ciel virant à l'améthyste, et ce que l'on apercevait de l'île de Mitiaro, les plages de sable, les cocotiers, les coraux, faisait imaginer le commencement du monde.

– Et vous deux? demanda Adam Roarke à nouveau. Vous deux et tous ces jeunes fous sur la jonque?

– On nous poursuit un tant soit peu. Il n'est pas absolument exclu qu'on nous rattrape un de ces quatre matins.

Le regard bleu de Roarke sous le sourcil en broussaille alla de Zénaïde à Gantry, puis de Gantry à Zénaïde.

– Vous êtes amoureux, hein?

– Non, dit Zénaïde.

– Pas du tout, dit Gantry.

– Je m'en doutais, dit Roarke. Moi aussi, j'ai lu un livre ou deux. Gantry, tu as lu Kipling?

– Seulement *Kim* et *Le Livre de la jungle*.

– Lis *Simples Contes des collines*. Si tu es encore vivant d'ici la fin de la semaine. Une nouvelle intitulée *Sa chance dans la vie*. Juste la fin. Les quatre dernières lignes. Adieu, morveux. Je crois que je vais aller repisser un petit coup sur cette foutue table.

Il s'en alla, très droit. À aucun moment, il ne se retourna. C'était vraiment un homme qui inspirait confiance. On ne doutait ni de son honnêteté ni de sa détermination dans la lutte.

– Tu n'aurais pas dû lui montrer ton sein droit.

– Le gauche est encore plus gros.

– Quand même.

– J'aurais dû lui faire un bras d'honneur? Tu es jaloux, Gantry.

– On ne va pas recommencer.

Ils étaient accoudés tous deux au bastingage, au garde-corps de bois noir et lisse, si doux au toucher. Tony Beardsley faisait mettre à la voile. Les Ibans, presque nus, s'activaient avec leur languide efficacité coutumière. On repartait. Pour Dieu seul savait où. Vagabondage et fuite incessante. Trois jours auparavant, le message radio d'un ami posté dans les Three Kings Islands, à la sortie de la mer de Tasmanie, avait annoncé le passage du *Grey Shadow*. Il avait subi des avaries au large de Strahan et avait dû quelque peu radouber. Trois autres yachts le précédaient. La chasse continuait. À tout moment, l'ennemi pouvait surgir. Et ce serait la fin.

— Non, dit doucement Gantry, dans le silence qui avait clos leur dernier échange.

Zénaïde faillit s'irriter de cette aptitude qu'il avait à lire dans ses pensées.

— Et je pensais à quoi, selon toi, ce coup-ci?

À l'évidence, elle se demandait si le plan qu'il avait conçu pour se défaire à tout jamais des Fourmis avait tant soit peu de chances de réussir avant qu'ils ne fussent exterminés.

— C'était ça, ta question?

— Tu m'énerves.

Eh bien, il ne connaissait pas la réponse. C'était un plan assez tortueux, lui-même en convenait. Le plus cinglé qu'il eût jamais conçu. Il avait pourtant de solides références en ce domaine. Mais il n'avait rien trouvé d'autre. Il l'avait dit à Adam Roarke. Quelque part dans le monde, il devait exister un ou plusieurs hommes qui avaient mis en place et perfectionné les corps des Fourmis combattantes. Une sorte de Fourmi Dzerjinski ou Beria. Glaciale. D'une infinie patience. Dotée de moyens fantastiques (rien que l'affrètement des yachts avait coûté une fortune).

Cet homme qui commandait à ceux que Roarke, pour le plaisir d'une allitération, avait baptisé les sanglants sicaires.

Le Sicaire en chef.

Qui, peut-être, n'était même pas à la tête de la meute de yachts lancés à leur poursuite. Gantry avait beaucoup réfléchi à ce sujet. Le commandant en chef des Fourmis maritimes ne devait pas être le Sicaire en chef. Un sous-fifre, peut-être. Pas d'une intelligence diabolique, en tout cas. La preuve en était qu'il avait manqué tous ses coups jusque-là. Gantry avait donc imaginé ce qu'il aurait fait, lui, s'il n'avait pas été Gantry mais quelqu'un disposant de millions et de millions de dollars et ambitionnant de tuer Gantry et la belle Zénaïde. Il aurait trouvé mieux que ces tentatives obstinées mais stupides.

– Qui peuvent réussir, remarque. Mais quel temps perdu !

Et puis, la tactique adoptée par le commandant des Fourmis maritimes n'était pas digne de l'homme qui avait créé l'organisation des Fourmis combattantes.

Non, il y avait bien deux hommes différents. Celui qui commandait les Fourmis maritimes et un autre.

Au-dessus. Le chef des chefs.

– Qui ne s'intéresserait pas à nous ?

Gantry sourit à Zénaïde. Elle comprit.

– Je vois, dit-elle. Tu penses que MacArthur le retient.

– Mmmmm...

– Si MacArthur est le juriste génial. Tu construis tes hypothèses sur des suppositions elles-mêmes fondées sur des conjectures.

La jonque bougeait, lourde et lente. Il y avait si peu de vent que les voiles frissonnaient à peine – mais Tony économisait son mazout.

– Et que ferais-tu, toi, Gantry, si tu étais ce fameux Sicaire en chef que MacArthur retiendrait et empêcherait de s'occuper de nous ?

– Tu veux dire si MacArthur ne me retenait plus, ou bien si je décidais que j'en ai plein les bottes d'être retenu, ou bien encore si je considérais que MacArthur n'a pas à me retenir et que je ferais mieux de faire ce pour quoi mes patrons en Colombie me paient et m'ont choisi?

– Ma question était vraiment aussi compliquée que ça?

– Oui. Je préfèrerais ne pas en parler, Zénaïde.

– Quand tu m'appelles Zénaïde, j'ai des cheveux blancs qui me viennent. Qu'est-ce que tu ferais, nom d'un chien? Qu'est-ce que tu ferais pour nous prendre, toi et moi?

Il le lui dit.

Elle fut terrifiée.

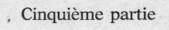

Cinquième partie

1

MacArthur était à Tokyo et n'aimait pas Tokyo. Il n'aimait pas le Japon non plus. Ni les Japonais. C'était un pays superbe, les gens y avaient un sens esthétique saisissant, jusque dans la fabrication des balais; on y mangeait à merveille, d'accord, mais c'était plus fort que lui. *Je ne me fais pas aux Japonais, c'est ridicule. Et je me demande bien pourquoi. Je ne supporte pas les Japonais, qui sont très propres, alors que je m'accommode fort bien des Chinois, qui sont assez souvent cradingues.*

C'était inexplicable. Le fait qu'il ne sût pas un mot de japonais y était peut-être pour quelque chose. Ou peut-être fallait-il demeurer des années ici. Toute généralisation est, par définition, absurde. MacArthur s'en voulait d'y céder et y voyait une faille dans son intelligence.

Il était à Tokyo depuis onze jours. Il négociait. C'était horrible. Pire que les négociations, pourtant extraordinairement épineuses, qu'il avait précédemment menées dans les pays arabes. Ici, des heures et des journées entières passaient sans qu'il eût l'impression de progresser d'un pouce (quand il n'avait pas celle de reculer). On ne parlait qu'à mots couverts, par périphrases prudentes quasiment allégoriques. Si l'un de ses interlocuteurs s'absentait quelques instants pour aller aux toilettes ou téléphoner, ou n'importe quoi d'autre, il n'était jamais sûr que ce fût le même homme qui revenait s'asseoir à la table.

Mais il négociait son Plan d'ensemble.

Bon, il avait toujours su que ce serait ardu. À la limite du possible. Quand même !

Il appelait Letty tous les jours, attendant onze heures du soir pour le faire, afin de ne pas la tirer du lit à des heures impossibles puisqu'il y avait dix heures de décalage entre le Japon et l'île des Caïques. Chaque fois, il sentait la boule de coton dans sa gorge et la crispation douloureuse de son estomac, au point d'en avoir la nausée. Parce que, chaque fois, la voix de Letty était calme, imperturbable. Jamais de question, bien sûr. Elle ne lui avait demandé ni ce qu'il faisait au Japon ni combien de temps il allait y rester encore. Où Letty voulait-elle en venir – si elle voulait en venir quelque part ? À le pousser à tout lui dire. Non. Sûrement pas. *Elle était réellement soulagée quand je me suis finalement tu, le jour de mon départ ? Alors ? Elle accepterait la situation ?* Il n'arrivait pas à y croire. *Pas Letty.*

Qu'est-ce que tu en sais, au fond ?

MacArthur avait également joint le *Sea Wolf* et le *Graziella*. Il avait fini par se résoudre à prendre contact avec Laudegger.

– Vous vouliez me parler, Bill ?

– Rien d'important. Désolé d'avoir dérangé votre femme. Rien en tous cas qui ne puisse attendre votre retour. La situation a changé et il n'y a plus d'urgence.

« *La situation a changé et il n'y a plus d'urgence.* » MacArthur avait été mis au courant, notamment par son bureau de New York, du déroulement des affaires de la Yellowhead et de l'Obawita. L'attaque et la défense dirigées par Laudegger et ses hommes étaient parfaites dans les deux cas.

Restait à savoir pourquoi, dans quel but énigmatique, Gantry s'était lui-même placé dans une situation aussi lamentable. En supposant, bien entendu, qu'il n'eût pas commis l'erreur de sous-estimer la puissance financière de Laudegger. Ce qui était toujours possible.

Nous commettons tous des erreurs. Les fous seuls croient en être exempts – et les politiciens parfois.

MacArthur se trouvait dans sa suite de l'hôtel *Miyako*, dans Shiroganedai, qu'il avait choisi parce qu'il aimait les grands hôtels où personne ne vous accorde d'attention et, surtout, parce que le *Miyako* avait une piscine. Il s'astreignait désormais à nager mille mètres par jour; son ventre prenait des proportions alarmantes. Sur l'un des circuits vidéo de la télévision intérieure, il suivait d'un œil plutôt vague les hécatombes déclenchées par Mel Gibson dans *L'Arme fatale 2*. En même temps, il jouait tout seul au jeu de go acheté lors de son récent passage à Hong-Kong, manipulant tantôt les boutons de culotte noirs tantôt les jaunes. *Je suis MacArthur et, en face, c'est le Sicaire; ou bien je suis encore moi mais ce sont eux qui sont assis tous les cinq dans le fauteuil (sur les genoux les uns des autres); ou bien encore je suis Laudegger et j'ai ce fou de Gantry qui ricane à quatre pieds de moi; ou alors (voyons un peu...) je suis carrément Gantry en train de me faire encercler et détruire par ce fumier de Laudegger qui m'a tué mon vieux copain Pee Wee MacNulty...*

Oh! Nom de Dieu!

Un froid mortel envahit MacArthur.

Oh! Non!

Il balaya les pions du jeu de go de la paume. Ses mains tremblaient. Mel Gibson, sur l'écran, poursuivait ses massacres fous.

C'est la seule explication possible, Mac. La seule idée vraiment folle que tu aurais si tu étais le Fou de Bassan et que tu avais joué comme il a joué jusqu'ici.

Oh! Mon Dieu! Pauvre de nous!

Laudegger acheva sa lecture et la recommença. Il y avait trois feuillets, dactylographiés en simple interlignage. Denses. Il termina sa seconde lecture, repoussa légèrement les papiers, puis son fauteuil, et posa les jambes sur le bureau où Bert Sussman avait déjà flanqué les siennes, avec son sans-gêne ordinaire.

Un temps.

— Et c'est tout ce que tu as trouvé, Bert?

— Je me suis mis dans la tête de Jonathan Gantry voguant sur sa jonque avec la belle Zénaïde Gagnon, poursuivi par Milán, dont je ne sais pas qu'il s'appelle Milán, en grand danger d'être liquidé, donc, et je me suis demandé ce que je pourrais faire pour emmerder au maximum un certain Bill Laudegger. Moi, je trouve que ce que j'ai trouvé n'est pas mal du tout. Il me semble que j'ai été hypermachiavéliquement glauque et sournois.

— Sauf que ta conclusion, si je la comprends, est que j'ai bien fait de lancer l'OPA contre la Yellowhead.

— Ouaip, dit Bert.

— Et que je devrais, non seulement ne pas l'interrompre, mais encore l'intensifier.

— Ouaip.

— Quelqu'un t'a payé pour déposer ce genre de conclusion, ou t'a ordonné de le faire?

Bert sourit largement.

— Tu parles à qui, en ce moment, Bill? À moi-moi ou à moi-Gantry?

— À toi. Ne joue pas au con.

— On m'a payé pour t'entraîner dans cette OPA, dit Bert. Un million de dollars par semaine de présence, comme dans un jeu télévisé. Plus longtemps tu t'obstines sur cette OPA et plus je gagne. On me verse l'argent sur un compte ultra-secret. Moitié en Albanie, moitié au Groenland.

— MacArthur?

– Qui d'autre? dit Bert, goguenard.

– Un simple non aurait suffi, dit Laudegger, bien décidé à ne pas se mettre en colère quoi que Sussman pût faire ou dire. Il avait observé Bert intensément en posant ses questions et n'avait strictement rien lu dans ses yeux. *Je suis trop méfiant. Et Milán m'a juré qu'il n'y avait aucun contact entre Sussman et MacArthur.*

D'ailleurs, aux dernières nouvelles, MacArthur était au Japon. Pour y faire quoi? Mystère. Sans doute avait-il inventé un nouveau moyen de blanchir de l'argent. *L'imagination de ce type est sans bornes. Le Japon après l'Europe, les capitales arabes du pétrole, l'Inde, Hong-Kong et la Chine. Monsieur se paie un tour du monde. Qu'est-ce qu'il aura encore inventé?*

Oublie un peu MacArthur, tu veux?

Bert Sussman se brossait les ongles.

– D'accord, dit Laudegger. Maintenant, tu cesses de faire le guignol et tu es Gantry. Pourquoi m'as-tu poussé à lancer cette OPA?

– Pour te faire perdre des sous.

– J'en perds. Mais, outre que je m'en fous...

– Il ne sait pas à quel point, Bill. Je veux dire Gantry ne le sait pas.

– On verra. Mais, outre que je m'en fous, si j'en perds pour l'instant, je vais finir par en gagner.

– Je me serais surestimé?

– En tant que Gantry, tu es trop intelligent. Non.

– On ouvre une parenthèse, Bill. C'est moi, Bert Sussman, qui parle. Je t'avais averti que le retrait de Roarke était sans doute une feinte. J'avais raison; Roarke est revenu.

– Tu as vu juste. Je te paie pour voir juste. Fermons la parenthèse. Tu es de nouveau Gantry.

– Allô! J'écoute, dit Bert, rigolard. Parle plus fort, le Pacifique est en colère.

Laudegger faillit sourire. Il n'avait pas de raison d'être lugubre. Les affaires de la Yellowhead et de l'Obawita marchaient bien, toutes les affaires marchaient bien. Le *Sea Wolf* et le *Graziella* avaient annoncé que des milliards et des milliards supplémentaires avaient été blanchis, et lui, Laudegger, en avait trouvé l'usage – des investissements fort habiles. Pour la première fois, peut-être, depuis qu'il occupait son poste, il était à flot. Ces sommes monstrueuses qu'on lui demandait de placer ne s'accumulaient pas en provoquant l'engorgement du mécanisme de répartition. Décidément, le marché du *crack* donnait à plein. Et *ils* faisaient tout pour en garantir l'avenir. Aux États-Unis, on fournissait même aux enfants et aux adolescents des doses gratuites... *Sky is the limit*... Quel meilleur vivier que l'école eussent-*ils* pu trouver ?

Outre cela, qui eût déjà suffi à le satisfaire, ses relations avec Mandy étaient, pour le moment ¡*que sorpresa!* quasi normales. Elle s'était amadouée ; ils avaient encore fait l'amour la nuit dernière, comme aux premiers temps de leur mariage, mais avec, en plus, l'expérience qu'elle avait acquise depuis. Si seulement elle pouvait rester ainsi tout le temps !

– Gantry, dit Laudegger, tu ne m'as pas convaincu. Tu es trop intelligent pour te contenter de ces raisons que tu viens de me donner. Tu as dû me préparer un piège.

– Je t'en ai préparé plusieurs, espèce de pourri ! dit Gantry-Sussman. D'abord, le faux départ de Roarke.

– Nous en avons déjà parlé.

– N'empêche que le vieux Roarke te fait des misères. Sa défense contre ton OPA est somptueuse.

– Il a Marty Kahn, et peut-être aussi Jack Fein, pour l'assister.

– Pas Jack. Il n'est pas dans le coup. Et le type qui a donné des armes à Roarke n'est pas Marty. Je connais le style de Marty. Il a quelqu'un d'autre en plus.

– Gantry lui-même ?

– Gantry n'est pas un spécialiste comme Marty. Ou

comme toi, ou moi. Ou Jack Fein. Ou trois ou quatre autres. Non. La défense de Roarke porte une autre marque, que je ne connais pas. Un nouveau.

– Que Gantry aurait recruté où? En Tasmanie?

– Aucune idée. Bill, on arrête de jouer. Tout ce que j'ai pu trouver comme coups tordus en essayant de me mettre dans la tête de Gantry, je l'ai écrit. Tout est là.

Laudegger se reporta pour la troisième fois aux feuillets dactylographiés. Bert avait même été jusqu'à imaginer d'extraordinaires machinations, par lesquelles Gantry et Roarke qui, en effet, défendait sa Yellowhead avec une adresse et une ruse proprement infernales auraient regroupé les titres détenus par les petits actionnaires en gros paquets de moins de cinq pour cent – et donc non justiciables de la SEC – détenus par des amis sûrs, non vendeurs quel que fût le prix proposé. Ou bien une intervention fédérale. Ou bien une décision de la justice du Delaware, État dans lequel la Yellowhead & Star avait transféré son siège. Bert s'était livré à une exégèse fort adroite – *cet animal a du talent* – de toute la jurisprudence du Delaware en matière d'OPA; par comparaison, notamment, avec les lois en vigueur dans l'Ohio, où la Yellowhead était établie auparavant.

Partant du principe que ce transfert de siège dissimulait peut-être quelque chose (mais ce pouvait n'être qu'un leurre), Sussman avait soigneusement étudié ces différences entre le Delaware et l'Ohio et avait en effet découvert du même coup quelques fort jolis pièges possibles.

Et ainsi de suite.

Un travail brillant, à vrai dire. Laudegger le reconnut.

– Mais rien de décisif.

– Parce qu'il n'y a rien à trouver, Bill. Gantry s'est planté.

– Il y a quand même ton hypothèse numéro six.

– Les flics. Il t'aurait provoqué en attaque et en

défense pour te forcer à te découvrir et à découvrir tes équipes. Et il attendrait pour balancer le paquet au Trésor, au FBI, aux stups ou aux adventistes du Septième Jour. Je n'y crois pas trop, Bill. D'abord parce qu'aucun flic ne pourra jamais remonter jusqu'à toi ou jusqu'à nous. Même avec tous les soupçons de la terre. Tu sais bien que toutes les agences et toutes les administrations des États-Unis et du monde ont une estimation de la situation vingt fois inférieure à sa réalité. Et les preuves? Aucune. À propos, n'oublie pas de brûler mes notes.

– Je n'oublie jamais de faire ce genre de choses.

– Autant pour moi. Je ne me suis servi d'aucune machine du bureau, remarque. Et il n'y a aucune empreinte sur le papier. (Sourire). À part les tiennes, maintenant.

Laudegger enflamma les feuillets puis en pulvérisa très soigneusement les cendres. Il était vaguement déçu. Mais satisfait aussi. Sussman n'avait rien trouvé qu'il n'eût imaginé lui-même avant. Sauf cette histoire dingue de paquets d'actions regroupés en porteurs spéciaux anti-OPA. Mais ce n'était que de la fantaisie bonne pour Hollywood. Il y avait des millions d'actions de la Yellowhead en circulation. Un an n'aurait pas suffi à les ramasser toutes. Il en savait quelque chose, lui, qui, à cause de ce fils de pute de Roarke (*qui m'emmerde au maximum, c'est vrai*), commençait à avoir des difficultés pour augmenter sa part de la Yellowhead – enfin, officiellement, celle de Soler et de Chadé. Laudegger utilisait Soler pour la troisième fois. Il avait néanmoins pris la précaution de lui fournir une équipe d'avocats et de spécialistes entièrement neuve.

Quant à Chadé, c'était la première fois qu'il servait d'homme de paille. Mais on le tenait bien. Son prétendu héritage était faux comme un billet de trois dollars; seules les Fourmis en avaient la preuve. Outre cela, Chadé (il avait trente-deux ans et se prenait pour un financier de génie) adorait sa femme et ses quatre enfants. Que les Fourmis tenaient à l'œil.

— Ta vraie conclusion, Bert?

— La même que la tienne, il me semble. Gantry gagne du temps et fait traîner. Mais je ne sais pas pourquoi. Il est possible, encore une fois, qu'il ait comme tous les autres sous-estimé notre force. Ce n'est pas un tueur, Bill, c'est certain. Sinon, tu te serais fait flinguer depuis belle lurette. Et n'oublie pas le principal.

Laudegger n'avait rien oublié mais demanda quand même, au cas où le principal de Bert n'aurait pas été le sien :

— Quoi?

— Qu'est-ce qui te prouve que Gantry t'a identifié?

2

Une OPA hostile contre la société Badaboum attire immanquablement une réaction de cette même société Badaboum.

Cette réaction peut prendre quantité de formes. En fonction des connaissances, de l'expérience, de l'imagination, de la malice, voire de la totale perfidie de ceux qui conçoivent la défense.

Et cette défense dépend, au premier chef, de la personnalité de celui qui la conduit. De son intelligence, de sa ténacité, de sa puissance de travail, de son aptitude à conserver, jour après jour et semaine après semaine, voire mois après mois, le contrôle de lui-même tout en gardant intacte sa volonté de ne pas céder. Ou de ne céder que pas à pas, en faisant payer très cher, et de plus en plus cher, chaque centimètre (chaque action) gagné par le raider.

Afin de parvenir à ce résultat : que l'attaquant craque lui-même, nerveusement, et se lasse. Ce qui se produit rarement. Un raider de haut vol est, par définition, doté d'un système nerveux des plus solide. Non seulement il peut supporter les affrontements les plus longs et les plus durs, mais encore il a le plus souvent le goût de ces combats d'une extraordinaire férocité.

Afin d'obtenir encore ceci : que les sacrifices consentis par le raider atteignent, et même dépassent, le prix de la société visée, celle-ci serait-elle acquise entièrement et « mise à la casse » dans les meilleures conditions (pour le nouveau propriétaire). Ce dernier objectif ne peut-être atteint qu'au détriment de la société attaquée, qui, en somme, ne survit et ne conserve son indépendance qu'en s'autodétruisant, en cessant d'être une cible convoitable – soit qu'elle se soit dépouillée, soit que les péripéties de la bataille l'aient mutilée de tout ce qui faisait son attrait.

Un raider, tel un pirate (et c'est exactement ce qu'il est, bien qu'en théorie il respecte les lois), ne se bat que dans l'espoir d'un profit. Du moment où il estime que le jeu n'en vaut plus la chandelle, il laisse tomber.

Une solution intermédiaire consiste en une négociation. Quand les deux adversaires jugent qu'à poursuivre leur combat, ils risquent, pour l'un de se ruiner en maintenant sa défense, pour l'autre de ne réaliser que des gains inférieurs au coût de son offensive. Les deux camps négocient. Ils peuvent s'associer, trouver un terrain d'entente. Mais, comme l'argent et non la direction d'une société constitue l'objectif unique d'un raider, la défense achète le retrait total du raider. En lui payant, à un prix évidemment âprement discuté, les actions qu'il a réussi à acquérir. Que le raider fiche le camp, c'est tout ce que la défense souhaite. Le raid a échoué.

Certains raiders – mais aucun raider n'admettra faire partie de cette minorité – n'engagent le fer que dans ce but : se retrouver en position de monnayer leur retrait. C'est du chantage au billet vert, du *greenmail*.

Dans le cas de l'OPA contre la Yellowhead & Star, il aurait été difficile de trouver meilleur chef de guerre, pour mener la défense, qu'Adam Roarke. Il avait toutes les qualités nécessaires. Sans doute était-ce justement à cause de lui (et parce que les filles de Pee Wee MacNulty comptaient parmi les principaux actionnaires) que le choix de Gantry s'était porté sur la Yellowhead, comme cible pour les Fourmis.

Mais on n'aurait pas non plus trouvé pire adversaire dans le rôle du raider. Edward Nessim Chadé, le jeune financier d'origine libanaise, avait multiplié les déclarations à la presse. C'était sa première grande opération aux États-Unis, pays de liberté et de libre entreprise; il allait administrer la preuve de ses capacités, en même temps que celles de son acharnement et de sa puissance financière. D'une façon générale, on l'avait considéré comme un crétin.

Francis H. Soler, dont le nom figurait aussi sur le 13 (d), était d'une autre trempe. Sa famille habitait le Texas trois générations avant qu'on y eût entendu parler de Sam Houston et de Fort Alamo. C'était un homme maigre et sombre, taciturne, qui, à l'inverse de son partenaire, évitait les journalistes. Il était même d'une discrétion quasi maladive. À peine savait-on qu'il avait été propriétaire d'un grand hôtel-casino à San Juan de Puerto Rico avant d'être saisi – ça faisait huit ans déjà – par le démon de la finance. Il avait démontré des qualités évidentes. Il avait lancé et réussi cinq OPA, avec une efficacité impitoyable et un sens impressionnant de la manipulation des crédits bancaires. Pour l'une des opérations précédentes, grâce à ses fonds propres (on les estimait à trois cents millions), à ces mêmes crédits et à une très habile utilisation de *junk bonds*, il était parvenu à mettre plus de deux milliards et demi de dollars au tapis. Les quatre milliards deux cents millions de la Yellowhead & Star n'étaient donc pas pour lui faire peur. Tous les observateurs neutres le tenaient pour un attaquant sans pitié ni répit. Certains parlaient même d'un tempérament suicidaire. Son passé était là pour prouver qu'il ne renonçait jamais. En deux occasions, il avait même perdu, sacrifié, plus de sept cents millions de dollars à la seule fin de l'emporter. Ce n'était pas un raider ordinaire.

Les vieilles tantes étaient formelles : Soler était le numéro un des hommes de paille des Fourmis, celui qu'on ne faisait monter en ligne que dans les grandes occasions. Sa réputation de maniaco-dépressif (certainement fabriquée de toutes pièces) justifiait par avance toutes les excentricités, y compris la détermination à s'endetter au-delà du raisonnable à seule fin de vaincre.

La désignation de Chadé à son côté allait dans le même sens, notaient les vieilles tantes. Le tandem n'avait pas été constitué par hasard. Il était le résultat d'une tactique très adroite, évidemment conçue par Laudegger. Qui s'étonnerait de voir un jeune crétin débutant et fou de prétention s'obstiner contre toute raison, en jetant l'argent par les fenêtres? Cela s'était vu et se verrait encore. Wall Street en ferait des gorges chaudes, ricanerait, mais ne serait pas surprise de constater que ces deux cinglés payaient la Yellowhead une fois et demie son prix réel.

Ce qui était le but recherché par Laudegger, bien entendu. Les Fourmis pouvaient se permettre de perdre beaucoup. L'essentiel étant qu'on ne se posât pas de questions sur ces pertes. Et moins encore sur l'identité réelle de celui – ou de ceux – qui se cachait derrière Soler et Chadé.

Roarke et sa Yellowhead ne devaient avoir aucun espoir que la bataille s'arrêtât avant l'extermination définitive. Roarke en avait la certitude : il menait, au mieux, un combat de retardement (au moins savait-il pourquoi, Gantry le lui avait expliqué, et Roarke avait accepté cette explication). Il serait finalement écrasé.

Et il courait un danger bien plus immédiat : Laudegger pouvait finir par s'impatienter de sa résistance et décider son élimination, au moyen d'une de ces morts accidentelles que les Fourmis semblaient si volontiers susciter. Comme beaucoup d'hommes de son âge, Adam Roarke avait, l'année précédente, fait un bilan de santé. En maugréant, mais il l'avait fait. Les médecins l'avaient mis en garde. Il travaillait trop et son cœur était faible.

Or, on avait des raisons de croire que quelqu'un avait consulté le dossier médical du manager de la Yellowhead. Rien de probant; cette espèce de cambriolage avait été effectué fort discrètement. Mais les vieilles tantes étaient sûres de leur fait. Elles avaient adressé à Roarke une liste des diverses façons de tuer un homme en simulant un accident cardiaque et, sur ordre de Gantry, lui avaient désigné des gardes du corps.

Ça n'avait été une surprise pour personne : Roarke avait flanqué les conseils dans le panier le plus proche et prenait un malin plaisir à dépister ses gardiens. Il était peu impressionnable.

Mais il suivait à la lettre, tout de même, les recommandations stratégiques de la bobonne pour sa défense contre l'OPA.

Le tout premier système pour empêcher ou contrer une OPA hostile est la *pilule empoisonnée*. C'est une disposition, généralement juridique, introduite dans les statuts d'une société susceptible de devenir une cible. Les dirigeants de la société Badaboum décident, par exemple, d'augmenter le capital de leur compagnie par l'émission d'actions à bas prix (en tous les cas moins chères que les actions ordinaires) et réservées aux seuls actionnaires anciens – ce qui écarte forcément le raider (sauf s'il est sur l'affaire depuis la naissance de George Washington, mais c'est une autre histoire). Le résultat en est que la participation acquise par le raider se trouve du coup très diluée. Il avait acquis douze pour cent, il revient à sept ou huit, ou moins. Le morceau de filet premier choix qu'il se préparait à croquer se révèle farci de cyanure de potassium.

Il y a une bonne vingtaine d'autres systèmes.

Selon l'État des États-Unis où la cible a son siège, selon les relations des dirigeants de la cible avec le corps législatif de l'État où les statuts ont été enregistrés, de nouvelles lois sont votées. Qui modifient les règles du jeu. À la surprise du raider. Ce n'est pas très sportif mais c'est légal. On a vu, par exemple, des juges autoriser telle société à lancer une contre-offre publique d'achat destinée à tout le monde sauf au raider. Belle atteinte aux droits constitutionnels des actionnaires, puisque la mesure est horriblement discriminatoire, mais il faut bien que les juges et les politiciens vivent! On a vu également des émissions plutôt bizarres de *nouvelles actions préférentielles à droits de vote multiples* qui ont encore pour effet de délayer la participation obtenue à grands frais par le raider. Des *chevaliers blancs* sont intervenus, en l'occurrence, des investisseurs alliés (complices conviendrait aussi), des dirigeants en place, qui raflent les actions sous le nez du raider, parfois aux frais de la cible, qui finance discrètement ou procède à un échange par ailleurs.

Il y a la stratégie dite *du dentiste juif.* Légendaire. Voici des années, une entreprise de matériel dentaire fut la cible d'une OPA hostile. Parmi les financiers de cette OPA, à peine dix pour cent de bailleurs de fonds du Koweit. Mais les *lettres de combat* adressées par la défense aux actionnaires – beaucoup de juifs parmi eux – font référence, chaque fois, aux « *investisseurs arabes* ». Boum! L'OPA échoue. De l'art d'utiliser la communication financière!

Il y a les *parachutes.* Telles les médailles aux Jeux olympiques, ils peuvent être de bronze, d'argent ou d'or. Ce sont d'autres dispositions statuaires, votées par le conseil d'administration dans l'enthousiasme que l'on devine, et qui garantissent à ses membres des indemnités parfois exorbitantes s'ils venaient à être éjectés de leurs postes. Avoir à payer des millions et des millions de dollars – et à des types qui l'ont combattu férocement – en cas de victoire peut faire réfléchir le raider. D'autant qu'à ces parachutes présidentiels on peut en ajouter d'autres, moins prestigieux mais dont l'accumulation est dissuasive, donnant les mêmes garanties à toute la hiérarchie de la société. Jusqu'au gardien du parking, pourquoi pas? Deux cent soixante des cinq cents plus grosses entreprises US pratiquent le parachute d'or.

On peut reprendre la douteuse technique des actions préférentielles à vote multiple et l'améliorer par la concentration de ces actions dans les mains de son beau-frère, de son chauffeur, de son jardinier, de sa manucure ou des quatre filles du docteur March.

On peut, pour contrer une guerre des mandats, décider que le renouvellement du conseil d'administration ne se fera pas après chaque élection annuelle mais par échelonnement, par tiers ou par quart seulement. Ou à plus faible échelle encore. Le raider pourra certes être majoritaire en actions, mais il aura toujours devant lui des administrateurs qui feront tout pour lui casser les pieds.

On peut recourir au quasi-suicide. Notamment en lançant une contre-OPA de ses propres titres (le raider étant exclu pour la seule raison légale qu'il est antipathique) à un prix tel que la société se retrouve endettée à mort jusqu'en septembre 2053.

Il y a la défense qui consiste en une attaque contre la société du raider, avec le danger pour celui-ci de se retrouver minoritaire dans sa propre maison, voire dans son propre conseil d'administration, qui le flanque à la porte. C'est arrivé.

Il est possible de trouver, dans le passé du raider, des liaisons adultérines ou la preuve qu'il a volé dans des horodateurs de parcmètre. Ça peut marcher avec un actionnariat soucieux de morale publique ou privée.

La restructuration préventive offre également des possibilités. On procède soi-même à tous les délestages que le raider effectuerait s'il réussissait son OPA. On supprime du même coup toutes les raisons qui avaient contribué à faire de la société Badaboum une cible. Et, au passage, on rafle un trésor de guerre qui permet de poursuivre ou d'intensifier le combat. Ou bien – cas inverse (c'est la technique *de l'obèse*) –, on accroît le nombre et l'importance de ses propres *canards boiteux*, de ses poids morts pas ou peu rentables; on grossit tellement que l'on finit par devenir immangeable.

Il est encore possible aux dirigeants de racheter eux-mêmes ou de faire racheter en quatrième vitesse la société Badaboum par la technique du LBO, le *leverage buy-out*. Un petit groupe d'investisseurs privés prend le raider de vitesse en se servant presque uniquement d'argent emprunté et gagé sur ladite société. Selon la personne ou l'organisme qui a prêté l'argent, on s'assure, en outre, des alliés puissants, auxquels le raider ne peut recourir lui-même. D'autant que les plus grosses banques se sont mises au LBO.

On peut vendre les actifs justement visés par le raider – les *joyaux de la couronne.* Cela revient à vendre ses Renoir ou ses Gauguin pour éviter de se les faire voler.

Il y a la technique des *noyaux durs.* Une masse de blocage de titres est confiée à des investisseurs de confiance, qui s'engagent à ne pas vendre avant trois ans, et seulement à des copains sûrs. Cette technique n'est guère utilisée, sauf dans certains pays sous-développés en matière de législation financière.

Et ainsi de suite.

Zénaïde avait dénombré vingt-trois stratégies différentes, plus ou moins connues. Elle-même en avait inventé quatre ou cinq autres. Originales. Originales au point que Gantry lui avait demandé de les garder sous le coude en attendant. Selon Gantry, ces idées valaient de l'or et il ne voyait pas l'utilité de les rendre publiques.

En fait, elle n'allait utiliser que deux de ses propres créations. Elle eût certainement été enchantée de connaître l'opinion si flatteuse que Laudegger et Bert Sussman avaient de ses innovations.

Les deux ou trois autres, les événements n'allaient pas lui laisser le temps de les mettre en pratique.

Et, de toute manière, elle savait, depuis le début, comme Adam Roarke, que ce n'était qu'un combat d'arrière-garde. La puissance des Fourmis était bien trop considérable. Le pronostic initial de Gantry se vérifiait. On ne pouvait pas lutter contre une telle pression financière.

À New York, le vibrionnant Edward (Édouard, à Beyrouth) Nessim Chadé chantait victoire tandis que Soler se taisait.

C'était agaçant mais sans importance. À trois reprises, déjà, seule l'alerte donnée par des guetteurs amis avait permis d'éviter une rencontre avec l'un des yachts ennemis. Et deux nuits plus tôt, si la jonque n'avait pas été embusquée dans une calanque d'une île Salomon, les radars ennemis l'auraient repérée. L'*Ombre grise* était passée à seize cents mètres, filant six nœuds au plus, comme un tueur en maraude.

L'étau se resserrait.

L'homme attendait depuis maintenant plus de cinq heures. Sans manger ni boire. Sans bouger non plus, ou alors à peine, pour déplacer le poids de son corps d'une jambe sur l'autre. Même sa tête était immobile, reposant contre le mur en pin d'Oregon du chalet. Ses yeux étaient mi-clos, son regard fixait sans doute, sans la voir, la masse noire des sapins. Les mains restaient dans les poches du blouson noir fourré. Cinq heures. Une telle aptitude à demeurer immobile était angoissante. L'homme avait choisi le renfoncement du balcon du chalet, à l'endroit le plus sombre; il aurait fallu être à deux pas de lui pour le distinguer. Le chalet se trouvait dans l'Oregon, à une douzaine de miles au nord du parc national de Crater Lake. En plein jour, la butte de Cinnamon et, plus loin encore, le mont Thielsen auraient été visibles. La route d'État 138 passait à cinq cents mètres en contrebas. Les voitures y étaient rares; vingt-sept seulement en cinq heures. Chaque fois, l'homme avait identifié le modèle, rien qu'au bruit du moteur. Il était certain de ne pas se tromper. Il ne se trompait jamais. Dans ce domaine comme dans bien d'autres.

Il reconnut dans la seconde la Cherokee, alors qu'elle se trouvait encore sur la route asphaltée. Elle s'engagea sur la piste qui ne menait qu'au chalet.

L'homme attendit encore un peu.

La Cherokee déboucha et vint se garer en face. Il reconnut la silhouette massive de Lou Mantee, puis celle, nettement plus gracieuse, d'une jeune femme rousse coiffée d'une toque de fourrure blanche.

– Je vais allumer, attends, dit Mantee.

Qui gravit les marches et manœuvra un interrupteur. Comme prévu, la lueur projetée par la lampe n'éclaira pas le renfoncement.

– Il a encore neigé, dit la jeune femme. Regarde. Pas une trace. Qu'est-ce que c'est beau!

– Et tranquille, dit Mantee en riant. Entre. La clé est accrochée sous la boîte aux lettres.

– Ce n'est pas fermé, dit la jeune femme. Gus aura encore oublié.

Mantee s'occupait des paquets. Il avait retiré du coffre deux sacs en toile chargés de vêtements de rechange, et en avait passé les courroies autour de ses larges épaules pour prendre à deux mains le grand sac en papier contenant les provisions achetées dans un supermarché de Toketee Falls. Il gravissait les marches pour la seconde fois.

Il se figea. Pas inquiet mais surpris.

– Qu'est-ce que tu fous ici?

– Un travail urgent, dit l'homme immobile – mais en haut des marches maintenant.

– Je ne suis pas seul, attention, dit Mantee.

– Tant pis. C'est un travail vraiment urgent, pour

lequel j'ai besoin de toi. Malgré la petite erreur que tu as commise.

– Quelle erreur?

– Aller déjeuner avec cette Canadienne.

– Merde! L'ordre m'est venu de Bill Laudegger en personne!

– Ce sera une erreur sans conséquence, Lou. Rassure-toi.

Mantee reçut la première balle dans le cœur, la deuxième à la racine du nez – à bout portant. Il s'affala en arrière. Des oranges et des cartons de lait s'éparpillèrent dans la neige, où il n'y avait pas d'autres traces, en effet, que celles laissées par ses pas et ceux de la jeune femme.

– Lou? Avec qui parles-tu?

– Avec moi, dit l'homme.

La jeune femme ressortit. Elle avait encore sa toque de fourrure mais avait ôté son anorak. Ses seins pointaient sous le chandail bleu et blanc. L'homme vida le chargeur des six balles qui y restaient encore. L'arme était un ČZ 50, de fabrication tchécoslovaque; elle faisait partie de la collection personnelle de Lou Mantee. L'homme plaça volontairement deux des balles hors de la cible, comme aurait pu le faire un tireur sans expérience ou affolé. Il prit soin, toutefois, qu'une balle au moins atteignît le cœur.

Il lança le pistolet de façon à érafler le visage de la morte. Il se demanda s'il devait ou non recommencer; il fallait que l'ecchymose saignât un peu. Elle saigna. Très peu. La joue était à peine entaillée. Bien.

Il entendit le bruit de l'autre voiture, qui arrivait à son tour. Plus tôt que prévu.

Aucune importance.

Il se hissa sur le toit du chalet, gagna la haute cheminée de pierres. Une corde double y était fixée, reliée à un sapin distant d'environ quinze mètres. L'homme atteignit le sapin en se suspendant à la corde puis, une fois sur l'arbre, ramena la corde d'un geste sec, évitant qu'elle ne touche la surface neigeuse intacte.

Il avait identifié le moteur. C'était la bonne voiture. Il se déplaça d'arbre en arbre grâce à ce même système de cordes qu'il détachait et emportait après les avoir utilisées. Quand la voiture stoppa devant le chalet, quand la femme cria, l'homme n'y accorda aucune attention. Ce qu'allait faire ou dire aux policiers madame Suzan Mantee après avoir découvert le cadavre de son mari et celui de la maîtresse de son mari n'avait pas le moindre intérêt à ses yeux. Cette idiote avait parfaitement répondu à l'appel téléphonique anonyme et s'était même tellement précipitée que, pour un peu, elle serait arrivée trop tôt.

Progressant d'arbre en arbre, il parvint à un minuscule ru, près duquel il avait laissé un sac. Il marcha dans l'eau glacée après avoir enfilé les bottes en caoutchouc tirées du sac. Sa voiture était cachée à trois kilomètres de là. Sans importance. Le Sicaire avait toujours aimé marcher dans la nature. En forêt surtout.

Le Sicaire pensait à Lou Mantee et se demandait pourquoi il avait tenu à le tuer lui-même. N'importe qui parmi ses hommes aurait pu s'en charger. La conclusion s'imposait : il avait voulu éliminer lui-même Lou au nom de l'amitié qu'il avait pour lui.

Par pure sentimentalité, en quelque sorte.

Méfie-toi de n'être pas trop sentimental quand même.

Le Sicaire était un homme très étrange. Il en avait la plus claire conscience; il était arrivé à se réjouir de sa propre étrangeté.

Il avait encore dans une poche de son blouson le silencieux dont il s'était servi, sans autre raison que son goût de la perfection, pour le simple plaisir de répondre « *Avec moi* » à la jeune femme rousse lorsqu'elle avait demandé : « *Lou, avec qui parles-tu ?* ». Il songea à se débarrasser de ce silencieux, en l'enterrant quelque part. Mais il était encore trop près. À deux kilomètres. L'autre chalet venait d'apparaître, sur la droite. Il s'en approcha. Lors de son minutieux repérage, cinq heures et demie plus tôt, l'habitation était déserte. À présent, il y avait trois jeunes couples, installés sur des canapés devant le feu, en train de boire un verre. Machinalement, la main du Sicaire se glissa dans le sac qu'il avait récupéré en même temps que les bottes, vingt minutes plus tôt. Elle se referma sur le pistolet-mitrailleur Uzi. Une vague envie lui venait, celle d'entrer dans ce chalet et d'y exterminer tout ces gens, dont il ne savait rien. Il demeura immobile dans le ruisseau, invisible.

Bien entendu, il n'allait pas entrer. Bien entendu.

Il se remit en marche.

Il pensait maintenant à MacArthur.

Peut-être devrait-il le tuer, un jour. Voici quelques semaines, il avait suivi madame MacArthur pendant trois heures, tandis qu'elle faisait ses courses dans New York avec ses filles. Pas très jolie mais plaisante. Apaisante.

Il tuerait les MacArthur dans la violence, dans un déchaînement de violence, le jour où il aurait à le faire. Une boucherie aussi ignoble que possible. Rien à voir avec la mort de Mantee et de la rousse. Ce soir, il avait travaillé. Proprement, certes, mais sans plus. De la routine.

C'était un peu frustrant à la longue.

Mais, bien sûr, avant MacArthur (sauf ordre exprès venu de ceux que MacArthur appelait les dieux de pierre), il allait sûrement devoir éliminer Gantry, la Canadienne et tous les gens de la jonque.

Du travail facile. Milán, qui n'y était pas encore arrivé, avait révélé ses limites. On avait décidément du mal à trouver du bon personnel!

Pour Gantry, la Canadienne et l'équipage de la jonque, le Sicaire savait déjà comment il allait procéder.

Sitôt que le signal lui en serait donné.

Depuis trois jours, et surtout trois nuits, la jonque se glissait de cachette en cachette dans les îles Salomon du Sud. Elle avait dû renoncer à remonter vers le Nord; un yacht surveillait le passage entre Bougainville et la Nouvelle-Bretagne, peut-être aussi la mer de Salomon, jusqu'à la Nouvelle-Guinée. Un deuxième bateau, croisant dans le détroit de Torres, avait été signalé par les amis de Cairns. On ignorait où était le troisième, qui, peut-être, patrouillait dans l'Est, pour le cas où le *Fou de Bassan* tenterait de piquer vers les Gilbert.

– Ils savent à peu près où nous sommes. Ces cargos, que nous avons croisés, nous ont vus. Et ils savent aussi que nous nous traînons. Si nous faisons cent milles par jour, c'est le maximum.

Et encore les vents de la mousson, soufflant au nord-ouest, les aidaient. Tony Beardsley hocha la tête. Dans l'ensemble, il estimait que c'était un pur miracle, unique dans les annales maritimes, qu'ils eussent réussi à s'en tirer jusque-là. L'obstination des Fourmis était prodigieuse. Il allait finir par prendre ces bestioles en grippe.

– Je peux te trouver du mazout, dit Gantry.

– Ça aidera. Nous n'avons plus de quoi remplir un briquet.

L'Ombre grise était à Rabaul, en Nouvelle-Bretagne, et mazoutait paisiblement – Rabaul, où Gantry avait des amis chinois, mais qui ne pouvaient pas faire grand-chose.

– Je peux trouver du mazout mais il va falloir attendre quelques jours. Tony, tu as une idée pour nous planquer?

Ils se penchèrent de nouveau sur les cartes. L'île de Guadalcanal se trouvait à environ six milles nautiques dans le Sud-Est. C'était là que, pendant la guerre du Pacifique, Américains et Japonais s'étaient étripés. Un oncle de Gantry y avait été blessé.

– Gannie, je n'ai jamais mis les pieds à Guadalcanal, moi.

– Mais lui, oui, dit Zénaïde. Qu'est-ce qu'on parie?

Elle lisait, relisait en fait, *La Guerre du Pacifique,* de Spector. Depuis deux semaines, déjà, elle avait épuisé les ressources de la petite bibliothèque du bord. Mais, la jonque ne faisant escale que dans des atolls microscopiques où l'on achetait aux Mélanésiens des fruits, du sagou, des cochons et des poules, il était difficile de renouveler le stock. Elle-même n'avait plus grand-chose à faire, sinon à recevoir et à lire les communiqués du front lointain, là-bas, à l'autre bout du monde. Et chaque jour apportait son contingent de mauvaises nouvelles : Roarke tenait toujours; il avait réussi à bloquer l'offensive de Soler et Chadé à vingt-sept pour cent, mais des procès étaient en cours devant les tribunaux du Delaware et de l'Ohio, ainsi que dans l'État de Washington; à vrai dire, on n'attendait rien de bon des juges; mais, au moins, Adam Roarke était toujours vivant.

– Je suis allé une fois ou deux à Guadalcanal, reconnut Gantry.

Il y connaissait même quelqu'un qui pourrait certainement leur procurer du mazout, et discrètement. Sans qu'il fût besoin pour cela d'aller pointer le nez le long du *wharf* d'Honiara, la capitale de l'île et des Salomon du Sud, où les Fourmis avaient sans nul doute posté des guetteurs, sinon un détachement d'assaut.

– Il faudra donc que tu débarques avec deux ou trois hommes, dit Tony. Et j'irai cacher la jonque sous un coquillage, quelque part dans un endroit où vous pourrez nous rejoindre avec les fûts. Pas trop loin.

– Voilà.

Il y avait quelque chose dans la voix de Gantry. Une espèce de lassitude. Zénaïde s'étonnait de ce que Tony Beardsley ne remarquât rien. Ou, peut-être, Tony, et d'autres à bord, avaient-ils déjà remarqué ce quelque chose, qui perçait sous la nonchalance habituelle, mais n'en avaient rien dit. L'équipage de la jonque était à bout, nerveusement surtout, depuis des mois que l'on courait les mers. Sauf les Ibans, fidèles à eux-mêmes, toujours calmes et souriants. Sur tous les autres, Américains, Britanniques, Australiens, Chinois, et Canadienne, ce confinement ininterrompu commençait à produire ses effets. Même si l'on feignait d'ignorer le danger toujours plus proche. Si encore la bataille financière menée à distance prenait bonne tournure. Mais c'était loin d'être le cas. Tous savaient ce qui se passait du côté d'Adam Roarke et de sa Yellowhead. Et, pour ce qui concernait l'OPA lancé contre l'Obawita, c'était pis encore. Les dix-huit et demi malheureux pour cent des titres que l'on avait réussi à acquérir ne pesaient pas lourd face à la défense féroce que menaient Campanella et Harkin. Des procès étaient en cours, là aussi, mais ils étaient perdus d'avance. On allait être broyés.

La jonque avançait très lentement, vent debout. La nuit était claire – un peu trop. Ce qui se dessinait là-bas, sur la droite, c'était la pointe nord-est de Guadalcanal, dominée par un sommet de mille mètres. On avait laissé les îles Russell par tribord arrière vers onze heures du soir. Cette masse sombre, droit devant, c'était Savo, une île volcanique autour de laquelle les combats navals avaient fait rage d'août 1942 à février 1943. Le fond de la mer, ici, devait être tapissé de ferraille. Sur la gauche, l'extrémité sud de Santa Isabel, déjà presque estompée, la baie des Mille Navires et le détroit Indispensable.

Tony était d'avis de ficher le camp par le détroit Indispensable – le nom même lui paraissait de bon augure.

– Gannie, on laisse tomber notre mazoutage, on fait plein est, on se faufile à gauche ou à droite des Gilbert, et on gagne le grand Pacifique.

En pleine mer, on attendrait la suite. Pendant six mois s'il le fallait. Ni vu ni connu. D'accord; on ne savait pas où se trouvait le quatrième yacht. D'accord; il pouvait très bien être justement là, à les guetter. Et, d'accord aussi, l'*Ombre grise* n'allait pas tarder à rappliquer, et, dans un face à face en pleine mer, on ne ferait pas long feu.

— Mais c'est une chance à courir.

Ou, alors, on redescendait au sud. Soit vers l'Australie, soit vers la Nouvelle-Zélande.

Dans la timonerie, Zénaïde éteignit la petite lampe dont elle s'était servie pour lire. Elle referma son livre, se leva, sortit. Elle évita de croiser le regard de Gantry. Elle savait plus ou moins ce que Gantry avait en tête. Il n'avait pas encore tout à fait pris sa décision mais il n'en était plus très loin. Et ce n'était vraiment pas une décision facile. Ils n'en avaient pas parlé, elle et lui, mais Gantry n'était pas toujours le seul à pouvoir lire dans les pensées des autres.

— Je vais débarquer à Guadalcanal, Tony, dit la voix nonchalante. Tu passes au large de Honiara. Le patelin suivant est Ronroni. Juste après, il y a l'embouchure d'une rivière. Nous allons nous y engager et la remonter aussi loin que possible.

— Et ensuite?

— Tu attends. On arrête d'en parler, Tony.

Zénaïde s'éloigna de quelques pas, descendit de la poupe surélevée de la jonque, gagna le pont, ne tourna pas la tête quand Gantry la rejoignit.

— Tu viens avec moi à terre, Zénaïde?

— Évidemment.

— Ne dis rien.

Il sait que j'ai compris, pensa-t-elle. Et il a un cafard noir, forcément. Heureusement il y avait le bon vieux remède, en pareil cas.

— On descend, Gantry?

Sur le moment, il sembla n'avoir pas entendu, perdu dans ses pensées.

— Nous n'aurons pas beaucoup de temps pour dormir, dit-il machinalement.

– Qui te parle de dormir?

Au moins avait-elle réussi à le faire sourire. Ce qui n'était déjà pas si mal.

– Allez viens, camarade. Tu vas voir; c'est très bon pour ce que tu as.

Quand ils remontèrent, deux heures plus tard, sans avoir dormi une seconde, sans avoir discuté non plus (c'eût été inutile), ils aperçurent des lumières par tribord, à quinze cents mètres, sur la côte nord de Guadalcanal. C'étaient celles de l'ancien Henderson Field des marines autrement dit l'actuel aérodrome de l'île.

La rivière ne convenait pas pour y dissimuler la jonque. L'île de Guadalcanal, de près de deux cents kilomètres de long, était plate dans sa partie nord. Ce n'était qu'au sud-sud-est que l'on trouvait des criques profondes et des rivières encaissées pouvant servir de cachette. Il fut donc décidé que le débarquement aurait lieu le plus tôt possible, par le canot, et que la jonque s'éloignerait et chercherait un refuge de l'autre côté du détroit au Fond de Fer, dans l'île de Florida. Elle y resterait deux ou trois jours jusqu'à ce qu'elle reçût de Gantry le signal convenu.

– Tu n'as pas de radio, remarqua Tony.

– Je sais où en trouver une. Fiche le camp, maintenant; le jour se lève.

Le canot avait déjà été mis à la mer. On emmenait quatre Ibans armés. Zénaïde elle-même avait emporté l'unique carabine du bord, une Winchester M 1, modèle 1020 avec protection en teflon, qui appartenait à Hudson Leach.

– Tu te crois où, Gagnon?

– À Guadalcanal.

– La guerre est finie depuis quarante-cinq ans et, en plus, tu ne serais pas capable de tirer sur quelqu'un.

C'était probablement exact. Grand-père Gagnon, qui lui avait appris à se servir d'un fusil, ne l'avait évidemment pas entraînée à massacrer des gens. Elle se sentait un peu ridicule, avec son flingot.

Le canot accosta. Les Ibans le dégonflèrent et le cachèrent avec le moteur et les pagaies. Le jour était complètement levé, à présent; la chaleur montait. Ils marchèrent pendant plus de trois heures à travers des plantations de cacaoyers et de caféiers. Ils contournèrent un village. Le terrain était vallonné et, par instants, entre les arbres, ils apercevaient les crêtes de la chaîne montagneuse qui couvrait la côte sud, avec son sommet d'un vert très tendre, à plus de deux mille trois cents mètres.

– On va monter là-haut, Gantry?

– Tout juste. On s'installe au sommet, on y élève nos neuf enfants, et tu tires à vue sur toute Fourmi qui tenterait l'escalade.

– On n'aurait pas mieux fait de prendre l'autobus sur la route, ce matin, et d'aller directement à Honiara?

– Non.

– Tu as raconté des craques à Tony et aux autres, avec ton histoire de mazout.

– Tony ne m'a pas cru. Pat pas davantage. Et toi moins encore, Gagnon.

– Et on arrête d'en parler. À vos ordres, chef. Neuf enfants? Je pondrai des enfants si je veux, et avec qui je veux.

– Économise ton souffle.

Vers onze heures trente, enfin, ils sortirent de la forêt. Ils se hissèrent sur une crête herbeuse. L'horizon, soudain, se dégagea. Ils avaient sous les yeux une grande partie de la côte nord-est de Guadalcanal.

– Regarde, dit Gantry.

Il lui tendit les jumelles. Elle finit par cadrer la tache blanche, au beau milieu de l'Iron Bottom Sound, par-delà la piste de l'aérodrome.

– Le quatrième yacht, c'est ça?

– Oui.

– Tu crois qu'il a vu la jonque?

Gantry estimait que non. Tony avait eu le temps de traverser le détroit et de trouver un abri sur Florida. Zénaïde scrutait toujours le yacht. À cette distance, il n'était évidemment pas question de distinguer quoi que ce fût à bord.

– Il a l'air de ne pas bouger.

– Il navigue très lentement, deux ou trois nœuds au plus.

Après avoir mangé et bu, ils repartirent. Plein nord, cette fois. La chaleur était étouffante et, tantôt l'on pataugeait dans des flaques de boue formées par les dernières pluies, tantôt, au contraire, il fallait traverser des nuages de poussière qui asséchaient la gorge.

– On est encore loin?

– Cinq ou six heures de marche, si je ne me suis pas trompé. La seule fois où je suis allé chez Eaton, c'était en voiture et par la piste, comme tout le monde. Aujourd'hui, on entre par la porte de service.

De temps à autre, ils apercevaient le quatrième yacht, qui croisait dans le détroit, montant la garde.

– Il attend peut-être l'arrivée de l'*Ombre grise* et de ses renforts pour attaquer.

Peut-être. Ou alors, il avait débarqué ses commandos, qui étaient en train de jouer les chasseurs de tête. Il avait probablement fait escale à Honiara, et les pêcheurs avaient pu lui signaler le passage de la jonque, voire le débarquement du canot. Ce qui ne l'avait sans doute pas empêché d'appeler l'*Ombre grise* par radio et de l'avertir que ça y était, le gibier était enfin repéré.

Dans le milieu de l'après-midi, Gantry détacha en éclaireur l'un des Ibans. L'homme partit en trottinant. On était de nouveau dans la jungle tropicale, touffue au point qu'il fallait s'y tailler un chemin à la machette. Et dire que des Américains et des Japonais étaient venus se battre ici! C'était fou!

– Je commence à avoir très mal aux pattes, Gantry.

– On est deux.

Ils multipliaient les pauses. Zénaïde n'en pouvait plus. On étouffait dans cette végétation. Sans parler des serpents et, surtout, des insectes, pires encore. Elle s'en voulait d'avoir emporté cette saloperie de carabine (que Gantry portait à sa place, en plus). Elle ignorait qui pouvait être cet Eaton, dont il avait prononcé le nom, et s'en fichait. Gantry avait l'air de penser qu'Eaton allait leur être utile. Eh bien, ça lui suffisait. Ils marchèrent, firent halte, marchèrent encore, hébétés de fatigue. Parfois, enjambant une souche, Zénaïde croyait presque qu'il s'agissait du cadavre desséché d'un soldat des années 42-43. À bord, elle avait lu d'incroyables histoires sur ce qui s'était passé ici. Des bataillons japonais entiers avaient été engloutis et digérés par cette jungle. Et elle se souvenait aussi de...

– Salut, dit Gantry.

Zénaïde regarda devant elle et découvrit un Japonais des plus décrépits portant un casque de bambou et un fusil.

« *Eh bien, voilà*, se dit-elle. *C'était exactement ce qui nous manquait. Un soldat japonais survivant, qui ne sait pas que la guerre est finie et que son mikado et ses copains ont finalement gagné cette guerre en fabriquant de l'électronique et des dessins animés. Et il va nous tuer en nous prenant pour des marines.*

– Vous me reconnaissez? demanda Gantry.

Le japonais cacochyme sourit.

– Oui. Et je vous signale que, depuis près de deux heures, vous longez la piste sud de notre plantation. Mais, si vous aimez marcher dans la jungle, ça ne regarde que vous. Eaton vous cherchait plus au nordouest. Venez. Mon 4 × 4 est juste à cent mètres.

Alfie Eaton faisait partie de ces quelques Américains qui avaient éprouvé le besoin, à la fin des années 40, de retourner à Guadalcanal et de s'y installer, en souvenir du bon vieux temps. Il avait fait partie du régiment de la deuxième division de marines ayant débarqué aux premiers jours de la bataille de Guadalcanal. Son temps terminé, après diverses autres excursions dans d'autres îles du Pacifique, il était revenu sur ses pas, avait rencontré un Australien qui était dans le coprah et cherchait un associé. L'Australien était reparti pour l'Australie; lui était resté. Il avait fait la connaissance d'Isoroko Fleur de cerisier, c'est-à-dire Oka. Oka aussi avait combattu à Guadalcanal, aux mêmes dates – dans le détachement Kawaguchi, troisième bataillon. Lui aussi y était en pèlerinage ou, plus exactement, parce qu'il se morfondait autant au Japon qu'Eaton aux États-Unis. Les deux hommes avaient parcouru les vieux sentiers de la guerre, enterré quelques douzaines de corps qui traînaient, constaté que, normalement, l'un d'entre eux aurait dû tuer l'autre, puisqu'ils s'étaient trouvés directement opposés en trois occasions au moins. Ils s'étaient associés pour exploiter la plantation. Qui marchait bien, merci. Ils avaient à eux deux vingt-trois enfants légitimes, dans les soixante-quinze petits enfants, et à peine quarante-neuf arrière petits-enfants, au dernier décompte. Ils ne savaient plus très bien qui était l'arrière-grand-père de qui. Bien sûr que le poste de radio marchait encore; Gantry pouvait appeler sa jonque. Vérifier si le yacht blanc avait ou non débarqué des commandos à Honiara, Ronroni, Aola ou ailleurs dans Guadalcanal? Pas de problème...

Oui. Six hommes à Honiara, quatre à Ronroni et encore quatre à Tangararé sur la côte ouest.

– Reprenez donc du saké, disait Alfie Eaton. Au début, ça semble dégueulasse mais on s'habitue.

Dans les années 50, Eaton et Oka avaient commencé à recevoir d'autres anciens combattants. À titre amical d'abord. Mais, Américains ou Japonais, ils étaient devenus de plus en plus nombreux à faire le pèlerinage. L'idée de l'hôtel à Honiara était d'Oka. Eaton, lui, avait pensé aux visites guidées et aux encarts publicitaires proposant ces visites dans la presse américano-japonaise. Les gens qui venaient ces dernières années étaient les fils, voire les petits-fils, des soldats de 42-43. Ou leurs neveux. Comme Gantry.

– Reprenez du saké. C'est bon, hein? On le fait venir directement d'Osaka.

L'un dans l'autre, avec des intérêts dans trois hôtels, dans le transit portuaire et aérien, plus le coprah (mais pas le cacao ni le café, qui étaient surtout l'affaire des Mélanésiens), plus les voyages organisés et diverses bricoles, ils s'en tiraient.

– Gantry, vous voulez vraiment faire ça?

– Oui.

– D'accord, pas de problème. Reprenez du saké. Vous êtes vraiment sûr que c'est ce que vous voulez faire? D'accord. D'accord, nous allons vous y aider. Buvez un coup. Des décisions pareilles, ça fait mal au ventre. Et le saké est là pour les maux de ventre de ce genre. Oui. Bien sûr que Fleur de cerisier et moi, nous pouvons vous arranger un accostage tranquille pour votre jonque. Nous avons épousé trois des filles du village juste à côté et le maire est mon beau-frère. Ou celui de Fleur de cerisier; je ne me souviens pas. Enfin, il est de la famille.

Le reste aussi, Alfie et Oka s'en occupaient. Ce ne serait qu'un voyage organisé un peu spécial; rien de plus.

– Reprenez du saké.

– Je suis beurrée, dit Zénaïde juste avant de s'endormir.

Dans la journée du lendemain, qu'ils passèrent à la plantation, ils apprirent que l'*Ombre grise* venait d'arriver à Honiara et y avait débarqué six douzaines de ses touristes. Parti dès le matin en ville avec quelques-uns de ses fils métis, Alfie Eaton revint pour déjeuner et annonça que tout était presque prêt.

Et le serait tout à fait dans les douze heures à venir.

Gantry tenta de joindre à New York l'une des vieilles tantes mais le poste de radio n'était pas assez puissant. Il put toutefois établir le contact avec Brisbane et l'un des avocats des filles de Pee Wee MacNulty. L'homme s'appelait Waters. Il promit de se renseigner et de rappeler lui-même. Possédant un ranch sans téléphone dans le bush australien, il avait l'habitude des communications radio.

— Cinq heures, ça va? Cinq heures chez moi.

— D'accord.

Gantry allait raccrocher quand la voix se fit entendre, très claire. Le correspondant ne devait pas être loin.

— Gantry? Vous m'entendez, Gantry?

— Je vous reçois cinq sur cinq, dit Gantry.

— Vous savez qui je suis?

— Je ne connais pas votre nom. Mais, pour le reste, je vous imagine assez bien.

— Une grosse tête d'abruti avec de grosses mandibules, dit Zénaïde, assez fort pour être entendue.

— Et des pattes poilues, dit Gantry. Vous étiez déjà en Tasmanie, derrière nous?

— Cette fois, ça ne va pas se passer comme en Tasmanie, dit la voix.

— Vous ne savez pas où nous sommes, dit Gantry.

— Vous êtes sur Guadalcanal, et nous aussi.

— À un de ces jours.

Gantry coupa la communication, craignant un repérage, alors que Zénaïde se sentait au contraire d'humeur à bavarder encore avec la Fourmi combattante. Les heures qui suivirent n'en finirent pas de s'écouler. Oka affirmait que l'on avait à l'œil tous les commandos débarqués. Sauf peut-être un petit détachement de sept ou huit hommes qui, en dépit des blocages mis en place, était parvenu à louer deux camions à un commerçant chinois de Honiara. Ceux-là, on ne savait pas au juste où ils étaient passés. Mais ils n'étaient pas dans les parages. Tous les ouvriers de la plantation formaient un cordon de surveillance.

— S'il te plaît, non, Zénaïde, dit Gantry, essayant de l'empêcher de parler.

— Il y a encore une chance. On a bien réussit à filer entre leurs sales pattes de fourmis au Grand Escobar...

— La grande Nicobar.

— Je m'en fous. On leur a échappé là, et encore en Tasmanie. Tu trouveras bien quelque chose.

Il ne prit même pas la peine de répondre. Il jouait aux dames avec Alfie Eaton, qui menait par neuf parties à une. Il faisait exprès de se laisser battre ou bien il avait vraiment trop le cafard pour s'intéresser à ces foutus pions. C'était une sensation étrange que d'être pendant des heures, une journée entière, sans rien faire. Sans radio ni ordinateur, sans vieilles tantes pour expédier des tonnes de rapports. Waters avait repris le contact à cinq heures mais, par prudence, Gantry avait immédiatement coupé, sans un mot, sans la moindre nouvelle des batailles financières en cours aux États-Unis.

À huit heures du soir, juste après le dîner, l'un des fils d'Oka vint annoncer qu'un détachement de Fourmis se trouvait à l'angle nord-est de la plantation, à environ six kilomètres de la maison. Huit hommes, fortement armés. Pas question de s'opposer à eux par la violence. On avait appelé la police, qui mettrait bien une ou deux heures à arriver. En attendant, on avait réussi à leur faire croire que le cœur de l'exploitation se trouvait sur leur droite, il suffisait de suivre la piste. Ça les retarderait un peu. Et un deuxième groupe approchait, par l'est.

Gantry gagna la douzième et dernière partie de dames contre Alfie Eaton. Après quoi, ils montèrent dans la Range Rover, Zénaïde et lui. Les camions chargés de la diversion partirent les premiers, à une minute d'intervalle, chargés de coprah donc puant effroyablement.

Normalement, la jonque devait être en route, depuis déjà une heure et demie, pour le rendez-vous, fixé à quelques miles au sud de l'aérodrome. C'est-à-dire qu'elle se trouvait en théorie au beau milieu d'Iron Bottom Sound, le détroit au Fond de Fer, cimetière de tant de bateaux.

Randa, le chef des Dayaks de la mer, fut le premier à sauter à terre. Il avait voyagé sur le toit de la Range Rover avec deux de ses compagnons. Le fils d'Oka, qui se nommait Halsey, le rejoignit et ils s'éloignèrent ensemble. Le fils d'Alfie Eaton, qui se prénommait Yamamoto, resta au volant. Il avait les yeux bleus de son père mais le large nez de sa mère mélanésienne, et le contraste avait de quoi surprendre.

– Je ne bougerai pas d'ici. Au moindre problème, vous rappliquez et je démarre comme la foudre. Personne ne vous retrouverait jamais dans la jungle de Guadalcanal. La preuve, c'est que papa n'a pas réussi à tuer oncle Fleur de cerisier – ni le contraire.

Ils attendirent deux minutes puis Halsey revint et leur fit signe. Zénaïde et Gantry descendirent de la voiture et marchèrent sur deux cents mètres. La mer apparut sous la lune.

– Le grand yacht blanc – oui, c'est ça, l'*Ombre grise* – vient de faire demi-tour et arrive à toute allure. Il sera ici dans environ soixante-quinze minutes.

Gantry se contenta d'acquiescer. Une douzaine de Mélanésiens se trouvaient avec les Ibans sur les rochers tout au bord de l'eau. Et d'autres étaient postés un peu partout en sentinelles. Le silence était absolu. Gantry s'accroupit à sa façon, la plante des pieds à plat, les mains mollement pendantes et les bras appuyés sur les cuisses. Zénaïde s'assit sur un rocher.

Vague envie de pleurer.

Il fallut attendre dix minutes encore avant de voir surgir la jonque. Depuis un moment, des nuages avaient assombri le ciel. Elle apparut comme un fantôme glissant, presque sans bruit. Elle n'avançait plus que sur son erre. Il y eut pourtant un choc sourd, qui déchira Zénaïde, quand son étrave vint se briser sur un rocher. Le débarquement commença aussitôt, tout l'équipage au grand complet, assistants, secrétaires, informaticiens, Ibans. Tony quitta le bord le dernier. Il portait les disquettes dans un grand sac de toile. Il fixa Gantry.

– Je préfère ne rien dire, Jonathan.

– Ça vaut mieux, dit Gantry.

Pat Hennessey prit le sac et en montra le contenu.

– Gannie, j'ai pu tout passer à Woodward. Il a tout enregistré. Mais, bien sûr, il n'a pas le code pour déchiffrer. En tout cas, il y a un double maintenant.

– Vous avez reçu des trucs depuis hier?

– Ça n'a pas arrêté. Mais nous ne répondions pas, bien entendu. Tony croit qu'on guettait le moindre mot de notre part. Où sont les yachts?

– L'Ombre grise sera ici dans une trentaine de minutes. Emmène-les, Tony. Et bon voyage.

Tout l'équipage, descendu du *Fou de Bassan*, était déjà en route vers les camions qui attendaient à trois cents mètres de là. L'aéroport était à une douzaine de kilomètres au nord. Eaton et Oka avaient très soigneusement préparé les choses. Le Hawker Siddeley était sans doute déjà en train d'embarquer – sous les yeux soupçonneux de quelques Fourmis – les clients d'un voyage organisé. L'appareil allait rouler jusqu'en bout de piste, et c'était là que les passagers supplémentaires se hâteraient de grimper à bord. Le décollage, à destination de Brisbane, aurait lieu sitôt la porte refermée.

Et, à Brisbane, Waters prendrait les dispositions nécessaires. Mais le danger serait en principe écarté.

Les deux camions démarrèrent; le silence revint. Randa ramassa le sac aux disquettes et l'emporta.

– Quand vous voudrez, dit Halsey à Gantry, immobile.

– Ne m'emmerdez pas, s'il vous plaît, dit Gantry d'une voix lointaine.

Deux minutes de silence total. Puis la première explosion. Les trois autres suivirent. Il y eut des flammes. Malgré cela, le *Fou de Bassan* ne parut pas bouger. Il commença cependant à lentement s'engloutir par l'arrière. La poupe disparut. La proue surnagea un moment et coula, enfin, sous trente mètres d'eau.

Zénaïde pleurait.

– Allons-y, dit Gantry.

Il consentit tout de même à ce que Zénaïde mît sa main dans la sienne. Il se dégagea en arrivant devant la Range Rover.

– Les disquettes?

Le sac se trouvait sur le siège arrière.

– Vous revenez quand vous voulez, dit Alfie Eaton.

– Sans fourmis, dit Fleur de cerisier. Je vous montrerai l'endroit où j'ai failli flinguer ce salopard de marine.

Zénaïde les embrassa tous les deux et monta dans le petit avion où se trouvaient déjà Randa et ses trois Ibans. Gantry la rejoignit et la prit sur ses genoux – l'appareil n'était pas conçu pour six passagers.

Le pilote dit qu'il était persuadé de pouvoir atteindre sans escale Port Moresby, en Nouvelle-Guinée. Il ne l'avait jamais fait; d'habitude il se posait à Bougainville puis à Rabaul. Mais, à son avis, ça devait pouvoir se faire. Depuis quinze ans qu'il travaillait pour les deux fous de Guadalcanal, il rêvait de tenter le coup.

3

Il arrivait à MacArthur quelque chose d'extraordinaire. Extraordinaire de son point de vue à lui.

Il ne parvenait pas à choisir entre les deux termes d'une alternative pourtant très claire. Ayant découvert la stratégie du Fou de Bassan, étant tout à fait certain des conséquences qu'elle aurait, il ne pouvait se décider ni à mettre tout en œuvre pour la déjouer ni à accorder à Gantry la possibilité de la développer jusqu'au bout.

Depuis cette nuit à Tokyo, quand l'illumination lui était venue, il n'avait cessé d'y réfléchir. Il avait failli en négliger son Plan d'ensemble. Mais il s'était repris. À Tokyo comme aux autres étapes, ses contacts puis ses négociations s'étaient révélés fructueux. Le Plan d'ensemble s'annonçait bien. MacArthur estimait à sept sur dix – sinon davantage – ses chances de le faire aboutir. Désormais, il était en mesure de retourner *les* voir, de *leur* parler d'autre chose que de simples projets. Aux dieux de pierre, il fallait du concret. Et, maintenant, il en avait. Du concret à soixante-dix pour cent. Cela devrait suffire à *les* convaincre de le laisser poursuivre, voire à *les* persuader qu'il était en train de réussir le coup du siècle et qu'il était, de ce fait, presque intouchable désormais.

Et voilà que Gantry et sa stratégie diabolique (l'adjectif

semblait un peu fort, mais, finalement, il convenait) risquaient de réduire à néant cette superbe manœuvre.

La nuit de son illumination, MacArthur avait d'abord éprouvé une sauvage jouissance. C'était fascinant, cette certitude d'avoir deviné le jeu d'un joueur aussi intelligent que Gantry. Un jeu pourtant merveilleusement masqué. La preuve en était que Laudegger et Bert Sussman n'avaient rien compris. MacArthur avait eu connaissance des notes rédigées par Sussman sur les pièges que Gantry avait pu tendre. Il avait souri en les lisant. Bert s'était un peu approché de la solution, mais il était bel et bien passé à côté. C'était normal. Si rusé et imaginatif qu'il pût être, Bert n'avait pas toutes les données en main. Il ne connaissait pas Gantry personnellement et, évidemment, n'avait pas assisté à la visite de Gantry à l'île des Caïques. *Entre parenthèses, Mac, toi qui les détenais toutes, ces données, je trouve qu'il t'a fallu bien du temps pour saisir. Tu étais très occupé, avec ton Plan d'ensemble et ces milliers de choses à faire, mais quand même! C'était aveuglant d'évidence dès lors que tu te souvenais de ce que Gantry t'avait dit et de ce que tu lui avais répondu. Tu avais la solution sous le nez; elle te crevait les yeux. Bien sûr que le drôle d'oiseau allait employer cette stratégie-là et pas une autre. Avec sa formidable effronterie, Gantry n'a même pas pris la peine de dissimuler ses intentions.*

C'est-à-dire le mobile de ses curieuses manœuvres (les affaires de la Yellowhead et de l'Obawita et sa fuite éperdue et apparemment sans espoir devant les chasseurs de Milán).

C'est-à-dire la nature et le mécanisme du piège tendu à Laudegger.

Vraiment, tu aurais dû comprendre tout de suite.

D'ailleurs, Gantry n'avait pas d'autre possibilité. Il n'avait pas d'autre moyen de s'en tirer vivant et de sauver la Canadienne et l'équipage de la jonque. C'était la seule façon. Parce que recourir à la police (ou à n'importe quelle autorité financière, politique ou fiscale) n'aurait servi à rien. On n'arrête pas les Fourmis. On en tue ou on en fait tuer cinquante milliards, on peut essayer de les faire jeter en prison, mais il y aura toujours des Fourmis, qui attendront le temps nécessaire pour se venger et qui frapperont tôt ou tard, n'importe où, même si Gantry, sa Canadienne et tous les autres ont émigré et changé de nom, même s'ils se sont entourés de toutes les protections possibles. Même si – hypothèse fort invraisemblable – les dieux de pierre eux-mêmes ont été éliminés. De toute façon, d'autres prendraient leur place et le relais.

Toute l'intelligence de Gantry avait été de le comprendre. Apparemment à la vitesse de la lumière. Et de bâtir aussitôt sa contre-attaque.

Contre-attaque évidemment assortie d'un très beau piège à l'intention de Laudegger.

Ce qui plaçait MacArthur dans une situation extravagante dès lors qu'il avait décelé ce piège.

MacArthur pouvait stopper tout. En *les* avertissant, ou simplement en alertant le Sicaire, qui n'attendait probablement qu'un signal pour s'attaquer à Gantry et à toute sa bande.

Tu auras quelques explications délicates à fournir sur tes relations avec le Fou de Bassan, mais tu t'en sortiras. Avec l'aide (autrement dit, le silence) du Sicaire, qui n'est pas non plus blanc comme neige dans cette histoire. Et puis, tu as le Plan d'ensemble pour te couvrir.

Mais, si MacArthur arrêtait Gantry dans sa manœuvre, il sauvait du même coup Laudegger. Et il avait peu de chances de retrouver un jour une occasion aussi belle de se débarrasser de Bill Carlos.

D'autre part, si MacArthur laissait faire et feignait de n'être au courant de rien, il n'était pas certain que Gantry réussirait pour autant. Mais, pour MacArthur lui-même, les risques étaient nuls. Au pis, en cas d'échec du Fou de Bassan, Laudegger s'en sortirait lui-même. Gantry était de toute manière condamné; le Sicaire l'avait annoncé. À moins que... *À moins que je ne trouve de mon côté un moyen de stopper aussi le Sicaire quand il se lancera à l'assaut. Mais, pour le moment, je n'en vois aucun. Faire pression sur le Sicaire en le menaçant de révéler aux dieux de pierre qu'il connaissait dès le début mes relations avec Gantry? Cela reviendrait à m'incriminer aussi. Les dieux de pierre nous feraient tuer tous les deux, avec leur obsession ordinaire d'éliminer tout le monde.*

Ne rien dire et laisser courir Gantry. Des deux termes de l'alternative, c'était celui qui avait eu jusqu'alors la préférence de MacArthur. Mais, dans l'avion qui le ramenait de Tokyo en Amérique, il en avait découvert le point faible. *Permettre à Gantry d'aller au bout de sa stratégie revient à accepter d'être manœuvré par lui. Qui, dès lors, aura sur toi une prise. Avec Dieu seul sait quelles conséquences.*

Outre que c'était une perspective irritante. Se sentir dominé intellectuellement était pour MacArthur un sentiment très neuf. Très désagréable.

Comme était désagréable cet état de perplexité et d'indécision où il voyait comme un affaiblissement de sa faculté de raisonner lucidement. Il lui avait fallu attendre d'avoir plus de trente ans pour constater qu'il était doté d'une intelligence hors du commun. Durant les dix dernières années, cette constatation était devenue une sorte de dogme qui lui permettait, notamment, d'encaisser les humiliations qu'*ils* lui infligeaient à chacune de ses visites *là-bas*. Pas de plaisir plus subtil que de passer pour un crétin aux yeux d'un con congénital, comme avait dit le Français Jules Renard.

Avec Gantry, le dogme en prenait un sacré coup.

L'avion de Tokyo atterrit à Los Angeles. MacArthur y avait prévu une escale de quatre heures. Il avait deux rendez-vous. Bien compartimentés. Les deux hommes qu'il y rencontra ne se connaissaient pas et chacun d'eux crut être le seul à lui apporter des nouvelles fraîches. Le premier travaillait pour son cabinet de New York, le deuxième était un agent du Sicaire.

Les nouvelles concernaient les récents développements des affaires de la Yellowhead et de l'Obawita, le destin de Lou Mantee, que MacArthur ne connaissait guère que de nom mais dont il savait qu'il était l'un des meilleurs hommes de paille des Fourmis, la situation de Gantry pendant les dernières heures (les palpitantes péripéties de la poursuite du Fou de Bassan à travers toutes les îles du Pacifique), et diverses autres choses enfin. Dont la moindre n'était pas ces nouveaux ennuis qu'avaient à présent les dieux de pierre dans leur propre pays.

MacArthur prit connaissance de toutes ces informations avec, selon les cas, une forte envie de rigoler ou un tout petit peu d'inquiétude.

Il reprit un avion pour México.

Il n'avait toujours pas résolu son dilemme. Son choix n'était toujours pas fait.

L'OPA lancée par Laudegger sur la Yellowhead & Star piétinait. La défense dressée par Adam Roarke témoignait d'un incroyable acharnement, ce qui n'était pas pour surprendre MacArthur – il connaissait l'homme, l'estimait, et avait toujours regretté qu'un Roarke ne puisse être recruté pour le compte des Fourmis –, mais aussi d'une science consommée des techniques antiraid. Ce qui était plus étonnant. Certes, Roarke avait, dans son camp, Marty Kahn, Gil Yepes et André Sazma, (pas Jack Fein, que Gantry avait dû s'arranger pour neutraliser). Mais, sur ce point, MacArthur rejoignait Bert Sussman : il y avait eu quelqu'un d'autre pour conseiller Adam Roarke. Quelqu'un en plus. Avec un style particulier et des idées originales, très nouvelles. Deux notamment qui étaient d'une sournoiserie sans pareille. Bert

Sussman n'arrivait pas à reconnaître cette « signature ».

Dans un premier temps, MacArthur avait dû admettre qu'il était décontenancé. Puis une idée lui était venue. Qu'il avait d'abord rejetée comme stupide. Il ne croyait pas à la supériorité intellectuelle des hommes sur les femmes – ni à l'inverse. Il reconnaissait toutefois qu'il existait des traits de caractère « spécifiques » à l'un et à l'autre genre, qui n'avait rien à voir, parfois, avec le sexe physiologique.

Il s'était souvenu du regard de Zénaïde Gagnon croisant le sien pendant quelques secondes dans l'île des Caïques.

Zénaïde Gagnon, que Gantry avait jugé utile d'amener avec lui. Ce qui était un signe. Bien sûr, il existait entre le Fou de Bassan et la Canadienne bien autre chose qu'une association de circonstance. Mais Gantry n'avait pas entraîné la belle Zénaïde dans une mission aussi dangereuse seulement pour lui faire des mimis en cours de route.

Zénaïde devait être la signature inconnue repérée par Bert Sussman. La conseillère secrète de Roarke. Celle qui avait imprimé sa marque à toute la stratégie de défense et sans doute transformé une série de contre-offensives fougueuses en une tactique minutieuse de repli, pas à pas, centimètre par centimètre. Une maille à l'envers, une maille à l'endroit, il y avait de la rouerie féminine dans l'attitude de Roarke.

Et sans doute, aucun espoir de victoire. Laudegger allait l'emporter en fin de compte. Sa puissance financière finirait par faire la différence. Sauf, bien sûr, si Gantry réussissait dans sa folle entreprise. *Mac, tu n'as toujours pas pris de décision, au sujet de Gantry. – Je sais.*

Laudegger piétinait, perdait du temps, empêtré dans l'ouvrage de dame si savamment tricoté par la belle Zénaïde.

Ça, c'était amusant.

Dommage que je ne puisse faire courir l'histoire dans les cabinets de Wall Street. Elle ferait rire. Et Zénaïde deviendrait une légende vivante. Non. Pas vivante. Évidemment.

La tricoteuse antiraid.

L'OPA lancée par Gantry contre l'Obawita tournait carrément à la catastrophe, malgré la présence à ses côtés de trois solides partenaires – le détenteur de l'une des plus grosses fortunes nord-américaines et deux financiers australiens, dont le célèbre Robert Murgatroyd, qui possédait un empire dans la presse et l'industrie cinématographique.

Laudegger avait parfaitement réagi en défense. Il s'était attendu à l'assaut de Gantry et avait impeccablement manipulé les pions Harding, Fielding et Campanella.

Comme dans l'affaire de la Yellowhead, des procès étaient en cours. Et ils tournaient tous à l'avantage de Laudegger.

Qui, là aussi, allait l'emporter.

Toujours dans l'hypothèse où Gantry ne parviendrait pas à le faire disparaître avant de la surface de la Terre.

Et tu n'as toujours pas pris ta décision.

L'avion de MacArthur faisait route vers México. Il y atterrit. MacArthur s'attendait à ce que, comme d'habitude, une limousine vînt le chercher pour l'emmener à l'hacienda d'où il s'envolerait pour la Colombie.

Non. Contrordre. *Ils* avaient reporté le rendez-vous. La situation, *là-bas*, était un peu délicate. Qu'il vaque à ses affaires ordinaires, il serait convoqué à nouveau.

MacArthur modifia immédiatement ses plans et embarqua sur un avion d'affaires à destination d'un aérodrome de campagne au Yucatán, dans le Nord-Ouest de Cancún. Une voiture viendrait l'y chercher pour le conduire à l'hydravion. Il dormirait le soir-même à bord du *Graziella*, sans avoir officiellement quitté l'hacienda mexicaine. L'annulation de son voyage en Colombie n'était pas faite pour lui déplaire.

Parmi les nouvelles qu'on lui avait données à Los Angeles, il y avait celle de la mort de Lou Mantee. Suzan Mantee niait avec la dernière énergie avoir assassiné son mari et la maîtresse de celui-ci après les avoir surpris dans leur nid d'amour. Ses protestations ne convainquaient guère la police de l'Oregon, qui retenait contre elle une foule de charges accablantes. Certes, l'arme utilisée était vierge d'empreintes, mais l'inculpée avait des gants et ces gants portaient des traces de poudre. Quoi qu'elle prétendît, Suzan Mantee s'était donc très récemment servie d'une arme à feu. Et puis, elle avait atteint le chalet dans les minutes qui avaient suivi l'arrivée de Lou Mantee et de la jeune femme. C'était donc qu'elle les avait suivis. Qui pouvait croire à ce coup de téléphone (anonyme, en plus!) qu'elle prétendait avoir reçu?

D'ailleurs, dans la neige, tout autour de la maison, on n'avait relevé que ses traces de pas et celles de Mantee et de sa compagne. Aucune autre. Voilà qui constituait une preuve accablante. Sans même parler du pistolet tchécoslovaque dont elle reconnaissait qu'il faisait partie de la collection de son mari.

Son obstination à nier attristait jusqu'à ses avocats.

La mort – l'exécution – de Lou Mantee ne surprenait pas MacArthur. Laudegger avait indubitablement commis une erreur grossière – toujours cette impulsivité! – en faisant appel à Mantee pour persuader la Canadienne que Gantry était le seul responsable des malheurs de Missikami. Dès lors, l'élimination de Mantee était dans l'ordre des choses.

Et, dans le style de cette élimination, MacArthur reconnaissait la marque du Sicaire.

Qui avait opéré lui-même. Il ne détestait pas, semblait-il, s'occuper personnellement de certaines affaires au lieu de les confier à des sous-fifres. Histoire de garder la main, probablement.

Je suis sûr qu'il se ferait une joie de nous massacrer, Letty, les filles et moi, si l'ordre lui en était donné par eux.

Tout comme il se fera un plaisir d'exterminer Gantry et sa joyeuse équipe de financiers maritimes. Et lui, à la différence de Milán, il ne manquera pas son coup.

Tu as une décision à prendre, Mac.

MacArthur était sur le *Graziella*.

Nouvelles aussi de Gantry.

Qui avait trouvé le moyen d'aller se fourrer sur Guadalcanal. Ce Fou de Bassan avait décidément des idées complètement farfelues. Et le plus drôle était que les hommes de Milán, transformés en *US Marine Corps*, étaient une nouvelle fois revenus bredouilles. Gantry était parvenu à embarquer tout son équipage dans un avion de voyage organisé, et lui-même avait filé vers une destination inconnue en compagnie de la belle Zénaïde.

Un vrai feuilleton.

Mais Gantry avait lui-même détruit sa jonque. Sacrifice qui avait dû lui coûter et qu'il allait ajouter à la facture de Laudegger, juste au-dessous de la ligne *Mort de Pee Wee MacNulty*.

– Bonjour, Letty.

MacArthur était entré sans bruit dans leur chambre.

Après l'escale obligatoire sur le *Sea Wolf*, l'hydravion venait de le déposer sur leur île des Caïques. Il était demeuré une longue minute immobile, à regarder sa femme dormir. Ou feindre de dormir. Il était surprenant que, dans ce silence, elle n'eût pas entendu les moteurs de l'appareil, ni celui du petit canot qui les avait amenés,

Jake et lui, jusqu'à la plage, une fois l'hydravion à l'amarre.

Elle a sûrement entendu, et elle fait semblant.

Letty se retourna, recouvrant ses jambes et ses hanches nues, d'un geste instinctif qui en disait long.

– Quelle heure est-il?

– Dans les quatre heures du matin, dit MacArthur. J'aurais pu n'arriver que demain, mais j'avais hâte de rentrer.

Ils se regardaient fixement.

– Tu veux manger quelque chose, Jimmy?

Pas de question. Pas une seule question. Pour savoir par exemple s'il avait fait bon voyage, où il était allé, qui il avait vu et pourquoi, s'il l'avait trompée avec quelque caressante callgirl. Elle ne joue même pas le jeu de la fausse jalousie.

– Ni manger ni boire, dit-il. Rien qu'une douche et me coucher.

Elle avait allumé sa lampe de chevet et lisait quand il ressortit de la salle de bains, noblement enveloppé dans un kimono de coton.

– J'ai rapporté des japonaiseries aux filles. Elles vont bien?

– Très bien.

– Et toi?

– Très bien aussi, répondit-elle.

Sa main qui tenait le livre glissa vers la table de nuit. Letty s'allongea, le drap tiré sur ses petits seins en poire, encore très fermes. Elle fixait le plafond, paisible en apparence, mais le rythme de sa respiration était un tout petit peu trop rapide.

– Je n'ai pas très sommeil, Letty.

– Je sais, dit-elle.

– Tu m'as manqué.

Elle bougea enfin, vint dans ses bras, dans le creux de son bras gauche. Il n'osait pas bouger, ni la toucher. *Elle*

n'a même pas envie de toi, malgré ta longue absence;
elle fait juste semblant, encore.

– Tu n'es pas obligée.

– Idiot, dit-elle calmement.

Il se dégagea, se décida à l'embrasser. Elle répondit à ses baisers avec une ardeur qu'une nouvelle fois il estima feinte.

– Je t'aime, Letty.

– Je n'en ai jamais douté.

Il entra en elle et dut se rendre à l'évidence : elle ne faisait pas semblant. Il faillit en pleurer.

– Je t'aime aussi, Jimmy. Incroyablement.

Elle s'était rendormie, avec cette stupéfiante aptitude à plonger dans le sommeil. Silencieusement, il alla boire de l'eau glacée, hésita à passer dans la bibliothèque, où se trouvait le whisky, et alla plutôt s'asseoir dans l'un des grands fauteuils de rotin de la véranda.

Ce fut comme si un magnétophone se remettait en route après un bref arrêt. Il n'y avait rien à y faire, la mécanique dans sa tête tournait quasiment seule.

Bien sûr, il savait où Gantry s'était réfugié avec la Canadienne. Au Sarawak, à Bornéo, parmi ses Ibans. Et aller l'y chercher prenait des allures de mission impossible pour Milán. En somme, Gantry avait gagné la course-poursuite l'opposant aux Fourmis combattantes. Mais le Sicaire, lui, ne se laisserait arrêter par rien.

Et puis, il y avait ces nouvelles de *là-bas*, et le report de son rendez-vous avec *eux*. *Ils* s'étaient une fois de plus laissé emporter par leur sauvagerie et avaient ordonné l'exécution de Dieu savait quel sénateur, candidat à la présidence ou homme politique de haut rang. Sans compter les innombrables juges et chefs de la police dont *ils* avaient pareillement ordonné la mort, pour des raisons souvent futiles.

Au moins les « petits ennuis » qu'*ils* avaient et qui *les* obligeaient à aller « prendre des vacances », auraient-ils le mérite de rendre son Plan d'ensemble tout à fait primordial. *Ils* allaient l'écouter avec soin. On pouvait même espérer un miracle, par lequel *ils* comprendraient tout le grandiose intérêt de ce qu'il avait conçu pour *eux*.

MacArthur prit sa décision à cette minute. Le dilemme fut résolu. Les nouvelles reçues de *là-bas* renforçaient singulièrement sa position.

Et puis, il y avait aussi cette amitié presque paternelle qu'il éprouvait pour Gantry, bien qu'il s'en défendît.

Il allait laisser le Fou de Bassan aller jusqu'au bout de son grand vol.

Et si le Sicaire finissait par l'abattre, lui, MacArthur, n'y serait pour rien. Enfin, pour presque rien. Il se trouverait d'excellentes raisons pour se justifier à ses propres yeux.

Il alla se coucher, et la dernière pensée consciente qui lui vint avant le sommeil fut celle-ci : tout était désormais en place pour le finale.

4

Le jeune Jonathan Gantry vient d'avoir seize ans quand il trouve à s'embarquer pour le Pacifique sud. Il mesure déjà un mètre quatre-vingts et va grandir encore de cinq centimètres et, lorsqu'il prétend avoir dix-huit ans, on le croit. Le cargo sur lequel il part bat pavillon de Hong-kong. C'est un tramp; il va d'un port à l'autre à la demande, sans ligne régulière. Qu'il soit parvenu à parcourir des milliers de milles pour traverser l'océan et toucher San Francisco relève déjà du miracle. Ce rafiot, qui date des années 30, se déglingue un peu plus à chaque nouvelle vague. L'équipage est malais pour l'essentiel et le capitaine américain. La traversée de retour vers le port d'attache est épique, on manque de couler douze fois. Mais on rallie bel et bien Hong-kong. Et, même, on en repart, pour Singapour, à travers la mer de Chine du Sud. On n'y arrive pas. La treizième fois est la bonne. Glou-glou. Le jeune Jonathan Gantry se retrouve avec six copains malais dans un canot de sauvetage qui fait lui-même un peu eau et dérive pendant neuf jours. Des pêcheurs récupèrent ces naufragés à la gorge plutôt sèche et les transportent à Bintulu.

Les pêcheurs sont des Dayaks de la mer; Bintulu est au Sarawak. Le jeune Jonathan Gantry, qui commence à bien savoir le malais, trouve le pays agréable. Mais pas question de s'attarder. Ses vacances scolaires sont sur le point de se terminer. Il a alors en tête de devenir capitaine et de s'acheter son propre bateau, sur lequel il vagabondera dans les mers du Sud. C'est dit. Il rassemble les économies accumulées à cette intention depuis l'année précédente, et qu'il a multipliées par trois ou quatre grâce à des paris gagnés, en cours de route, avec des Chinois. Il passe au Brunéi, qui n'est pas encore un État indépendant, et monte dans un avion, qui le ramène aux États-Unis.

Le pli est pris. Chaque année le voit repartir, toujours pendant les vacances scolaires. Avec trois variantes : il a abandonné son idée de devenir capitaine et veut à présent étudier la biologie marine; il voyage désormais en avion, dans la mesure où ses économies deviennent de plus en plus importantes, et, enfin, il modifie ses itinéraires. Successivement, il rend visite à la Thaïlande et à la Malaisie, au Sri Lanka, à l'Inde du Sud, puis, refusant de pousser plus à l'ouest, à Sumatra, à Java, à tout l'archipel jusqu'à la mer d'Arafoura, et encore à la Nouvelle-Guinée, à l'Australie, à la Nouvelle-Zélande. À partir de là, il écrème les îles perdues dans le grand bleu : Mélanésie et Micronésie, îles de la Ligne, Touamotou, Marquises. Il ne les visite pas une à une mais presque. Parfois, il s'attarde. Ses vacances universitaires de fin d'année sont maintenant également consacrées à ces explorations, qui lui prennent plus de quatre mois par an. Mais jamais il ne manque de séjourner au Sarawak, chez ses amis ibans.

Il a vingt et un ans quand il fait construire sa première jonque, vingt-quatre quand il commande la deuxième, vingt-sept quand il embarque sur le *Fou de Bassan III*. En fait, il a eu quatre jonques, mais une d'entre elles ne compte presque pas. Il l'a perdue dans un pari, quatre jours après la fin de sa construction.

Et, durant ces quatorze ans, outre quelques diplômes collectés çà et là, il a gagné un petit quart de milliard de dollars. Grâce, notamment, à ses *junk bonds*.

Et sans doute aussi, tout de même, aux quinze leçons particulières que lui a données James Doret MacArthur.

– Et tu as perdu tous tes sous, dit Zénaïde.
– À peu près.

S'il lui restait un million de dollars disponible, c'était le bout du monde. Il n'en avait jamais perdu que deux cent quarante-neuf, après tout. En disant cela, Gantry avait l'air très tranquille.

Zénaïde faillit lancer une plaisanterie, une question qu'elle se serait posée à elle-même : qu'est-ce qu'elle fichait avec un fauché? Et à Bornéo en plus? Elle s'abstint. C'était, de toute façon, une bien pauvre plaisanterie et elle avait toutes les raisons de se taire. Si elle n'était pas venue le rejoindre à Phuket, en Thaïlande, Gantry n'aurait pas été entraîné dans cette catastrophe, Pee Wee ne serait pas mort, et la jonque n'aurait pas été sabordée. À présent, les Fourmis combattantes allaient reprendre leur traque. Elles auraient du mal à les retrouver ici, en plein pays iban, où l'approche de quiconque avec un grand nez occidental était signalée des jours à l'avance, où l'on pouvait aisément (à condition de disposer des amitiés nécessaires) se replier vers la jungle de l'intérieur de Bornéo. Les Fourmis combattantes ne s'y hasarderaient sans doute pas. Les derniers visiteurs indésirables avaient été des Japonais habillés en soldats de la cinquante-sixième division, en 1942. Les Ibans s'étaient fait une joie de fabriquer avec leurs têtes des tas en forme de pyramide. On était donc en sécurité. Sauf qu'il faudrait bien sortir d'ici un jour ou l'autre. *Je ne vais certainement pas y passer ma vie. Et nous mettrons le pied sur des Fourmis sitôt que nous pointerons le nez dehors. Elles nous attendront cent ans s'il le faut.*

Le pilote du petit avion de Fleur de cerisier et d'Alfie Eaton avait perdu le pari passé avec Gantry. À qui il avait payé ses dix dollars australiens. Il n'avait pas réussi à voler d'une traite de Guadalcanal à Port Moresby, en Nouvelle-Guinée. Au-dessus de la mer des Salomon, pleine de grands requins blancs qui attendaient leur chute avec une convoitise manifeste, le moteur de l'avion avait commencé à bafouiller. Ils s'étaient posés de justesse sur l'une des îles d'Entrecasteaux, en cassant un peu de bois, et, surtout, il avait fallu y attendre trois jours de quoi remplir le réservoir. La radio de bord marchait encore; ç'avait été intéressant d'entendre les Fourmis combattantes s'annoncer mutuellement que l'avion fugitif avait été repéré et que le premier arrivé sur les lieux exterminerait immédiatement les Robinson Crusoe.

Ils avaient réussi à décoller alors que l'*Ombre grise* ne se trouvait plus qu'à deux mille mètres. Gantry avait payé ses vingt dollars australiens au pilote, avec lequel il avait parié qu'on s'emboutirait contre les cocotiers. Le reste du voyage avait été sans histoire. Pas d'arrêt à Cairns, où de la surveillance fourmilière avait été signalée. Atterrissage à Normanton, sur les bords du golfe de Carpentarie. Gantry y avait perdu son troisième et dernier pari avec le pilote de Guadalcanal et s'était acquitté de sa dette de vingt mille dollars – australiens toujours –, qui camouflait un pourboire. Ensuite, Darwin, sur la mer de Timor, puis l'île de Timor, puis Unjungpandang (Macassar), dans les Célèbes, puis Bandjarmasin, au Kalimantan, la partie indonésienne de Bornéo.

Et Kapit.

On y était.

Zénaïde trouva la maison jolie, accueillante, confortable et bien située – un peu en hauteur, avec une vue charmante sur les blanches constructions de Kapit, la capitale des Ibans de l'intérieur et leur centre commercial, sur la forêt, sur le Rajang, qui traverse la ville. La maison était octogonale, construite uniquement en bois. Elle s'articulait autour d'un grand mât central, qui servait de pilot principal pour les deux cents mètres carrés de plancher à trois mètres au-dessus du sol. Au mât étaient arrimés des cordages, à l'aide desquels on pouvait abaisser ou relever les grands volets verticaux selon les vents qui soufflaient et le sens de la pluie. C'était très beau; c'était même superbe.

– Sauf ça. C'est quoi, ça?

– Mon personnel domestique, dit Gantry.

– Six femmes?

– Ça demande beaucoup d'entretien, ici. Et puis il y en a deux autres en vacances. J'ai établi un roulement.

– Des domestiques? Mon œil! Elles froufroutent.

– Elles ne froufroutent pas. C'est leur façon de marcher.

– Tu les sautes, c'est ça?

– La maison est de bois. Moi, non.

– Six maîtresses en même temps! Tabernacle! Oui; je sais; tu as établi un roulement. Elles ont vraiment besoin de nous suivre sous la douche et de te frotter partout?

– Tu es jalouse, Gagnon.

– Ne me fais pas rire. Et dis-lui d'enlever ses mains de là. Je me frotte très bien toute seule. Et je ne suis pas jalouse.

Ils allèrent régler leurs comptes dans la chambre – la douche était trop encombrée.

Et ça te fait une impression vraiment curieuse, Zénaïde, de câliner ton jules pendant que ces bonnes femmes froufroutantes (la plus vieille doit avoir dix-huit ans; je pourrais presque être leur mère) n'arrêtent pas d'entrer et de sortir. Quand elles ne contemplent pas le spectacle en rigolant bêtement. C'est intime comme le stade olympique de Montréal. Mais le Gantry a du vague à l'âme, le cafard. Tu as très envie de le consoler, par tous les moyens à ta disposition. Tant pis pour les spectatrices. D'ailleurs, au nom de quoi exigerais-tu qu'elles fussent flanquées dehors? Tu n'as pas l'intention de finir tes jours avec ce palmipède. Soit parce que tu seras morte avant, dévorée par les Fourmis, soit parce que, toute l'affaire étant réglée (mais c'est mal parti pour), tu rentreras dans ta cabane au Canada. Pas question de jouer les bobonnes auprès du grand Gantry, qui t'écrasera, au fil des ans, de son intelligence et finira tes phrases avant que tu les aies commencées. Déjà, il t'énerve. Juste à cause de ça, c'est vrai, parce que, pour le reste... Alors, dans cinq ans, tu parles! Je ne m'en suis pas si mal tirée que ça, dans la défense Roarke. Plutôt bien même, quoique monsieur Gantry eût à peine consenti à le reconnaître. J'ai eu tort d'aller travailler pour les Kessel; c'était un enterrement de première classe, professionnellement. Je peux faire carrière aussi bien qu'un homme. Je serai un raider, moi aussi. Ne serait-ce que pour leur montrer de quoi je suis capable. Un raider gentil, pas du genre prédateur qui détruit tout sur son passage. Il y a deux sortes de finances; on peut être financier sans être nécessairement un escroc et un pirate, quoi que les gens en pensent.

– Zénaïde?

Ils avaient fait l'amour, avaient pris une nouvelle douche – seuls tous les deux cette fois, Gantry ayant en riant donné des ordres dans ce sens. Ils avaient dîné, merveilleusement; on s'y entendait en cuisine, dans la *long-house* adjacente. Que l'on fût perdu au fin fond de Bornéo n'avait en fin de compte pas changé grand-chose. Comme sur la jonque, Gantry disposait ici d'ordinateurs, moins nombreux mais tout aussi perfectionnés. Le contenu des précieuses disquettes ramenées de Guadalcanal avait repris sa place dans les mémoires informatiques. Le contact avait été rétabli avec les vieilles tantes, qui avaient recommencé à déverser leurs informations, fournissant d'autres disquettes codées, qu'elles-mêmes et

Gantry étaient seuls à pouvoir déchiffrer. *Si Gantry venait à mourir – je touche du bois –, il n'y aurait sans doute plus personne pour analyser le contenu des disquettes; ni moi ni Pat Hennessey ni personne. Les envois des vieilles tantes sont à ce point cloisonnés qu'il faudrait des années pour qu'un autre génie du niveau du Fou de Bassan puisse en refaire une arme contre les Fourmis. Et ce serait trop tard pour tout le monde.*

– Zénaïde.

Elle ouvrit les yeux et constata qu'il faisait jour. Gantry n'avait sans doute pas dormi, la fatigue creusait son visage. Dans la nuit, elle l'avait laissé aux prises avec ses appareils, bien incapable de suivre ce qu'il faisait.

– Tu aurais dû dormir un peu, dit-elle.

– J'y pense. Pat nous rejoint demain après-midi. Pas seul; Lee, Pete et le Babu l'accompagnent. Gantry sourit. Et ton copain Laviolette. Waters a pu leur trouver un avion discret.

Lee était la spécialiste en informatique de la jonque; c'était une Sino-Américaine de San Francisco. Pete Kartsov faisait fonction d'expert pour les dossiers établis par les vieilles tantes et, à ce titre, était après Gantry commandant en second pour les opérations stratégiques. Hurree, l'Indien, dit le Babu, avait révélé, durant ces dernières semaines, un incontestable talent et une sournoiserie machiavélique, lui qui, au départ, avait été engagé pour les affaires écologiques. Il constituait le plus bel exemple du bien-fondé de la théorie exaspérante de Gantry : pour briller dans la finance, l'idéal est de n'y rien connaître du tout.

– Ça me fera plaisir de revoir ce crétin de Laviolette, dit Zénaïde, déjà sous la douche.

– Je t'ai réveillée parce que j'ai besoin d'être relayé. Ne touche à rien. Les enregistrements se font tout seuls. Sauf si le mot-code s'inscrit sur l'écran inférieur à droite. Enfin, l'un des quatre mots-code : *Willie Wander,*

Mozambique, Polygonacée et *Hasdrubal*. Tu te souviendras?

– Et ta sœur. C'est quoi, une polygonacée?

– De la rhubarbe, notamment. Réveille-moi au premier mot. Réveille-moi dans deux heures, de toute manière.

Il s'endormit en trois secondes. Elle passa dans le bureau voisin, qui, avec la chambre à coucher, était le seul espace clos de la maison octogonale. Les froufroutantes lui apportèrent son petit déjeuner de café et de fruits. Elle laissa les fruits. Garda l'œil sur l'écran. Les imprimantes cliquetaient presque sans interruption, alignant de mystérieuses séries de chiffres, par groupe de six. Zénaïde n'avait pas la moindre idée de leur signification. Tout au plus savait-elle qu'il fallait alimenter l'un des ordinateurs avec tous les envois des vieilles tantes. Et l'ordinateur produisait des disquettes.

À en croire Gantry, c'était leur seule chance à tous de parvenir, sinon à éliminer les Fourmis, du moins à contrer leurs instincts meurtriers.

Zénaïde avait deviné une partie de la stratégie de Gantry. Une partie seulement. Elle n'avait pas assisté à la conversation entre Gantry et MacArthur, dans l'île des Caïques. Des éléments lui manquaient.

Ce qu'elle avait deviné suffisait à lui donner froid dans le dos.

– *Mozambique.*

– J'arrive.

Il se leva, alla se passer de l'eau sur le visage, consulta sa montre.

– Je t'avais demandé de me réveiller après deux heures, Gagnon.

– Tu étais cuit.

Elle l'avait laissé dormir près de quatre heures. Il regagna le bureau, s'assit, se mit à tapoter des trucs. Une imprimante lui répondit par des machins. Lui et le correspondant anonyme s'envoyèrent des chiffres à la figure pendant deux bonnes minutes, et Zénaïde, qui lisait par-dessus son épaule, eut une fois de plus le sentiment d'être parfaitement idiote.

Fin de la communication.

– J'aime beaucoup l'humour de ce type, dit Zénaïde. Et son style.

– Elle a fait des études de lettres. Un doctorat en littérature russe.

– Parce que c'est une femme? La septième maîtresse?

– La quatre cent cinquante-sixième.

Il but du café et sourit.

– Je peux t'expliquer ce code dont je me suis servi avec elle. Ou avec les autres vieilles tantes.

– Mais je ne comprendrais pas, c'est ça?

– Tu comprendrais sans aucun doute. N'en fais pas trop.

Il n'avait rien commandé mais les froufroutantes lui apportèrent des œufs et du poisson trempant dans une sauce indéterminée dont on devinait, rien qu'à l'odeur, qu'elle devait contenir de la nitroglycérine renforcée par du piment rouge.

– Tu vas me quitter, Zénaïde?

– Il est un peu tôt pour en parler. Les Fourmis ne peuvent sans doute pas venir jusqu'à nous mais elles nous assiègent.

– Tu vas me quitter.

– On arrête d'en parler.

Il hocha la tête tout en mangeant.

– Ça, c'est ma réplique, Gagnon. Tu te trompes de ligne. Il vaut mieux, au contraire, que nous en parlions maintenant.

– Parce que Pat, Laviolette et les autres arrivent demain?

– Ce serait déjà une bonne raison. Nous n'avons pas été très longtemps seuls, toi et moi.

– Il y a une autre raison?

– Oui, dit-il.

Il était presque prêt à jouer son coup de poker. À lancer son attaque contre Laudegger. Les vieilles tantes avaient effectué tout le travail nécessaire. Elles en avaient quasiment terminé. C'était l'affaire de quelques dizaines d'heures. Moins, peut-être. Lui, Gantry, était sur le point de déclencher son offensive anti-Fourmis. Et après, il suffirait d'attendre pour voir ce que ça donnerait. Si ça marchait ou non.

Il dit tout cela de sa voix nonchalante.

Elle en resta quelques secondes interdite.

– Je ne savais pas que c'était si proche.

– Imminent serait plus juste, dit Gantry. Tu n'as pas répondu à ma question.

– Oui.

– « *Oui* », tu n'as pas répondu à ma question. Ou « *oui* » à ma question?

– Les deux.

Zénaïde surveillait les longs doigts de Gantry, ce qui n'était jamais qu'une façon d'éviter de croiser son regard. Elle vit ces doigts trembler un peu et sa gorge se serra. *Tu savais que ç'allait être dur, mais pas à ce point. Il est un million de fois plus doux et sensible que tu ne l'avais imaginé. Ça a l'air grand, fort et intelligent, ces grosses bêtes, mais c'est fragile.*

Ce n'est vraiment pas le moment de pleurer, foutue cruche.

Mais la voix de Gantry demeura indolente.

– Ma maison ici ne te plaît pas?

– Elle est parfaite.

– J'en ferai faire une autre ailleurs. Sans les filles.

– Non.

– Je vais faire reconstruire une autre jonque, de toute façon. Enfin, si ça te tente.

Elle baissa la tête et, Dieu merci, cet abruti d'écran eut l'inspiration d'afficher un autre des mots-codes.

– Il y a marqué *Hasdrubal*.

– J'ai vu.

Sans cesser de manger, il allongea une main et tapota d'autres trucs. Reçut d'autres machins en réponse. Ne broncha pas, garda un visage impassible. Fin de la communication. Elle avait été plus brève que la première, avec *Mozambique*.

– Au besoin, dit-il, j'irai même vivre dans une cabane au Canada.

Elle se tut.

– Tu as bien épousé Larry Elliott.

– Aucun rapport.

– J'ai gagné dans les deux cent cinquante millions de dollars. Je peux le refaire.

– Ça, c'est vraiment imbécile, comme argument.

– C'est vrai. Je le retire. Tu as fais un travail fabuleux pour Roarke. Même Marty Kahn n'en revenait pas.

– Il te l'a dit ?

– Mmmm.

– Merci de me l'avoir rapporté.

– C'était une conversation entre hommes. J'ai cru comprendre que tu n'avais pas couché avec lui.

– Ça ne s'est pas trouvé. Ce n'est pas passé loin, en deux ou trois occasions. J'ai eu neuf mille huit cent quatre-vingt-sept amants, mais pas lui.

– Parce que tu avais déjà en tête de monter ton propre cabinet, concurrent du sien, et parce qu'une liaison avec lui t'aurait compliqué les choses.

Et voilà ; ça recommençait. Jamais elle n'avait parlé à Gantry de ses projets. Et, pourtant, il lisait en elle à livre ouvert. *Et tu supporterais ça pendant cinquante ans ?*

– Je pourrais t'aider à ouvrir ce cabinet, dit-il. Je serais ton premier client. Si tu le voulais.

– Et tu me sauterais entre deux contrats et entre deux portes.

Elle regretta d'avoir dit ça à la seconde où elle le disait. C'était vulgaire et bête.

– Excuse-moi, dit-elle. Mais je crois quand même que ce serait la pire des solutions pour nous deux.

Polygonacée sur l'écran.

Discussion codée de plus de dix minutes.

Terminée.

– En somme, dit Gantry, tu ne veux pas vivre avec moi parce que tu as trop envie de vivre avec moi et que cela entraverait ta vie telle que tu as envie de la mener. Je serais un autre Elliott, j'aurais mes chances.

– Inutile d'être sarcastique.

– Je ne suis pas sarcastique, répondit-il en mangeant une banane avec toutes les apparences de la placidité. Je suis juste en colère. J'ai envie, moi, de te taper dessus avec un ordinateur. À propos, Lou Mantee est mort.

– Exécuté par les Fourmis?

– C'est du soixante contre un. Probablement parce qu'il t'a rencontrée.

– Je n'ai pas couché avec lui.

– Il ne saura jamais ce qu'il a perdu.

– Tu es foutument jaloux, hein, Gantry?

– Un peu, oui. Oh, rien de bien extraordinaire. Un petit friselis par-ci par-là. Juste assez pour jeter aux crocodiles les cinq types avec lesquels tu as fait l'amour avant moi, mais rien de plus. On arrête d'en parler.

Willie Wander s'annonça. Zénaïde se leva, sortit du bureau, de la maison, descendit, alla marcher un peu.

On arrête d'en parler!

Et les cinq types! C'était le compte exact. Tabernacle! Mon palmarès est misérable. Cet enfant de salaud a fait enquêter ses vieilles tantes. Je te parie qu'il sait à quel âge j'ai fait ma première dent et combien de fois Laviolette a essayé de me coincer.

Et lui, alors, avec ses six maîtresses des tropiques?

Elle marchait à grandes enjambées rageuses. Elle se retourna. Randa et ses Ibans étaient autour d'elle, avec des têtes à couper des têtes, la protégeant.

492

La convocation arriva vers onze heures du matin dans l'île des Caïques. Codée mais impérative. MacArthur partit dans l'heure. Il atteignit Nassau vingt minutes avant le décollage d'un avion pour Recife.

Il eut peur pendant tout le voyage. Tant de hâte à le faire venir l'inquiétait beaucoup. Il connaissait trop leurs sautes d'humeur, leurs palinodies brutales. De la morgue satisfaite *ils* pouvaient passer soudain à la fureur sauvage. Et, dans cet état-là, *ils* étaient capables de faire égorger n'importe qui. Les nouvelles de *là-bas* n'étaient pas bonnes. Journaux, radios et télévisions se faisaient l'écho de massacres et d'arrestations par milliers. Seule note comique, on évoquait l'arrestation du « *chef comptable* » des dieux de pierre. Bonté divine ! Un chef comptable ! La police de *là-bas* devait confondre avec une épicerie ! « *Le chef comptable des États-Unis d'Amérique a été arrêté dans l'arrière-boutique du gouvernement.* » C'était presque vexant ! Mais c'était vrai qu'*ils* avaient dépassé la mesure. Emportés, comme toujours, par leurs réactions de fauves.

Ils étaient capables de tout. Y compris de faire hacher menu MacArthur lui-même simplement pour calmer leurs nerfs sur le *Gringo*.

À Recife, deux hommes l'attendaient. Des Brésiliens. Il n'y en avait qu'un seul qui parlait à peu près l'anglais. En hélicoptère, on survola la charmante petite ville coloniale d'Olinda et l'hôtel *Quatro Rodas*, où Letty et lui avaient passé quelques jours, au temps où elle acceptait de le suivre dans ses voyages. On allait donc vers le nord. Mais, peu après, on obliqua à l'ouest, vers le soleil couchant. Assis à côté du pilote, MacArthur sentait presque physiquement les regards des deux tueurs posés sur lui. Il aurait été terrifié de les rencontrer au coin d'un bois. Des lumières apparurent enfin. Une croix de feu indiqua l'endroit où se poser.

– Bienvenue au Brésil, dit le Sicaire. Je n'ai certes pas

de conseil à vous donner mais, à votre place, je ne *leur* dirais rien qui puisse les irriter davantage. *Ils* sont déjà d'assez méchante humeur.

Le Sicaire fumait son *cigarillo* aux abords de la *fazenda* toute proche, qu'entouraient suffisamment de gardes pour constituer un bataillon.

— Bonne chance, Mac.

Ils n'étaient que deux. Les trois autres se trouvaient également « en vacances », mais au Pérou et en Bolivie, à en croire la presse américaine, que MacArthur avait lue dans l'avion. Ceux qui étaient assis en face de lui séjournaient théoriquement au Panamá, chez un de leurs sous-fifres, un général très peu populaire à Washington – ou alors trop : on l'invitait sans arrêt à venir y faire une visite.

Ils dirent à « Macatou » qu'il avait traîné pour répondre à leur appel. *Ils* n'aimaient pas ça. Il tenait vraiment à avoir des ennuis ?

Si bien que, malgré les recommandations du Sicaire et cette partie de lui-même qui l'exhortait au calme, il fut déjà, une première fois, sur le point de leur dire d'aller se faire foutre. Merde ! *Ils* n'étaient pas en situation de fanfaronner, obligés qu'*ils* étaient de se cacher au fin fond du Brésil après toutes leurs âneries. Il put se maîtriser. Ne posa aucune question. Feignit en quelque sorte d'ignorer cette situation. Mais les problèmes qu'*ils* rencontraient en ce moment servirent de toile de fond à son exposé. Même *eux* purent le comprendre.

MacArthur reprit le détail de son Plan d'ensemble. Il lisait dans leurs yeux bridés de demi-Indiens que, pour une fois, *ils* l'écoutaient. *Nom de Dieu ! Je suis en train de gagner !* Il décrivit ses rencontres à travers le monde, très posément, évitant de susciter chez *eux* une réaction d'agacement devant ce cours magistral.

Il attendit leurs questions presque sans impatience, sûr d'avoir enfin réussi à faire passer le message dans leurs caboches de paysans andins. Et elles vinrent, ces questions. Celles qui convenaient et qui prouvaient que – *nom de Dieu!* – ils avaient compris.

Il fournit suffisamment de réponses mais garda certains renseignements pour lui. Cela revenait à offrir toutes les pièces d'un puzzle, sauf une sans laquelle le puzzle n'avait plus de sens. Cette pièce-là, il allait la conserver et ne s'en dessaisirait sous aucun prétexte. Tout le jeu qu'il jouait cette nuit consistait à en dissimuler l'existence pour l'instant. Elle était son assurance-vie.

Sinon davantage.

Le moyen peut-être de *les* contrôler.

Ne rêve pas; tu n'y es pas encore.

Mais il n'en était plus très loin. Un extraordinaire sentiment de triomphe l'envahit. *Ils* se taisaient. *Ils* n'avaient même pas songé à lui offrir à boire. Pour un peu, *ils* l'auraient fait rester debout. Il fut sur le point de *les* interpeller, de vider son sac de toutes les rancœurs haineuses accumulées pendant des années.

Pas encore, Mac. Je t'en prie, calme-toi! Tu peux bien attendre un peu!

Les hommes qui avaient produit et vendu aux USA cent soixante-quatorze tonnes de cocaïne, entre 1978 et 1981, hochaient la tête, pensifs, débarrassés pour la première fois de leur morgue. Il y en eut un pour demander :

– Et ça va régler tout, *todas las cosas*, Macatou?

– *Todas. Si lo quieren.*

« Macatou » s'était exprimé en espagnol tout du long, pour augmenter ses chances. Il ruisselait de sueur. Il sortit. Dehors, des espèces de *cangaceiros* d'un autre âge, en vêtements de cuir, jouaient aux dés à même le sol. On apporta à MacArthur l'alcool qu'il avait demandé. Il but lentement son verre, en réclama un autre. Il s'assit dans un fauteuil à bascule, regardant les joueurs de dés, ne doutant pas que n'importe lequel de ces hommes était prêt à lui ouvrir la gorge au moindre signe. Il aperçut, un peu plus loin, une quinzaine de gardes armés de pistolets automatiques de type MAC 10 calibre 45, des *hamburger guns.*

Une heure environ s'écoula.

– Je vous ramène, Mac. Je piloterai moi-même. Nous avons à parler tous les deux, et l'altitude est propice aux épanchements. À propos, je ne sais pas encore ce que vous *leur* avez dit, mais *ils* sont contents. Et contents de vous. C'est très bien, soldat !

Le Sicaire avait l'air de savoir parfaitement piloter un hélicoptère. Il sourit.

– Où voulez-vous dormir ? Au *Quatro Rodas,* comme il y a six ans avec votre femme ? Je vous y ai retenu leur suite présidentielle.

– Ça ira très bien. J'ignorais que vous étiez pilote. Est-ce que vos fiches mentionnent ce que nous avons mangé, Letty et moi ?

Rire.

– Non. On m'a simplement signalé que vous étiez allés deux fois à *L'Atelier.* Leur cuisine française est excellente, il paraît.

L'hélicoptère s'élevait au-dessus de la *fazenda.* MacArthur était seul à bord avec le Sicaire. Un tête-à-tête en plein ciel. D'après la référence inscrite sur le tableau de bord, l'appareil était un S 70 Sikorsky.

– Vous avez appris ce qui se passe *là-bas,* Mac ?

– On a appréhendé le chef comptable et quelques milliers de personnes.

– Je parle des réactions américaines.

Washington avait proposé d'intervenir militairement sur le terrain et de mettre à la disposition du gouvernement colombien des dizaines de millions de dollars pour qu'armée et police soient enfin en mesure de s'opposer aux milices privées, de les réduire, éventuellement, et d'appliquer réellement le traité d'extradition de 1981, signé entre, la Colombie et les États-Unis. C'était la seule véritable crainte du Cartel. Ils l'avaient assez dit : « *Mieux vaut une tombe en Colombie qu'une cellule aux États-Unis* ». Ils s'étaient donc assuré une milice d'une incroyable puissance, qui employait les services d'innombrables professionnels de la guerre, du terrorisme et de la guérilla. Des spécialistes sud-africains, israéliens et autres en formaient l'encadrement.

– Je m'intéresse peu à ces choses, dit MacArthur. Êtes-vous, vous-même, un mercenaire, Matamoros ?

– Pas de question personnelle, je vous prie, répondit en riant le Sicaire, décidément de belle humeur.

Mais, sous cet enjouement, cette alacrité si peu habituelle, MacArthur était à peu près certain de déceler une nervosité encore plus surprenante, voire de la fébrilité. La peur lui vint d'un coup. *Cet homme est fou, au sens clinique du terme, et tu es suspendu en l'air avec lui, totalement à sa merci.*

Le Sicaire s'était remis à parler. Il évoquait l'énorme campagne de presse aux États-Unis, où une prise de conscience se faisait, où les choses bougeaient. Des politiciens du plus haut rang, des journalistes, des groupes de pression de toute sorte proclamaient l'urgence d'actions décisives. Il semblait qu'on allât vers un réexamen global d'une situation que l'on commençait à assimiler à celle du Viêt-nam. Certains considéraient qu'il était inacceptable, qu'il était dément, de laisser plus longtemps quelques hommes, dans un petit pays d'Amérique latine, inoculer un tel cancer aux États-Unis, porter atteinte à leur sécurité. D'ailleurs, on n'en était même plus à l'inoculation; la maladie avait pris des proportions colossales. Et le cancer ne touchait pas que les Américains ou leurs voisins canadiens; il avait gagné tout le monde occidental, voire le monde entier. Il s'étendait bien plus vite que le sida, dont on parlait davantage. Et les quelques hommes à qui la maladie profitait étaient en train d'amasser une fortune comme nul n'en avait rêvé, une fortune qui pourrissait entièrement le système financier international. C'était bien d'une guerre qu'il s'agissait. Pour la mener, le président Bush venait de débloquer un budget de huit milliards de dollars. La lutte contre la drogue était désormais la priorité des priorités de son gouvernement. Les Européens avaient suivi. Pierre Joxe, en France, parlait d'un devoir sacré de la communauté internationale contre la drogue et ses capitaux et annonçait la formation d'une brigade spécialisée dans la finance. Le président de la Colombie lui-même avait adressé un message pathétique au monde entier. Il avait demandé aux utilisateurs de cocaïne de renoncer à un vice personnel qui avait permis à la plus grande entreprise criminelle que l'humanité eût jamais connue de se constituer et de s'étendre. La situation était si grave qu'elle mettait en péril la démocratie en Colombie. Il appelait à la mobilisation internationale. Son homologue français, François Mitterrand, s'était rendu sur place pour l'assurer de son soutien.

— Je répète ce qui se dit, Mac; rien d'autre.

— C'est bien ainsi que je l'entends.

— On parle même d'écoles fermées et protégées comme des bunkers de dictateurs de république banalière où les chères têtes blondes seraient à l'abri des représentants qui distribuent leurs échantillons de *crack* et de cocaïne.

MacArthur gardait son regard fixé sur l'altimètre, dont les aiguilles tournaient rapidement. L'hélicoptère était toujours en phase ascensionnelle. *Sommes-nous montés si haut à l'aller ? Je ne crois pas. Mais peut-être suivons-nous un autre itinéraire, en survolant des montagnes plus élevées. Y a-t-il tant de montagnes dans le Nord-Est brésilien ?*

— Mac, vous croyez à l'éventualité de l'envoi d'un corps expéditionnaire, national ou international, chargé de l'éradication de la coca au Pérou, en Bolivie et en Colombie ?

498

– Je ne suis pas spécialiste des problèmes militaires.

– En d'autres termes, vous vous en foutez complètement. Le Sicaire riait encore.

– Il faudrait occuper la Bolivie tout entière; et aussi ces deux autres pays, où on produit la meilleure coca. En fait, il faudrait occuper tous les pays susceptibles de s'adonner à cette culture. Ce serait attenter à leur indépendance. Et il y aurait de bonnes âmes pour prétendre que la drogue n'est que le prétexte d'une nouvelle colonisation. Pour l'opinion publique de ces pays, tout ça, c'est une affaire de *Gringos*, une histoire qui concerne les consommateurs. Eux ne se sentent, en quelque sorte, que des exportateurs. Sans compter qu'entretenir un soldat derrière chaque agriculteur serait peu praticable, coûteux et dangereux. On peut acheter des soldats, quel que soit leur grade.

– Je ne vous savais pas non plus si expert dans le domaine politico-militaire, Matamoros. Sommes-nous obligés de monter si haut?

– Pour l'armée des États-Unis, ce S 70 porte une autre dénomination. C'est un appareil que j'ai fait quelque peu modifier. Il atteint presque les cinq mille mètres. Et son rayon d'action est supérieur à celui du Sea King. Mac, aux États-Unis toujours, il est même question d'une sorte de nouveau plan Marshall. Mais, cette fois, on viendrait au secours de tous les pays pour lesquels la coca est une matière première vitale. Est-ce que ce que je vous dis vous intéresse?

– Passionnément.

– Vous avez peur, Mac?

– Oui.

L'hélicoptère montait toujours.

– Et encore autre chose, Mac. On envisagerait aussi d'assimiler le trafic de drogue à un crime contre l'humanité. Imprescriptible et éliminant toute possibilité d'un refus d'extradition. De nouvelles lois de Nuremberg, si l'on veut. Nous sommes à quinze mille cent soixante-sept pieds, Mac, à peu près cinq mille mètres. Nous nous trouvons exactement à la verticale de la ville de Campina Grande. À votre avis, en chute libre, nous mettrions combien de temps à nous écraser, disons, à l'angle de la place Bandeira et de l'avenue Getulio-Vargas, sur la poste, ou juste à côté, sur la place Clementino-Procópio?

MacArthur ferma les yeux.

– Je vais faire quelque chose de très amusant, dit le Sicaire avec entrain. Je vais arrêter le rotor et nous allons tomber un peu. Je compterai jusqu'à cinq. Et, à cinq, je remettrai l'hélice en route. Elle arrêtera notre chute... ou pas. Il sera intéressant de le découvrir. Vous savez, bien entendu, quelle question je veux vous poser, n'est-ce pas, Mac?

MacArthur était bien décidé à dire oui et à répondre à la question. Il n'en eut pas le temps. Le grand sifflement au-dessus de sa tête s'atténua puis cessa; les deux moteurs s'arrêtèrent de gronder. Un silence terrifiant s'installa.

– Un, dit le Sicaire en s'étirant, mains jointes derrière la nuque.

Tu t'attendais à quelque chose de ce genre, Mac.

– Trois, annonça le Sicaire.

Qui, à cinq, remit les moteurs en route. La chute se poursuivit pendant encore quelques secondes, puis se ralentit. L'appareil se stabilisa enfin.

– Maintenant, nous allons remonter et peut-être recommencer, Mac. Quelle est ma question?

– Ce que je leur ai dit. Quelle sorte de plan j'ai conçu qui les satisfasse tant.

– Vous trichez, Mac. Vous allez décidément avoir droit à une deuxième chute libre. Vous oubliez de dire que ce fameux plan vous donne, à vous, une sérénité assez extraordinaire devant toutes ces nouvelles catastrophiques que je vous annonce. Même si vous les connaissiez déjà. Non. Attendez avant de parler. Nous refaisons une deuxième expérience. Si elle échoue, vos révélations seront sans intérêt pour moi.

Le Sicaire compta jusqu'à six pendant la deuxième chute libre. Puis il y eut cet épouvantable moment où le moteur toussa, le rotor balbutiant avant de se remettre à tournoyer normalement.

– C'était un peu juste, cette fois, dit le Sicaire, très allègre. Je ne parierais pas beaucoup sur nos chances dans le cas d'un troisième essai. Quoique je sois assez tenté. Je vous écoute, Mac. Vous noterez que nous remontons.

– J'ai constitué un pool international, dit MacArthur. Une sorte de club de tous les grands débiteurs des États-Unis.

– Je sais où vous êtes allé lors de votre tournée récente.

– Les Japonais détiennent environ trente pour cent des bons émis par le Trésor américain. Les Arabes en ont bien moins mais cela représente néanmoins des sommes monstrueuses. En ce moment même, il y a plus de trois mille trois cents milliards de ces bons en circulation dans le monde.

– Et en Europe?

– Il s'y trouve pas mal de particuliers pour qui ces bons sont un placement refuge.

– Vous êtes allé en Inde.

– Je suis allé presque partout; j'aurais pu aller partout, y compris à l'Est.

– Et les Fourmis détiennent de ces bons?

– En quantités énormes.

– Ce qui leur assure, ce qui nous assure notre entréc dans le club.

– Voilà.

– Je ne connais rien à la finance, Mac. Qu'est-ce qu'un bon du Trésor?

– En simplifiant, ni plus ni moins qu'une traite de cavalerie. Des sortes d'emprunts, émis par le Trésor américain chaque fois qu'il s'est trouvé en difficulté. Des citoyens américains ont pu en acquérir mais les contrôles étaient stricts. Ils étaient infiniment plus souples si l'acheteur était étranger.

– En sorte que, si ces créanciers exigeaient tous en même temps d'être remboursés, cela entraînerait un effondrement?

– En quelque sorte. Vous avez tout compris, Matamoros.

N'en fais pas trop dans l'ironie, Mac. Le Sicaire est plus intelligent qu'eux. Tu lui dis simplement la vérité. Enfin, une partie de la vérité, bien sûr. Tu ne lui révèles qu'un étage seulement de ton Plan d'ensemble. Il lui faudra s'en contenter. Comme eux s'en sont contentés.

– Qui sont ces gens, Mac, qui acceptent dans leur club d'ignobles trafiquants de drogue comme vous et moi? Qui sont ces Japonais, par exemple? Des yakusas? La mafia japonaise?

– Pas du tout. De très honorables hommes d'affaires. Plus ou moins multimilliardaires en dollars, bien sûr; soit par eux-mêmes, soit par les conglomérats qu'ils dirigent.

– Leur intérêt?

Les questions viennent plus vite qu'avec eux.

– Garantir leurs propres investissements. Ils auraient tout à perdre dans l'effondrement américain. Et ils estiment que, en raison même de ces investissements, ils ont quelque droit à la parole. Ce qui n'est pas exactement le cas. Ou pas assez selon eux.

– C'est tout?

Bonne question. Le Sicaire les surpasse très nettement.

– Non. Ce n'est pas tout, Matamoros. Nous pouvons leur ouvrir le marché sud-américain tout entier. Et le club leur permet en outre de mieux pénétrer le grand marché européen. Entre membres du club, ce sont des services que l'on se rend.

– Parce que nous sommes en mesure d'ouvrir, comme vous dites, ce marché sud-américain?

Lâche encore un peu de lest. Va même un peu plus loin qu'avec eux. Tu n'as pas du tout envie d'un troisième essai de chute libre.

– Nous le contrôlons au-delà de tout ce que vous pouvez imaginer, Matamoros. Par tous les achats directs que nous avons faits ces dernières années dans les pays concernés. Et je me suis servi d'un autre facteur.

– Nous sommes revenus à quinze mille pieds, Mac.

– J'aimerais autant que nous descendissions moins brutalement. Cet autre facteur, c'est la dette extérieure de ces mêmes pays. Les sommes dues sont astronomiques. Il n'y a rien de plus simple que de racheter aux banques une partie de leurs créances. Ces banques sont merveilleusement disposées à s'en débarrasser – à des prix défiant toute concurrence. Elles ont accueilli mes divers émissaires avec enthousiasme et ne se sont guère préoccupées de la provenance de l'argent qu'ils leur offraient. Elles ont même beaucoup contribué à le blanchir complètement.

– Et une fois en possession de ces créances?

– Nous nous sommes retrouvés propriétaires de pans entiers de l'économie sud-américaine, par le truchement d'une infinité d'hommes de paille. Avec l'avantage supplémentaire de nous trouver en position de prétendre à l'aide internationale, et à celle du Fonds monétaire international notamment, en qualité d'entrepreneurs honorables voués au redressement d'économies en pleine déconfiture. Médailles et honneurs ne sont pas loin!

De toutes les parties du Plan d'ensemble de MacArthur, c'était la plus étincelante, celle qui avait le plus frappé leurs pauvres imaginations. Et l'effet qu'elle produisait sur le Sicaire lui-même valait d'être vu.

Je l'ai abasourdi.

— Et pour *eux*, Mac?

— Il sera certainement possible de négocier une immunité. Certaines personnes proches du gouvernement colombien y sont favorables. Les Américains, eux, pourraient finir par l'accepter, avec leur pragmatisme.

— Je vois.

Ça m'étonnerait que tu voies tout, mon cher Matamoros. Je ne t'ai montré que ce que je voulais.

— Mac, vous vous retrouvez presque en position de leur dire ce qu'*ils* doivent faire.

— N'exagérons rien.

Voyons un peu ce qu'il va me demander maintenant. Poussera-t-il le raisonnement jusqu'au bout?

— C'est à *eux* seuls que j'obéis, Mac.

Eh bien, non. Il vient d'atteindre la limite de son intelligence. Je n'aurais pas à lui en révéler davantage. Ce n'est qu'un tueur. Un maître en la matière, mais rien d'autre. Il est incapable de s'écarter de ses problèmes personnels.

— Je le sais, Matamoros.

— Vous allez finir par m'agacer, avec votre Matamoros. Mac, je suis très capable de vous tuer. D'habitude, je n'agis que sur ordre.

— Mais vous feriez une exception pour moi.

— Oui. À propos d'ordre, *ils* m'en ont donné un. Que j'attendais. Que vous attendiez certainement aussi.

— Éliminer Gantry et la Canadienne. Exécuter le travail que Milán n'a pas pu faire.

— Vous allez essayer de m'en empêcher, Mac?

— J'en ai la possibilité?

— Non.

L'hélicoptère plongea, en une sorte de piqué de la mort heureusement contrôlé. Il ne fut même pas question de parler, MacArthur avait l'impression que son cœur lui remontait entre les dents. Il n'avait aucune possibilité de stopper la course du missile lancé contre Gantry et Zénaïde Gagnon. Il n'avait rien trouvé.

Quelle que fût la stratégie de Gantry. Même si cette stratégie était bien celle qu'il avait devinée. Quel que fût le résultat de cette stratégie.

C'était bête.

5

Le groupe conduit par Pat Hennessey était arrivé à Kapit. L'appareil s'était posé à une trentaine de kilomètres à l'est de la ville. Ils avaient fait le reste du voyage en bateau à moteur, sur le Rajang. Hennessey était convaincu qu'aucune Fourmi n'avait pu les suivre ou même signaler leur départ d'Australie. Conformément au plan d'évacuation, ceux qui avaient quitté Guadalcanal s'étaient, dès leur arrivée à Brisbane, dispersés. En direction de Sydney, de Melbourne, d'Adelaïde, de Fremantle, de Perth ou d'autres villes de moindre importance, perdues dans le vaste continent australien. Le regroupement de la troupe désignée pour rejoindre Bornéo s'était opéré discrètement. Pat s'en était donné à cœur joie; ce jeu de piste l'avait enchanté.

Lee Wang – l'informaticienne –, Pete Kartsov et le Babu s'installèrent dans le bureau à peine arrivés, relayant Gantry pour recevoir les messages des vieilles tantes, messages dont le flot commençait d'ailleurs à ralentir, signe, conclut Zénaïde, que le dossier Fourmis n'était plus très loin d'être complet.

Laviolette se portait à merveille. Ses blessures n'étaient plus qu'un souvenir. Il allait pouvoir rejouer au hockey dès son retour au Canada.

– Si nous rentrons jamais au Canada, dit Zénaïde.

– Ne me fais pas rire! Gannie a, paraît-il, un plan qui ne peut pas manquer.

– Ne l'appelle pas Gannie, Laviolette. Ça m'énerve.

– De mauvais poil, hein?

Oui. De très méchante humeur, même. Durant les quarante dernières heures, Gantry n'avait pas décollé de devant ses ordinateurs. Il n'aurait pas été moins absent s'il s'était trouvé au pôle Nord. Et il avait esquivé toutes les questions sur son « *plan qui ne pouvait pas manquer* ». Pas une explication. « *Pas le temps* », avait-il dit. Bon. Ça ne voulait pas dire expressément qu'elle était trop idiote pour comprendre, mais c'était un peu l'idée. Zénaïde s'était irritée. S'en était voulu de cette irritation. S'était retrouvée en colère, mais cette fois contre elle-même. *Je suis une bobonne; je ne sers à rien. Je me suis trouvé un jules comme il ne doit pas y en avoir trois sur la planète et j'en conclus que je ne dois surtout pas envisager de vivre avec lui. Et de quelque côté que je retourne le problème, je parviens à la même conclusion.* En plus, elle trouvait très beau le pays des Ibans – circonstance aggravante! Et elle s'inquiétait du sort de grand-père Gagnon, dont elle était sans nouvelles.

– Il est en France.

Elle dévisagea Laviolette.

– Comment le sais-tu?

– Pat Hennessey et les vieilles tantes l'ont mis à l'abri. Au Canada, sa sécurité n'était pas suffisante.

Nouvelle poussée de fureur chez Zénaïde.

– Gantry le savait?

– Non. Ce sont les vieilles tantes qui ont pris la décision. Gannie... je veux dire Gantry... avait seulement demandé qu'on le protégeât. Comme il l'a demandé pour Alex Decharme et ma famille. Et tous les autres.

– Quels autres?

Laviolette haussa les épaules. Il n'avait pas la liste. Pour lui, cela s'était passé tout au début. À peu près au moment où l'on avait appris que les Fourmis étaient à leur poursuite, avec leurs yachts. Gantry l'avait prévenu qu'elles risquaient de s'en prendre à ses parents et à ses sœurs – celle de Montréal et les deux plus jeunes, qui vivaient encore à Missikami – et que des précautions s'imposaient. Comme pour grand-père Gagnon. Et lui, Laviolette, avait fait, en somme, comme Zénaïde; il avait convaincu les siens de se mettre à l'abri – enfin, d'accepter que les vieilles tantes les mettent à l'abri.

– Tu ne m'en as même pas parlé!

– Je croyais que tu le savais, Zénaïde.

– Et les mêmes mesures ont été prises pour les parents de tous ceux qui se trouvaient sur la jonque?

Évidemment. Pourquoi n'y ai-je pas pensé plus tôt? se dit Zénaïde. Elle n'avait pas vu plus loin que son propre grand-père, Alex Decharme, sa femme et ses enfants. Gantry n'avait rien négligé, lui. Et, une fois encore, elle se retrouva partagée entre l'admiration qu'elle éprouvait pour l'intelligence de Gantry et le sentiment de ses propres insuffisances.

– Où, en France?

– Je ne sais pas.

– Où sont tes parents?

– À Paris. Avec mes sœurs.

– Et ton père s'est laissé persuader de quitter le Canada?

– Tu oublies que Missikami appartient presque tout entier aux Guili-Guili, maintenant.

Les parents de Laviolette tenaient l'épicerie-station-service, à Missikami. Ils auraient pu la conserver. Sauf que les MacGuildy, dans leur acharnement à flanquer dehors tous les Gagnon et tous les Laviolette, s'étaient empressés de faire construire un drugstore ultramoderne, dont la concurrence était mortelle. D'autant que le personnel de la scierie (appartenant aux MacGuildy) avait reçu l'ordre de changer de fournisseur. Les ouvriers récemment embauchés étaient tous de maudits Anglais, de toute manière.

– Alors, partir pour partir... Mes sœurs continuent leurs études à Paris. On parle français là-bas aussi. Avec un accent, mais c'est presque pareil. Fabienne veut devenir comédienne ou chanteuse. Surtout chanteuse. Gilles Vigneault lui a dit qu'elle avait une jolie voix.

Zénaïde marchait dans Kapit. Avec l'immense Laviolette à son côté et, autour d'eux, Randa et ses Ibans de garde. Kapit n'était qu'une petite ville, une espèce de comptoir comme ceux que l'on avait ouverts jadis au Canada pour les Indiens qui venaient troquer leurs fourrures. Ici, au lieu de l'ancienne Compagnie de la baie d'Hudson, il y avait des commerçants chinois. Ils acquéraient le latex, le sagou, le riz, les légumes et les fruits que des Ibans des collines apportaient dans de multiples pirogues. Senteurs de vase épicée, de poisson fermenté, de fruits. Sur les rives du Rajang se succédaient les typiques maisons sur pilotis, dont les pièces s'ajoutaient les unes aux autres, en enfilade, jusqu'à atteindre deux ou trois cents mètres de long. La forêt était partout, on y pratiquait des brûlis pour dégager des terrains de culture mais elle se refermait très vite. Elle retentissait, surtout à la nuit tombante, des cris des singes, des calaos, d'une infinité d'autres oiseaux.

– Tu vas rester avec Gantry, Zénaïde ?

– Non.

– Ça ne m'achalarait pas trop de venir vous visiter, toi et lui, ici ou sur votre future jonque, entre les saisons de hockey. Ça me ferait des vacances intéressantes, une occasion de partir sur un balloune.

Autrement dit, partir en bordée. *Je vais flanquer à cet abruti géant une claque par la suce*, pensa Zénaïde – une gifle en pleine poire.

Randa, le chef iban, les invitait à entrer chez lui, dans la longue maison dont il était le *tua rumah*, le chef (quoique, chez les Ibans, les hiérarchies fussent assez incertaines). Il fallut boire de l'alcool de riz, du *tuak*, et s'extasier sur la collection de crânes humains suspendus à un large anneau de fer près de l'entrée. Randa en était très fier. Il en avait soixante-quatre, dont trois Anglais du XIXe siècle et trente-deux Japonais des années 40, d'après ses explications. Il se montra nettement plus flou sur ses acquisitions récentes.

– Il est vraiment gentil, ce type, dit Laviolette en ressortant. Ça sera agréable pour toi de l'avoir comme voisin.

– Tu te trouveras un autre endroit pour passer tes vacances, Laviolette. Je ne vais pas vivre avec Gantry. J'attends juste que toute cette histoire soit finie, d'une façon ou d'une autre, pour rentrer en Amérique.

Ce qui, selon elle, devait être l'affaire de deux semaines au plus maintenant.

D'une façon ou d'une autre.

Les jours suivants, les courriers commencèrent à arriver à Kapit, eux aussi. Il s'agissait d'émissaires chargés du transport du dossier Fourmis, établi en cinq exemplaires.

En clair, cette fois; plus question de codes.

– Je peux lire, Gantry?

– Bien sûr.

– Pourquoi cinq?

Elle devina la réponse en même temps qu'elle formulait la question. Cinq pour augmenter les chances de voir un au moins de ces dossiers parvenir à sa destination. Et d'autres copies seraient faites à l'arrivée.

– Et comment saurons-nous que l'un de tes messagers a pu passer?

Autre question idiote, Gagnon, pensa-t-elle. Les vieilles tantes accuseraient immédiatement réception par code, cela allait de soi. Mais Gantry estimait que les courriers passeraient sans encombre. Un seul homme au monde pouvait avoir deviné en quoi consisterait la riposte définitive aux Fourmis.

Leur destin à tous était entre les mains – ou, mieux, dans la tête – de James Doret MacArthur.

Ç'allait être l'affaire de quelques jours. Il fallait attendre. Gantry sourit.

– Gagnon, je crois n'avoir pas volé trois jours de vacances. À chacun de mes séjours ici, je m'amuse à remonter le Rajang en pirogue. Ça te tente, après-demain matin?

Cela signifiait qu'elle allait se retrouver seule avec le Fou de Bassan. Elle accepta. Malgré ou à cause de la perspective de cette solitude à deux.

Ta logique est pour le moins déconcertante.

Le Sicaire était à Singapour. Il n'y était pas venu depuis près de dix ans. Le premier séjour qu'il y avait fait datait de mars 1965. (Fin février en fait, le premier débarquement à Da Nang datait du 6 mars.) Il y était retourné très souvent dans l'intervalle – sans compter les trente mois qu'il y avait passés, entre 1977 et 1980, pendant lesquels il avait appris le chinois et le malais.

Ce fut à peine s'il put retrouver ses repères. La ville avait incroyablement changé. Orchard Road avait des allures de Huitième Avenue new-yorkaise. Il évita tous les hôtels modernes, où il risquait d'être reconnu, et se rabattit sur les petits établissements chinois de Bencooleen Street. Il resta dans sa chambre jusqu'à trois heures de l'après-midi, heure à laquelle il quitta le *South Asia*, pour déjeuner dans un restaurant en plein air, puis pour se rendre à son rendez-vous, dans le parc aux oiseaux de Jurong. Il y arriva à quatre heures et demie – avec trente minutes d'avance, qu'il consacra à une exploration des lieux. Par pur réflexe; il n'avait aucune raison de croire que Haw Teck pouvait lui tendre un piège.

– Tu n'as pas changé, dit Haw. Sauf ta moustache, que tu as rasée, non? Il me semblait... Qu'est-ce que tu deviens?

– J'ai ouvert un commerce de fruits et légumes, dit le Sicaire. Tu as les hommes et les armes?

Il retira l'argent de la ceinture qu'il portait sous sa chemise – deux cents billets de mille dollars pliés dans le sens de la longueur. Haw ne recompta pas et glissa le tout dans son *attaché-case*. C'était un Chinois d'une soixantaine d'années. Normalement, il aurait dû mourir en 1977, mais il avait eu l'intelligence, dès qu'il avait appris l'existence d'un contrat sur lui, de prendre contact avec son associé de Bangkok, lequel avait accepté l'offre d'une nouvelle répartition des bénéfices et avait stoppé, juste à temps, le tueur qu'il avait engagé. Ce tueur était, évidemment, le Sicaire. Haw s'était même montré plus adroit encore; il avait engagé le tueur à son compte et, peu de temps après, avait perdu son associé de Bangkok, abattu par un assassin anonyme.

– Cinquante-neuf contrats en comptant ce regretté Lim. Je me suis toujours demandé pourquoi tu t'étais arrêté avant soixante. Ça aurait fait un chiffre rond.

– Ma vocation pour les fruits et légumes est brusquement devenue impérieuse. Combien d'hommes?

– Les trente que tu m'as demandés. Les meilleurs. Pas mal de Vietnamiens parmi eux. Tu parles le vietnamien, non?

– Oui.

– Tu sais que si l'envie te prenait d'un petit travail en passant, juste en souvenir du bon vieux temps...

– Non.

– Ne te fâche pas, dit Haw, non sans précipitation.

Le Sicaire contemplait l'immense volière devant lui, dans laquelle on avait eu l'idée imbécile d'enfermer des oiseaux de mer. En train visiblement de dépérir. L'idée acheva de se former en lui. Il prit sa décision.

– Haw, je ne veux plus de tes hommes.

Juste quelques armes. Et un hélicoptère. Pas de pilote; il piloterait lui-même. Et du carburant en réserve.

Haw Teck le fixait, intrigué, n'ayant pas la moindre idée de ce que le Sicaire voulait faire ou de la direction qu'il allait prendre. Sans doute le Chinois pensait-il au

Viêt-nam. Mais il ne posa aucune question. L'une des choses qu'il avait apprises auprès de cet homme maigre et sombre, pendant les trente mois où il l'avait employé comme exécuteur, c'était qu'il était horriblement dangereux – l'homme le plus dangereux qu'il eût jamais rencontré. Et Haw s'y connaissait, après quarante ans consacrés au trafic de l'opium et des armes.

Le Sicaire rompit le premier. Il passa devant les quatre gardes du corps qui feignaient de se passionner pour la volière et ne lui accordèrent pas un regard. Il regagna Bencooleen Street à pied, allongeant même un peu la distance, délibérément. La chaleur, la touffeur de l'air ne l'incommodaient pas plus que le froid de l'Oregon.

Trente-deux heures plus tôt, avant de s'embarquer pour le détroit de Malacca, il avait donné le signal de l'attaque à ses commandos personnels – inconnus de Milán lui-même. Sa garde noire en quelque sorte. Un message anodin affiché dans l'aéroport de Singapour, à l'arrivée de son avion, et auquel, comme les autres passagers, il n'avait jeté qu'un regard apparemment distrait, lui avait annoncé que tous les objectifs étaient sur le point d'être atteints. Les otages se trouvaient sous contrôle; le vieux Gagnon, deux des sœurs de Laviolette, la famille Decharme (sauf le père, Alex, que l'on n'avait pas réussi à localiser et qui voyageait quelque part aux États-Unis sous une fausse identité), la jeune Anglaise employée au British Council de Singapour, qui était la compagne de Pat Hennessey, la femme et le fils d'Anthony Beardsley, capitaine de la Jonque, et d'autres parents d'autres membres de l'équipage. Une trentaine en tout. Parmi lesquels se trouvait le propre père de Gantry, capturé en Espagne, dans sa propriété andalouse. Tous les enlèvements avaient été opérés en l'espace de douze heures, quasiment à la même heure en temps universel. Gantry les apprendrait sans doute rapidement; il paraissait fort bien organisé. Normalement, à neuf heures, le lendemain matin, heure de Singapour, le

Sicaire aurait dû établir personnellement le contact avec Gantry dans sa retraite du Sarawak et lui dicter les termes de sa reddition. Gantry n'aurait pas eu d'autre choix que d'aller au rendez-vous, au-devant de sa propre mort.

C'était à ce plan que le Sicaire venait de renoncer. Il regrettait même sa prise d'otages. Alla jusqu'à envisager, soit de les faire libérer, soit, plus simplement, d'ordonner leur immédiate exécution – cette deuxième solution ayant sa préférence. Il reporta sa décision. Rien ne pressait.

Les heures suivantes furent consacrées à la préparation de son raid solitaire. Il prit langue avec les agents de Haw au Brunéi et au Sarawak, tous chinois, leur fixa les détails et les limites des interventions qu'il attendait d'eux. Ils étaient nombreux à Bandar Seri Begawan, au Brunéi, il s'en trouvait quatre à Kuching, deux à Sibu et Belaga, et trois à Kapit. Le réseau que Haw Teck avait tissé en quarante ans dans l'immense diaspora chinoise se révélait précieux. Sans eux, le Sicaire n'eût sans doute pas projeté une pareille attaque. On lui confirma que Gantry se trouvait toujours dans sa maison octogonale de Kapit (dont le Sicaire avait vu des photos, prises lors d'un repérage effectué des mois plus tôt). La Canadienne était avec Gantry. Une petite équipe formée de Pat Hennessey, de la Sino-Américaine, de Pete Kartsov, de l'Indien et du joueur de hockey les avait rejoints.

On signala également au Sicaire que, durant les deux jours précédents, Gantry avait reçu la visite de cinq ou six hommes, qui tous étaient repartis avec des paquets mystérieux qu'ils n'avaient pas à leur arrivée. Cette dernière information intrigua le Sicaire. Qui pouvaient être ces messagers ? Le système de communications internationales de Singapour fonctionnait assez remarquablement. Le Sicaire put joindre son état-major personnel (totalement distinct de celui de Milán) à México. Il demanda l'ouverture d'une enquête immédiate sur ces inconnus, qui devaient (simple hypothèse mais plausible) avoir gagné l'un des aéroports internationaux avoisinant le Sarawak, Brunéi, Singapour, Kuala Lumpur ou Djakarta.

Le dernier renseignement qu'on lui transmit le fit sourire. Gantry avait prévu, pour le lendemain matin, une sorte d'excursion : remonter le Rajang vers les *Hose Mountains.*

Le Sicaire se pencha sur ses cartes d'état-major. Son raid allait, décidément, être encore plus amusant qu'il ne l'avait espéré. Une fois de plus, il allait marcher dans la forêt, en armes, pour une chasse à mort. Tout ce qu'il aimait.

Il rappela México et indiqua les coordonnées de ses soutiens tactiques à Kuching, à Kapit et dans les autres localités. Qui lui relaieraient les appels. Il les recevrait, soit sur la radio de l'hélicoptère, soit sur le poste qu'il avait prévu d'emporter dans sa chasse. « *Identifiez-moi ces cinq messagers.* » Et, évidemment, il voulait être prévenu des moindres mouvements de Gantry.

Ce fut au cours de cette deuxième communication que le Sicaire apprit que Phénix (nom de code de MacArthur) venait de quitter l'île des Caïques et était en route pour New York.

Aucune importance.

Le Sicaire choisit son lieu d'atterrissage au Sarawak : en amont de Kapit, à une trentaine de kilomètres au sud-est d'Adjan, sur le cours supérieur du Rajang, tout près de l'endroit où ce fleuve reçoit son affluent, le Baleh. Pour le cas où Gantry modifierait son itinéraire et choisirait une rivière plutôt qu'une autre.

Il décolla à trois heures trente du matin, aux commandes d'un Sea Cobra équipé de réservoirs supplémentaires. Il emportait quelques-unes de ses armes favorites : une carabine d'assaut SIG 530-1 avec lunette de visée et bipied, un M 16 équipé d'un lance-grenade Colt, un pistolet-mitrailleur Ingram M 10 avec silencieux, deux douzaines de grenades (à tout hasard) et, bien entendu, ses deux coutelas et sa machette. Il était très classique dans ses goûts, sinon conservateur.

Un peu avant six heures du matin, il survola la partie indonésienne de Bornéo. Il se posa dans une clairière isolée et vérifia que l'alimentation en carburant s'effectuait correctement. Il établit un nouveau contact radio avec le relais de Kuching, distant seulement de cent vingt kilomètres. Tout allait bien. Gantry et la Canadienne, plus six Ibans, allaient commencer leur remontée du Rajang. Non; aucun message de Snake (nom de code du poste de commandement de México).

Le Sicaire reprit son vol.

Des souvenirs lui revenaient. Il se revoyait vingt ans plus jeune, avec Lou Mantee, survolant, à bord d'hélicoptères plus gros que le Sea Cobra, les hauts plateaux laotiens, couverts de forêts peu différentes, finalement, de celles de Bornéo. Il se rappelait d'autres largages, pour des missions infiniment plus dangereuses que celle-ci.

Il se posa à huit heures cinquante-trois. Avec sept minutes d'avance sur son meilleur horaire. Il camoufla le Sea Cobra, se chargea de son équipement et entama sa marche vers le fleuve. Un village iban se trouvait à une huitaine de kilomètres en aval et il était possible, et même probable, que quelqu'un vînt voir, alerté par le passage de l'appareil.

Il fit le guet, ne sachant pas encore s'il allait se servir de l'Ingram équipé de son silencieux, ou de l'un des coutelas.

Le coutelas suffit. Les Ibans venus aux nouvelles n'étaient que deux. Il leur trancha la gorge après avoir surgi très silencieusement derrière eux. Tuer au couteau lui procurait toujours la même jouissance.

Il s'accorda trente minutes encore pour le cas où d'autres curieux arriveraient.

Non. Dommage !

Deux kilomètres plus loin, il atteignit le fleuve et ne tarda pas à trouver l'endroit idéal. Un champ de tir de quatre cents mètres de profondeur, bien dégagé. Il attendrait pour tirer que la cible formée par la pirogue de Gantry fût à deux cents mètres. À moins, ce serait trop facile. Gantry d'abord et la Canadienne ensuite, ou... Il n'avait pas encore fait son choix.

On l'appelait par radio.

– Ils devraient être à Adjan vers midi. Il y a deux pirogues. Le couple est dans la pirogue de tête.

Autre chose : Snake avait repéré l'un des cinq messagers mystérieux. L'homme avait débarqué à Los Angeles. Il transportait des boîtes dont on ignorait le contenu. Des films, peut-être. Il les avait remis à d'autres hommes – des policiers privés qui travaillaient probablement pour Gantry. Snake demandait s'il fallait organiser une action pour découvrir le contenu des boîtes.

– On attend, pour le moment. Dites-le-leur, ordonna le Sicaire. Et ne m'appelez plus, sauf urgence.

Il s'installa, plaça le SIG sur son bipied et disposa l'Armalite M 16 au bon endroit. Les pirogues ne seraient pas là avant une cinquantaine de minutes – ou même plus tard, si Gantry avait choisi de faire une escale dans un village riverain.

Il prit ses repères grâce à un petit rocher affleurant au beau milieu de la ligne droite que faisait le Rajang. À cette distance, le Sicaire était capable d'atteindre une pièce de dix cents posée sur sa tranche et de profil.

Finalement, il allait d'abord tuer la fille. Une balle dans chaque sein et une troisième dans la tête. Gantry tenait beaucoup à elle, disait-on; il mettrait quelques secondes pour se précipiter vers sa bien-aimée.

Je lui laisserai le temps de s'assurer qu'elle est bien morte avant de m'occuper de lui.

Il était minuit passé à New York. MacArthur quitta son bureau officiel et regagna son appartement – bien vide en l'absence de Letty, qui, une fois de plus, avait refusé de l'accompagner dans ce nouveau voyage. Le couple de domestiques qui vivait à demeure lui avait préparé un souper léger mais il se contenta d'un fruit. La chaleur moite de Manhattan le gênait. Il se coucha. À la télévision, on parlait une fois de plus de la Colombie. Il éteignit l'appareil placé au pied de son lit d'une pression sur la télécommande : les images montraient des gamins victimes du *crack*.

Ils devenaient fous. S'abandonnaient encore et toujours à leur férocité naturelle. Les arrestations de milliers de leurs minuscules sous-fifres *les* avaient jetés dans une fureur démente et, passant outre à tous les conseils (mais MacArthur s'était bien gardé de *leur* en donner, laissant ce soin à leurs avocats ordinaires), *ils* en étaient maintenant à menacer un gouvernement, un pays, un État, d'une vengeance terrifiante. Leur violence n'était pas nouvelle mais elle s'intensifiait ouvertement. Déjà, la prise du palais de justice de Bogotá, en 1985, avait fait quatre-vingt-quinze morts, dont le chef de la Cour suprême, onze policiers et soldats, et trente-deux juges et auxiliaires de justice. Officiellement, bien sûr, il s'agissait d'une action menée par un groupe terroriste, le M 19. Mais les autorités colombiennes savaient bien que le Cartel était derrière : *ils* voulaient détruire les dossiers d'extradition et les archives judiciaires et inspirer la terreur aux magistrats. L'argent ou le plomb, la méthode était toujours la même. Beaucoup de juges avaient préféré démissionner.

Après l'assassinat d'un juge et d'un chef de la police, un des membres du Cartel avait été arrêté, puis relâché par le directeur de la prison. Devant la fureur des États-Unis, le Cartel avait même proposé au gouvernement colombien de payer la dette extérieure du pays (quatorze milliards de dollars) en échange de l'immunité et de la légalisation de la cocaïne. Un État dans l'État. Et en pleine paranoïa.

MacArthur *les* chassa de sa pensée. Il repensa à ce coup de téléphone, qu'il avait reçu dans l'après-midi. Parmi des dizaines d'autres appels ordinaires, sa secrétaire particulière, pourtant dressée à trier soigneusement les communications qu'il devait personnellement prendre, lui avait passé celle-là. En ligne, quelqu'un qui prétendait se nommer Thornston et appelait au nom du cabinet d'avocats d'affaires Jeffery, Tomasi & Thornston. Très urgent. « *Monsieur MacArthur, j'ai un message pour vous de la part de l'un de nos clients, qui, dans le temps, vous a payé huit cents dollars. Il souhaiterait vous faire parvenir au plus vite des documents essentiels, d'une nature très personnelle.* » MacArthur avait répondu que toute précision supplémentaire était inutile, qu'il serait à New York les deux jours à venir.

Minuit et onze minutes. Il se retourna dans son lit. Deux minutes plus tard, on sonna à la porte d'entrée. Il passa une robe de chambre et, les domestiques étant déjà couchés, alla ouvrir lui-même. Il se trouva en face d'un homme d'une trentaine d'années avec des lunettes à monture d'acier, qui portait un *attaché-case*. Derrière lui dans le couloir, il y avait quatre autres hommes, une main glissée dans l'entrebâillement du veston.

– Monsieur MacArthur ? Puis-je entrer ? Je m'appelle Gary Calaferte. Je travaille pour monsieur Thornston.

MacArthur s'écarta. L'homme entra ; les quatre autres demeurèrent dans le couloir. Calaferte gagna directement le grand salon décoré par Letty. Sur la table il posa son *attaché-case* et l'ouvrit.

– Monsieur MacArthur, l'original du message de notre client se trouve sur des disquettes. Mais nous avons supposé que vous n'aviez pas d'ordinateur chez vous.

– Je n'en ai qu'à mon bureau, en effet, dit MacArthur,

qu'une étrange fébrilité envahissait, délicieuse et angoissante à la fois.

– Nous avons donc retranscrit le message contenu dans les disquettes. Voici cette retranscription.

Deux centaines de feuillets. Des feuillets tels qu'en produisaient les ordinateurs.

– Je dois lire tout ça en pleine nuit? demanda MacArthur.

– Mes ordres sont de vous le recommander expressément, répondit Calaferte.

MacArthur parcourut un premier feuillet, puis un deuxième. Il lisait remarquablement vite. Il reconnut soixante et un noms dans les deux premiers feuillets. Il sauta au trente ou trente-cinquième feuillet. Dix-neuf noms très familiers dans cette seule page, dont huit certains (il avait personnellement employé ces hommes ou ces femmes, à un moment quelconque durant les six dernières années) et onze « possibles » (il ne connaissait pas les identités de tous ceux dont Laudegger s'était servi mais ces onze-là étaient plus que probablement des Fourmis).

– Il y a autre chose?

Calaferte sortit de son *attaché-case* une deuxième série de feuillets – simple papier machine, cette fois. Cette seconde liste énumérait des journaux, des chaînes de télévision et de radio. Plus – évidemment – les noms des chefs de service compétents dans toutes les administrations fédérales concernées.

– Je vois, dit MacArthur.

– Mon travail est terminé, dit Calaferte. Je dois simplement vous informer encore qu'il existe sept cents copies environ de ces documents et qu'elles ont été, disons, distribuées – mais on m'a demandé d'utiliser l'expression *mises en place*.

– Je comprends, dit MacArthur.

– Bonsoir, monsieur. J'espère que vous voudrez bien pardonner mon intrusion en pleine nuit.

Le messager s'en alla et referma la porte. MacArthur alla tirer les verrous.

« *Mises en place.* »

Tu t'y attendais, Mac. C'est même exactement ce que tu avais prévu. Le Fou de Bassan a joué le seul coup possible. La seule chose qui t'étonne – et encore –, c'est la quantité proprement astronomique d'informations qu'il a réussi à rassembler.

Il gagna la bibliothèque où se trouvait le gros poste de radio émetteur-récepteur. Lors de leur dernier séjour dans l'appartement de New York, les filles avaient joué avec, parvenant même à établir le contact avec un radio-amateur en Alaska.

MacArthur s'assit devant l'appareil. Il continuait à parcourir les feuillets de la première liste.

Il ne savait toujours pas ce qu'il allait faire.

Ni quand il le ferait.

À ses yeux, cette décision n'avait aucun caractère d'urgence. Du moins n'était-elle pas à cinq ou six heures près. Il consulta machinalement sa montre : minuit dix-neuf.

La montre-bracelet du Sicaire indiquait onze heures vingt. Gantry et sa flottille étaient en retard. Sans doute s'étaient-ils arrêtés dans quelque village le long de la rivière. Le Sicaire reprit du chocolat, but un peu de l'eau de sa gourde. La chaleur augmentait, des rayons de soleil perçaient le feuillage pourtant très épais et brûlaient son torse nu comme un fer rouge. Ses cicatrices, sur toute la longueur des bras le démangeaient, comme toujours quand il avait chaud. Aucune importance. Un peu plus tôt, un superbe serpent volant aux écailles ventrales creusées en forme de parachute, s'était posé près de lui. Le Sicaire avait reconnu un *Chrysopelea paradisi*.

Son corps sinueux s'ornait d'admirables motifs or et

vert vif. Trompé par la totale immobilité du Sicaire, le serpent s'était enroulé le long de sa botte, puis de sa jambe. Sa tête triangulaire et plate était lentement montée vers la poitrine. À la dernière seconde seulement, au moment où le serpent découvrait ses crocs pour mordre, le Sicaire l'avait décapité avec son coutelas.

À regret. Il adorait les animaux.

Onze heures cinquante.

Il vérifia le piégeage du poste de radio. Il ne comptait pas l'emporter après qu'il aurait abattu tous les occupants des pirogues. Il en avait programmé l'explosion. Seize grenades reliées les unes aux autres la garantissaient. Il s'occupait comme il pouvait. Mais sans impatience. Il était capable de demeurer des dizaines d'heures à l'affût, attendant que la cible qu'il visait vînt se placer d'elle-même dans sa ligne de mire.

Midi neuf. Des pirogues passèrent qui descendaient le Rajang. Elles contenaient huit hommes et six femmes. Les hommes étaient tatoués de motifs floraux et d'arabesques gris foncé.

Un scorpion maintenant. Le Sicaire le vit s'approcher, à toucher son coude, puis s'éloigner. La chaleur avait à présent étouffé tous les bruits de la forêt. On n'entendait que le bouillonnement de la rivière.

Les deux pirogues apparurent à midi vingt-trois. Dans ses jumelles, le Sicaire reconnut Gantry. La fille était assise derrière lui. Elle était exceptionnellement séduisante, même ainsi, agrippée aux rebords de bois, assez inquiète, le visage ruisselant de sueur. Le Sicaire mit au point et s'attarda sur les seins, qui gonflaient le petit tricot à manches courtes, seins libres dont les pointes avaient dessiné des auréoles de transpiration sur le tissu de coton bleu. La Canadienne était en short. Et la position de ses jambes nues découvrait le pli de l'aine et un petit bout de culotte noire. Deux Ibans accompagnaient le couple dans la première embarcation. Quatre autres suivaient dans la seconde. Le Sicaire compta cinq

M 16 et une carabine Armalite 18. Ils étaient à trois cent soixante mètres. Les petits moteurs hors-bord peinaient contre ce courant puissant.

Le Sicaire se lova autour du SIG. Il n'avait pas encore posé l'index sur la détente. Il était très calme, presque indifférent.

Ils n'étaient plus qu'à trois cents mètres. Dans treize ou quatorze secondes, la pointe de la pirogue atteindrait le rocher affleurant choisi comme repère. Le Sicaire prit le sein droit de la Canadienne dans sa mire, visant exactement ce bouton insolent.

Radio.

Il décrocha. Non sans avoir hésité.

– Message de Snake, dit la voix en chinois. Message en un mot : « *Desligado.* » Bien reçu ?

Desligado – délié en espagnol – l'ordre codé qui signifiait la suspension immédiate d'une opération.

Sept secondes avant le début du tir.

– Bien reçu, dit le Sicaire. Mais trop tard. Je répète : trop tard. Transmettez.

Son index venait de se poser sur la détente. Il allongea le bras gauche pour raccrocher et couper la communication.

– Deuxième message, disait la voix en chinois. Message de Phénix, en un mot : « *Amy.* »

Une seconde.

– Bien reçu ?

Le Sicaire ne bougea pas ; la détente était déjà à demi enfoncée.

– Bien reçu ?

– Répétez le deuxième message, dit le Sicaire.

– « *Amy.* » Je répète : « *AMY.* »

– Bien reçu, dit le Sicaire. Terminé.

L'index se relâcha. Le canon du SIG s'écarta de la pointe du sein, remonta vers la gorge, se fixa sur la bouche aux lèvres pleines.

Le Sicaire défit le bipied, déposa le SIG et s'allongea.

À plat dos, fixant le feuillage mordoré, il entendit passer les deux pirogues et Gantry parler de l'escale prévue à Adjan.

— Gagnon, disait Gantry, continue à me faire la gueule et tu rentres à la nage.

La réponse de la Canadienne se perdit dans le ronflement des petits moteurs. Les pirogues s'éloignèrent, le silence revint. Le Sicaire se redressa enfin. Il abandonna le poste de radio, le M 16 et les grenades, renonça même à les utiliser pour piéger une piste ou deux sur son chemin de retour.

Il retrouva l'hélicoptère et décolla aussitôt. Sur sa route, il n'avait rencontré personne et le regrettait. Mais la frustration d'avoir dû renoncer à tuer n'était rien; qu'*ils* eussent utilisé *desligado* pour la première fois en neuf ans moins encore.

Il y avait d'abord *Amy*.

Amy le désarmait totalement. Sa propre mort, qu'elle fût rapide ou lente et douloureuse, n'existait pas à côté d'*Amy*.

La Sicaire s'appelle Ewan Garrett.

MacArthur en a la quasi-certitude. Il a longtemps cru qu'il lui serait impossible de jamais l'identifier. Il s'est presque résigné à ce que cet homme demeure un mystère total. Mais il a compris qu'il ne maîtriserait jamais parfaitement les Fourmis tant que subsisterait ce danger mortel que représentait le Sicaire. Toute victoire resterait fragile s'il ne s'assurait pas une prise imparable sur lui.

L'affaire Gantry a confirmé cette évidence. MacArthur a voulu empêcher l'exécution, par le Sicaire, de Jonathan et de sa Canadienne. Au nom, peut-être, de cette amitié paternelle qui le lie au Fou de Bassan. En raison, aussi, des conséquences que risque d'avoir sur l'organisation et sur son Plan d'ensemble la stratégie de Gantry si elle aboutit.

MacArthur, dans sa recherche d'identification, possède trois indices. D'abord, le fait que Lou Mantee a été engagé par les Fourmis sur recommandation du Sicaire. Ensuite, cette curieuse habitude du Sicaire de ne jamais porter que des chemises à manches longues. Sa conviction, enfin, que, avant de devenir ce qu'il était, le Sicaire a été un homme de guerre, sans doute un officier.

Quand il procède – à son corps défendant – à des essais de chute libre en hélicoptère au-dessus du *Nordeste* brésilien, MacArthur n'a pas encore reçu les résultats de l'enquête qu'il a demandée. Pour cette investigation, il a usé (comme il l'a fait quand il s'est agi de procurer à Gantry la protection de l'US Navy) de ses relations à Washington. Dans le secret total. À Washington, et à des postes importants, se trouvent plusieurs des anciens clients de son cabinet officiel qui n'ont cessé d'être ses clients que parce qu'ils ont renoncé – en théorie du moins – à toutes leurs affaires privées pour se consacrer à celles de l'État. Il a barre sur eux. Il sait sur leur compte des choses qui ne feraient pas trop bon effet si elles étaient révélées à la presse. On a vu des vice-présidents démissionner pour moins que cela. À l'un d'entre eux, il demande de se renseigner sur un homme qui aurait été officier au Viêt-nam, détaché à l'espionnage, au contre-espionnage ou aux actions spéciales, un homme qui aurait eu Lou Mantee sous ses ordres et porterait sur ses deux bras des marques caractéristiques (cicatrices ou tatouages).

Deux dossiers finissent par lui parvenir dès son retour du Brésil. Dossiers accompagnés de photos. MacArthur reprend contact avec son ami de Washington et lui dit que non, décidément, celui qu'il recherche n'est aucun de ces deux-là, et que d'ailleurs l'affaire a cessé de l'intéresser, merci quand même. Bien entendu, il a menti.

Ewan Garrett. Sous les transformations de la chirurgie esthétique, le Sicaire reste reconnaissable pour quelqu'un qui s'attache à repérer les ressemblances.

Ewan Garrett est né à Corpus Christi, au Texas. Sa mère est mexicaine. Il parle l'espagnol aussi bien que l'anglais. Son père travaille dans la recherche pétrolière en Amérique latine (Venezuela, Mexique, Brésil notamment). Le jeune Ewan fait des études très honorables. À dix-huit ans, il prend part à une expédition archéologique dans les Andes, qui a pour base la Colombie. Il entre à l'école militaire de West Point, en sort dans un très bon rang. On a relevé son exceptionnelle habileté aux armes, sa grande aptitude au commandement, son sens de l'organisation – et une tendance à n'exécuter que les ordres qui lui conviennent. Il choisit le *US Marine Corps.* Sa première affectation importante est Panamá, où il reste vingt-deux mois. Là, il se tire habilement d'une pénible affaire d'exécutions sommaires (six hommes et femmes abattus au fusil à lunette; certes, les victimes étaient considérés comme des agents cubains, mais tout de même!). Sur sa demande, le lieutenant Garrett est désigné pour être du premier contingent de Marines qui, le 6 mars 1965, débarque à Da Nang, précédant des centaines de milliers de soldats américains. Très vite, il reçoit une affectation spéciale, pour laquelle l'armée, avec une intelligence surprenante, l'a choisi en raison même de ses défauts : son individualisme forcené, son total irrespect des ordres, son goût de tuer, son désir d'être seul responsable de lui-même. Il effectue jusqu'à la fin de l'année plusieurs missions qui le conduisent en pleine jungle, sur la piste Ho-Chi-Minh, dont il relève les divers tracés. Son dossier indique qu'il a appris le vietnamien et le khmer. Il devient le spécialiste de ce genre d'opérations derrière les lignes ennemies. Il a formé son propre commando, composé en partie d'Américains – souvent d'origine latino-américaine –, en partie de viet-congs ralliés. Il échappe dès lors à tout contrôle officiel et mène sa guerre personnelle. L'une de ses tactiques préférées est le vol de nuit en hélicoptère (c'est un remarquable pilote), au terme duquel il dépose ses hommes à des centaines de kilomètres du poste américain le plus avancé – après quoi, il enchaîne les sabotages, les massacres et les activités de renseignement.

Parmi les Américains qui prennent part à ces expéditions, un certain Lou Mantee – qui sera l'un des très rares survivants.

À deux reprises, le commando de Garrett est anéanti. Mais Garrett lui-même en réchappe, au prix de marches invraisemblables à travers la jungle des plateaux moïs. Fin janvier 1968, au moment de l'offensive du Têt, lorsque le Viêt-cong déferle sur Saïgon, Garrett, considéré comme disparu depuis vingt-trois semaines, ressurgit de la forêt tout au Nord de la Thaïlande, à la frontière de la Birmanie et du Laos. Encore plus taciturne qu'à l'ordinaire, il consent à révéler qu'il a été capturé, torturé, emprisonné dans des conditions « *déplaisantes* » avant de pouvoir s'évader et parcourir des centaines de kilomètres de jungle. Il est dans un état physique épouvantable et porte des plaies atroces, en partie cicatrisées, aux bras et sur tout le haut du corps. Il explique qu'on l'a ligoté avec du fil de fer barbelé et traîné derrière un camion. Hospitalisé à Bangkok, puis à Manille, rapatrié et placé au *Marine Hospital* de Balboa Park, à San Diego, il demande très vite à retourner au Viêt-nam. Il obtient satisfaction en juin.

Trois jours après qu'il s'est marié avec Laureen Bonnin, la fille d'un médecin militaire – seule éclaircie dans sa vie de semi-psychopathe.

Il ne la reverra jamais. Il a repris ses raids mais son commandement lui est retiré à la suite d'une horrible tuerie à laquelle il s'est livré avec ses hommes dans la plaine des Jarres. Il abat le colonel qui l'assigne à comparaître devant un tribunal militaire. Il abat trois autres officiers et soldats qui tentent de l'arrêter et disparaît. Dans les mois qui suivent, sa présence est signalée au Cambodge et au Laos. Il y est à la tête d'un commando qu'il a reformé et qui comprend plusieurs de ses anciens hommes. C'est par trois des survivants de ce commando qui choisissent, en septembre 1972, de regagner Phnom Penh que l'on apprend la mort de Garrett. Les débris de son détachement, traqués par les Khmers rouges, tentaient de se frayer un chemin vers les lignes de l'armée pro-américaine du maréchal Lon-Nol ou vers la frontière thaïe. Garrett a été pris vivant. Personne ne peut croire à ses chances d'avoir survécu.

Le dossier officiel d'Ewan Garrett s'arrête là.

En 1979, Laureen Garrett-Bonnin obtient d'un tribunal la reconnaissance de sa situation de veuve. Elle se remarie quelques mois plus tard, avec un médecin du nom de Margolin, qui accepte d'adopter officiellement la fille que la jeune femme a eue de Garrett et qui est handicapée mentale.

Le 23 février 1980, les Margolin et leur petit garçon de dix mois sont assassinés au cours des vacances qu'ils passent dans les environs de Tombstone, en Arizona. Les circonstances de ce triple meurtre font frémir. Les tueurs se sont acharnés sur les trois victimes avec un invraisemblable raffinement de cruauté. Les corps ont été dépecés, surtout celui de Laureen Margolin. La police conclut à un crime rituel commis par les membres d'une secte ou à l'œuvre de drogués. L'affaire ne sera jamais élucidée.

Le 16 mai 1980, la fille de Laureen Margolin et d'Ewan Garrett, confiée à une institution spécialisée, disparaît à son tour, dans un incendie au cours duquel dix-sept autres handicapés trouvent la mort. Le brasier – l'enquête ne parviendra pas à déterminer si le feu était ou non d'origine criminelle – a été tel que l'identification des cadavres n'a pas été possible.

La conviction de MacArthur est faite et tient en trois points : Garrett a survécu à sa capture au Cambodge ;

sous une autre identité, il est revenu aux États-Unis, et il est le seul auteur du triple meurtre de Tombstone; il a incendié l'établissement hospitalier où était placée sa fille et, soit il l'a fait disparaître dans les flammes, soit il l'a emmenée avec lui et la cache quelque part.

Le prénom de la fillette est Amy.

Il pleuvait depuis maintenant quarante heures sur le Rajang et la forêt environnante. C'était une pluie tropicale, le plus souvent douce et silencieuse, avec, de temps à autre, des accélérations, des rages subites, des bourrasques cinglant les arbres et tordant leurs cimes.

– Comme week-end à la campagne, c'est plutôt raté, dit Gantry.

– Je n'ai rien contre la pluie.

Zénaïde était couchée à plat ventre sur la natte de paille posée sur le plancher de bambou. Elle avait envie de hurler. Cela l'aurait peut-être soulagée en partie de cette grosse colère, qu'elle avait surtout contre elle-même et un peu contre Gantry.

– Parce que c'était ça, Zénaïde, l'équivalent d'un week-end à la campagne. Je reconnais que ce n'est pas une réussite.

– Tu te répètes.

Ils étaient tous les deux installés sur la terrasse d'une longue maison, devant le *bilek* (pièce indépendante) qui leur avait été alloué. Tout l'après-midi, les Ibans – les hommes – avaient dansé. Ils dansaient encore, bien qu'il fût dans les deux heures du matin. Ils allaient danser toute la nuit. Ils étaient coiffés de bonnets en rotin ornés de plumes de calao; ils avaient revêtu des capes de peau. Ils portaient de longs boucliers et des lances et mimaient un départ pour la guerre. Bien entendu, ils n'allaient pas couper la moindre tête. Enfin, en principe, ou alors celle de Michael Jackson, qui tonitruait sur un tourne-disque à pile. *Michael Jackson ici! Tabernacle!*

La longue maison où ils étaient venus « passer le week-end », Gantry et elle, se trouvait au diable Vauvert, à deux jours de navigation en pirogue de Rumah Ungka, localité située elle-même à quarante-huit heures de Kapit. Le coin était joli, pas de doute. La rivière s'y agrémentait de chutes et de cascades du plus bel effet. *J'ai fait pour la première fois l'amour avec Gantry au pied d'une cascade thaïe, je vais le faire pour la dernière fois à dix mètres d'une cataracte de Bornéo. Pour une nouvelle rencontre (bien improbable), il nous faudrait les chutes du Niagara ou celles du Zambèze.*

– Nous partirons dans quatre heures, dit Gantry. Nous irons plus vite au retour, avec le courant.

Une dizaine d'heures plus tôt, Pat Hennessey les avait joints par radio. Pour leur confirmer une fois de plus que d'après les vieilles tantes, les cinq messagers étaient arrivés à bon port et que tout était en place. Mais Pat leur avait également transmis un bien curieux message, reçu à New York par les vieilles tantes encore et relayé jusqu'au fin fond du Sarawak. L'auteur, anonyme, avait précisé au téléphone qu'il souhaitait que fût transmis au « *Fou de Bassan dans la maison octogonale à Kapit* » ce texte : « *Fourmilion vainqueur par K.-O. Chasse hyménoptères terminée.* »

– Tu crois que c'est MacArthur qui nous envoie ça, Gantry ?

– Oui. Les fourmis sont des hyménoptères.

– Et c'est quoi, un fourmilion ?

– Ordre des névroptères. La larve des fourmilions creuse des trous dans lesquels elle capture des tas de fourmis.

– Tu serais un fou de Bassan-Fourmilion ? Tu es un zoo à toi tout seul. Et si c'était un piège pour nous faire sortir du Sarawak ?

Gantry avait répondu qu'il n'en avait pas la moindre idée.

Zénaïde se mit sur le dos. Gantry était assis à la

chinoise à un mètre d'elle. Les Ibans continuaient à danser sous une pluie battante. Les dames et les demoiselles ibanes allaient et venaient, seins nus, sur le *ruai*, le long couloir-véranda qui desservait les bileks de la longue maison de deux cent cinquante mètres établie sur ses pilotis de quatre mètres en bordure de la rivière Rajang. Certaines dormaient purement et simplement, d'autres pilaient ou vannaient du riz, d'autres encore tressaient des paniers et des nattes. Et celles qui ne faisaient rien de tout cela s'activaient à préparer des offrandes de poisson séché, de riz, de bananes à l'intention de Pulangana, dieu de la paix, tout en fumant la pipe. (Pulangana devait être un dieu vraiment bon, car il régnait parmi ces trois ou quatre cents âmes perdues dans la forêt une sérénité qui rappelait Missikami sous la neige.)

Zénaïde s'assit puis se redressa. Elle fit quelques pas et quitta l'abri du toit du ruai.

À l'exception de Gantry, aucun homme ne pouvait la voir, ils étaient bien trop occupés à gambader. Elle défit son paréo de soie et se mit nue, constatant (mais ce n'était pas une surprise) que ses seins pointaient. Pendant une minute, elle s'offrit à la pluie chaude. Elle revint sous le toit de latanier, frôla Gantry, entra dans le bilek, recevant au passage le sourire édenté des dames ibanes, qui connaissaient fort bien ce genre de tactique, elles aussi, et qui ne procédaient pas autrement pour avertir leur jules iban que c'était le moment où elles en avaient envie. Zénaïde leur rendit leur sourire. Elle alla s'allonger sur le matelas de latex, se mit sur le côté gauche, face à la cloison de paille et de bambou.

Ne pleure pas.

Gantry mit un temps fou à venir la rejoindre. Mais il vint. Pendant un moment interminable, il demeura debout, immobile, à deux pas du matelas.

— Si tu es d'accord, nous resterons quelques jours encore à Kapit, avec Pat et les autres. Histoire de s'assurer que tout va bien dehors. Je te laisserai ma chambre, là-bas.

Elle ne trouva rien à répondre.

– Ensuite, reprit Gantry, et toutes précautions prises, vous pourrez aller prendre un avion au Brunéi. Ou à Singapour. Toi et François-Xavier, je veux dire.

Ne pleure pas.

– Je peux te toucher, Zénaïde?

– Oui.

Il fit nettement plus. Elle se sentit broyée, dans tous les sens du terme. Mais parvint à ne pas pleurer.

Ils embarquèrent avant l'aube dans les pirogues, dont l'une était très ancienne et pouvait contenir cinquante hommes. Soixante-quinze heures plus tard, ils arrivèrent à Kapit. Où Hennessey leur confirma ce qu'il leur avait annoncé durant leur voyage de retour : Grand-père Gagnon et tous les autres otages étaient saufs et avaient été remis en liberté, sans la moindre explication.

Zénaïde et Laviolette embarquèrent à Singapour le 3 août, à destination de Londres et Montréal.

Gantry resta au Sarawak.

Au cours de cette nuit où il avait reçu de Calaferte les dossiers constitués par Gantry, MacArthur avait pris deux décisions. L'une et l'autre très vite. Dans un de ces coups de folie dont seuls sont capables les hommes extrêmement calculateurs.

Il *les* avait appelés au Brésil, rompant avec toutes les règles de sécurité. Il s'était attendu à tout, y compris à sa propre condamnation à mort. Il avait découvert qu'il s'était trompé. Ô combien! Non seulement *ils* avaient accédé à toutes ses demandes, juré qu'*ils* allaient immédiatement ordonner à Vicky (nom de code du Sicaire) de cesser l'opération en cours, mais encore *ils* avaient compris et approuvé chacune des mesures qu'il comptait prendre. Chacune. *Todas.¡ Pues sí!* Tout ce qu'il ferait serait bien fait mais, nom de Dieu, qu'il le fît vite! Qu'il mît tout en route. Il avait bien compris? Tout!

Si bien que MacArthur avait soudain pris la mesure de leur affolement de bêtes traquées et de sa toute-puissance. *Ils* n'avaient plus d'espoir qu'en lui. Il était bel et bien devenu intouchable.

Du coup, sa deuxième décision en avait été facilitée. Il avait appelé le Brésil d'une cabine de Madison Avenue, il en choisit une autre pour son second appel. Depuis des années, il avait en tête le numéro du PC du Sicaire à México, mais il ne l'avait jamais formé. Il le fit. Il s'identifia comme Phénix, demanda que fût transmis à Domingo le mot *Amy*. En urgence, oui.

Et il était rentré se coucher. Ignorant si le missile infaillible avait déjà atteint sa cible (Gantry), s'il était sur le point de l'atteindre, et si son intervention et la *leur* suffiraient à l'arrêter. Ne sachant pas davantage s'il ne venait pas lui-même de prendre un risque mortel en dévoilant à Ewan Garrett qu'il l'avait identifié et était au courant de l'existence d'Amy. Tout bien pesé, il avait conclu que non. Le risque d'être tué par le Sicaire remontait à des années; il n'était pas nouveau; il était logique de croire que Garrett, désormais, refuserait au contraire de s'attaquer à la famille MacArthur. *Par crainte de représailles. Sous la forme du dossier qu'il croit que j'ai constitué sur lui et sur sa famille. Dossier qui serait rendu public dans le cas où il nous arriverait quelque chose, à Letty, aux filles et à moi. Depuis sa résurrection dans les forêts indochinoises, Garrett vit à l'abri de sa mort officielle. Je viens de lui administrer la preuve que cette protection pourrait ne plus exister.*

À compter de maintenant, je le tiens.

De la même façon que je les *tiens*, eux.

Joli coup double!

La nouvelle que les otages avaient été relâchés avait achevé de le rasséréner. De même la constatation que ni Gantry ni la Canadienne n'avaient été exécutés. Le missile avait bel et bien été arrêté dans sa course. Et détourné vers un autre objectif.

Tout allait bien.

MacArthur s'était même offert le luxe de contacter le cabinet Jeffery, Tomasi et Thornston. Sans se nommer, il avait demandé à parler à Gary Calaferte. Calaferte était absent. MacArthur s'était rabattu sur Thornston, avait passé son message annonçant au fourmilion sa victoire sur les hyménoptères, dont la traque avait été interrompue. Gantry allait comprendre, se méfierait sans doute un peu, mais finirait par se rendre à l'évidence.

Tout allait vraiment très bien.

Sauf peut-être en Colombie. Et encore. Le gouvernement colombien réagissait à leurs folles menaces avec un beau courage. *Ils* s'étaient vraiment mis dans une situation dont *ils* avaient peu de chances de sortir indemnes. La déclaration du président colombien, Virgilio Barco, en était la preuve formelle. La vraie guerre de la drogue avait commencé! Tant pis pour *eux*.

Pendant les jours qui suivirent, MacArthur se consacra à ses clients officiels, qui constituaient la meilleure des couvertures. Mais il s'employa surtout à un redéploiement de toutes ses batteries financières, renforçant encore les mécanismes de sécurité, revoyant le moindre des investissements qu'il avait faits. Maintenant, il gérait au total plus de quatre cents milliards de dollars. Tout cela dans l'hypothèse vraisemblable où *ils* finiraient par perdre leur partie de bras de fer ridicule avec les autorités colombiennes. Dans le cas aussi d'un resserrement des contrôles fédéraux américains sur ses opérations de blanchiment.

Il se rendit sur le *Sea Wolf* et sur le *Graziella*. Mais tout y était en ordre. La monstrueuse machine qu'il avait créée continuait et continuerait de tourner quoi qu'il advînt. Les dispositifs étaient en place qui permettraient, le cas échéant, la destruction instantanée de toutes les mémoires des ordinateurs. Et le relais serait aussitôt pris, en cas de destruction ou de capture des deux yachts, par les trois centres installés en Irlande, aux Caïmans, et en France, qui, pour l'instant, étaient en sommeil mais qui pouvaient être activés en quarante-huit heures. MacArthur avait même prévu, et commencé à établir depuis plus d'un an, une troisième solution de repli.

Début août, des nouvelles lui arrivèrent du Japon. Son Plan d'ensemble était approuvé, si certains détails devaient en être encore négociés. Il eût probablement pu conduire à distance ces négociations. Il préféra se rendre sur place. Étant donné ce qui allait se passer à New York (du moins escomptait-il qu'il allait s'y passer quelque chose; il suffisait simplement qu'*ils* tinssent leurs promesses), il préférait ne pas être là.

Une nouvelle fois, Letty refusa de l'accompagner.

Laudegger était grippé. Il se sentait fiévreux, coton-neux, et se mouchait sans cesse. Les différences de température entre ses bureaux ou le duplex de Park Avenue et les rues de Manhattan écrasées par une chaleur moite le faisaient tour à tour grelotter ou ruisse-ler de sueur.

Et il était irrité, tendu, assez inquiet.

Certainement pas en raison des affaires de la Yellow-head et de l'Obawita, qui étaient le cadet de ses soucis et qui, d'ailleurs, approchaient d'une conclusion victo-rieuse.

Il était irrité par ce que lui avait annoncé Milán. On avait définitivement arrêté de pourchasser Gantry. Que l'on renonçait à tuer; c'était cela même. Sur leur ordre formel. Et pas question de transgresser la consigne. Pour une raison inconnue de Milán, *ils* avaient décidé que ni Gantry ni la Canadienne ni personne mêlé à cette affaire ne devait mourir. Milán ne voulait même pas en savoir davantage, et il avait retiré toutes ses troupes.

Le premier réflexe de Laudegger avait été de faire appel de cette décision. Il n'était pas parvenu à *les* joindre. Et, du même coup, il avait pris conscience de la gravité de la situation où *ils* étaient. C'était assez inquiétant. Comme l'était cette énorme campagne de presse qui se développait aux États-Unis et dans le reste du monde. Pas tragique, mais inquiétant.

Au point que tu puisses toi-même en être touché? Tout de même pas. Tu es leur neveu, après tout. Et irremplaçable.

Longtemps, Laudegger avait approuvé avec une féroce satisfaction toutes les mesures qu'*ils* prenaient *là-bas*. Rien de tel que l'assassinat de quelques juges, policiers ou militaires prétendant lutter contre le trafic de la drogue pour calmer les esprits et faire comprendre à tous qui commandait. Même l'exécution d'un candidat à la présidence de la République lui était apparue comme une mesure de bon sens.

Il commençait à avoir quelques doutes. Peut-être étaient-*ils* allés un peu loin.

Il en était presque arrivé à se convaincre que, dans les circonstances actuelles, l'élimination de Gantry et de toute sa clique pouvait, en effet, être remise.

– Je rentre me coucher, Bert. Prends la suite. Appelle-moi si quoi que ce soit d'important...

– Pas de problème. Soigne-toi bien.

Sussman trouvait le moyen de chantonner *Old Man River* tout en engloutissant un hot-dog écœurant farci de moutarde et d'oignons. Laudegger faillit vomir. Il s'en alla. Il était environ six heures du soir. Les bureaux étaient calmes. Et pour cause : ce mois d'août si chaud ralentissait tout. À cela s'ajoutait le fait que les arrivées d'argent blanchi étaient, depuis deux ou trois semaines, moins importantes qu'à l'accoutumée – effet des événements de Colombie, peut-être, ou bien c'était MacArthur qui prenait un peu ses distances, l'enfant de salaud! La grippe l'emporta sur la rancune haineuse. D'autant qu'il avait l'estomac barbouillé par tous ces médicaments qu'il avait avalés depuis le matin. Il réussit enfin à avoir un taxi; après une attente qui avait encore accentué son énervement et son malaise, et il se prit de bec avec le chauffeur, qui fumait une saloperie de cigare.

Mais, bientôt, il serait dans son lit. Et le duplex serait désert. Mandy et les gosses avaient quitté New York pour la maison du Maine dès les premières grosses chaleurs et tous les domestiques avaient été mis en congé. Août présentait cet avantage d'offrir à Laudegger une salutaire solitude.

Il dut batailler pour ouvrir la porte, ayant du mal à garder les yeux ouverts. Une fois à l'intérieur, il considéra, sans d'abord très bien comprendre, les trois valises posées dans le hall.

– Mandy? Qu'est-ce que tu fiches ici?

Pas de réponse. C'étaient pourtant bien les bagages de Mandy.

– Mandy? Tu es là? Où sont les enfants?

Il allait se diriger vers les chambres. Le bruit de la machine à écrire lui parvint. *Qu'est-ce que cette foutue garce a encore inventé pour m'emmerder?*

Il entra dans son propre bureau et s'immobilisa. L'homme maigre et noir, qui malgré la chaleur portait une chemise à manches longues (la climatisation avait été arrêtée la veille par Laudegger lui-même), lui sourit.

– Votre femme est bien ici, Carlos, dit-il. Vos enfants sont toujours dans le Maine et vont bien. Vous me reconnaissez?

Le souvenir revint dans l'esprit embrumé de Laudegger. Cela s'était passé, *là-bas*, il y avait de cela quatre ou cinq ans.

– Oui.

L'homme se leva et s'écarta de la machine à écrire où un feuillet était glissé – quelques lignes, déjà, avaient été tapées sur le papier. Il vint vers Laudegger. Il se déplaçait avec une lenteur fascinante, comme dans un ralenti de cinéma.

— Carlos, votre femme a répondu à votre coup de téléphone de ce matin. Elle a sauté dans le premier avion.

— Que lui est-il arrivé?

— Ce qui lui pendait au nez depuis très longtemps : vous l'avez étranglée.

Le couteau, surgi comme par magie, se posa sur la gorge de Laudegger.

— On m'appelle le Sicaire, Carlos. Je viens de leur part et j'exécute leurs ordres. *Ils* m'ont chargé de vous dire qu'une messe est dite à votre mémoire depuis déjà sept jours et que cela continuera pendant un an. Toutes mes condoléances.

— Nous travaillons pour monsieur Gantry. Ne vous énervez pas, je vous prie, dit l'homme que Laviolette tenait de sa main gauche collé contre le mur dans un couloir de l'aéroport de Montréal, à cinquante centimètres au-dessus du sol.

— Regarde leurs papiers, Zénaïde.

Elle les fouilla, trouva les licences de détectives privés.

— Tu les lâches, François-Xavier.

Le géant ouvrit les deux mains, les deux hommes reprirent contact avec le sol.

— Excusez-le, dit Zénaïde aux policiers privés. Il ne connaît pas sa force. Vous êtes censés nous suivre pendant combien de temps encore?

Ils dirent que les ordres qu'ils avaient reçus n'indiquaient aucune date, qu'elle pouvait appeler le cabinet Jeffery, Tomasi et Thornston, à New York, si elle ne se fiait pas à eux et, enfin, qu'ils étaient huit à monter la garde autour d'elle et de Laviolette et non deux. La protection avait été mise en place à Singapour et n'avait pas cessé depuis. Et elle ne serait pas interrompue sans un ordre exprès de monsieur Thornston. Ou, bien sûr, de monsieur Gantry en personne, qui avait demandé à un de ses amis de mettre à leur disposition un appartement rue Saint-Paul, dans le vieux Montréal.

— Allez au diable, dit Zénaïde.

Alex Decharme attendait dehors. Lui aussi avait ses propres gardes du corps. Ils l'avaient suivi les semaines précédentes, tout au long de son périple à travers les États-Unis, pendant qu'il préparait la publication éventuelle du dossier Fourmis, qu'il avait lu sans y rien comprendre; ce n'était jamais qu'une ahurissante énumération de noms et de raisons sociales. Rien de plus. Alex ne voyait pas en quoi cela pouvait constituer une menace pour qui que ce fût.

— J'en aurais fait autant en recopiant au hasard des annuaires professionnels. Tu sais ce que Gantry avait en tête?

Elle mentit. Par lassitude et pour quantité d'autres raisons, l'une d'entre elles étant qu'elle n'était pas très sûre de pouvoir expliquer à Alex, ni à elle-même, peut-être, toutes les subtilités de la stratégie du Fou de Bassan.

— Non. Où est ta famille?

— Tu sais qu'ils ont été enlevés puis relâchés?

— Oui.

— Je les ai récupérés hier. Laisse tomber le Vieux Port. Vous venez à la maison, François-Xavier et toi. Christ! Zénaïde! Qu'est-ce qui s'est passé?

— Je suis fatiguée, Alex.

Les heures suivantes furent pénibles. Alex voulait évidemment tout savoir de ce qui était arrivé entre le moment où, à Phuket, en Thaïlande, il les avait quittés, Laviolette et elle, et maintenant. À lui, Gantry avait demandé de faire une tournée de tous les journaux et de toutes les chaînes de radio et de télévision du continent nord-américain pour leur promettre une information sensationnelle qu'il faudrait rendre publique dès réception. Alex ne décolérait pas. Elle était où, cette fameuse information sensationnelle ? Ce n'était quand même pas cette simple liste ? Quelque chose d'autre allait arriver ? Quoi ?

– Je n'en sais rien, Alex.

Elle se tint sur cette position. Grand-père Gagnon se trouvait toujours en France. À son aise, dit-il au téléphone. Pourquoi Zénaïde ne viendrait-elle pas le rejoindre ? Il lui montrerait le théâtre de ses exploits, à Dieppe. Et c'était très bon, la soupe au pistou provençale, le cassoulet, l'omelette aux girolles, les truffes. Oui, il savait. Il prenait goût au raffinement français; il avait même mangé des gâteaux chez *Fauchon*.

– Rien n'est réglé, grand-père. Nous n'avons pas repris Missikami aux MacGuildy.

– Il faut bien se faire une raison.

Justement pas. Pas elle. Elle alla jeter un coup d'œil à Missikami, en demeurant toutefois à distance des Guili-Guili triomphants. Rien ne paraissait changé, hormis cet énorme *drugstore* qu'elle aurait volontiers dynamité.

Elle partit pour New York. Larry Eliott était absent. En vacances, comme à peu près tout le monde. Et c'était tant mieux; elle s'en voulait d'avoir une seconde envisagé de faire appel à lui. En revanche, Marty Kahn était à son bureau. Il l'invita à dîner, comme prévu.

– Je peux te procurer du travail, Zénaïde.

– Je veux être à mon compte.

Il trouva l'idée stupide et ne s'en cacha pas. Ce qu'elle devait faire, selon lui, c'était s'intégrer, avec sa propre clientèle, à un cabinet déjà existant, où elle aurait une espèce de statut d'associée, de partenaire.

– Comme le tien, Marty ?

– Par exemple.

Il se mit à évoquer le travail, selon lui remarquable, qu'elle avait accompli dans la préparation de la défense de la Yellowhead & Star. Il en vint à parler salaire, lui offrit trois mille – allez, disons trois mille cinq cents dollars par semaine. Pour commencer. Les six premiers mois par exemple. Ensuite, ils aviseraient ensemble, elle, ses associés et lui. Elle cessa d'écouter Marty, ses pensées revenaient à la jonque, à Gantry, à Missikami, à ses pérégrinations à travers les mers, la Malaisie et la Thaïlande, les Caïques et la Jamaïque, la Tasmanie, Guadal...

Elle fixa soudain Marty Khan.

– Quel nom as-tu dit ?

– Laudegger. Bill Laudegger. Pourquoi ?

– Que lui est-il arrivé ?

– Ce que tout le monde attendait qu'il arrivât. Ce type travaillait trop et sa femme était proprement infernale. Il l'a étranglée puis s'est jeté du haut de sa terrasse sur le trottoir de Park Avenue. Tu n'as pas lu les journaux il y a deux semaines ?

Elle se sentit glacée. Quelque chose de souterrain, de très secret, était donc en train de se produire. *Oh! Mon Dieu!*

– Tu le connaissais, Zénaïde ?

– Non. Quelqu'un a juste prononcé son nom devant moi. Je marche à quatre mille, Marty. Et tu m'aides à me trouver un appartement.

Moins d'une heure après avoir appris la mort de Laudegger, MacArthur avait pris ses dispositions. Celles-ci étaient prêtes depuis plus de six mois. Ainsi qu'il l'avait prévu, il allait remplacer l'unité Laudegger par cinq autres, qui s'ignoreraient mutuellement. Bert Sussman dirigerait l'une des nouvelles machines à investir l'argent blanchi. Follet, jusque-là responsable de l'activité du *Sea Wolf*, prendrait le commandement d'une deuxième. Pour les trois dernières, le choix de MacArthur s'était porté sur de nouvelles recrues qui ne connaissaient ni Bert ni Follet ni Bob Sassia ni Stroud ni

Tolliver – aucun des anciens lieutenants de Laudegger. Ils en savaient trop. D'évidence, Sussman était condamné à terme lui aussi. Il faudrait s'en débarrasser. Afin de parvenir à l'organisation parfaite où les centres de blanchiment s'ignoreraient l'un l'autre (ou les uns les autres si MacArthur décidait d'en multiplier encore le nombre) et fourniraient en argent blanchi les cinq unités autonomes dont chacune croirait être unique.

Et un homme coifferait tout cela, connaîtrait chacun des mécanismes secrets, aurait une idée exacte de l'ensemble de ces rouages, et serait le seul à pouvoir les faire fonctionner, les stopper, les détruire et les remplacer.

Moi, MacArthur. Qui n'aurai pas de successeur. Après moi, le déluge.

Le 6 août, le surlendemain de la mort de Laudegger, il effectua un rapide aller et retour entre Tokyo et New York, pour tout mettre en place. Retour au Japon. Les négociations relatives au Plan d'ensemble étaient à peu près terminées mais il avait d'autres raisons de séjourner dans la capitale japonaise. Une chose amusante s'était produite : il avait été engagé, avec des honoraires annuels royaux, pour défendre les intérêts aux États-Unis de plusieurs très grosses sociétés nippones. Officiellement.

Il repartit de Tokyo le 17. Par l'ouest. Avec escales à Hong-kong et Bangkok, où il avait bien des intérêts en tant que créateur des Fourmis et en qualité d'avocat-conseil en investissements.

Il était à Bangkok, dans la suite Graham Greene de l'*Hôtel Oriental*, quand on frappa à la porte. Il sut aussitôt qui était son visiteur.

– Entrez, Jonathan.

– Vous voulez boire quelque chose?
– De l'eau minérale. Ne vous dérangez pas; je connais les lieux.

Gantry passa dans la petite cuisine sur la droite.

MacArthur l'entendit ouvrir le grand réfrigérateur, décapsuler une bouteille, faire tinter des cubes de glace dans un verre.

— Vous aviez vraiment à faire à Bangkok, Mac?

— Mais oui.

— Je suppose que la mort de Bill Laudegger a signifié pour vous un surcroît de travail.

MacArthur sourit, se sourit à lui-même. Il avait refermé les dossiers sur lesquels il travaillait et était venu s'asseoir sur le canapé adossé à la bibliothèque. La télévision montrait le dernier film de Sylvester Stallone. MacArthur ne baissa pas le son, l'augmenta même un peu.

— Si Laudegger et moi avions eu quoi que ce fût de commun, c'eût été certainement le cas, dit-il.

Gantry sortit de la cuisine, avec un verre rempli de Perrier, de glace et d'une rondelle de citron vert. Il portait un pantalon de toile blanche, un polo bleu nuit, des sandales aux pieds. Il passa devant le téléviseur, près de la table où se trouvaient les dossiers, n'accorda qu'un bref regard à ceux-ci, marcha jusqu'à la baie vitrée, entrebâillée, qui donnait accès à la terrasse dominant le Chhao Praya.

— J'aime beaucoup l'*Hôtel Oriental*, et particulièrement cette suite, Mac. Je l'ai moi-même souvent occupée. Si nous parlions de l'Obawita, pour commencer?

— J'en sais ce que les journaux en ont dit. Curieuse affaire. Vous avez peut-être des nouvelles plus fraîches que les miennes.

— Fielding s'est suicidé et Albert Campanella est toujours en fuite. Les banquiers qui leur servaient d'intermédiaires et les aidaient à blanchir l'argent de la drogue ont été arrêtés. Leurs déclarations et les aveux complets laissés par Fielding avant qu'il ne mette fin à ses jours ont permis d'établir sans doute possible que l'OPA sur l'Obawita, l'année dernière...

– Il y a eu deux OPA sur l'Obawita en comptant la vôtre.

– Je parle de la deuxième, qui a permis à Harkin, Fielding et Campanella de s'emparer de la société. Il semble maintenant clairement établi qu'elle a été finàncée par de l'argent blanchi. Randolph Harkin III jure ses grands dieux qu'il ignorait l'origine des capitaux que Campanella lui a avancés pour qu'il prenne part au raid mais il paraît avoir quelques difficultés à convaincre les autorités américaines de sa bonne foi.

– Passionnant, dit MacArthur. La conséquence de tout cela devrait normalement être une annulation pure et simple de cette OPA. Je me trompe ?

– Probablement pas.

– Et vous, dans tout cela ? Vous avez essayé d'acheter l'Obawita à des gens qui, finalement, n'en étaient pas les propriétaires. En toute bonne foi, bien entendu.

– On va rembourser les sommes que mes associés et moi avions investies dans notre offre d'achat. Et nos frais.

– Sur les biens de Harkin, Campanella et consort qui ont été saisis. Je comprends. En somme, votre OPA aussi est annulée.

– Voilà. Avec quelques autres petites conséquences. Vous vous souvenez de cette jeune femme qui m'a accompagné quand je suis venu vous rendre visite, par hasard, dans votre île ?

– Qui oublierait une aussi jolie fille ?

– Elle et sa famille tenaient beaucoup à l'un des actifs de l'Obawita. Quelques milliers d'hectares de forêt et une scierie au fin fond de l'Ontario. Une famille Mac-Guildy avait acheté ce lopin de terre à Campanella. Aux dernières nouvelles, les MacGuildy seraient disposés à revendre au plus tôt, et quasiment à n'importe quel prix. Ils ne souhaitent pas être mêlés à des affaires de blanchiment d'argent de la drogue, semble-t-il.

– Quelqu'un a dû leur conseiller de se retirer de l'affaire sous peine d'y être impliqués.

– Ce n'est pas impossible, dit Gantry. Il se peut aussi qu'ils aient été soumis à quelques pressions, tant du gouvernement canadien que de certains investisseurs privés. Leur propre société n'était pas à l'abri d'une OPA un peu brutale. Mac, il y a aussi les événements récents concernant une certaine Yellowhead and Star.

– J'ai également lu quelques articles sur le sujet dans le *Wall Street Journal*. L'activité est décidément intense sur le front des OPA par les temps qui courent. Rappelez-moi donc où en sont les choses.

– Les deux promoteurs de l'OPA sur la Yellowhead s'appellent Edward Nessim Chadé et Francis Soler. Chadé a eu de très gros ennuis. Il s'était bien imprudemment engagé à surpayer les titres de la Yellowhead, et ses bailleurs de fonds européens ont fermé le robinet.

– Il n'a pas pu maintenir son offre?

– Non. Un véritable effondrement. Et son associé, Soler, a préféré se retirer lui aussi. En payant les frais.

– Je connais Adam Roarke. Sa victoire me fait plaisir.

Debout au seuil de la terrasse, Gantry se retourna lentement et son regard vint pour la première fois croiser celui de MacArthur. Un regard glacé. Il y eut un silence. Gantry passa sur la terrasse.

Fin du premier round, Mac. Un round qui n'était que d'observation. Le match va véritablement commencer à présent.

Gantry dut parcourir toute la longueur de la terrasse en L, car il réapparut sur la droite de MacArthur. Il tenait toujours son verre, auquel il n'avait pas touché.

– Mac, il y avait combien de Fourmis dans les listes que nous avons dressées?

– Comment pourrais-je répondre à une question pareille?

– Vous pourriez y répondre cent fois mieux que

546

Laudegger n'aurait pu le faire. Personnellement, j'estime que la marge d'erreur dans l'établissement de cette liste d'hommes et de femmes mêlés de près ou de loin au blanchiment de l'argent de la drogue est de quinze pour cent.

Tes détectives, tes avocats, tes ordinateurs et toi, Gantry, avez accompli un travail que je n'aurais jamais cru possible. Tous les noms sont bons, Gantry, dans ta foutue liste. Tous! Mais, naturellement, je ne le reconnaîtrai jamais. Nom de Dieu! Pourquoi crois-tu que j'aie sacrifié Fielding et Campanella (qui, soit dit en passant, a déjà changé d'identité et vient de s'installer au Paraguay), sacrifié autant d'argent et détruit tout ce que Bill Laudegger s'était donné tant de mal à construire?

Et le fait que mon propre nom ne figure pas sur ta liste ne m'a pas rassuré; crois-le bien.

– Jonathan, dit MacArthur, notre conversation prend un tour des plus surprenants. Nous bavardons très agréablement entre amis. Est-il bien utile de, comment dire? de nous lancer au visage des remarques personnelles?

Le regard dur de Gantry passa sur lui, s'écarta.

– D'accord, Mac. Disons qu'une certaine liste a convaincu quelqu'un, que nous appellerons Jones, de sacrifier une partie d'un formidable réseau, à la façon dont on ampute un corps de ses parties gangrenées.

– Notre conversation redevient agréable et amusante, dit MacArthur. Et qu'est-ce que ce Jones a fait d'autres?

– Il a notamment empêché l'exécution des quelques personnes qui avaient établi cette liste. Il a jugé que la mort des auteurs de la liste risquait d'être plus dangereuse encore que leur survie. Il s'est dit qu'il pouvait peut-être monnayer la suspension de la sentence de mort contre la non-publication de la liste.

– Ce Jones doit être très important s'il peut contrôler un réseau aussi formidable que celui dont vous parlez.

– Il l'est devenu. Son histoire est peu banale. À ses débuts, ou il y a encore sept ou huit ans, il n'aurait sans doute pas fait de mal à une mouche ni commis le moindre délit. Ne parlons même pas d'un crime. Surtout d'un crime aussi ignoble que celui qui consiste à aider à l'empoisonnement de millions de gosses dans le monde entier. Jones, pendant les trente ou trente-cinq premières années de sa vie, était un homme très doux, très attachant. Supérieurement intelligent mais sans le savoir vraiment. Ou ne faisant pas usage de cette intelligence hors du commun.

Gantry pénétra à nouveau dans le salon et s'arrêta un instant devant la petite table sur laquelle était posé un portrait de l'écrivain Graham Greene.

– Et puis, pour une raison que je devine, Jones a soudain été saisi par la débauche. Son intelligence lui a permis de se trouver les meilleures justifications possibles. D'abord pour accepter l'argent qu'on lui offrait. Ensuite pour se laisser aller à son ambition. Il est devenu orgueilleux; il s'est complu à se donner des preuves toujours renouvelées de ses facultés supérieures; il s'est mis sous la coupe de gens pour qui il éprouvait certainement le plus grand mépris.

– Par une sorte de masochisme, peut-être?

– Je le crois. Ou peut-être parce qu'il avait déjà pressenti qu'il pourrait se jouer de ces gens, en devenir le grand manipulateur.

– Et il y est arrivé?

– Oui. À la faveur notamment de certains événements extérieurs. Mais peut-être avait-il prévu que ces événements se produiraient tôt ou tard. Il aura parfaitement analysé l'arrogance imbécile et cruelle de ses employeurs et il aura déduit qu'elle les conduirait fatalement à la catastrophe.

– Et vous avez parié sur la réussite de Jones.

– Je n'avais pas le choix. C'était ma seule chance. J'ai eu de l'amitié pour Jones. Je n'en ai plus. Mépris serait encore un mot trop faible pour exprimer ce que j'éprouve à son encontre. Mais, pourtant, j'ai espéré sa réussite. Ma vie en dépendait, et surtout d'autres vies, qui, à mes yeux, comptent encore plus que la mienne.

– C'est vraiment une histoire étonnante, dit MacArthur, extraordinairement soulagé que, en cette seconde même, le regard de Gantry ne fût pas sur lui. Il ruisselait de sueur, au bord de la nausée.

– Et quelle est la puissance de ce réseau dont votre Jones se serait assuré le contrôle? Le trafic mondial de la drogue?

– Jones ne s'occupe que de l'argent. Dont il préfère feindre d'ignorer la provenance. Il doit gérer dans les cinq cents milliards de dollars au moins. Dans des conditions telles que nul autre que lui ne pourrait débrouiller les mécanismes qu'il a conçus. Personne ne pourrait lui succéder ni l'évincer. Il a pris toutes les précautions contre un tel danger. Il est invulnérable. Le seul risque qu'il court, à la rigueur, est une réaction passionnelle, stupide et suicidaire, de l'un de ces hommes pour lesquels il a travaillé au début avant de prendre barre sur eux. Je suis même allé jusqu'à supposer que ces hommes disposaient de leur Beria personnel, un exécuteur suprême des hautes œuvres, une arme absolue.

– Dont Jones se serait également assuré le contrôle?

– Oui.

– Vous avez une imagination fertile, Jonathan.

Gantry hocha la tête. Il passa dans la chambre, dont le lit avait été fait – il était dans les onze heures et demie. La femme de chambre thaïe, si gracieuse et si merveilleusement souriante, avait, à son habitude, déposé sur l'oreiller un petit poème très gentil décoré d'une orchidée.

– Il y a pour Jones un danger que vous semblez négliger, Jonathan.

Gantry réapparut.

– La police, Mac? Toutes les polices du monde? Soixante-sept nations ont signé une sorte de pacte pour lutter contre le trafic de la drogue, et plus particulièrement contre le blanchiment de l'argent de la drogue. Les sept pays les plus riches du monde ont récemment déclaré que cette lutte devenait prioritaire et capitale. Qu'en pensez-vous?

– C'est à Jones qu'il faudrait poser la question, lui qui est si intelligent.

– Je vous la pose, dit Gantry.

– Je ferai de mon mieux pour y répondre, quoique n'étant évidemment pas aussi brillant que votre Jones. Jonathan, vous avez une idée du nombre de transactions enregistrées chaque année par le Chips?

– Je ne suis pas financier, Mac. J'ignore ce que c'est que le Chips.

– Le *Clearing House Interbank Payment System*. Il contrôle tous les transferts interbancaires américains. En 1988, par exemple, il a dénombré près de quatre millions d'opérations de transfert, pour un montant total de cent soixante-cinq milliards de dollars.

– C'est vertigineux, en effet, remarqua Gantry de sa voix nonchalante.

– Autre chiffre. Celui des échanges quotidiens entre les États-Unis et le reste du monde, dans les deux sens. Son montant, à votre avis?

– Je ne sais pas.

– Six cent quinze milliards de dollars. Par jour, Jonathan. Par jour. Et cela sans compter les échanges entre tous les autres pays de la planète, en différentes devises. Rechercher Jones dans cet océan, retrouver sa piste, me semble totalement irréaliste. D'autant que votre Jones a disposé de plusieurs années pour effacer ses traces. Sans doute a-t-il inventé aussi des techniques jusqu'alors inconcevables puisqu'il est génial selon vous. Bien entendu, je ne vous parle qu'en tant qu'ancien enseignant devenu aujourd'hui avocat d'affaires. Je ne suis pas un génie, moi. Mais je me suis toujours intéressé à ces choses – en tout cas depuis une dizaine d'années. Voulez-vous un autre chiffre très éloquent?

Gantry lui tournait le dos, *Dieu merci!*

– Jonathan, des études en laboratoire ont révélé que douze milliards des billets de banque émis par le Trésor américain, représentant au total deux cent trente milliards de dollars, portent des traces plus ou moins infinitésimales de cocaïne. Des traces physiques, j'entends.

Au nom du Ciel, Mac, reprends-toi! Tu es au bord de l'effondrement nerveux. Tu vas finir par parler trop!

– Autre chose : le NMLCC, le Centre de contrôle national du blanchiment de l'argent, estime que deux pour cent seulement des capitaux blanchis sont repérés. Il n'est pas interdit de penser que ces deux pour cent sont encore une évaluation très optimiste puisque personne ne connaît au juste le montant de l'argent blanchi. On parle de cent vingt ou cent trente milliards de dollars par an, soit le chiffre d'affaires de la General Motors – considérée comme la première société multinationale du monde. Ce n'est jamais que l'estimation faite par un fonctionnaire, se fondant comme toujours – enfin, il me semble – sur des données incomplètes.

Les ongles de MacArthur étaient presque sur le point de déchirer le tissu du canapé sur lequel il était assis. Il luttait contre lui-même, résistant de toutes ses forces à cet accès de logorrhée, ce besoin incroyable de parler et de parler encore, besoin morbide, fou, qui le tenait. Il s'intima l'ordre de se taire. Envisagea de se resservir à la bouteille de Ricard posée près de lui sur la table mais n'osa pas se fier à ses mains, qui tremblaient trop.

Le silence, enfin.

Et un semblant de maîtrise lui revint.

Gantry reposait son verre, auquel il n'avait toujours pas touché. Il y eut, venant du fleuve qui roulait dans ses eaux épaisses et jaunes des milliers de tonnes de débris fétides, le hurlement de la sirène d'un train de péniches descendant vers la mer et le golfe du Siam.

— Jonathan, vous semblez connaître ce Jones. Pourquoi ne pas le dénoncer?

Pas de réponse.

— Parce qu'il est votre seule protection contre ces hommes pour lesquels, selon vous, il a travaillé et que, maintenant, il contrôlerait? Il est votre sauvegarde, en quelque sorte. Rien n'arrivera, à vous, à ceux que vous aimez, aux parents et amis de ceux que vous aimez aussi longtemps qu'il conservera ce contrôle. Je me trompe, Jonathan?

Pas de réponse.

— Qui plus est, reprit MacArthur, en supposant que vous le désigniez à l'attention du monde entier, que pourriez-vous prouver? Je vous remercie de m'avoir adressé cette liste. Elle m'a intéressé. Je suppose que vous avez pris des dispositions pour que, s'il vous arrivait quelque chose, elle fût publiée, assortie de commentaires et d'accusations, dans la presse internationale. Pour le moment, vous la gardez. Une sorte d'équilibre de la terreur, à l'image de celui qui a régi la paix du monde depuis un bon demi-siècle. Merci de m'avoir pris pour confident. Je saurai me taire, évidemment. Je me demande simplement pourquoi ce Jones vous a dès le début laissé faire. Il aurait pu vous réduire au silence dès le premier jour. Il aurait même pu empêcher que vous vous retrouviez mêlé à l'affaire. Par exemple, en autorisant ses séides, ses tueurs, ses *sicarios*, comme on dit en espagnol, à éliminer cette jeune femme que vous m'avez fait l'honneur de me présenter. Elle morte, vous ne seriez jamais entré en guerre. Vous avez fait ce raisonnement, bien sûr.

– Oui, dit Gantry, avec encore et toujours cette indolence dans le ton, si caractéristique.

– Ce Jones est vraiment très complexe. Pourquoi diable a-t-il fait, en quelque sorte, appel à vous ?

Gantry se retourna, son regard se porta sur l'écran de télévision où Stallone se roulait dans la boue d'une prison en subissant un châtiment sadique.

– Plusieurs explications, dit Gantry. Jones se sera servi de moi pour sa propre ascension, pour se débarrasser de quelqu'un qui le gênait.

– Machiavélique.

Ça va beaucoup mieux, maintenant. Tu es redevenu toi-même. Ce n'est pas passé loin mais tu n'as pas craqué.

– Je crois également possible, poursuivit Gantry, que Jones ait éprouvé un besoin désespéré de faire savoir à quelqu'un dont, à tort ou à raison, il estime l'intelligence et respecte le jugement à quel point il est génial et quel degré de puissance il a atteint.

– Il recherchait un spectateur de choix, quitte à se démasquer en partie ; c'est bien ce que vous voulez dire ? Une sorte d'exhibitionnisme ?

– Oui. Ou bien il aura confusément attendu, espéré, peut-être même sans d'abord en avoir conscience, que ce spectateur, ce témoin privilégié et unique, lui administrerait la punition qu'il sait mériter.

– Espoir déçu, semble-t-il. Sauf si vous preniez le risque fou de vous acharner à faire punir Jones.

– Ou bien encore, dit Gantry avec toutes les apparences d'une totale indifférence, il aura voulu tester ses défenses. S'assurer que même le Fou de Bassan, pour qui il éprouve de la considération, voire une espèce d'amitié bizarre, ne pouvait les entamer.

– Vous pensez qu'il a dès le début deviné votre, disons votre stratégie, et la façon dont vous alliez vous servir de lui et de son étrange caractère pour vous sauver ?

– Au début, je l'ignore. Mais je crois, qu'il a en effet

deviné ma stratégie depuis pas mal de temps. Et il a accepté de se laisser manœuvrer.

– Ce Jones est vraiment un drôle d'oiseau, lui aussi. Et il me semble clair que vous n'êtes pas moins intelligent que lui. C'est curieux, Jonathan. À un certain niveau d'intelligence, là où il n'y a plus grand monde, de surprenantes connivences s'établissent. Comme entre des alpinistes qui seraient parvenus au sommet d'une montagne inaccessible au commun des mortels.

– Aucune connivence entre Jones et moi. Pas la moindre. Je n'en voudrais à aucun prix. Jones et ses acolytes ont un point commun avec Kay Crock, le fondateur de Mac Donald. Crock a inondé l'Amérique de hamburgers. Il a permis à tous, même aux plus défavorisés, de s'offrir ce sacro-saint symbole de la détente, de la sortie en famille, d'une certaine forme de réconfort. Jones et sa bande, eux, s'occupent des mêmes consommateurs, du même public, mais avec le *crack*. Ils leur fournissent le moyen accessible et pas cher de se détruire, de sombrer dans la violence et la maladie. Six Américains en meurent chaque jour. Alors, ne me comparez pas à Jones. C'est un cavalier de l'Apocalypse.

Les mots avaient jailli, brisant la nonchalance affectée de Gantry, et, pour la deuxième fois, il fixa MacArthur.

Mac, tu viens de réussir ce qui n'est pas donné au premier venu. Tu as mis le Fou de Bassan hors de lui. Il a envie de te tuer. De te prendre à la gorge, de te soulever (et il serait capable de le faire d'une seule main) et de te jeter par la fenêtre. Tu vas peut être t'écraser bientôt au bord de la plus petite des deux piscines de l'Oriental. Et il a raison : tu cherches inconsciemment à te faire tuer, à être puni.

Immobilité.

Gantry bougea, mais pour se diriger vers la porte. Après trois ou quatre pas, cependant, il s'immobilisa à nouveau.

De sa voix redevenue nonchalante, il dit :

– Je ne crois malheureusement pas au châtiment divin, MacArthur. Dieu sait pourtant que je le souhaite. Je vous souhaite tous les malheurs du monde, j'espère que vous souffrirez énormément.

– Bonne nuit, Jonathan, dit MacArthur

– Je ne vais plus tarder, Letty. Il est dix heures du matin ici. Mon avion décolle à dix-sept heures trente. À Paris, je prendrai un vol pour Londres, et à Londres, j'ai une correspondance pour Nassau, où Jake viendra me chercher. À moins que tu ne veuilles venir à ma rencontre ?

– Nous allons t'attendre à la maison.

La voix de Letty était calme comme d'habitude.

– Je suis vraiment heureux de rentrer, ma chérie. Ça m'a paru très long, cette fois. Je me suis arrangé; nous allons passer davantage de temps ensemble désormais.

– J'en suis contente.

– Je t'embrasse très fort.

– Moi aussi.

Il chercha quelque chose à ajouter. Ne trouva rien. D'ailleurs, Letty avait raccroché la première.

Il reposa à son tour le récepteur et quitta la suite.

Une limousine l'attendait dehors pour le conduire à son avant-dernier rendez-vous, à Bangkok, puis à un déjeuner qu'il n'avait pu refuser. Mais le général et les hommes d'affaires qui avaient insisté pour l'avoir avec eux allaient mettre à sa disposition un hélicoptère afin qu'il pût gagner l'aéroport à temps, dès la fin du repas – les repas, en Asie, étaient toujours interminables.

Il s'installa à l'arrière de la Cadillac, salué par tout le personnel de l'hôtel – concierge, voituriers... Il leur distribua de généreux pourboires. « *Je me suis arrangé, Letty; nous allons passer plus de temps ensemble désormais.* » C'était vrai. La mort de Laudegger et les dispositions qu'il avait prises pour assurer la succession de ce pauvre imbécile allaient enfin lui permettre d'avoir davantage de loisirs. D'ailleurs, il était possible que les événements de Colombie ralentissent un peu le flot de l'argent à blanchir, et donc à investir. Le Plan d'ensemble était en très bonne voie ; c'était le moment ou jamais de prendre des vacances.

Quinze grands jours au moins à passer avec Letty et les filles. Dans l'île des Caïques ou ailleurs. Letty déciderait.

Pendant le déjeuner, il peina à discuter affaires. Puis l'hélicoptère de l'armée, toute-puissante en Thaïlande, l'emporta. Il arriva à temps pour embarquer sur le vol d'Air France. On lui avait réservé sa place préférée, au troisième rang, coin fenêtre à droite, en première classe. Le siège à sa gauche était vide, bien que toutes les autres places fussent occupées. Il but le traditionnel verre de champagne.

Le Sicaire vint s'installer près de lui juste avant la fermeture des portes.

— Je descendrai en cours de route. Que vous a raconté Gantry ?

— En gros, qu'il ne m'attaquera pas si je ne l'attaque pas.

MacArthur feignit de chercher quelque chose sous son siège et se leva. Il y avait deux hommes qui semblaient dormir dans les deux fauteuils de la travée numéro quatre et un couple d'une trentaine d'années qui regardait le film, écouteurs aux oreilles, sur les sièges de la deuxième rangée.

— Pas de nervosité, Mac. Les deux hommes derrière nous sont à moi et ils ne comprennent que l'espagnol et le chinois.

MacArthur se rassit.

— Vous allez me tuer, Matamoros ?

— Vous pouvez m'appeler Ewan. Personne ne m'a

plus appelé ainsi depuis 1972. Vous savez où j'ai caché Amy ?

— Non.

— Vous me le diriez si vous le saviez ?

— Non, dit MacArthur en souriant.

— J'ai été à deux doigts de venir directement vous massacrer, votre famille et vous, à mon retour du Sarawak. Mais *eux* m'auraient tué ensuite. Et il n'y aurait plus eu personne pour s'occuper de ma fille. Vous pouvez comprendre ça ?

— Sans trop de mal.

— Vous *leur* avez révélé qui j'étais ?

— Non.

— *Ils* l'ont toujours ignoré. Vous êtes le seul à le savoir. Il va falloir que je m'habitue à cette idée. Je commence à y arriver.

— Très bien.

— À un millième de seconde près, je tuais la fille puis Gantry et ses Ibans. Rien n'aurait pu m'arrêter sauf le nom d'Amy. Parlons d'autre chose. J'ai réfléchi à notre conversation de l'autre jour, au Brésil. Vous avez prévu le cas où *ils* seraient battus — par le gouvernement ou par n'importe qui d'autre —, n'est-ce pas ?

Voici les questions qu'il aurait déjà dû me poser pendant que nous faisions les acrobaties au-dessus du Nord-Est brésilien. Je pourrais choisir de ne plus y répondre à présent.

— Oui, dit MacArthur. Oui; évidemment.

— Et que se passerait-il ?

— D'autres les remplaceraient. Moins centralisateurs, dirais-je. Moins monopolistes. Le résultat serait sensiblement le même en ce qui concerne le commerce.

— Mais, pour vous, il serait très différent.

— Ces autres hommes seraient aussi obligés de passer par moi.

Ewan Garrett hocha la tête et alluma une cigarette.

— Je crois que vous ne mettriez pas longtemps à les

convaincre que vous êtes irremplaçable, en effet. Et pour moi ?

MacArthur reprit du champagne. Il se sentait vaguement gris, mais certainement pas ivre. De sa vie, il n'avait jamais bu assez pour perdre le contrôle de lui-même.

– Je vois, dit Garrett. Il semble évident que je vais entièrement dépendre de vous désormais.

– J'accepte votre offre de service, Ewan. Nous nous entendrons sûrement très bien. Vous devriez boire un peu de champagne, vous aussi.

– Je ne bois jamais. Et s'*ils* restent en place ?

– Je serai toujours là.

Et MacArthur pensa : *Je serai toujours là mais rien ne m'empêche de faire en sorte qu'ils dépendent de moi, eux aussi, tout autant que le Sicaire, qui est maintenant à mes ordres. Rien ne m'empêche non plus de pousser un tout petit peu à la roue pour que leur effondrement s'accélère. Je ne sais pas. Je verrai. Au moins présentent-ils cet avantage, pour moi, d'avoir organisé et de bien tenir le marché. Avec eux, je sais où je vais et je peux calculer en gros les recettes à venir. Avec d'autres, qui les remplaceraient, mes certitudes seraient moins grandes quoique ces successeurs seraient plus faciles à contrôler ; il y a du pour et du contre.*

Une autre solution serait (c'est une idée originale) de suggérer au gouvernement américain et à tous les gouvernements intéressés de faire d'eux des sortes de gendarmes de la drogue. Ils continueraient de la collecter, avec les méthodes douces et délicates qui leur sont si personnelles, mais, au lieu de l'acheminer sur les points de vente, ils en négocieraient l'achat par lesdits gouvernements, qui pourraient la brûler ou en faire cadeau aux poissons du Pacifique. Comment s'appelait déjà ce voleur français qu'on a fini par nommer chef de la police, en partant du principe que, pour attraper un bandit, rien ne vaut un autre bandit ? Ah ! Oui ! Vidocq. Je pourrais faire d'eux des Vidocq latino-américains. Je serais même disposé à servir d'intermédiaire entre eux et les gouvernements. Appelez-moi Kissinger.

Tu commences à être presque bourré, Mac. Si tu arrêtais de boire ?

D'accord. Il sourit au Sicaire, assis à sa gauche, qui, bien sûr, était tout à fait capable d'être monté à bord dans le seul but de l'exécuter, malgré ses protestations d'allégeance. C'eût été assez dans le style du personnage que d'apaiser sa future victime avant de la tuer.

Je ne crois pas. On verra bien.

Il résuma ses réflexions des jours derniers. En somme, il y avait quatre cas de figure possibles.

Ils restaient en place, plus ou moins atteints, et lui, MacArthur, les tenait dans le creux de sa main.

Ils étaient remplacés par d'autres, encore plus abrutis (avec pour conséquence un éparpillement du marché). Certains de ces successeurs l'emportaient sur leurs concurrents et devenaient à leur tour des dieux de pierre – c'était dans l'ordre naturel des choses. Ceux-là aussi, il finissait par les tenir.

On parvenait à une éradication totale des trafiquants de drogue (probablement plus claironnée que réelle), assortie d'une sorte de plan Marshall 2 destiné à compenser les pertes subies par les agriculteurs sud-américains (boliviens, péruviens et colombiens surtout) du fait de la suppression de leur ressource ordinaire. Et lui, MacArthur, était le premier à bénéficier de ce plan Marshall, puisqu'il possédait une bonne moitié de tout ce qui vaut d'être acheté en Amérique du Sud.

On proclamait l'amnistie et on transformait les dieux de pierre en incorruptibles chasseurs de drogue. Outre que cette dernière solution lui semblait complètement utopique (mais, après tout, le président Carter avait pensé à quelque chose de ce genre à propos des fournisseurs d'héroïne dans le Triangle d'Or), elle était aussi celle qui le coupait de tous ses revenus à venir. Ce qui n'était pas si tragique. Il n'avait pas les cinq cent milliards dont parlait Gantry, mais tout de même quatre cents et quelques. Il avait de quoi tenir.

Ce n'était pas le champagne; il se sentait réellement euphorique.

Ils n'ont qu'une seule façon de t'arrêter, Mac : stopper immédiatement tous les échanges financiers internationaux, quelle qu'en soit la nature, et placer un policier (incorruptible) derrière chaque financier de la planète.

Ce n'est pas demain la veille.

Le Sicaire descendit à l'escale de Delhi. Et les deux dormeurs de la travée quatre avec lui.

Il appela, ou, plus exactement, essaya d'appeler Letty depuis l'aéroport de Londres. En vain. Des perturbations atmosphériques, sûrement; c'était déjà arrivé.

À Nassau, Jake l'attendait. Il se trouvait là depuis la veille, il avait mal compris les instructions qui lui avaient été données et pensait que MacArthur débarquerait vingt-quatre heures plus tôt. L'hydravion décolla gracieusement.

— Pas de problème pour moi, répondit MacArthur à la question de son pilote. Vous pouvez prendre vos dix jours. Je m'arrangerai autrement si je dois voyager. Vous emmenez votre femme et les gosses?

Jake dit qu'ils avaient déjà quitté l'île pour Miami, d'où toute la famille s'envolerait pour l'Italie – Jake était d'origine italienne et avait des cousins et des oncles dans la région de Mantoue.

— Mais, si vous avez vraiment besoin de moi, monsieur, n'hésitez pas à m'appeler. J'arrive dès le lendemain.

— Profitez donc de vos vacances. J'ai moi aussi l'intention d'en prendre.

Il y eut l'amerrissage habituel, l'habituelle petite promenade en canot jusqu'à la plage. MacArthur mit pied à terre.

– Letty? Je suis là.

L'absence des filles, surtout, l'étonna... Il prit le temps de ramasser les innombrables cadeaux qu'il avait rapportés, et, plus il en ramassait, plus il en tombait de ses bras. C'était grotesque! *Je suis grotesque dans mon costume tropical tout froissé par vingt-neuf heures de voyage. Je vais prendre une douche. Elle viendra m'y rejoindre et...*

– Letty?

Il riait, toujours aussi euphorique, et se moquait de sa maladresse, qui devenait...

Il se retourna et fixa l'hydravion, que Jake manœuvrait pour pouvoir repartir vers Miami. *Oh! non!* Les coïncidences le frappèrent d'un coup : la liaison radiotéléphonique impossible à établir, la famille de Jake absente depuis deux jours, Jake lui-même en attente à Nassau depuis la veille...

Et ce silence, cet oppressant sentiment de vide, d'abandon. Il se mit à courir, éparpillant dans sa course les cadeaux sur le sable.

Pas un seul, pas une seule domestique.

– Letty!

La première des filles était couchée sur son lit. Un peu de sang avait coulé de la tempe où les deux balles étaient entrées.

Les deux autres cadavres d'enfants, eux aussi allongés sur leurs lits, avaient l'attitude de dormeurs surpris par la mort.

Il ressortit. Il savait déjà ce qu'il allait trouver.

La carabine dont elle s'était servie pour tuer les filles était soigneusement rangée sur une commode. À moins d'un mètre des pieds de Letty, pendue à une solive. Et, partout dans la chambre, alignés, pliés en sorte qu'on pût y lire les titres des articles consacrés à l'affaire colombienne, des journaux et des revues. Avec, terribles, des photos d'adolescents victimes du *crack*. La télévision marchait encore ; l'un des journalistes de CNN expliquait les menaces qui pesaient sur la vie du ministre colombien de la Justice, sur ses enfants.

Letty était horrible à voir. Le message manuscrit, calligraphié de sa merveilleuse petite écriture, si précise et si régulière, disait : « *Ne demande pas pourquoi, Jimmy. Tu le sais.* »

L'avant-veille de Noël, Zénaïde avait quitté New York et pris la route de Missikami. À sa seizième tentative, Marty Khan avait fini par renoncer à la convaincre de rester à Manhattan pour y passer les fêtes avec lui. Même le serment solennel qu'il avait fait sur la tête de sa mère de la prendre comme associée dès l'année suivante – peut-être pas en janvier ni en février ni en mars, mais en juillet, au plus tard en septembre –, même ce serment l'avait laissée de marbre. Elle passait Noël avec grand-père Gagnon à Missikami. Point final! Tabernacle! Elle avait travaillé comme une folle depuis que Marty l'avait engagée, et un Noël ça se passait à Missikami ou nulle part.

Elle était donc arrivée à Missikami et avait trouvé ses crêpes préparées, toutes chaudes, dégoulinantes de sirop d'érable exactement comme il fallait, et ç'avait été un bonheur incroyable d'être là, un an, presque jour pour jour, après que tout avait commencé. Et tout était fini, enfin.

Elle avait patiné sur le lac et y avait pris le même plaisir fou qu'avant. À Laviolette près. Laviolette ne la poursuivait plus pour la sauter. Ce crétin géant s'était trouvé une julie. Pas trop repoussante bien qu'étrangère – elle était de Chicoutimi; *tu traverses les Laurentides en venant de Québec et tu tombes pile dessus le patelin.*

Être à Missikami sans Laviolette pour lui courir au derrière, c'était nouveau.

– Les traditions se perdent, dit grand-père Gagnon.

Qui avait un air entre deux airs. Elle trouva ça un peu bizarre. Elle demanda :

– Il y a quelque chose que je devrais savoir et que je ne sais pas ?

– Je ne vois pas du tout de quoi tu parles, petite. Va donc prendre ta douche. Tu as des couleurs, on dirait une aurore boréale !

Il tirait sur sa pipe alors qu'il ne fumait plus depuis trois ans. Ça puait la pipe, en tout cas. Dans la mémoire de Zénaïde revint le souvenir de l'air entre deux airs qu'avaient aussi les tribus Laviolette, Decharme et Gagnon, quelques instants plus tôt, au moment où elle avait quitté la surface gelée du lac et ôté ses patins.

– Grand-père ?

– Va prendre ta douche.

– Je voudrais quand même...

Il avait toujours une sacrée force pour son âge. Il la souleva par le col et la propulsa vers la salle de douche lambrissée de bois, qui fleurait bon. Partagée entre un fou rire de bonheur et une petite exaspération, elle se déshabilla et se mit sous l'eau chaude. Elle passa dans sa chambre, nue comme la main, nouant une serviette éponge autour de sa tête.

– Pour me rincer l'œil, dit Gantry, je me le rince.

J'aurais dû comprendre que c'était quelque chose comme ça, à voir la tête d'abruti qu'ils faisaient tous.

– Fiche-moi le camp, Gantry.

– Ça va ? Tu as perdu tout ton bronzage.

– D'abord, je suis fiancée à Marty Khan.

– Mon œil. J'ai dîné hier soir avec lui à New York. Habille-toi, on s'en va.

– Ha ! dit Zénaïde avec un fort ricanement. Le type qui me fera aller où je ne veux pas aller n'est pas encore né !

– Tu l'as devant toi, Gagnon.

Elle prit le temps d'enfiler sa culotte. Elle la choisit rouge, sachant qu'il aimait le contraste entre cette couleur et sa peau mais feignant bien sûr de ne pas s'en souvenir et d'avoir choisi le rouge comme elle eût choisi un vert anthracite ou un bleu cerise.

Ensuite, elle frappa. De toutes ses forces. Gantry reçut le coup sur la lèvre, qui se fendit et saigna. Il riposta par un crochet à l'estomac qui la souleva et l'expédia sur le lit. Il ralluma sa pipe.

– J'attends depuis le 2 août dernier. Ça commence à bien faire, Gagnon. Je t'ai fait mal?

– Moins que je t'ai fait mal, à toi.

Il sourit.

– Sur ce point-là, d'accord. Et je ne parle pas de ma lèvre.

– Moi non plus.

– Tu m'as fait très mal. Tu veux t'habiller, s'il te plaît?

– Sinon?

– Je te roule dans deux couvertures et je t'emporte. Ton grand-père a déjà fait tes valises. D'ailleurs, là où nous allons, tu n'auras besoin que d'une culotte.

Il la roula bel et bien dans deux couvertures et l'emporta sur son épaule.

– J'ai mis ta valise dans la voiture, dit grand-père Gagnon au passage. Je t'ai mis aussi quelques crêpes. Pour le voyage.

– Sale traître pourri. Bon Noël, grand-père.

– Bon Noël, petite. Gantry, à votre place, je l'assommerais. Elle est capable de vous faire des ennuis dans la voiture.

– Je ne vais pas m'en priver, dit Gantry. Bon Noël, monsieur. Je suis très content de vous avoir connu.

– Et moi donc, dit grand-père. Je commençais à désespérer d'être un jour débarrassé de cette grande bringue qui me bouffe toutes mes crêpes. Et merci pour tout.

– Merci pour quoi, nom de Dieu? demanda Zénaïde.

Dehors, les Laviolette, les Decharme et les Gagnon faisaient la double haie comme pour le passage du tour de France. Alex et d'autres remercièrent Gantry. Qui sourit pour toute réponse et rentra la tête dans les épaules pour éviter d'être tout à fait étranglé par Zénaïde. Elle essaya de lui attraper les chenolles pour les lui tordre mais il resserra si puissamment son étreinte autour de sa taille qu'elle crut un moment avoir les reins brisés.

Laviolette marchait à côté d'eux. Sans rien entreprendre du tout, cet ahuri!

– Je vous aurais bien accompagnés un bout de chemin, dit-il à Gantry, mais il faut que j'aille faire mon footing. Ce doit être toutes ces dindes que j'ai mangées; je me sens un peu lourd. Tu veux que je vous aide à la tenir?

– Je m'en tire très bien. Viens nous voir quand tu veux, François-Xavier. Nous essaierons d'assister à ton mariage, Zénaïde et moi.

– Zénaïde vous emmerde tous, tant que vous êtes, dit Zénaïde, en train de tenter de défaire la ceinture du pantalon de Gantry pour le lui faire perdre et l'obliger à s'arrêter. Elle fut projetée dans la voiture et Gantry s'assit sur elle, devant tout Missikami rassemblé autour du véhicule et hurlant de rire.

– Bande de chiens! hurla Zénaïde. Salut, Pat.

– Bonjour, Zénaïde, dit Pat Hennessey, qui était au volant en compagnie du Babu. Bon Noël.

– Joyeux Noël à toi aussi, Babu, dit Zénaïde.

– Joyeux Noël, dit le Babu, qui rigolait tellement qu'il en pleurait – mains devant la bouche, par politesse.

– C'est le dernier Noël que tu vis, Gantry, dit Zénaïde. Tu seras mort avant Pâques.

– Ce qui nous laisse du temps, dit Gantry. En route, Pat. Zénaïde, ce que tu es en train de mordre n'est pas ce que tu crois que tu mords. C'est un vieux blouson en cuir que je traîne depuis l'université.

Ils ne s'arrêtèrent que deux fois en cours de route. Un coup pour prendre de l'essence et un coup pour démêler Zénaïde et Gantry qui, à force de se battre, étaient restés coincés entre les sièges avant et arrière. À Montréal, tandis qu'ils passaient sur le boulevard Lasalle, un sergent de ville s'approcha, intrigué par ces trois hommes en costume de marin dont l'un portait ce qui semblait bien être une grande fille nue enroulée dans des couvertures et gesticulant comme un sémaphore.

– Qu'est ce qui se passe ici?

– Rien de spécial, pourquoi? dit Gantry.

L'agent fit le tour de Gantry et découvrit le visage de Zénaïde. Il demanda :

– Vous êtes sûre que tout va bien, madame?

– Mêlez-vous donc de vos affaires, espèce de sale flic abruti par l'alcool! dit Zénaïde.

– C'est un cadeau de Noël qu'on m'a fait, expliqua Gantry au policier. On ne me l'a pas emballé, c'est tout.

La jonque était là, à l'amarre. La même jonque, exactement. C'était fou de la retrouver là, sur le Saint-Laurent encombré de ses glaces – mais navigable toutefois.

– Je te préviens, Gantry. Je ne resterai pas à bord de ta saloperie de jonque. Je sauterai à la mer à la première occasion. Ou même avant. Joyeux Noël, Tony.

– Joyeux Noël, Zénaïde, répondit Anthony Beardsley, qui était accompagné de sa femme (comme Pat Hennessey et le Babu, d'ailleurs). Bienvenue à bord.

Il y avait aussi des Ibans, mais complètement frigorifiés, les pauvres!

– C'est une honte de traîner ces pauvres diables sous des latitudes pareilles.

— Tu aurais été balinaise, ça m'aurait fait moins loin pour venir.

Il la jeta sur le lit, dans sa grande cabine, encore plus jolie que la précédente.

— Et, tant qu'à faire construire une autre jonque, tu aurais pu faire faire le lit plus grand, Gantry.

— Je tiens à te garder sous la main, Gagnon.

Il y eut le frémissement de toutes les membrures du navire, le grondement des moteurs annonçant l'appareillage.

— Et pourquoi te disaient-ils tous merci, à Missikami, grand-père le premier?

— Pour rien.

— C'est-à-dire?

— Pour rien, je te dis.

— C'est toi qui as racheté Missikami?

— Non.

— Alors, qui?

— Les Laviolette, les Decharme et les Gagnon.

— Je n'ai rien signé.

— Ça peut attendre.

Il avait fermé la porte de la cabine à clé et jeté la clé dans la coursive par l'espèce de jalousie ouverte dans le battant. Il entreprit de se déshabiller.

— Tu as une idée derrière la tête, Gantry?

— La même que la tienne. Depuis le 27 juillet, une heure cinquante-trois du matin, sur un matelas de latex, dans un bilek, au bord du rajang, au Sarawak.

— Et nous allons en sortir comment, de cette cabine, maintenant que tu as jeté la clé?

— Nous n'en sortirons pas avant le cap de Bonne Espérance. Minimum.

— N'espère pas me sauter. Tu n'as pas la moindre chance.

Il se penchait sur elle. Elle rejeta les deux couvertures de grand-père et lui enserra la taille de ses jambes.

— Approche-toi, dit-elle.

Elle lécha très doucement la blessure qu'elle lui avait faite à la lèvre. Il demanda :

– Et moi, je n'ai pas frappé trop fort ?

– Avec Laviolette, j'en ai vu d'autres. Oh ! mon Dieu, Jonathan ! Ce que...

Elle s'interrompit, foudroyée. *Tu l'as appelé Jonathan. Tabernacle !*

– Tu m'as appelé Jonathan, dit Gantry.

– Qui ça ?

– Toi.

– Moi ? Je t'ai appelé Jonathan ? Tu rêves ? Tu prends tes désirs pour des réalités !

Elle se laissa allonger, ferma les yeux, submergée de bonheur.

– Je t'assure, Zénaïde, que tu m'as appelé Jonathan.

– Articule, je n'entends rien.

Elle gémit.

Un moment plus tard, elle dit :

– Le jour où je t'appellerai Jonathan, il fera nettement plus chaud qu'aujourd'hui.

– Mmmm, dit Gantry, occupé à autre chose.

– Tu entends, Jonathan ?

– Non, dit Gantry.

Elle s'étira, béate.

– C'est égal. Tu ne t'es pas trop pressé de venir me chercher.

Sitôt sorti du Saint-Laurent, le *Fou de Bassan IV* fit voile plein sud. Et la chaleur ne tarda guère à venir.

En Colombie, *là-bas*, il pleuvait.

DU MÊME AUTEUR

MONEY, Denoël, 1980.
CASH, Denoël, 1981, *Prix du Livre de l'été 1981*.
FORTUNE, Denoël, 1982.
LE ROI VERT, Édition° 1/Stock, 1983.
POPOV, Édition° 1/Olivier Orban, 1984.
CIMBALI DUEL À DALLAS, Édition° 1, 1985.
HANNAH, Édition° 1/Stock, 1985.
L'IMPÉRATRICE, Édition° 1/Stock, 1986.
LA FEMME PRESSÉE, Édition° 1/Stock, 1987.
KATE, Édition° 1/Stock, 1988.
LES ROUTES DE PÉKIN, Édition° 1/Stock, 1989.

Dans Le Livre de Poche

Autobiographies, biographies, études...
(Extrait du catalogue)

Arnothy Christine
  J'ai 15 ans et je ne veux pas mourir.
Badinter Elisabeth
  Emilie, Emilie. L'ambition féminine
    au XVIIIe siècle (*vies de Mme du Châtelet, compagne de Voltaire, et de Mme d'Epinay, amie de Grimm*).
Badinter Elisabeth et Robert
  Condorcet.
Baez Joan
  Et une voix pour chanter...
Behr Edouard
  Hiro-Hito, l'empereur ambigu.
Bled Edouard
  J'avais un an en 1900.
Bodard Lucien
  Anne Marie (*vie de la mère de l'auteur*).
Bona Dominique
  Les Yeux noirs (*vie des filles de José Maria de Heredia*).
Borer Alain
  Un sieur Rimbaud.
Bourin Jeanne
  La Dame de Beauté (*vie d'Agnès Sorel*).
  Très sage Héloïse.
Bramly Serge
  Léonard de Vinci.
Bredin Jean-Denis
  Sieyès, la clé de la Révolution française.
Buffet Annabel
  D'amour et d'eau fraîche.
Canetti Elias
  Histoire d'une jeunesse : La Langue sauvée (*1905-1921*).
  Histoire d'une vie : Le Flambeau dans l'oreille (*1921-1931*).
  Histoire d'une vie : Jeux de regard (*1931-1937*).

Carles Emilie
Une soupe aux herbes sauvages.

Černá Jana
Vie de Milena *(L'Amante) (vie de la femme aimée par Kafka).*

Castans Raymond
Marcel Pagnol

Champion Jeanne
Suzanne Valadon ou la recherche de la vérité.
La Hurlevent *(vie d'Emily Brontë).*

Charles-Roux Edmonde
L'Irrégulière *(vie de Coco Chanel).*
Un désir d'Orient *(jeunesse d'Isabelle Eberhardt, 1877-1899).*

Chase-Riboud Barbara
La Virginienne *(vie de la maîtresse de Jefferson).*

Chateaubriand
Mémoires d'outre-tombe, t. 1 à 3.

Chevallier Bernard interroge
L'Abbé Pierre. Emmaüs ou venger l'homme.

Clément Catherine
Vies et légendes de Jacques Lacan.
Claude Lévi-Strauss ou la structure et le malheur.

Contrucci Jean
Emma Calvé, la Diva du siècle.

Darmon Pierre
Gabrielle Perreau, femme adultère *(la plus célèbre affaire d'adultère du siècle de Louis XIV).*

David Catherine
Simone Signoret.

Delbée Anne
Une femme *(vie de Camille Claudel).*

Desanti Dominique
Sacha Guitry, cinquante ans de spectacle.

Deschamps Fanny
Monsieur Folies-Bergère.

Dietrich Marlène
Marlène D.

Dormann Geneviève
Le Roman de Sophie Trébuchet *(vie de la mère de Victor Hugo).*
Amoureuse Colette.

IMPRIMÉ EN FRANCE PAR BRODARD ET TAUPIN
Usine de La Flèche (Sarthe).
LIBRAIRIE GÉNÉRALE FRANÇAISE - 6, rue Pierre-Sarrazin - 75006 Paris.

ISBN : 2 - 253 - 05890 - 4　　　　　　✛ 30/7372/3